Tussen het verlangen van de zomer en de kou van de winter

Leif GW Persson

Tussen het verlangen van de zomer en de kou van de winter

Roman over een misdrijf

vertaald door
Elina van der Heijden & Wiveca Jongeneel

2005
uitgeverij Signature / Utrecht

Europese thrillers van wereldniveau

Speur nu ook op internet
www.signa.nl

© 2002 Leif GW Persson
Published by agreement with Salomonsson Agency.
Oorspronkelijke titel: Mellan sommarens längtan och vinterns köld
Vertaling: Elina van der Heijden en Wiveca Jongeneel, verbonden aan het
Scandinavisch Vertaal- en Informatiebureau Nederland
© 2005 uitgeverij Signature, Utrecht
Alle rechten voorbehouden.

Omslagontwerp: Wil Immink
Typografie: Pre Press B.V., Zeist
Druk- en bindwerk: Koninklijke Wöhrmann, Zutphen

ISBN 90 5672 082 1
NUR 305

Norrgarn voorjaar 2002

Voor de Beer en Mikael

De beste informant is hij die de betekenis van wat
hij heeft verteld niet heeft begrepen.

de Professor

I

Vrij vallen als in een droom

Stockholm in november

Kalle, dertien jaar oud, was degene die Vindeln, vijfenvijftig jaar oud, het leven redde. Zo beschreef Vindeln het in elk geval tijdens het inleidende politieverhoor.

"Als Kalle niet naar boven had gekeken en mij opzij had getrokken, was dat stuk ongeluk recht op mijn kop beland en dan had ik hier nu niet gezeten."

Het was vanaf het eerste begin al een merkwaardig verhaal en wel om drie redenen.

In de eerste plaats was Kalle volstrekt doof aan beide oren. Althans volgens Vindeln, die ervan overtuigd was dat Kalle tegenwoordig alleen nog maar blikken, gebarentaal en lichamelijke aanrakingen begreep. Hij praatte weliswaar meer dan ooit tegen hem, maar dat doe je nu eenmaal als iemand om wie je geeft oud en onhandig wordt, en Vindeln was altijd goed geweest voor Kalle. Het moest er eens bij komen dat het anders was.

In de tweede plaats is het binnen de westerse, empirisch georiënteerde fysica al heel lang een algemeen aanvaard principe dat een vrij vallend voorwerp eerder aankomt dan het geluid dat datzelfde voorwerp door de wrijving met de omringende atmosfeer voortbrengt. Volgens diezelfde fysica zouden er dus helemaal geen geluiden zijn geweest die waargenomen hadden kunnen worden.

In de derde plaats, en dat was het allervreemdste: als Kalle nu toch iets had gehoord, het gevaar had opgemerkt, Vindeln opzij had getrokken en daarmee zijn leven had gered ... Hoe kwam het dan dat hij niet het geluid had gehoord van de linkerschoen van het slachtoffer, die slechts een paar seconden later precies op zijn nek terechtkwam en hem ter plekke doodde?

Vrijdag 22 november

Op vrijdag 22 november kwamen er tussen 19.56 en 20.01 uur via het alarmnummer drie gesprekken binnen bij de centrale meldkamer van de politie in Stockholm.

Het eerste gesprek was afkomstig van een gepensioneerde jurist die het hele voorval tot in het kleinste detail vanaf zijn balkon aan de Valhallavägen 38 had gezien. De jurist stelde zich met zijn naam en titel voor en leek allerminst geschokt. Zijn verhaal was breedsprakig, systematisch ingedeeld en in feite volslagen onzinnig.

Samengevat kwam het erop neer dat een gek, gekleed in een lange zwarte jas en een skimuts met oorkleppen, zojuist een arme hondeneigenaar en diens hond had neergeschoten. Nu liep de gek onsamenhangend schreeuwend in cirkels rond, en de reden dat de jurist bij een temperatuur ver onder het vriespunt op zijn balkon had gestaan, was dat zijn vrouw aan astma leed en dat sigarettenrook de onaangename eigenschap had in de gordijnen te gaan zitten: "Voor het geval u zich afvraagt waarom ik daar stond, inspecteur."

Het tweede gesprek kwam van de taxicentrale. Een van de chauffeurs had een oudere dame op de Valhallavägen 46 opgehaald en toen hij de deur openhield om zijn passagier op de achterbank te helpen, zag hij vanuit zijn ooghoek "een arme stakker die van het dak van die flat viel waar al die studenten wonen". De chauffeur was vijfenveertig en hij was twintig jaar geleden uit Turkije naar Zweden gekomen. Als kind had hij ergere dingen gezien en hij had al vroeg geleerd dat alles zijn tijd en plaats heeft. Daarom riep hij via zijn radio de centrale op, vertelde wat hij had gezien en verzocht hun de politie te bellen terwijl hij de oudere dame naar haar dochter reed die op een boerderij buiten Märsta woonde. Het was een goede rit en het leven ging verder.

Gesprek nummer drie kwam van een man die naar zijn stem te oordelen een jaar of veertig was. Hij weigerde te zeggen hoe hij heette en waarvandaan hij belde, maar zijn vrolijke stem verried dat hij een stimulerend middel had gebruikt. Bovendien had hij een goed advies. "Nu is een van die gekke studenten weer van het dak gesprongen. Vergeet niet een paar emmers mee te nemen als jullie hem gaan halen."

In de meldkamer verliep alles volgens een al lang geleden vastgelegd patroon. Toen de verantwoordelijke operator een districtsalarm via de radio liet uitgaan, had ze de breedsprakige jurist al minder prioriteit gegeven dan de taxichauffeur en de vrolijke man met het goede advies over de emmers, en ze zei niets over de schietpartij, de hond en de emmers.

In het kort kwam haar bericht erop neer dat een persoon van de studentenflat Nyponet aan de Körsbärsvägen was gevallen of gesprongen en op het voetpad bovenlangs de parkeerplaats bij de kruising van de Valhallavägen en de Frejgatan terecht was gekomen. Daar zou zich een levenloos lichaam bevinden, plus een opgewonden manspersoon, gekleed in zwarte jas en muts met klep, die in de omgeving rondliep. Was er misschien een surveillancewagen in de buurt die dit op zich kon nemen?

Er was er één, slechts honderd meter verderop aan de Valhallavägen. Die was van het Östermalmdistrict, en op hetzelfde moment dat het alarm via de radio te horen was, stopte de wagen voor de worstkraam bij de oprit van het Roslagtulls-ziekenhuis. In de auto zaten twee van de Allerbesten van de Stockholmse politie. Op de bestuurdersplaats zat aspirant Oredsson, vierentwintig jaar. Oredsson was blond, had blauwe ogen en brede schouders. Hij liep zijn laatste stage als aspirant en over een maand zou hij een echte politieman zijn. In zijn ziel brandde ook de overtuiging dat de strijd tegen de voortdurend toenemende misdaad dan in een beslissend stadium zou belanden, waar het goede uiteindelijk zou zegevieren.

Op de passagiersplaats naast hem zat zijn directe meerdere, politieassistent Stridh, die bijna twee keer zo oud was als Oredsson en onder de oudere collega's de bijnaam Vrede Tot Elke Prijs had. Toen ze twee uur geleden aan hun dienst waren begonnen, hadden zijn gedachten zich uitsluitend beziggehouden met de knakworsten met aardappelpuree, komkommer- en garnalensalade, mosterd en ketchup, die zijn ellendige bestaan in elk geval tijdelijk zouden verlichten. Nu kon hij de geur van de worst ruiken en in de strijd om de microfoon die tussen hem en Oredsson zat, was hij natuurlijk reddeloos verloren.

"Hier 235. We luisteren", antwoordde Oredsson. Fris en alert als altijd.

***

Ongeveer op hetzelfde moment dat de gepensioneerde jurist contact had met de vrouwelijke radio-operator in de meldkamer van de politie, stapte commissaris Lars M. Johansson, waarnemend hoofd van de Rijksrecherche en met de M van Martin, door de portiekdeur van zijn woning aan de Wollmar Yxkullsgatan op Södermalm naar buiten. Johansson liep met rasse schreden de straat uit en hij was in een opperbest humeur op weg naar het eerste afspraakje met een vrouw van wie hij wist dat ze mooi was om naar te kijken en met wie hij waarschijnlijk ook leuk zou kunnen praten. Ze hadden afgesproken in een nabijgelegen buurtrestaurant waar je tegen betaalbare prijzen uitstekend kon eten. Het was een koude en heldere avond zonder ook maar de geringste sneeuwslijk op de straten en de trottoirs, en alles bij elkaar genomen was het een welhaast ideale combinatie voor iemand die zijn hoofd helder, zijn humeur op zijn best en tegelijkertijd droge voeten wilde houden.

Lars Martin Johansson was een eenzame man. In juridische zin was hij dat geweest sinds zijn eerste en tot nu toe enige vrouw hem bijna tien jaar geleden had verlaten, de beide kinderen had meegenomen en was gaan samenwonen met een nieuwe man, een nieuw leven in een nieuw huis. In geestelijke zin was hij zijn hele leven eenzaam geweest, hoewel hij was opgegroeid met zes broers en zussen en twee ouders die elkaar meer dan vijftig jaar geleden hadden leren kennen, nog steeds met elkaar getrouwd waren en dat zouden blijven tot de dood hen scheidde. Het was niet zo dat Johanssons eenzaamheid zijn erfdeel was. In zijn jeugd had hij geen geborgenheid, contact en omgang ontbeerd. Dat was er in overvloed geweest en dat kon hij nog steeds krijgen als hij dat wilde, maar toen hij op volwassen leeftijd in zijn bewustzijn had gezocht naar gelukkige herinneringen uit zijn jeugd, kon hij alleen de momenten vinden waarop hij helemaal met rust was gelaten. Waar hij in zijn eentje op het toneel stond, de enige acteur van het stuk, alleen hij.

Om te beweren dat Johansson gelukkig was met zijn eenzaamheid, was een enorm understatement. Volgens de algemeen heersende normen voor menselijke coëxistentie was het veel erger. Eenzaamheid was de noodzakelijke en beslissende voorwaarde voor Johanssons functioneren; zowel in eenvoudig, menselijk opzicht om van alle dagen een fatsoenlijk bestaan te maken, als in puur beroepsmatig opzicht, waarbij het er alleen om ging aan je verplichtingen tegenover anderen te voldoen, ongeacht verwantschap, vriendschapsbanden of gevoelens in het algemeen. In die zin was zijn bestaan vrijwel ideaal sinds zijn vrouw hem had verlaten en de kinderen had meegenomen.

Twee jaar na de scheiding had hij van zijn toen 7-jarige dochter als kerstcadeau een lp gekregen, *A lonely man* van Elton John, en hoewel hij diep geroerd was toen hij de tekst op de hoes las, had hij gedacht dat dit voor een kind van zeven jaar van een ongewoon grote mensenkennis getuigde. En dat die persoon als volwassene ofwel een heel sterk en zelfstandig mens zou worden, ofwel iemand die het gevaar liep door haar eigen inzicht verpletterd te worden.

Wat deze hele formule, dit zekere, gecontroleerde, voorspelbare leven, in de war schopte, was zijn belangstelling voor vrouwen: hun geur, hun zachte huid, het kuiltje in hun nek tussen de haargrens en de smalle hals. Die belangstelling bezocht hem 's nachts in zijn dromen als hij zich alleen maar kon verweren door de lakens tot een zweterige streng in het midden van het bed te wikkelen, en die bezocht hem overdag als hij wakker, volstrekt nuchter en helemaal helder in het hoofd, zijn nek kon verdraaien voor een rechte rug en een paar bruine benen die hij nooit weer zou zien.

Wie hem nu bezocht, zat op een halve armlengte afstand bij hem aan tafel in een restaurant waar uitstekend en betaalbaar eten werd geserveerd. Hij had haar twee dagen eerder ontmoet toen hij voor een groep juridisch opgeleide politiechefs een lezing hield over het werk van de Rijksrecherche. Ze at haar pasta met schaaldieren en paddestoelen met zichtbare smaak, wat hem verheugde. Dat was een goed teken. Als een vrouw in haar eten zat te prikken, was dat een slecht teken dat andere dingen dan eten betrof.

De eerste keer dat ze elkaar hadden gesproken, was in de pauze van zijn twee uur lange lezing. Over het trieste hotelleven in Stockholm terwijl je leven, je huis en je vrienden in Sundsvall waren. Daarna was hij ter zake gekomen.

"Als je vrijdagavond geen andere plannen hebt, weet ik een uitstekend restaurant in de buurt van waar ik woon." Johansson knikte en keek in zijn witte plastic koffiekop. Zijn Noord-Zweedse tongval iets duidelijker dan anders.

"Ik dacht dat je het nooit zou vragen. Waar, wanneer en hoe?"

En nu zat ze hier. Op een halve armlengte afstand.

Eigenlijk zou ik iets over mijn eenzaamheid moeten zeggen, dacht Johansson. Haar waarschuwen voor het geval ik echt verliefd op haar word en zij op mij.

"Pasta, olijfolie, basilicum, tomaten, schaaldieren en een paar paddestoelen. Wat mankeert er aan aardappelpannenkoeken met gebakken spek? Daar ben ik mee opgegroeid." Johansson knikte en legde zijn vork neer.

"Ik denk dat je dat wel weet. Anders zou ik hier niet zitten."

Ze had haar vork ook neergelegd en leek behoorlijk gecharmeerd.

Goed, dacht Johansson. Hij schudde zijn hoofd en hief zijn wijnglas.

"Ik heb geen flauw idee. Ik ben maar een eenvoudige jongen van het platteland. Vertel."

***

Om zeven minuten over acht, slechts twee minuten nadat ze het alarm hadden beantwoord, waren Stridh en Oredsson ter plaatse. Oredsson was het voetpad opgereden dat bovenlangs de parkeerplaats liep, parallel met de Valhallavägen, en voordat hij de auto tot stilstand bracht, deed hij de koplampen aan. Een paar meter voor de auto zat een oudere man met een pet op en een donkere jas aan. Hij wiegde met zijn bovenlichaam heen en weer en hield een hond in zijn armen die op een kleine herder leek; hij leek hun komst niet eens te hebben opgemerkt. Een meter of tien verderop, precies aan de rand van het voetpad en de met gras begroeide helling voor het naastgelegen flatgebouw, lag een levenloos lichaam. Rond het hoofd een plas bloed met een straal van bijna een halve meter, die in het licht van de koplampen glom als gesmolten tin.

"Ik ga wel even kijken of hij leeft." Oredsson keek Stridh vragend aan, terwijl hij ondertussen zijn veiligheidsgordel afdeed.

"Als jij het niet prettig vindt kan ik het wel doen." Stridh knikte met enige nadruk. Hij was tenslotte de baas.

Oredsson schudde zijn hoofd en opende het portier.

"Het is goed. Ik heb wel ergere dingen gezien."

Stridh knikte alleen maar. Vroeg niet hoe een 24-jarige aspirant aan dergelijke ervaringen kwam.

Ergens moest hij die hebben opgedaan. Toen hij een paar minuten later contact opnam met de meldkamer, hield hij het kort en klonk zijn stem helemaal niet aangedaan. Ter plekke bevond zich een dood manspersoon, een ambulance was dus niet nodig. Naar de omvangrijke verwondingen en de positie van het lichaam te oordelen, leek het heel waarschijnlijk dat de manspersoon in kwestie van een van de hoogste verdiepingen van het aangrenzende pand was gevallen of gesprongen. Een flatgebouw met minstens twintig verdiepingen dat studentenwoningen bevatte en om onduidelijke redenen Nyponet, de Rozenbottel, werd genoemd. Er was een getuige ter plaatse. Een oudere man die zijn hond had uitgelaten. Collega Stridh sprak op dit moment met hem. Het zou goed zijn als ze iemand van de recherche en een technicus konden sturen, dan zou hij ondertussen de omgeving rond het dode lichaam afzetten, maar op dit moment hadden ze in elk geval geen versterking nodig.

"Ja. Dat is dus de situatie", beëindigde Oredsson het gesprek. Ik vertel maar niet dat de hond ook dood is, dacht hij.

***

In de koffiekamer van de recherche zat inspecteur Bäckström tv te kijken, en tot nu toe was alles goed gegaan. Voor een vrijdagavond was het ongewoon rustig geweest en toen het politiebusje een halfuur geleden een straatvechter had opgebracht, had Bäckström het gevaar bijtijds onderkend en was naar het toilet gevlucht, waardoor een van zijn collega's voor de lastpak had moeten zorgen. Een allochtoon natuurlijk, en net zo lawaaierig als die lui meestal waren.

Normaalgesproken werkte Bäckström op de afdeling Geweldsdelicten, maar omdat hij altijd slecht bij kas zat, moest hij vaak overwerken. Weliswaar werkten hier op vrijdagavond alleen maar complete idioten, maar omdat hij pas over drie dagen zijn loon zou krijgen, had hij geen keus gehad. Hier zat hij dus en totnogtoe was alles goed gegaan. Tot dit moment, nu de dienstdoende hoofdinspecteur in de deuropening stond en even slecht gehumeurd leek als altijd, terwijl hij Bäckström sommerend aankeek.

"Ik heb een lijk voor je, Bäckström. Schijnt op het voetgangerspad bij die studentenflat aan de parkeerplaats bij de Valhallavägen en de Frejgatan te liggen. Ik heb met Wiijnbladh van de technische recherche gesproken. Je moet met hem mee."

Bäckström werd wat vrolijker en knikte. Iemand die zelfmoord heeft gepleegd, dacht hij. Zo'n linkse student die was gesprongen omdat hij zijn beurs niet op tijd had gekregen. En hij had nog steeds een goede kans om op tijd klaar te zijn voordat het café dichtging.

***

Het duurde geruime tijd voordat Bäckström en Wiijnbladh verschenen, iemand die zelfmoord had gepleegd liep niet zomaar weg en een extra kopje koffie was nooit verkeerd, maar Stridh en Oredsson hadden niet stilgezeten. Oredsson had de omgeving rond de plaats waar het lichaam lag afgezet. Tijdens de cursus forensische techniek op de politieschool had hij geleerd dat agenten bijna altijd een te klein gebied afzetten; daarom was hij niet zuinig geweest en had hij de blauwwitte afzetlinten netjes tussen geschikte lantaarnpalen en bomen opgehangen. Terwijl hij bezig was, waren er een paar nieuwsgierige mensen komen kijken, maar na een snelle blik op het dode lichaam hadden ze zich omgedraaid en waren weggegaan. Hij had het lichaam natuurlijk niet aangeraakt. Dat had hij op dezelfde cursus geleerd.

Ondertussen had zijn oudere collega Vindeln getroost. Na enige overreding was het hem gelukt de oude man achter in de auto te laten plaatsnemen en natuurlijk had hij de hond mogen meenemen. Samen hadden ze de hond in Stridhs eigen deken gewikkeld die hij, om redenen die alleen hemzelf aangingen, altijd bij zich had als hij late dienst had. Er lag weliswaar een stuk zeil in de auto dat ze op de achterbank legden als ze dronkelappen vervoerden, maar daar wikkelde je geen doden in, vooral niet in aanwezigheid van een naaste verwante.

"Hij heet Kalle", verklaarde Vindeln met tranen in zijn ogen. "Het is een jämthond, maar ik geloof dat hij ook iets van een brak heeft. Hij is afgelopen zomer dertien jaar geworden, een kwieke deugniet."

Vindeln snotterde en werd stil toen Stridh hem bij zijn schouder vastpakte, en daarna had Stridh het eerste verhoor met hem afgenomen.

Vindeln heette natuurlijk niet Vindeln. Zo werd hij alleen maar genoemd. Hij heette Gustav Adolf Nilsson, was in 1930 geboren en in 1973 naar Stockholm gekomen om een omscholingscursus te volgen, als werkloze bouwvakker uit Noord-Zweden en dat was hij nog steeds, want hij had nooit een nieuwe baan gekregen.

"Het komt door mijn vrienden op de cursus", legde Vindeln uit. "Ik ben in Noord-Zweden geboren en getogen en we hadden het er natuurlijk regelmatig over hoe het thuis was. Tja, toen werd het Vindeln. Net als de Vindelrivier, ken je die?"

Stridh knikte weer. Die kende hij.

Vindeln en Kalle woonden vlakbij, op de tweede verdieping aan de binnenplaats van de Surbrunnsgatan 4, en ongeveer rond deze tijd, na het avondeten en voordat het nieuws op de tv begon, gingen ze hun gebruikelijke avondwandeling maken. Ze liepen altijd hetzelfde rondje. Eerst over de Valhallavägen bij de kruising met de Surbrunns-gatan, dan het voetpad parallel met de Valhallavägen af naar Roslagstull, waar ze keerden en weer terugliepen. Maar als het mooi weer was, liepen ze ook wel eens verder.

Op de helling bij de studentenflat Nyponet had Kalle een van zijn favoriete bomen, dus daar hielden ze meestal hun eerste lange stop.

"Het is belangrijk dat ze de tijd krijgen om lekker rond te snuffelen", legde Vindeln uit. "Voor een hond is dat hetzelfde als de krant lezen."

Net toen ze daar stonden en Kalle zijn krant las, had hij plotseling zijn kop opgeheven en recht omhoog gekeken naar de flatgevel. Waarop Vindeln door een krachtige ruk aan de lijn achteruit werd geworpen.

"Ik viel zowat omver. Als Kalle niet naar boven had gekeken en mij opzij had getrokken, was dat stuk ongeluk recht op mijn kop beland en dan had ik hier nu niet gezeten." Vindeln knikte nadrukkelijk.

"Denk je dat hij een geluid hoorde, waarop hij reageerde?" Stridh schreef iets in zijn notitieblok.

"Nee." Vindeln schudde nog nadrukkelijker zijn hoofd. "Hij is aan beide oren volstrekt doof. Het moet dat zesde zintuig zijn dat ze hebben. Sommige jämthonden hebben dat. Een zesde zintuig."

Stridh knikte, maar hij zei niets.

Als Kalle een zesde zintuig had gehad, had dat in elk geval vlak daarna gefaald toen de vallende schoen van het slachtoffer hem in de nek raakte en hem ter plekke doodde.

"Het is toch te erg voor woorden", Vindeln begon weer te snotteren. "Daar staan Kalle en ik naar dat stuk ongeluk te kijken en plotseling komt zijn schoen eraan gezoefd."

"Die kwam meteen na het lichaam?" vroeg Stridh ter afleiding.

"Nee, dat niet. We stonden te kijken. Het duurde een flinke tijd."

"Een minuut, twee minuten?"

"Nee. Geen minuut, dat niet, maar het duurde wel een seconde of tien, twintig. Dat zeker."

"Tien tot twintig seconden, zeg je. Denk je niet dat het nog korter kan zijn geweest?"

"Ja, misschien wel. Het lijkt altijd langer als je zo staat, maar toch gingen er flink wat seconden voorbij."

Vindeln snotterde luid en snoot in zijn hand.

Terwijl Stridh met Vindeln praatte, had Oredsson zijn blauwe ogen goed de kost gegeven. De schoen had hij direct ontdekt, die lag maar een paar meter van het lichaam vandaan en was waarschijnlijk van het slachtoffer omdat het slachtoffer een linkerschoen miste en de rechterschoen, die nog aan zijn voet zat, verdacht veel leek op de schoen die op de heuvel lag. Even had hij overwogen een plastic zak uit de auto te halen en de schoen erin te stoppen, natuurlijk op dezelfde plaats en in dezelfde positie als waar hij nu lag, maar die gedachte had hij laten varen. Er was op de cursus forensische techniek niets speciaals gezegd over hoe je met schoenen moest omgaan, en omdat hij aannam dat de schoen daarom als een gewoon spoor moest worden behandeld, had hij hem laten liggen waar hij lag. Het weer en de directe omgeving rechtvaardigen ook geen afwijking van de gulden hoofdregel in de vorm van zogeheten bijzondere maatregelen om sporen veilig te stellen.

Zo moet het dan maar, dacht Oredsson en hij voelde zich redelijk tevreden met zijn besluit. Hij hield zich aan de hoofdregel, die zei dat je zo min mogelijk moest aanraken en het deskundige zoekwerk aan de technici moest overlaten.

In plaats daarvan begon hij vanuit een imaginaire verticale lijn vanaf de plek waar het lichaam was terechtgekomen recht naar boven de gevel van de flat te bekijken. Ergens op de vijftiende of zestiende verdieping, de fundering lag op een helling waardoor hij niet goed wist hoe hij moest tellen, leek ondanks de kou een raam open te staan. Ongeveer vijftig meter valhoogte, dacht Oredsson die de beste schutter van zijn jaar was en heel goed afstanden kon schatten; dat kon ook vrij goed kloppen met de bedroevende toestand waarin het lijk zich bevond. Oredsson keek op zijn horloge. Nu was er ruim een halfuur verstreken sinds de meldkamer had beloofd een rechercheur en een technicus te sturen. Waar zijn ze mee bezig, dacht Oredsson geïrriteerd.

***

Bäckström was klein, dik en primitief, terwijl Wiijnbladh klein, slank en pietluttig was en samen vulden ze elkaar uitstekend aan. Ze vonden het ook prettig om met elkaar te werken. Bäckström vond Wiijnbladh een laffe imbeciel tegen wie je niet eens je stem hoefde te verheffen, hij deed toch wat hem werd gezegd, terwijl Wiijnbladh Bäckström als een verstandelijk gehandicapte klerelijer beschouwde, die voor iemand die zelf graag controle over de situatie had een ware droom was om mee te werken. Omdat ze beiden echt incompetent waren, ontstond er ook geen onenigheid op zakelijke of andere professionele gronden en kort samengevat vormden ze het perfecte duo.

Precies een uur nadat ze erop uit waren gestuurd, verschenen ze op het voetpad bij de studentenflat Nyponet, maar de eerlijkheid gebiedt te zeggen dat het op dit uur van de dag bijna tien minuten duurde om van de recherche op Kungsholmen naar de parkeerplaats recht tegenover de kruising van de Valhallavägen en de Frejgatan te rijden, waar ze hadden besloten hun auto neer te zetten.

"Wat is dit, verdomme?" zei Bäckström en hij trok misnoegd aan het afzetlint rondom het lijk. "Zijn we soms in de een of andere oorlog beland?" Hij keek de twee collega's in uniform strak aan.

"Dat is afzetlint", antwoordde Oredsson rustig. Zijn blauwe en wonderlijk bleke ogen monsterden Bäckström. Hij stond wijdbeens en onbeweeglijk met zijn grove armen langs zijn zij. "Er ligt nog een hele rol in de auto, als je meer nodig hebt."

Wat een zieke klootzak, dacht Bäckström. Dat is geen politieagent, hij ziet eruit als iemand in een oude nazi-film. Wat voor lui laten ze tegenwoordig in vredesnaam tot het korps toe? Hij besloot snel van onderwerp te veranderen.

"Er zou hier een getuige zijn. Waar is die gebleven?" Hij keek zuur naar de beide mannen in uniform.

"Ik heb hem een halfuur geleden naar huis gebracht", antwoordde de oudere, beduidend dikkere hufter die naast de jongere nazi-figuur stond. "Hij was nogal van slag en wilde naar huis en ik heb al met hem gesproken. Ik heb zijn naam en adres als jij hem nog wilt spreken."

"Dat komt wel goed, dat komt wel goed", zei Wijnbladh vergoelijkend. "Zonder op de dingen vooruit te lopen, wil ik wel zeggen dat dit verdacht veel op zelfmoord lijkt. Weten de heren trouwens dat de verhouding tussen zelfmoorden en moorden hier in de stad twintig op één is?"

Naar hun schuddende hoofden te oordelen leken ze dit niet te weten en geen van beiden leek bijster geïnteresseerd om zich in de kwestie te verdiepen.

"Op de vijftiende of zestiende verdieping, afhankelijk van hoe je telt, staat een raam wagenwijd open." Oredsson wees naar de gevel van het flatgebouw. "Het staat al open sinds wij hier zijn. Ondanks de kou."

"Maar dat klinkt toch uitstekend", antwoordde Wijnbladh met oprechte warmte in zijn stem. "Mijne heren, laten we het lijk eens even bekijken. Als we geluk hebben, vinden we misschien iets in een van zijn zakken. Haal jij mijn camera even?" Wijnbladh knikte aanmoedigend naar Oredsson. "Die ligt op de achterbank, en neem de tas die in de kofferruimte ligt ook mee."

Oredsson knikte zonder antwoord te geven. Binnenkort zullen we mensen als jij wel onder handen nemen, dacht hij, maar voorlopig ben ik alleen een eenvoudige soldaat en dan moet je je gewoon in het gelid opstellen zonder op te vallen. Maar binnenkort.

***

Er klopt iets niet, dacht Johansson. Hij had over Italiaans eten gepraat, over een lange reis naar Zuidoost-Azië die hij niet zo lang geleden had gemaakt, en op een rechtstreekse vraag van haar had hij over zijn jeugd in Noord-Zweden verteld. Dat had hij allemaal op een rustige en humoristische manier gedaan en voor iemand die tussen de regels door kon lezen, was het volstrekt duidelijk dat Lars Martin Johansson niet alleen ontwikkeld, begaafd, aardig en succesvol was, geld op de bank had en – het allerbelangrijkste – ongetrouwd en vrij was, maar ook hoogst capabel op het gebied van het puur fysieke samenzijn van man en vrouw.

Zijn tafelgenote leek zich ook te vermaken en maakte een geïnteresseerde indruk; de signalen die ze uitzond waren duidelijk genoeg, maar toch was er iets wat niet klopte. Ze had verteld over haar eigen achtergrond: dochter van een advocaat in Östersund, haar moeder huisvrouw, een oudere en een jongere zus, rechten gestudeerd in Uppsala, een poosje bij het Openbaar Ministerie gewerkt, geïnteresseerd geraakt in politiewerk en zich aangemeld voor de opleiding tot politiechef. En voor iemand die ogen had waarmee hij kon zien en oren waarmee hij kon horen, was het volstrekt duidelijk dat ze niet alleen mooi was, maar ook ontwikkeld, begaafd en aardig, en ongetwijfeld een zeer aangename partner op het gebied van het puur fysieke samenzijn van vrouw en man.

Je hebt een man, dacht Johansson, en de reden waarom je dat niet wilt vertellen is dat je iets te welopgevoed bent, iets te conventioneel en iets te veel geneigd om op zeker te spelen. Je kunt je een discrete affaire voorstellen, maar om meer te durven, wil je er eerst zeker van zijn dat je er uiteindelijk meer aan overhoudt dan je momenteel hebt.

Johansson kon zich op zich ook een discrete affaire voorstellen, hij had er zelfs een paar gehad, maar als het vrouwelijke politiemensen betrof, bestond er een duidelijke complicatie. Bijna alle vrouwelijke politiemensen hadden iets met mannelijke politiemensen, en omdat er binnen het korps tien mannen op één vrouw waren, was de druk van de kant van de koper zowel gigantisch als onverzadigbaar. De oudste broer van Johansson handelde in vastgoed en auto's. Hij was rijk, sluw, ongeschoold en kon dwars door vriend en vijand heen kijken. Johansson had hem een keer geplaagd met zijn knappe blonde secretaresse. En? Hoe zat dat eigenlijk?

"Ik zal je een goede raad geven." Zijn oudere broer had hem ernstig aangekeken. "Als je het thuis goed hebt, moet je nooit bij de buren gaan kijken."

De hoogste tijd voor blufpoker, dacht Johansson. Dat werkte soms ook bij ervaren boeven, dus waarom niet bij een vrouwelijke waarnemende politiechef uit Sundsvall?

"Iets heel anders", zei Johansson en hij glimlachte ontspannen. "Hoe is het tegenwoordig met je man? Ik heb hem al een hele tijd niet gezien."

Ze nam het goed op. Wist met behulp van haar wijnglas goed te verbergen dat ze verrast was. Keek hem aan en glimlachte met een licht bezorgde rimpel op haar voorhoofd.

"Het gaat goed met hem. Ik wist niet dat jullie elkaar kenden."

"Heeft hij die baan gekregen waarop hij solliciteerde?" vroeg Johansson echter, die snel vaste grond onder zijn voeten wilde voelen.

"Als adjunct-hoofdcommissaris van de regiopolitie bedoel je?" Nu geen rimpel meer.

Johansson knikte.

"Hij is afgelopen zomer in dienst getreden. Voelt zich als een vis in het water. Ik weet niet of het door de afstand tussen Växjö en Sundsvall komt ... ik kan nou niet zeggen dat het onze relatie goed heeft gedaan, maar misschien was dat wel de bedoeling." Nu glimlachte ze weer.

"We kennen elkaar niet echt goed." Johansson hief zijn glas. Hoe kun je in godsnaam iets met die idioot hebben, dacht hij.

***

Op het voetpad bij de studentenflat waren Bäckström en Wiijnbladh het onderzoek naar het sterfgeval met verve begonnen. Eerst had Wiijnbladh een paar foto's van het dode lichaam gemaakt en zodra hij zijn camera had laten zakken en iets onverstaanbaars in een mini-cassetterecorder had gemompeld, was Bäckström begonnen de kleding van het lijk te doorzoeken. Dat was snel gebeurd. Het lichaam was gehuld in een blauwe spijkerbroek, een wit T-shirt en daaroverheen een donkergrijze pullover met V-hals, aan de rechtervoet zaten en een sok en een stevige schoen, aan de linkervoet alleen een sok. In de rechter zijzak van de spijkerbroek vond Bäckström een portefeuille. Hij bladerde de inhoud door terwijl hij enthousiast met zijn tong klakte.

"Kom eens kijken, jongens." Bäckström wuifde naar Stridh en Oredsson. "Ik geloof dat we hier een onderzoekstechnische doorbraak hebben."

Bäckström hield een geplastificeerde identiteitskaart met foto omhoog.

"John P. Krassner ... b punt ... dat zal wel *borned* betekenen ... *July fifteen nineteenhundredfiftythree*", las Bäckström in slecht Engels. "John P. Krassner, geboren op vijftien juli negentienhonderddrieën-vijftig", vertaalde hij tevreden. "Waarschijnlijk zo'n stomme Amerikaan die besloten heeft er een eind aan te maken. Zo'n eeuwige student die de weg is kwijtgeraakt tussen alle boeken."

Stridh en Oredsson knikten alleen maar neutraal, maar Bäckström gaf zich niet gewonnen. Hij boog voorover en hield de identiteitskaart vlak bij het hoofd van het lichaam. Kennelijk had het hoofd de eerste klap tegen de grond opgevangen. Het leek schuin van bovenaf te zijn verbrijzeld, vanaf de kruin naar de kin, gezicht en haar waren bedekt met ingedroogd bloed, het gezicht was in elkaar gedrukt en de gelaatstrekken waren onmogelijk te onderscheiden. Bäckström grijnsde enthousiast.

"Wat vinden jullie ervan, jongens? Ik zou willen beweren dat ze als twee druppels water op elkaar lijken."

Stridh trok een gezicht van weerzin, maar zei niets. Oredsson keek

Bäckström strak aan zonder een spier te vertrekken. Zwijn, dacht hij. "Goed." Bäckström kwam overeind en keek op zijn horloge. Al halftien, dacht hij. We moeten vaart maken. "Als jullie ervoor zorgen dat het lijk naar de forensisch patholoog-anatoom wordt gebracht, gaan Wiijnbladh en ik een kijkje nemen in de flat."

"Wat doen we met de schoen?" vroeg Oredsson.

"Stop die maar in een zak en stuur hem mee met het lichaam", besliste Wiijnbladh, voordat Bäckström iets kon zeggen en voor onnodige problemen zou zorgen. "En als jullie toch contact hebben met de centrale ... laat ze dan iemand van de gemeentereinigingsdienst sturen om de boel op te ruimen."

"Inderdaad", beklemtoonde Bäckström. "Het ziet er vreselijk uit. En jij", hij keek Oredsson aan, "vergeet niet die stomme afzetlinten weg te halen."

"Natuurlijk." Oredsson knikte. Op een dag pak ik je in de stad op wegens dronkenschap, dacht hij. En als je dan gaat zeuren dat je politieman bent, stop ik een hele rol afzetlint in je reet. "Vanzelfsprekend." Oredsson glimlachte en knikte naar Bäckström. "Afzetlinten verwijderen, begrepen meneer de rechercheur."

Die vent is niet goed bij zijn hoofd, dacht Bäckström. Niet best als je een gewone burger bent en toevallig die gek tegenkomt.

***

Het was de kamer achter het open raam en volgens het mededelingenbord dat in de vestibule hing, lag die op de vijftiende verdieping: een van de acht studentenkamers in een gang met een gemeenschappelijke keuken. Hoewel het vrijdagavond was, was het de meldkamer gelukt de huismeester te pakken te krijgen die in een aangrenzend gebouw slechts honderd meter verderop in zijn kleine kantoor zat. Hij had gezucht, het was niet de eerste keer dat iets dergelijks was gebeurd, en had beloofd dat hij meteen zou komen. Dat had hij ook gedaan. Vijf minuten later opende hij de deur naar de afdeling waar de kamer lag, wees naar de deur in kwestie en gaf de sleutel aan Wiijnbladh.

"Jullie redden je waarschijnlijk beter zonder mij", zei hij retorisch. "Als jullie klaar zijn wil ik graag de sleutel terug hebben."

Wiijnbladh opende de deur. Direct achter de deur bevond zich een halletje en rechts een toilet met douche. Recht naar voren een kleine kamer, waar het enige raam wagenwijd openstond. Bij elkaar ging het om hoogstens twintig vierkante meter.

"Kun jij even met de anderen op de gang praten, dan maak ik ondertussen wat foto's." Wijnbladh keek Bäckström vragend aan. Bäckström knikte instemmend. Het kwam hem uitstekend uit. Het was hier zo koud als in de kont van een eskimo en hij was niet van plan een longontsteking op te lopen vanwege een achterlijke raamspringer.

Terwijl Wijnbladh zijn foto's nam, bleef het geluk Bäckström toelachen. Hij had in de keuken gekeken, leeg, en voor de zekerheid ook in de koelkast. Maar niets leek echt verleidelijk en er stonden namen op melkpakken, in plastic verpakte komkommers en verschillende potjes met onbekende inhoud. Wat een varkens, dacht Bäckström. Zelfs geen pilsje of frisdrank voor een dorstige politieagent. Maar het geluk was nog steeds aan zijn zijde. Hij klopte op alle deuren en probeerde de deurknoppen. Ze waren op slot en als er al iemand thuis was, was hij of zij kennelijk niet van plan open te doen.

De kamer was klein, rommelig en spaarzaam gemeubileerd met versleten standaardmeubilair: een bed, een nachtkastje, een aan de muur bevestigde bedlamp, in de hoek ertegenover een eenvoudige leesfauteuil met een staande lamp, tegen de muur met het raam een boekenkast en aan de andere kant van het raam een bureau en een stoel.

"Jezus, wat is het hier gezellig", zei Bäckström en hij knikte waarderend.

Mensen die niet werkten, zoals studenten bijvoorbeeld, zouden geen eten of een dak boven hun hoofd mogen hebben, maar dit kon hij desnoods verdragen. De huidige eigenaar van de kamer leek zich niet voor een lang verblijf te hebben geïnstalleerd, en hij leek ook niet bijzonder ordelijk. Weinig persoonlijke bezittingen: een koffer, wat kleren, een paar boeken met Engelse titels. Op het onopgemaakte bed lag een gewatteerd jack, onder het bed een paar veelgebruikte schoenen. Het was geen junkhol, maar als degene die hier woonde er niet snel iets aan deed, zou het daar binnenkort wel op lijken.

Het bureau was nog het netst. Daar lagen papieren en enveloppen, pennen, paperclips, een gummetje en een paar cassettes met inktlinten voor de kleine handige elektrische reistypemachine die midden op het bureau stond. In de wals zat bovendien een vel papier met een tekst in het Engels, slechts een half dozijn regels, maar onthullend genoeg voor een prof als Wijnbladh.

"Als ik het samenvat", begon Wijnbladh met een tevreden gezicht, "vind ik dat alles wat we hebben gezien op zelfmoord wijst. Als je het raam bekijkt," Wijnbladh wees naar het inmiddels gesloten raam waaronder de afgebroken vergrendeling op de vloer lag, "dan zie je dat hij de vergrendeling heeft losgerukt. Normaalgesproken kan het raam maar een paar centimeter open. Als je wilt luchten of zo."

Bäckström knikte tevreden. Wijnbladh was weliswaar een langdradige klootzak, maar dit klonk hem als muziek in de oren.

"Ja, dan is er de boodschap die hij in de typemachine heeft achtergelaten. Die is in het Engels en ik kan wel zeggen dat daar duidelijk uit spreekt dat hij genoeg had van het leven, een soort ..."

Wijnbladh zocht naar woorden, maar omdat zijn kennis van het Engels op zijn zachtst gezegd beperkt was, was dat niet zo makkelijk.

"Ja, een typische zelfmoordbrief simpelweg." Wijnbladh knikte met extra veel nadruk.

Bäckström knikte ook. Ze zaten in hetzelfde schuitje, dus dat kon hij zich wel veroorloven.

"En we moeten ook de deur niet vergeten. Die zat aan de binnenkant op slot."

"Zeker." Wijnbladh knikte. Met een gewoon slot, dacht hij. Hoe stom kun je eigenlijk zijn?

"Goed dan. Ik denk dat we hier wel klaar zijn." Bäckström keek op zijn horloge. Het was nog maar kwart over tien en als hij zich terug haastte naar het bureau, zou hij zelfs nog tijd hebben om de man met de hond te bellen die hem had zien springen. Dat kleine afsluitende detail dat kenmerkend is voor een volstrekt onaanvechtbaar onderzoek, en weldra zou hij in het café zitten om van een welverdiend pilsje te genieten.

***

Johansson en zijn gezelschap hadden het restaurant verlaten in de goede stemming die vaak ontstaat als bepaalde, niet zo eenvoudige beslissingen naar de toekomst zijn verschoven, terwijl er nog wel keuzemogelijkheden zijn. Ze waren samen naar haar hotel bij Slussen gelopen en Johansson had zich vrij makkelijk laten overhalen toen ze voorstelde om nog een laatste pilsje in de bar van het hotel te drinken.

"Volgende week is onze laatste cursusdag. Bestaat de kans dat jij dan opduikt?" De spanningen waren verdwenen. Ze zat voorover geleund, ze glimlachte en wreef lichtjes met haar nagel over Johanssons rechterhand. Zelf had ze smalle, sterke handen.

Johansson schudde spijtig zijn hoofd.

"Over een week zit ik in een vliegtuig naar de VS. Ik ga allerlei mensen van Interpol en de FBI ontmoeten." Johansson zuchtte zachtjes.

"Soms vraag ik me af of iemand daarboven me actief zit te pesten, of dat ik gewoon slecht kan plannen."

"Zucht!" Zij zuchtte ook. "Je leidt werkelijk een vreselijk saai leven. Zelf heb ik binnenkort een cursus in Härnösand met ons burgerpersoneel. Dat wordt hartstikke spannend." Nu glimlachte ze weer.

Johansson nam de gelegenheid te baat en vlocht zijn hand in de hare. Maar alleen licht, heel licht. Huid die huid beroerde. Geen druk.

"Ik moet maar een mooi kerstcadeau voor je kopen. Iets wat we hier niet hebben."

"Een sheriffster van echt goud?" Ze giechelde en verstevigde haar greep om zijn hand.

"Ja", zei Johansson. "Of misschien zo'n blauwe baseballpet waar FBI op staat."

***

Bäckström zat nog steeds op het bureau, hoewel het al halfeen was, en hij was chagrijnig als de pest. Wijnbladh en hij hadden de deur van de kamer van de zelfmoordenaar al vóór halfelf verzegeld, en tegen de tijd dat de volgende dag aanbrak, zou deze trieste geschiedenis op het bureau van de verantwoordelijke politieman op Östermalm liggen. Echte politiemannen zoals hij en Wijnbladh moesten zich niet bezighouden met dit soort rotzooi. Dat konden de boerenkinkels van het district doen.

Alles was gesmeerd gegaan, en ze stonden net op het punt de gangdeur achter zich dicht te trekken toen die vervloekte nikker verscheen met een Zweedse studententrut met blauwpaarse lippenstift, en je hoefde geen agent te zijn om te kunnen zien wat ze van plan waren. Bovendien was hij in een onbegrijpelijk Negerengels halsstarrig geweest. Hij weigerde opzij te gaan en vroeg wat ze verdomme in zijn gang te zoeken hadden. Zelf had hij gewoon om die klootzak heen willen lopen om de lift naar beneden te nemen, hoewel hij eigenlijk een politiewagen met twee van die lui als Oredsson had moeten bellen, maar die lafaard van een Wijnbladh boog natuurlijk voor de druk. Hij had zich gelegitimeerd en was in zijn vreselijke Engels met die nikker in discussie gegaan. Vervolgens was die hoer zich er ook mee gaan bemoeien, afwisselend in het Zweeds en in het Engels, en toen was de hel serieus losgebarsten. Hij kon zich niet van het leven hebben beroofd, het was zo'n leuke vent, helemaal niet depressief, blablabla.

Uiteindelijk was hij genoodzaakt geweest in te grijpen. Hij had hun gezegd dat ze maandag maar moesten bellen, en voor de zekerheid had hij hun de naam en het toestelnummer van een collega op de recherche gegeven die in deze tijd van het jaar bijna altijd in de ziektewet zat vanwege ernstige drankproblemen. En nadat een kwartier van zijn leven naar de kloten was gegaan hadden ze kunnen vertrekken.

Toen hij eindelijk achter zijn bureau had kunnen plaatsnemen om alle losse eindjes van deze trieste geschiedenis aan elkaar te knopen, was het tijd voor de volgende gek. Die dikke lomperik van een Stridh had zijn taak kennelijk helemaal verkeerd begrepen en een verhoor met de getuige ingeleverd. Twee dichtbeschreven kantjes op de typemachine, voor iets wat in tien regels had gekund, en alles volstrekt onbegrijpelijk. Volgens de getuige, de WAO'er Gustav Adolf Nilsson, had niet híj maar zijn hond gehoord dat die dwaas van een Krassner uit het raam sprong. Dezelfde hond die ondanks zijn goede gehoor door een mysterieus vallende schoen was gedood.

Hoezo WAO'er, dacht Bäckström. Maatschappelijke taal voor een dronkelap die niet aan zijn verplichtingen wilde voldoen, maar er toch in was geslaagd een naïeve sociaal-democraat van de sociale verzekeringsbank om de tuin te leiden. Loop naar de hel, dacht Bäckström terwijl hij het telefoonnummer van Vindeln draaide.

Een kwartier later was alles afgehandeld, zoals altijd wanneer een echte prof aan het werk is. Bäckström trok het verslag uit de typemachine en bracht met zijn balpen verbeteringen aan, terwijl hij de korte en verhelderende tekst las, waarin trouwens met geen woord over een nog niet begraven hond werd gerept.

In een telefonisch verhoor verklaart de getuige Nilsson samengevat het volgende: om ca. 19.50 uur bevond de getuige zich bij de studentenflat Nyponet aan de Körsbärsvägen. Getuige verklaart dat hij toen een geluid heeft waargenomen van een van de bovenste verdiepingen van de flat. Toen hij naar boven keek, zag hij het lichaam van een manspersoon die uit een raam was gesprongen, recht naar beneden langs de flat vallen en op een meter afstand van de getuige op de grond terechtkomen. Dit verhoor is door de telefoon aan de getuige voorgelezen en hij heeft het goedgekeurd.

Dat laatste was een regelrechte leugen, maar omdat Nilsson hoogstwaarschijnlijk niet iemand was die zijn telefoongesprekken met de politie op band opnam, was dat geen ramp. Bovendien had de oude man helemaal verward geklonken toen Bäckström met hem sprak. Hij zou dankbaar moeten zijn dat iemand hem had geholpen om de stukjes op de juiste plaats te krijgen, dacht Bäckström, terwijl hij de papieren in een plastic mapje stopte en er een handgeschreven archiveringsformulier bijvoegde voor de verantwoordelijke agent op Östermalm.

Bäckström keek op zijn horloge. Vijf over een, maar er was nog geen man over boord. Hij had zelfs nog tijd om een plannetje uit te voeren dat hij had bedacht toen hij het verhoor met Nilsson uitwerkte. Alle beetjes helpen, dacht Bäckström, terwijl hij zijn jas opvouwde en die in een lege ordner propte die hij in de boekenkast had gevonden. Bäckström nam de ordner onder zijn ene arm en het plastic mapje in zijn andere hand, sloop discreet naar de receptie en legde het plastic mapje helemaal onder op de stapel in het postvakje van de politie van Östermalm. Daarna stak hij zijn hoofd door de deur van de kamer van de dienstdoende hoofdinspecteur.

"Het gaat over die zelfmoord waar je mij op af had gestuurd." Bäckström knikte naar de ordner die hij onder zijn arm had.

"Zijn er problemen?" Op het voorhoofd van de hoofdinspecteur was een rimpel verschenen.

"Nee. Het is volstrekt duidelijk dat het zelfmoord was, maar het gaat om een Amerikaans staatsburger en dat kan gevoelig liggen. Ik wil nog een paar zaken met het register controleren."

"Wat is het probleem?" De ander keek hem vragend aan, maar de rimpel was verdwenen.

"Ik dacht aan de overuren. Mijn dienst zat er al ruim een uur geleden op."

"Dat is goed. Noteer de tijd die je ervoor nodig hebt."

Krijg nou wat, dacht de hoofdinspecteur en hij keek Bäckströms verdwijnende rug na. Nota bene die sjacheraar. Misschien is hij wel religieus geworden, dacht hij, maar op datzelfde moment ging de telefoon en kreeg hij andere dingen om over na te denken.

Eindelijk vrij, dacht Bäckström toen hij door het hek naar de Kungsholmsgatan liep en richting kroeg koerste. De lege ordner gooide hij weg in de eerste de beste afvalbak die hij tegenkwam.

***

Om middernacht lag Lars Martin Johansson al in zijn bed aan de Wollmar Yxkullsgatan en hoorde hij de klokken van de Maria-kerk slaan. Een knappe vrouw, dacht hij. Ze was ook leuk om mee te praten, hoewel ze bij de politie zat. Ik vraag me af of ze getrouwd is met die idioot in Växjö of dat ze alleen maar samenwonen. Je kunt niet alles krijgen, dacht Johansson en hij slaakte een zucht. Of kan dat wel? Misschien kun je wel alles krijgen? Deze nieuwe gedachte monterde hem op. Morgen is er weer een dag, dacht hij, en misschien zou hij dan alles krijgen? Johansson strekte zijn arm uit en deed het bedlampje uit, ging op zijn rechterzij liggen met zijn arm onder het kussen en binnen een paar minuten sliep hij net zo vast als hij meestal deed.

***

Vindeln stond in de pronkkamer. Hij had Kalles mand op de eiken tafel bij het raam neergezet. Hij streelde de zachte vacht en Kalle lag zo stil dat het leek alsof hij sliep. Morgen zou hij de begrafenis regelen. Komt tijd komt raad, dacht Vindeln, maar op dit moment voelde hij zich niet zo monter. Hij veegde een traan weg met de rug van zijn hand. Ik kan het raam maar beter op een kier zetten, dacht hij. Jämthonden vonden het niet fijn als het te warm werd.

***

Politieassistent Stridh was na zijn dienst direct naar huis gereden. Had een grote en voedzame avondboterham gesmeerd die hij had belegd met een weloverwogen mengeling van lekkernijen uit zijn goedgevulde koelkast. En een koud pilsje. Nu lag hij op de bank in zijn woonkamer Winston Churchills biografie over diens voorvader de hertog van Marlborough te lezen. Die bestond uit vier delen en telde bijna drieduizend pagina's, maar omdat hij maandagmiddag pas weer op zijn werk hoefde te zijn, had hij alle tijd van de wereld. Een groot man, dacht Stridh, in tegenstelling tot die met een snor getooide gek die geprobeerd had de hele wereld in brand te steken en daarin geslaagd zou zijn als de oude Winston er niet was geweest. Gek dat hij geen vrijgezel was, dacht Stridh, terwijl hij het zich gemakkelijk maakte op de bank en het tweede deel opensloeg op de plek waar hij de vorige keer was gebleven toen zijn dienst erop zat.

***

Zijn jongere collega Oredsson had na zijn dienst zijn sportkleding aangetrokken en was direct naar de sportzaal in de kelder gegaan. Op dit uur van de dag was het daar altijd donker. Hij ging vaak gewichtheffen als zijn dienst erop zat en dat was voor hem als een reinigend bad geworden. Het hielp hem alle nieuwe indrukken en ervaringen die hij had opgedaan, in een breder kader te plaatsen. Dat de buitenlanders verantwoordelijk waren voor bijna alle misdrijven die in het huidige Zweden werden gepleegd, had hij al vanaf de eerste dag begrepen, maar hoe moest het eigenlijke probleem worden opgelost? Ze gewoon terugsturen naar hun land, wat het meest eenvoudig zou zijn, was ondenkbaar in de huidige politieke situatie. Maar wat kon er dan worden gedaan, en hoe kon er een politieke situatie worden bereikt waarin de noodzakelijke veranderingen wél mogelijk werden? Dat was iets om over na te denken, dacht Oredsson. En om te bespreken met de collega's die je kon vertrouwen. Dat hij niet alleen stond, was namelijk ook iets wat hij vanaf de eerste dag had begrepen.

***

Thuis in zijn slaapkamer lag Wiijnbladh zich af te rukken, terwijl hij zich afvroeg wat zijn vrouw vannacht uitspookte. Dat ze niet op stap was met haar vriendinnen had hij al jaren geleden ontdekt. Toen had hij een dienstwagen geleend en was haar gevolgd. Ze was uit haar werk rechtstreeks naar een collega in Älvsjö gegaan die sinds een paar maanden gescheiden was, en omdat het licht in de woning vrijwel direct was uitgegaan, hoefde je geen agent te zijn om te kunnen snappen dat dit niet het eerste bezoek was. Hij was de halve nacht in de ijskoude auto blijven zitten, terwijl hij naar de donkere ramen loerde en de gedachten als lichtflitsen door zijn hoofd schoten. Daarna was hij naar huis gereden, had nooit met een woord over de kwestie gerept en nooit laten merken wat hij voelde en dacht.

Waar en met wie ze deze nacht was, wist hij niet. Ze was in elk geval niet bij haar collega in Älvsjö, want die had zich een halfjaar geleden opgehangen en Wiijnbladh had zelf het genoegen gehad hem van de buis aan het plafond in de waskelder los te snijden waaraan hij het touw had vastgemaakt. Een zware plicht, zelfs voor de geharde rechercheurs van de technische afdeling. Maar noodzakelijk, en Wiijnbladh had zich vrijwillig gemeld.

***

Hoe kon iets wat zo goed was begonnen zo verdomd slecht eindigen, dacht Bäckström, terwijl hij aangeschoten in het bierglas staarde dat hij van de bar had weten te jatten toen de rechtmatige eigenaar op de dansvloer was. Hij was naar een tent aan de Kungsgatan gegaan die vooral door collega's en ander los volk zoals brandweerlieden, bewakers en ambulancechauffeurs werd bezocht. Plus een heleboel verpleeghulpen, en voor een doorgewinterde strijder als hij leek de concurrentie niet echt overmachtig.

Alles was ook perfect begonnen. Hij was een jongere collega van de

29

recherche in Farsta tegengekomen die tot elke prijs bij de afdeling Geweldsdelicten wilde komen en bovendien het idee had dat Bäckström de juiste man was om dat te regelen. Die gierige lul had op twee armzalige pilsjes getrakteerd, dus Geweldsdelicten kon hij wel vergeten. Daarna was hij een dikke Finse tegengekomen met wie hij afgelopen zomer naar bed was geweest. Ze werkte als verpleeghulp in het Sabbatsberg-ziekenhuis en woonde in een smerige driekamerflat ergens ver weg in een zuidelijke buitenwijk van de stad. Alleenstaande moeder natuurlijk, hij kon nog steeds de stukken lego onder zijn voetzolen horen kraken toen hij er de volgende ochtend vandoor was gegaan. Kennelijk had ze ook een slecht geheugen, want ondanks het vorige bezoek was het hem gelukt honderd kronen van haar te bietsen. En hij had een natte zoen op zijn wang gekregen, maar nu was zelfs zij vertrokken. Onduidelijk waarheen en in het bijna lege lokaal bevonden zich alleen maar een heleboel dronkelappen en een uitgeteld wijf dat op de hoek van een bank in slaap was gevallen.

Wat een vreselijke maatschappij, wat een vreselijke mensen en wat leven ze een vreselijk leven, dacht Bäckström. Zijn enige hoop was dat er een echt heftige moord plaatsvond waar hij zijn tanden in kon zetten.

Zaterdag 23 november

Inspecteur Bo Jarnebring van de centrale afdeling Onderzoek in Stockholm was niet iemand die voor zijn lol op zaterdag werkte, maar sinds twee weken had hij niet veel meer te kiezen. Toen had hij namelijk een nieuwe baan gekregen als hoofdinspecteur en hoofd van de plaatselijke rechercheafdeling op Östermalm. Het was weliswaar een tijdelijke aanstelling, en hopelijk voor niet al te lange tijd, maar iedereen in zijn omgeving was toch uiterst verbaasd geweest. Jarnebring stond algemeen bekend als het tegenovergestelde van een carrièremaker, hij spuugde altijd naar boven en liet zelden een gelegenheid onbenut om op superieuren en halfsuperieuren te schelden. Bovendien vormde zijn werk als speurder misschien wel het belangrijkste deel van zijn identiteit. Hij had meer dan vijftien jaar bij de centrale afdeling Onderzoek gewerkt en hij had de rotsvaste overtuiging dat hij zich als politieman niets beters kon voorstellen dan op die manier te leven en te sterven.

Een maand geleden was hij met een aantal collega's van de recherche met de veerboot naar Helsinki gegaan voor een congres. Deze bijeenkomsten waren al heel lang een traditie en een terugkerend en noodzakelijk element in de planning dat toch ook bij het zogeheten onderzoekswerk hoorde. Ondanks het bohémienachtige en soms impressionistische karakter ervan.

Het was zoals gewoonlijk gezellig geweest. Alleen maar bekende gezichten en jongens die je kon vertrouwen. 's Ochtends hadden ze over oude en nieuwe criminelen gepraat, de gebruikelijke heldenverhalen verteld, en daarna hadden ze het overleg afgebroken voor een overdadige lunch, waarmee natuurlijk rekening was gehouden bij de vaststelling van het middagprogramma. Men had onder andere het hoofd van de rechercheafdeling van Östermalm uitgenodigd, die het een en ander zou vertellen over zijn ervaringen met het plaatselijke recherchewerk. Het was een fatsoenlijke man die aan de goede kant van de wet stond, een grapjas, en hoewel hij van de ware leer was afgedwaald, was hij in hart en nieren een oude speurder gebleven. Als eerste punt na de lunch was hij helemaal perfect. Hij was een zeer onderhoudende spreker en na afloop kon niemand zich een woord herinneren van wat hij had gezegd. Het congres ging in feite ook om iets heel anders: onder informele omstandigheden vrienden en collega's ontmoeten, zodat ze 's avonds misschien over andere dingen konden praten dan over oude criminelen.

Deze keer was het helaas helemaal fout gelopen. In de kleine uurtjes had het selecte groepje dat nog op zijn benen kon staan, zich verzameld in de hut van de congresleiding voor een laatste rondje, en om een lang en inmiddels zorgvuldig in de doofpot gestopt verhaal kort te maken, had Jarnebring de achillespees van het hoofd van de rechercheafdeling van Östermalm gescheurd. Dat was namelijk niet alleen een onderhoudende spreker, maar ook een beroemde krachtpatser die heel goed kon armpje drukken en rug-aan-rug worstelen. Op het eind was Jarnebring nog de enige tegenstander, dezelfde Jarnebring die vijfentwintig jaar geleden de tweede loper in de korte estafette van de Finnkamp was geweest, en die er een gewoonte van had gemaakt nooit op te geven.

Tijdens de afsluitende samenvatting van de dag had een van de sprekers zich helaas verstapt toen hij was opgestaan om de discussie op het schoolbord samen te vatten. Iedereen was natuurlijk volstrekt nuchter geweest, maar aangezien de zeegang af en toe behoorlijk zwaar was geweest, was het toch een lelijk ongeluk. Een typisch bedrijfsongeval dus, wat toch een troost was als je een paar maanden in het gips moest lopen.

Jarnebring was een man die volgens eenvoudige en vanzelfsprekende regels leefde. Discretie was een erezaak. Als je ergens bij betrokken raakte, zorgde je ervoor dat je de boel ook opruimde en als het er werkelijk op aankwam, waren je maten het belangrijkst. Daarom was hij sinds veertien dagen waarnemend hoofd van de plaatselijke rechercheafdeling van de politie op Östermalm, meer viel er over die zaak niet te zeggen.

Het had echter helaas zijn leven beïnvloed. Zijn huidige vriendin, die bij de ordepolitie van Norrmalm werkte, had hem die ochtend vroeg verlaten vanwege een plotselinge opdracht, dus dat soort activiteit kon hij wel vergeten. Trainen kwam ook niet in aanmerking, want dat deed je tijdens diensttijd en als oud topsporter wist hij dat het belangrijk was om je aan een strak trainingsschema te houden. Het was ook uitgesloten zijn ongelukkige collega met het gegipste been te bezoeken. Die was met zijn vrouw naar een kuuroord in Värmland vertrokken om serieus, en op kosten van de zaak, te herstellen.

Nadat hij had gedoucht, ontbeten en de ochtendkrant had doorgebladerd, was het nog steeds maar negen uur en voor hem lag een vrij weekend, lang als een marathon en weinig aanlokkelijk voor een oude sprinter als Jarnebring. Toen had hij besloten zijn beste vriend en ex-collega, commissaris Lars Martin Johansson van de Rijksrecherche te bellen. Dat besluit had flink wat innerlijke overreding gekost, want de laatste keer dat ze elkaar hadden ontmoet hadden ze flink ruzie gemaakt. Over een kleinigheid bovendien, een Joegoslavische crimineel die Jarnebring en zijn collega's met behulp van aanzienlijke inspanningen en nogal onconventionele methoden eindelijk in de penitentiaire inrichting hadden weten te plaatsen waar hij van meet af aan had moeten zitten. Dat was op zich niet zo bijzonder, maar Johansson, die verontrustende tekenen van een wankelende overtuiging begon te vertonen sinds hij de actieve strijd tegen de misdaad had verlaten om achter een groot bureau uit te rusten, was helemaal waanzinnig geworden, had hem uitgescholden en was midden in een uitstekende maaltijd weggelopen.

Laat ik het maar vergeten, ik ben tenslotte niet haatdragend, dacht Jarnebring edelmoedig, terwijl hij het nummer van zijn oude vriend en collega draaide. Maar daar nam niemand op, het nummer was niet eens in gesprek, en voordat Jarnebring eigenlijk doorhad hoe het was gegaan, was hij plotseling door de deuren van de receptie het politiebureau op Östermalm aan de Tulegatan binnengestapt. Hij knikte naar zijn collega in uniform die achter de balie zat, en die knikte terug.

"Hoe is het hier?" vroeg Jarnebring. "Nog iets gebeurd?"

De collega schudde zijn hoofd, terwijl hij op zijn lijst keek.

"Een paar auto-inbraken, een vechtpartij met vernieling in een café aan de Birger Jarlsgatan, een directeur die zijn vrouw in elkaar heeft geslagen, aan de Karlavägen, maar daar zou Geweldsdelicten geloof ik mee aan de slag, ja", zei hij terwijl hij door zijn papieren bladerde. "Dan hebben we ook nog een zelfmoord. Een gekke Amerikaan die van die studentenflat aan de Valhallavägen is gesprongen."

"Een Amerikaan, uit de VS?"

De collega in uniform knikte bevestigend.

"Amerikaans staatsburger. Geboren in drieënvijftig geloof ik. De papieren liggen in jouw vakje. Ik heb ze vanmorgen gekregen."

Olle Hultman, dacht Jarnebring en hij werd een stuk vrolijker. Het is binnenkort tenslotte Kerstmis.

***

Toen Jarnebring naar Johanssons huis belde, zat die al meer dan een uur op zijn werk. Kerstmis naderde, binnenkort zou hij van baan veranderen, en zowel oude als nieuwe zaken moesten voor die tijd in orde worden gemaakt. Ik leef in een tijd van verandering, dacht hij terwijl hij de stapel papieren op zijn bureau doorbladerde. Eerst had hij de planning van zijn reis afgerond. Hij verheugde zich op de reis. Vliegen van Stockholm naar New York, een directe aansluiting naar Washington, waar hij met een auto zou worden opgehaald die hem naar de FBI-academie in Quantico, Virginia, zou brengen. Een congres van vijf dagen over de allernieuwste methoden in de strijd tegen de voortdurend toenemende criminaliteit – dat stond tenminste in het programma – en daarna terug naar New York, waar hij het weekend zelf kon invullen. Johansson wreef zijn handen van genoegen. Hij hield van New York. Hij was er één keer eerder geweest. Zonder meer enige verschillen met zowel Näsåker als Stockholm, en uitstekend geschikt voor iemand die zijn bewustzijn wilde verruimen.

Daarna was hij een verklaring gaan schrijven. Tijdens het onderzoek naar een drievoudige moord in de zuidelijke buitenwijken van Stockholm ruim een jaar geleden hadden de onderzoekers en technici van de politie van Stockholm helaas twee van de lijken over het hoofd gezien. Het derde lijk lag in de lift van het gebouw, dus dat hadden ze gevonden, maar omdat de lift nogal klein was had de dader de twee andere lijken in de liftschacht gedumpt en helaas was het de huismeester die ze een dag of wat later had gevonden. Om het allemaal nog erger te maken was dit de procureur-generaal ter ore gekomen, en die was bij wijze van uitzondering zo goed geïnformeerd geweest, dat er redenen waren om te vermoeden dat er een verrader was die als een dolle hond rondrende en wild om zich heen beet in de eigen gelederen. Die persoon was ook niet gevonden.

"Het zal wel een collega zijn die zich gepasseerd voelt", had Wijnbladh gesteld toen ze op de technische afdeling koffie zaten te drinken en alle collega's hadden instemmend geknikt. Zelfs die idioot van een Olsson, die de functie van plaatsvervangend hoofd van de afdeling had gekregen die Wijnbladh eigenlijk had moeten hebben. Als er rechtvaardigheid had bestaan in deze wereld.

De procureur-generaal had op zijn beurt een verklaring van de directie Rijkspolitie gevraagd: kon dit worden beschouwd als professioneel uitgevoerd politiewerk?

Het hoofd van de Rijkspolitie was een hooggeplaatste jurist met regeringsachtergrond en hij wist geen klap van politiewerk, niemand in zijn naaste omgeving trouwens.

"We zouden het Johansson kunnen vragen", stelde het hoofd van de Rijkspolitie voor, "hij schijnt een soort legende te zijn geweest toen hij bij de recherche werkte." Niemand in het gezelschap had ook maar enig bezwaar gemaakt.

Het hoofd van de Rijkspolitie was dol op Johansson. Hij was niet alleen een 'echte politieman', hij zag er ook uit als een echte politieman en sprak zelfs met een Noord-Zweeds accent. Bovendien was alles wat hij zei en schreef volstrekt begrijpelijk. Een bijzondere man, had het hoofd van de Rijkspolitie meer dan eens gedacht. Hij leek zelfs ... ja ... ontwikkeld.

Johansson had geen flauw idee van deze bureaucratische overwegingen toen hij zich steunend door de papieren heen worstelde die de Stockholmse politie had afgegeven: laverend tussen de Scylla van de collegialiteit en de Charybdis van de professionaliteit. Misschien moet ik het maar van de vrolijke kant bekijken, dacht Johansson. De drie slachtoffers waren Turken, evenals de dader, en de zaak betrof een afrekening in het drugsmilieu, zoals dat in politietaal heette. Turken konden zoals bekend klein, donker en moeilijk te ontdekken zijn, vooral in een liftschacht. Dit was een uitstekende gelegenheid om na tien jaar afwezigheid weer eens de voorbank met Jarnebring te delen en de oude maten van de recherche te ontmoeten. Johansson zuchtte, vouwde zijn handen achter zijn hoofd en leunde achterover in zijn stoel. Het is belangrijk dat ik de woorden in mijn verklaring op een goudschaaltje weeg, dacht hij.

***

Olle Hultman was natuurlijk een oude speurder. Zo was het en niet anders. Een speurder van de oude stempel die niet alleen alle criminelen bij naam en nummer kende, maar ook elke tatoeage op hun stukgeprikte armen. Toen Jarnebring als nieuweling bij de recherche was gekomen, was Olle Hultman zijn mentor geworden, en algemeen werd aangenomen dat Hultman met zijn afdeling zou leven en sterven.

"Na zijn pensioen gaat hij in het park voor het politiebureau de duiven zitten voeren en binnen een halfjaar is hij dood", had zijn chef in vertrouwen tegen Jarnebring gezegd. "Dus grijp je kans en leer van hem. Mensen als Olle groeien niet aan de bomen."

Maar toen het eenmaal zover was, was die voorspelling onjuist gebleken. Helemaal onjuist. Olle Hultman had op zijn negenenvijftigste van de eerste gelegenheid om met pensioen te gaan gebruikgemaakt en was meteen daarna als huismeester op de Amerikaanse ambassade gaan werken. Daar had hij zich al snel op allerlei terreinen onmisbaar gemaakt en hij was nu al vele jaren het informele hoofd van de drank- en delicatessenafdeling van de ambassade. Ongeacht de rampen die het ambassadepersoneel en Amerikaanse burgers op Zweedse bodem konden treffen, was Olle Hultman De Juiste Man. Olle kende iedereen en iedereen mocht hem. Natuurlijk waren dat allemaal politiemensen, maar bovendien had hij strategische contacten, van de kustbewaking en de douane via de belastingdienst tot aan de vrouwelijke parkeerwachters van Openbare Werken.

***

Deze keer was ze om halfvier thuisgekomen en het duurde een hele tijd voordat ze de slaapkamer binnenkwam en in bed kroop. Wijnbladh deed alsof hij sliep, en na verloop van tijd moest hij dat ook echt hebben gedaan. Hij werd al om acht uur wakker en hoewel hij niet genoeg had geslapen, voelde hij zich helemaal helder in het hoofd. Zijn vrouw lag in diepe slaap, ze snurkte zachtjes en had op het kussen gekwijld. Ik zou je moeten vermoorden, dacht Wijnbladh en hij pakte stilletjes zijn kleren, sloop naar de woonkamer en kleedde zich aan. Hij besloot naar zijn werk te gaan, hoewel zijn dienst pas vele uren later zou beginnen.

***

Ongeveer op hetzelfde moment dat Wijnbladh wakker werd, had Stridh zijn boek weggelegd en was op de bank in slaap gevallen. Hoewel hij eruitzag als Oscar II, voelde hij zich als een prins. Hij droomde dat hij Blenheim Palace bezocht, door de hoge, lichte zalen liep, een tijdje in de kamer bleef staan waar Winston was geboren en daarna een voedzame lunch nuttigde in een nabijgelegen pub.

***

Jarnebring had Hultmans pieper gebeld en binnen een minuut belde Hultman terug. Weer een minuut later had Jarnebring verteld waar het over ging: een dode Amerikaanse staatsburger, niet gekleurd maar blank, geboren in drieënvijftig en volgens nog onbevestigde bronnen mogelijk werkzaam als journalist, tussen zijn bezittingen had men een perskaart gevonden. Volgens de dienstdoende rechercheur was het een zelfmoord, maar hij had besloten zelf naar de zaak te kijken en als Hultman met hem mee wilde, was dat prima. Diensten en wederdiensten, dacht Jarnebring.

"Je denkt dat er een luchtje aan zit?" vroeg Hultman.

"Nee", antwoordde Jarnebring, "maar ik heb toch niets beters te doen."

"Ik ga graag met je mee", antwoordde Hultman, met warmte in zijn stem. "Je moet weten dat ik soms wel terugverlang. Ik stel voor dat we mijn auto nemen, voor het geval hij spullen heeft die ik mee moet nemen naar de ambassade. Ik kan over tien minuten bij je zijn."

"We zien elkaar buiten", antwoordde Jarnebring en hij hing op. Hij stond op, bewoog zijn grove schouderbladen heen en weer, pakte het holster met zijn dienstwapen en maakte het vast bij zijn linkerheup. Zo ja, dacht hij met een tevreden grijns.

***

Bäckström werd ongeveer wakker op het moment dat hij eigenlijk al op zijn werk had moeten zijn. Hij had zich wel eens beter gevoeld. De slaapkamer stonk naar zweet en drank, en toen hij zijn adem op zijn handpalm testte, besefte hij dat hij er iets aan moest doen. Ik moet douchen, dacht Bäckström, hoewel alleen homo's vaker dan één keer per week douchten; tandenpoetsen, gorgelen, keelpastilles, minstens één zakje mee. Op het werk wachtte dezelfde dominee annex hoofdinspecteur met wie hij de afgelopen nacht had moeten samenwerken en Bäckström was niet iemand die onnodige risico's nam. Wat ze allemaal wel niet van je verlangen, dacht hij terwijl het water over zijn witte lichaam stroomde. Werk je de hele nacht over en wat krijg je ervoor? Op hetzelfde moment ging de telefoon. Het was de dominee. Hij klonk chagrijnig en vroeg of er iets was gebeurd.

36

"Ik heb alleen maar tot vijf uur vanmorgen doorgewerkt en daardoor heb ik me per ongeluk verslapen", antwoordde Bäckström gekwetst. "Maar ik kom eraan."

Hoe dom kan iemand zijn, dacht Bäckström tevreden. De idioot had zelfs zijn verontschuldigingen aangeboden.

Nu moest hij alleen nog een schone onderbroek vinden. Die van gisteren rook niet al te vertrouwenwekkend. Bäckström snuffelde aan de stapel vuile was en vond er uiteindelijk een die niet direct uit de kaaswinkel afkomstig leek. Het komt allemaal goed, dacht hij tevreden. Zoals altijd wanneer een echte prof bezig is.

***

Jarnebring zag er weliswaar uit als een boef, praatte als een boef en gedroeg zich maar al te vaak als een boef, maar als politieman viel er verder niet veel op hem aan te merken. Hij was snel, sluw, effectief en had de neus van een roofdier voor menselijke zwakheden. Samen met Hultman vormde hij een apart stel. Jarnebring was groot en grof, gekleed in een winterjack dat tot over zijn middel reikte om zijn dienstwapen te verbergen, spijkerbroek en schoenen met rubberzolen die goed houvast gaven als hij iemand achternazat. Hultman was klein en slank, zag er jonger uit dan zijn vierenzestig jaar, droeg een grijs pak met één rij knopen en een vest, plus een blauwe overjas tegen de novemberkou.

Toen ze de plek stonden te bekijken waar Krassner was gevallen, was er een oudere dame op het grindpad gestopt.

"Bent u van de politie?" vroeg ze. Jarnebring constateerde met een zeker genoegen dat de vraag aan Hultman was gesteld.

"Ja", zei Hultman met dezelfde invoelende glimlach als van een bekwame begrafenisondernemer. "We onderzoeken een sterfgeval. Maar u hoeft zich nergens zorgen over te maken."

De oude vrouw schudde bedroefd haar hoofd.

"Ik hoorde van een buurman dat een van die arme studenten uit het raam is gesprongen. Dat is toch wel heel treurig. Jonge mensen."

Nu knikte ook Jarnebring op dezelfde manier als zijn oude mentor. De vrouw schudde haar hoofd, glimlachte zwakjes en liep verder.

In totaal had het hun vier uur gekost, vanaf het moment dat Hultman Jarnebring bij het bureau op Östermalm had afgehaald, tot hij hem weer op dezelfde plek had afgezet, en in die tijd hadden ze heel wat gedaan. Eerst hadden ze de plek bezocht waar Krassner was overleden. Daarna hadden ze zijn kamer bekeken en met een paar studenten gepraat die in dezelfde gang woonden. Niemand van hen had hem echt goed gekend. Hij had de flat in onderhuur en had er maar ruim een maand gewoond en niet de indruk gewekt dat hij geïnteresseerd was in sociale contacten. Bovendien was hij beduidend ouder geweest dan de anderen op de gang. Ze hadden vooral met een Zuid-Afrikaanse uitwisselingsstudent gepraat, die er sterk aan twijfelde dat Krassner zelfmoord had gepleegd, maar toen Jarnebring hem onder druk zette kon hij niet verklaren waarom hij daaraan twijfelde. Het was meer een gevoel.

De meeste tijd hadden ze besteed aan het doorzoeken van Krassners flat. Tussen het badkamerkastje en de muur had Jarnebring een plastic zakje met vijf marihuanasigaretten gevonden, wat niet de eerste keer was voor juist die plek, en wat Bäckström en Wiijnbladh kennelijk hadden gemist, maar verder viel er niets opzienbarends te rapporteren. Bepaalde vraagtekens natuurlijk, maar die waren er altijd en de meeste tijd was gebruikt om Krassners persoonlijke bezittingen bij elkaar te zoeken en die over twee stapels te verdelen. Een stapel die Hultman mee kon nemen naar de ambassade om naar Krassners familie in de VS te sturen, en een beduidend kleinere die Jarnebring moest houden tot het onderzoek was afgesloten. In de eerste en grootste stapel lagen vooral kleren en in de tweede en kleinste vooral persoonlijke papieren. Hultman had dit vaker gedaan. Jarnebring schreef het proces-verbaal van inbeslagname, terwijl Hultman de spullen over twee stapels verdeelde en dicteerde wat waarheen ging. Jarnebring had hier niets op tegen gehad.

Na het bezoek aan de flat waren ze naar de woning van de getuige gereden, Gustav Adolf Nilsson, die vlakbij aan de Surbrunnsgatan woonde. Jarnebring en Hultman hadden Nilsson ambtshalve wel eerder ontmoet, maar omdat Nilsson zich hen niet leek te herinneren, hadden ze daar niets over gezegd. Nilsson, of Vindeln zoals hij liever werd genoemd, was neerslachtig maar tegelijkertijd opgelucht geweest. Het was hem gelukt om voor zijn hond een plaats op het dierenkerkhof te regelen en een paar van zijn buren zouden de begrafenis bijwonen.

"Ik heb hem zolang op het balkon gelegd", zei Vindeln en hij knikte naar de balkondeur. "Jämthonden vinden het niet prettig als het te warm wordt", voegde hij er als verklaring aan toe.

De rest was alleen nog maar een kwestie van vervoer geweest. Eerst waren ze naar de ambassade gereden, waar ze Krassners bezittingen hadden afgeleverd die niet nodig waren voor het onderzoek. Het politiebureau van Östermalm lag weliswaar dichterbij, maar omdat Jarnebring met plezier een rondleiding door de ambassade had geaccepteerd, werd het de omgekeerde volgorde. En bijna exact vier uur nadat Hultman hem voor het bureau op Östermalm had opgehaald, waren ze dus weer op dezelfde plek.

Hultman stopte. Zette de motor uit en glimlachte vriendelijk naar Jarnebring.

"Scotch of bourbon?" vroeg hij.

"Je kunt zeker niet een doos gemengd regelen?" was Jarnebrings wedervraag. "Mijn vriendin is niet zo dol op whisky en binnenkort is het weer Kerstmis."

"Geen probleem. Een doos gemengd. Iets heel anders ..." Hultman keek Jarnebring met een vaderlijke glimlach aan. "Heb je vanavond iets bijzonders te doen?"

Jarnebring schudde zijn hoofd.

"Heb je toevallig een pak met een wit overhemd en een stropdas?" Jarnebring knikte. Hij wist wat er zou komen.

"Dan wilde ik je vragen of ik het genoegen mag hebben je voor een goed diner uit te nodigen?"

"Natuurlijk." Jarnebring glimlachte. "Zal ik een paar frisse meiden meenemen? Die van mij is weliswaar aan het werk, maar ze heeft een paar collega's die heel wat in hun mars hebben."

"Oude herinneringen." Hultman knikte, vooral bij zichzelf leek het. "Eerst praten we over oude herinneringen, en daarna vertel je mij wat er allemaal is gebeurd sinds ik weg ben en ondertussen eten we een uitstekende maaltijd. Wat je daarna doet, daar bemoei ik me niet mee, als je maar goed oppast."

***

Johansson had de hele dag op zijn werk gezeten en gewerkt aan zijn verklaring over de twee moordslachtoffers die over het hoofd waren gezien. Hij was pas rond zeven uur klaar, dat wil zeggen in mentale zin, het verbaliseren van zijn standpunten moest tot morgen wachten. Daarna nam hij een taxi naar huis, maakte een eenvoudige maaltijd klaar en bracht de rest van de avond door voor de televisie. Rond middernacht was hij in diepe slaap, rustend op zijn rechterzij en met zijn rechterarm onder het kussen.

***

Hultman had zich aan zijn woord gehouden. Ze waren om halfacht begonnen met eten en het had tot bijna twaalf uur geduurd voordat Hultman op zijn horloge had gekeken en zijn Gold Card tevoorschijn had gehaald. Onder wederzijds eerbetoon en toezeggingen over een spoedig weerzien hadden ze op straat voor het restaurant afscheid van elkaar genomen. Daarna was Hultman naar huis gegaan, terwijl Jarnebring de Stockholmse nacht in was gewandeld.

***

Stridh was vóór het ochtendnieuws op de radio wakker geworden. Daarna had hij gebakken aardappels, vlees en uien met eieren en rode bieten gegeten en twee pilsjes gedronken. Nu lag hij weer op de bank en het was tijd om met het derde deel te beginnen. Eindelijk, dacht hij en hij ging er lekker voor liggen, eindelijk tijd om kennis te nemen van het politieke gekuip in het achttiende-eeuwse Holland dat voorafging aan de slag bij Blenheim.

***

De dag van Wijnbladh was, zoals zo vaak, een dag van persoonlijk lijden geweest. Hij had vooral nagedacht over verschillende manieren om zijn vrouw van het leven te beroven, maar omdat geen enkele manier pijnlijk en veilig genoeg was – hij kon er immers niet van uitgaan dat Bäckström en diens collega's het onderzoek zouden verrichten – had het hem slechts geringe verlichting geschonken. Toen hij zich eindelijk had vermand en naar huis was gegaan, zat er een briefje van zijn vrouw op de spiegel in de hal waarop stond dat ze naar haar zus in Sollentuna was gegaan. Ik vraag me af waar ze over praten, dacht Wijnbladh huiverend.

***

Bäckström had een goede dag gehad, al had het er in het begin dreigend uitgezien toen zijn chef hem met een geval van vrouwenmishandeling had opgezadeld. Hoezo vrouwenmishandeling, dacht Bäckström. Iedere agent die die naam waardig was, wist dat het gewoon om dronken vrouwen ging die alleen maar door hun dronken echtgenoot wilden worden afgetuigd. Alle vrouwen hielden van een beetje slaag, dat wist Bäckström uit persoonlijke ervaring, maar sommige exemplaren bleven het echtelijke samenleven kruiden door af en toe naar oom agent te hollen om zich te beklagen. Die vrouwen zouden juist een flinke afstraffing moeten krijgen, dacht Bäckström terwijl hij zijn dienstauto naar de woning van het slachtoffer stuurde. Merkwaardig genoeg woonde ze aan de Karlavägen, wat hem voldoende nieuwsgierig had gemaakt om haar thuis te verhoren.

Jezus, wat een woning, dacht Bäckström toen hij op de bank van het slachtoffer had plaatsgenomen. Hier zit flink wat poen en waarschijnlijk was het gewoon zo dat ze had geprobeerd haar man nog meer afhandig te maken en dat hij haar toen had afgetuigd, maar de zaak bood onmiskenbaar bepaalde openingen. Ze zag er zelf ook niet slecht uit, dacht Bäckström. Weliswaar boven de veertig, maar ze had grote tieten en het zou vast lekker zijn haar te neuken als een echte prof als Bäckström de stuurknuppel bediende.

"Ja, mevrouw Östergren", zei Bäckström vriendelijk. "Als u dan zo vriendelijk wilt zijn te vertellen wat er is gebeurd. Neem er de tijd voor en probeer bij het begin te beginnen, al kan dat op dit moment vreselijk moeilijk lijken."

Mevrouw Östergren knikte en snotterde. Volgens mij zit ik me hier op te geilen, dacht Bäckström tevreden terwijl hij zijn hoofd een beetje schuin hield.

"Zo ja, mevrouw Östergren", zei Bäckström troostend. "Het komt allemaal goed. Daar zal ik persoonlijk voor zorgen." En hij voegde eraan toe: "Binnenkort zien we het licht aan het eind van de tunnel weer." Als ik in jouw kut kijk, teef, dacht hij.

Drie uur later zat Bäckström op het bureau het verhoor uit te typen. Als onze vriend de directeur hier niet voor wordt gepakt, dan wordt hij het nooit, dacht Bäckström. Zijn vrouwtje had zowel Bäckströms privé-nummer als dat van zijn werk gekregen, dus daar hoefde manlief niet aan te denken, en als ze toehapt zal ik haar een flinke beurt geven, dacht Bäckström tevreden terwijl hij het laatste vel uit de machine trok. Hoog tijd voor wat bier, dacht hij en hij keek op zijn horloge terwijl hij het allernoodzakelijkste met zijn balpen verbeterde.

***

Oredsson had de dag met een tiental van zijn beste vrienden doorgebracht. Allemaal agenten bij de ordepolitie natuurlijk, waaronder zelfs drie vrouwen, maar helemaal oké hoewel ze vrouw waren. Een van de vrienden had een huisje van een familielid mogen lenen en daar hadden ze eerst inval en bevrijding van gijzelaars geoefend, natuurlijk met losse patronen, en daarna hadden ze gebarbecued en een paar kratten bier gedronken terwijl ze over van alles en nog wat hadden zitten praten.

"Dit soort dingen moet je oplossen voordat het gebeurt", verklaarde Mikkelson die bij de patrouilledienst werkte en wist waar hij het over had. "Het is niet iets waar je moeilijk over moet gaan doen als het al is gebeurd."

Een fatsoenlijke man, dacht Oredsson. 's Avonds zouden ze elkaar weer ontmoeten, de stad in gaan en laten zien wie ze waren.

***

Een betere plek dan deze bestaat er waarschijnlijk niet, dacht Jarnebring tevreden en hij keek om zich heen in de grote bar. Hij was naar een tent aan de Kungsgatan gegaan die vooral door politiemannen en brandweerlieden, bewakers en ander los volk werd bezocht, plus minstens een paar compagnieën vrouwelijk verplegend personeel. Hij had meteen contact gekregen. Twee vrouwelijke collega's van de bereden politie, van wie in elk geval de ene vastbesloten leek zijn vriendin, die aan het werk was, de loef af te steken.

"Wat zie jij er mooi uit", zei ze waarderend. "Ik heb je nooit eerder in pak gezien, maar het staat je goed."

"In functie", zei Jarnebring en hij haalde verontschuldigend zijn brede schouders op. "Ik werk tegenwoordig op Östermalm, en de Amerikaanse ambassade had me uitgenodigd voor een diner. Denk daaraan, meisjes, als jullie op Djurgården rondgaloperen. Jullie moeten je gedragen." Jarnebring schonk hun een kwart van zijn brede grijns.

"En als we dat niet doen?"

Jezus, wat is ze knap, dacht Jarnebring. De avond is nog maar amper begonnen en ik ben al binnen.

Jarnebring verbreedde zijn grijns. Boog zich naar voren en fluisterde iets in haar oor. Ze giechelde verrukt, maar haar vriendin keek plotseling waakzaam. Daar hebben we een mogelijk lek, dacht Jarnebring. Hoe moet ik dat dichten?

***

Toen Bäckström binnenstapte, was hij in een uitstekend humeur geweest. Op weg naar de kroeg had hij al het eerste herendiner gepland voor zijn collega's van de afdeling Geweldsdelicten dat hij in zijn nieuwe woning aan de Karlavägen zou geven. Ze zullen versteld staan, die armoedzaaiers, dacht Bäckström enthousiast terwijl hij langs de garderobe sloop. Hij had zijn jas op het bureau aan de Kungsholmsgatan achtergelaten. Wie wilde daar in vredesnaam voor betalen, dacht Bäckström en hij keek naar de garderobejuffrouw. Stomme woekeraarster.

42

Omdat hij helemaal blut was, zelfs geen stuiver op zak had, was hij meteen op zoek gegaan naar een geschikt slachtoffer van wie hij wat geld kon bietsen, maar het zag er verdomd mager uit. Het denderde van jewelste vanaf de dansvloer en de mensen die aan het dansen waren, hadden grote hoeveelheden flessen en glazen achtergelaten op de bar. Bäckström was onopvallend achter een grofgebouwde vent in pak gaan staan die met zijn rug naar hem toe stond en met een paar blondines stond te kletsen. Hij meende hem vaag ergens van te herkennen. Een of andere bewaker die op de begrafenis van zijn vader is geweest en indruk wil maken met zijn pak, dacht Bäckström, terwijl zijn dikke vingers zich om een bijna vol glas bier sloten. Hebbes, dacht Bäckström. Hij schoof het bier voorzichtig naar zich toe en draaide zijn rug naar de ander toe. Een truc die altijd werkte. Hij slaakte een zachte zucht van welbehagen, hief zijn welverdiende mout op en op datzelfde moment was de hel losgebroken.

Plotseling had die vent in pak een hand uitgestoken, groot als een behaarde kerstham en met bijpassende vingers, die gewoon zijn bier had gegrepen.

"Kijk uit, klootzak, ik ben van de politie", dreigde Bäckström, en op hetzelfde moment zag hij dat het Jarnebring was. Sluipt die kerel tegenwoordig in vermomming rond, dacht Bäckström. Hij wist heel goed wie Jarnebring was. Dat wisten alle politieagenten. Nog geen maand geleden had die stomme psychopaat het been van een oudere collega van Östermalm afgerukt om diens baan te krijgen. Ik vraag me af hoeveel hij er heeft doodgeslagen, dacht Bäckström, en plotseling had hij het gevoel dat hij een groot zwart gat in zijn borst had, ongeveer op de plek waar zijn hart zat.

Jarnebring nam een slok van zijn heroverde bier, glimlachte zijn brede grijns en knikte naar de spiegelwand achter de rijen flessen in de bar.

"Zie je die spiegel daar? Ik heb naar je gekeken sinds je binnenkwam."

Bäckström had een goed weerwoord op het puntje van zijn tong liggen, maar om de een of andere reden die hij niet goed begreep, zei hij niets en knikte alleen maar.

"Ik vind dat je maar naar huis moet gaan", ging Jarnebring verder. "Je lijkt nogal moe van het harde werken." Jarnebring wisselde een blik met de barkeeper, die knikte terwijl hij Bäckström monsterde.

"Ga naar huis en naar bed", zei de barkeeper. "En hoor eens, ik denk dat we ons hier wel redden zonder jou. Het is maar dat je het weet."

Bäckström haalde zijn schouders op, draaide zich om en vertrok.

Eigenlijk was hij van plan geweest een afweermanoeuvre uit te voeren, maar die mongool bij de deur had hem kennelijk in de gaten. Hij glimlachte breed naar Bäckström, hield de deur met een overdreven buiging open en wees hem met zwaaiende rechterarm de weg naar buiten.

"Bedankt voor uw bezoek, inspecteur."

Ik vermoord jullie, stelletje klootzakken, dacht Bäckström.

***

Oredsson en zijn vrienden hadden op slechts een paar meter van de bar aan een tafeltje gezeten, en ze hadden alles gezien. Ik vraag me af of hij net zo denkt als wij, dacht Oredsson. Alles wat ik over hem heb gehoord lijkt te kloppen, en we werken op dezelfde plek. Hij voelde de opwinding in zijn borst toenemen.

***

Toen Bäckström buiten op de Kungsgatan stond, was het gaan sneeuwen. Grote witte vlokken die als natte herinneringen, onduidelijk waaraan, uit de zwarte oneindigheid daarboven naar beneden dwarrelden. Plotseling was hij gaan grienen. Verdomme. Hij griende als een klein kind, als een stom wijf. Klootzakken, dacht hij. Ik ga die klootzakken vermoorden.

"Ik vermoord jullie, stelletje klootzakken", brulde Bäckström de lege straat in en naar een langsrijdende taxi. Wat een vreselijke mensen, wat een vreselijke maatschappij en wat leven ze een vreselijk leven, dacht hij.

Zondag 24 november

Johansson had de zondag besteed aan het schrijven van zijn verklaring over de twee moordslachtoffers die over het hoofd waren gezien. Hij had elk woord op een goudschaaltje gewogen en omdat dat aardig wat tijd kostte, was het al zeven uur 's avonds toen hij weer thuiskwam. Daarna had hij een eenvoudige maaltijd bereid, een Engels boek over de internationale drugshandel gelezen, en rond middernacht sliep hij diep en volgens reeds lang aangewende routines.

Je begint oud te worden, dacht Jarnebring somber terwijl hij de papieren over de dood van John P. Krassner doorbladerde. De vorige nacht was alles gesmeerd verlopen. Ze hadden niet eens met elkaar hoeven te dansen, maar waren in het meest rustige hoekje dat ze konden vinden aan een tafel gaan zitten. Haar vriendin had afscheid genomen en was ervandoor gegaan met een bekende vrouwenversierder van de patrouilledienst op Södermalm. Daarna had hij haar naar huis vergezeld. Ze hadden de hele weg gelopen hoewel ze ver weg op Gärdet woonde, en toen ze eenmaal voor haar portiek stonden, hoefde er maar één besluit genomen te worden.

Ze glimlachte naar hem, maar haar ogen hadden een andere, meer taxerende uitdrukking.

"En?" zei ze giechelend. "Wat doen we? Ga je mee naar boven om een kopje thee te drinken? Ga je naar huis? Of heb je nog meer bedenktijd nodig?"

Eerst had hij overwogen het werk van de volgende dag als excuus aan te voeren. Maar in plaats daarvan had hij zijn hoofd geschud.

"Ik ga naar huis", antwoordde Jarnebring. "Misschien ben ik wel ontstellend stom maar gezien het feit ... ja, je weet vast wel dat ... denk ik dat ik maar beter naar huis kan gaan."

Ze had haar verbazing maar met moeite kunnen verbergen. Toen had ze haar schouders opgehaald, zich naar voren gebogen en hem een kus op zijn mond gegeven.

"Eigen schuld", zei ze en ze verdween door de portiekdeur.

Je bent een lafaard, dacht Jarnebring toen hij de straat uitliep. Of je begint oud te worden. Die gedachte was echter zo onbehaaglijk dat hij haar meteen wegjoeg.

In plaats daarvan zat hij hier, achter een bureau waar hij niet hoefde te zitten. Als een echte bezige bij, terwijl overwerk niet eens werd vergoed als je hoofdinspecteur en chef was. Ik zou Johanssons voorbeeld moeten volgen, dacht Jarnebring en hij bladerde verder in zijn papieren. Er waren drie mogelijkheden, dacht hij: moord, zelfmoord of een ongeluk.

Dat het om een ongeluk zou gaan leek uiterst onwaarschijnlijk. Krassner was een meter vijfenzeventig, het raam zat relatief hoog in de muur, ruim boven Krassners middel. Bovendien was het raam voorzien van een vergrendeling waardoor het slechts tien centimeter kon worden geopend. Dezelfde vergrendeling die iemand met geweld had losgemaakt en waarvan de breukplaatsen in het hout kersvers leken. De gaten waar de losgetrokken schroeven in hadden gezeten roken zelfs naar hout. Stel dat hij plotseling een dwangmatige behoefte aan frisse lucht had gekregen, de vergrendeling had losgerukt en naar buiten had geleund om flink in te ademen. Zelfs dan had hij niet moeten kunnen omkiepen en naar buiten vallen. Vergeet het maar, dacht Jarnebring en hij streepte het derde alternatief door.

Bleven moord en zelfmoord over. Wat sprak er voor een moord? Niets, dacht Jarnebring. Geen tekenen dat er iemand was binnengedrongen, geen tekenen van strijd, geen bekend, zichtbaar of zelfs waarschijnlijk motief, geen moordwapen, zelfs nauwelijks een gelegenheid. Wat was dat voor een moordenaar die een studentenkamer binnenging en geluidloos en zonder sporen achter te laten de persoon vermoordde die daar woonde? Acht kleine kamers met dunne muren die allemaal aan een gemeenschappelijke gang lagen, en het feit dat Krassner de enige was die zich daar bevond toen het allemaal gebeurde, was toch niet iets waar een eventuele moordenaar invloed op had kunnen uitoefenen. Moord kun je wel vergeten, dacht Jarnebring met een zeker gevoel van weemoed waar hij niets aan kon doen. Een beroepsdeformatie.

Wat overbleef was zelfmoord, dacht Jarnebring, en wat sprak er dan voor zelfmoord? Alles wat we weten, dacht hij, en dat we niet zo veel over Krassner zelf weten, is niet onze fout. Een leegte die Hultman overigens vrij spoedig voor hem zou vullen. Op dat punt koesterde hij geen twijfel. Alleen in zijn kamer, gedeprimeerd of gedreven door een plotselinge duistere impuls, schrijft hij een afscheidsbrief – zo moest je die toch zeker interpreteren – rukt de vergrendeling van het raam los, haalt diep adem en springt. Er bestonden weliswaar betere manieren, vooral met het oog op de mensen die de boel later moesten opruimen, maar niet voor Krassner, niet deze keer. Ze hadden geen pillen gevonden die hij had kunnen innemen, geen mes of een ander scherp voorwerp dat geschikt was voor polsen of hals, geen touw om zich aan te verhangen, zelfs geen plek waar hij de strop had kunnen ophangen. En zeker geen schietwapen.

Zelfmoord, dacht Jarnebring en hij knikte, en het enige wat hij nu nog moest doen was het beantwoorden van drie resterende vragen. De eerste vraag ging over Krassner als persoon. Wie was hij en wat deed hij hier eigenlijk? Dat regelen Hultman en de ambassade, en ik vreet mijn dienstwapen op als ze iets ontdekken wat het lastig voor me maakt, dacht Jarnebring.

De tweede vraag betrof de getuigenverklaring van Vindeln over de mysterieuze linkerschoen van het slachtoffer, die pas geruime tijd na Krassner was neergeploft en helaas Vindelns beste vriend in dit leven had gedood. Een nogal oude jämthond, dacht Jarnebring, en als dat al strafbaar was, was er toch geen verdachte die ze daarvoor verantwoordelijk konden houden.

De tijd tussen het moment dat het slachtoffer op de grond terechtkwam en het moment waarop zijn linkerschoen dat deed, was de kwestie waar ze het meest over hadden gepraat toen ze Vindeln verhoorden. Het was minder dan een minuut, minder dan een halve minuut, maar het was wel meer dan een paar seconden en op dat punt was Vindeln helemaal zeker van zijn zaak.

"Ja, eerst stond ik gewoon te kijken, ik was natuurlijk geschokt, en het duurde zeker een paar seconden en als die voor mij langer leken, is dat toch niet zo raar." Vindeln schraapte zijn keel, zuchtte en ging verder. "Ja. Toen stond ik dus naar die man te kijken die was gevallen, en dat was geen fraai gezicht, dat kan ik de heren van de politie verzekeren. Ik heb maar één keer eerder zoiets gezien en dat was heel wat jaren geleden. Een collega van mij die van een brug viel en in de laadruimte van een werkschuit belandde, die in de rivier onder ons voor anker lag. Dat was in de buurt van Älvkarleby. We waren met onderhoudswerkzaamheden bezig."

Vindeln zuchtte weer en knikte.

"Tien seconden. Zeg dat het tien seconden duurde voordat Kalle die schoen op zijn kop kreeg." Vindeln snotterde en kreeg tranen in zijn ogen.

Toen ze bij Vindeln waren weggegaan en op weg waren naar de ambassade, hadden ze over de mysterieuze schoen gepraat. Hultman was met een verklaring gekomen die nog niet zo gek was.

"Herinner je je die gek die uit zijn sportvliegtuig sprong en in een bloemperk in Hässelby landde?" vroeg Hultman.

Jarnebring herinnerde zich de man, hij glimlachte zelfs scheef, zo erg was het met zijn beroepsdeformatie gesteld.

"Hij was helemaal naakt toen hij landde." Jarnebring knikte.

"Als ik me niet vergis had hij nog één sok aan", zei Hultman. "Hij droeg van die kniekousen met sokophouders. Ik geloof dat hij een soort directeur was."

Jarnebring knikte weer. Het klopte. Hij had de sokophouder ook opgemerkt.

"Hij verloor al zijn kleren door de luchtstroom."

"Toen ging het om een val van zeshonderd meter", zei Hultman, "voordat hij al zijn kleren kwijt was. Nu hebben we het over vijftig meter. Vijftig meter zou voldoende moeten zijn om een schoen uit te trekken."

"Dat denk ik ook", zei Jarnebring en hij knikte instemmend. "Maar hoe verklaren we het tijdsverschil? Ik heb de schoenen alleen op foto gezien, maar het lijken stevige schoenen te zijn, laarzen bijna. Zo'n schoen zou toch even snel moeten vallen als een lichaam. Tenzij hij iets heeft geraakt, zoals ...", Jarnebring dacht hardop na, maar Hultman was hem voor.

"Een metalen raamdorpel bijvoorbeeld, of iets anders", eindigde Hultman voor hem.

"Helemaal niet onwaarschijnlijk", zei Jarnebring.

"Hoogstwaarschijnlijk als je het mij vraagt", zei Hultman.

Restte dus nog de derde vraag. Er waren vier getuigen van de feitelijke gebeurtenis; vier bekende getuigen. Enerzijds Vindeln, anderzijds drie anderen die naar de meldkamer hadden gebeld en wat het tijdstip betrof, kwamen hun verklaringen overeen en hadden ze vast en zeker gelijk. Circa vier minuten voor acht uur 's avonds was Krassner aan zijn val begonnen en amper twee seconden later kwam hij op de grond terecht. Stel je voor dat ik een vrije val had kunnen maken toen ik nog de honderd meter liep, dacht Jarnebring. Dan hadden de anderen iets gehad om hun tanden in te zetten.

Bovendien was er nog een vijfde getuige. Een uitwisselingsstudent uit Zuid-Afrika die op dezelfde gang woonde als Krassner. Rond half-zeven had hij Krassner gegroet toen die naar buiten ging. Ze hadden niet met elkaar gepraat, elkaar alleen gegroet. Met zijn jas aan was Krassner vervolgens door de deur naar de liften verdwenen, terwijl de student zelf naar zijn kamer was gegaan en de deur had dichtgedaan. Een halfuur later – ongeveer – had de getuige de gang verlaten. Hij zou om zeven uur een meisje ontmoeten in een studentencafé dat in het aangrenzende gebouw lag en hij was aan de late kant.

"Ik kom helaas vaak te laat, ook als ik met iemand heb afgesproken die ik graag mag", had hij er met een verontschuldigende glimlach aan toegevoegd.

Eenmaal op straat botst hij bijna tegen Krassner op die weer op weg naar binnen was. Nog steeds in dezelfde jas volgens de herinnering van de getuige. Krassner had gegroet, zijn hoofd geschud en in het Engels iets gezegd in de trant van een slecht geheugen is goed als je je benen in vorm wilt houden. "*A bad memory keeps your legs in good shape.*"

"Hij glimlachte naar me en wekte helemaal niet de indruk dat hij snel naar boven wilde om zich van het leven te beroven", eindigde de getuige en die waarneming was ook zijn punt.

Zucht, dacht Jarnebring. Hij gaat om halfzeven naar buiten. Komt een halfuur later teruggerend, en na nog eens krap een uur besluit hij uit het raam te springen. Wat is hier gaande, dacht Jarnebring en hij keek door zijn eigen raam naar buiten. Het was in elk geval opgehouden met sneeuwen, een paar graden boven nul, nat en glad. Een impuls? "Nee, het kan me allemaal geen donder schelen. Voor mij geen pilsjes meer in de kroeg. Hoogste tijd om naar huis te hollen en uit het raam te springen." Hij was ook vrolijk geweest, als je de neger moest geloven, dacht Jarnebring duister. Zal ik Lidman bellen, dacht Jarnebring. Die was tenslotte professor en had een soort dissertatie geschreven over wat er in het hoofd van alle zelfmoordenaars omging. Jarnebring had hem lezingen horen geven over zijn ontdekkingen en afgezien van het onderwerp had hij nog nooit zo'n opgewekte spreker gehoord. Lidman had echt gebruist van enthousiasme en de foto's die hij had getoond waren op de grens geweest, zelfs voor de doorgewinterde politiemensen die zijn publiek vormden.

Jarnebring zocht Lidmans nummer op, belde hem, sprak ongeveer een halfuur met hem, waarvan hij de laatste vijf minuten had moeten gebruiken om de man te stoppen, maar toen hij eindelijk kon ophangen, was hij bijna even opgeruimd geweest als Lidman zelf. Ingewikkelder dan zo was het dus niet, dacht Jarnebing tevreden. Vrij klassiek gedrag voor iemand die van plan is zich weldra van het leven te beroven. Het enige wat hem nu stoorde, was dat die klojo van een Bäckström tot dezelfde conclusie was gekomen als hijzelf. Al was dat in zijn eigen geval voorafgegaan door grondig en competent verricht politiewerk. Hoe kon iemand als Bäckström in godsnaam politieman worden, dacht Jarnebring. Ach, laat ook maar, dacht hij. Nu was het de hoogste tijd om naar huis te gaan en het vrouwtje te ontmoeten en misschien moest hij maar even langs het warenhuis Åhlens om een halve kilo garnalen en nog wat ander voorspellekkers te kopen.

Jarnebring zag eruit als een boef, praatte als een boef en gedroeg zich maar al te vaak als een boef, maar als politieman viel er verder niet veel op hem aan te merken. Hij was snel, sluw, effectief en had de neus van een roofdier voor menselijke zwakheden. Toen hij op zondagmiddag 24 november het politiebureau van Östermalm aan de Tulegatan verliet, was hij in een uitstekend humeur. Zelfmoord, dacht hij, en tegen Kerstmis zou hij een doos welverdiende drank van zijn oude vriend Hultman ontvangen.

Maandag 25 november

Toen de secretaresse van Lars Martin Johansson op maandagochtend om acht uur op haar werk bij de directie Rijkspolitie kwam, zat haar chef al meer dan een uur achter zijn bureau, en hij verkeerde in een uitstekend humeur.

"Ik heb hier een verklaring." Johansson gaf haar een plastic mapje met papieren. "Drie dingen: ik wil dat jij het leest, ervoor zorgt dat het begrijpelijk wordt en het uittypt. Nog vragen?"

Zijn secretaresse nam de papieren aan, glimlachte koel en schudde haar hoofd.

"Ik ga zwemmen", zei Johansson opgewekt.

Hij moet een nieuwe vrouw hebben ontmoet, dacht zijn secretaresse.

Johansson hield niet van looptraining. Wat hem stoorde was niet zozeer de fysieke activiteit op zich, maar het feit dat hij niet kon denken als hij hardliep: pure tijdverspilling dus. Daarentegen kon hij heel goed nadenken als hij wandelde, ook als hij stevig doorstapte, en het allerbest dacht hij na als hij zwom. Op het grote politiebureau op Kungsholmen was het bovendien zo praktisch geregeld dat ze een eigen zwembad hadden.

Johansson was een uitstekend zwemmer. Hij had het al vroeg en op een eenvoudige en onsentimentele manier geleerd. In de zomer dat hij vijf was had zijn oudste broer, die vijftien was, de kleine Lars Martin meegenomen naar de steiger bij de rivier waar altijd de was werd gedaan. Zijn broer had hem in het water gegooid en vanaf de steiger de noodzakelijke instructies gegeven.

"Je moet niet zo spartelen, probeer te zwemmen als Tarzan."

Tarzan was de Noorse elandhond van het gezin en die kon enorm goed op zijn hondjes zwemmen, natuurlijk veel beter dan Johnny Weissmuller, en binnen een week zwom Lars Martin bijna even goed als de hond.

"Je bent verdorie een echt talent", zei zijn grote broer trots. "Nu moet je nog als een mens leren zwemmen."

Na een uur in het zwembad, plus vijf minuten onder de douche en twintig in de sauna, keerde een frisse en rozige Lars Martin Johansson terug naar zijn kantoor. Zijn goede humeur werd er niet minder op toen hij zag dat zijn secretaresse precies had gedaan wat hij haar had gevraagd.

"Ik heb het al eerder gezegd en ik zeg het nog een keer", zei Johansson, "en je weet wat ik bedoel. Mag ik je als dank straks op de lunch trakteren?"

Hij heeft een nieuwe vrouw ontmoet, dacht zijn secretaresse en ze glimlachte en knikte.

De lunch was uitstekend geweest, wat had hij anders op een dag als deze kunnen verwachten? Johansson had gebakken spek met aardappelpannenkoek en vossebessengelei gegeten en toen hij een groot glas koude melk bij zijn eten had besteld, had ze hem bijna liefdevol aangekeken. Discreet natuurlijk, maar toch, zelf zat ze als gewoonlijk met lange tanden van haar groenten en gekookte vis te eten.

"Melk hoort er gewoon bij", legde Johansson uit. "Maar het is belangrijk dat de melk koud is. Ik zag laatst een of andere dwaas op de tv die beweerde dat het de vitaminen uit de vossebessen haalt, maar dat heeft hij mis."

"Ik heb een besluit genomen", zei ze. "Ik ga met je mee naar Personeelszaken."

"Goed", zei Johansson en hij hief zijn glas om te proosten. "Voor mij is het een stap vooruit en ik zal ervoor zorgen dat jij ook niet met lege handen komt te staan."

En een stap bij het politiewerk vandaan, dacht hij. Maar dat zei hij niet. In plaats daarvan proostten ze met melk en mineraalwater.

"Nu nemen we nog een kopje koffie", zei Johansson met zijn Noord-Zweedse accent. Hij boog zich voorover en keek haar met gespeelde ernst aan. "Ouderwets gekookte koffie."

's Middags kreeg Johansson bezoek van het hoofd Personeelszaken die hij over ruim een maand zou opvolgen. Het was een informeel bezoek, het hoofd wilde eigenlijk niets bijzonders, kwam zich alleen maar in het algemeen beklagen en misschien dat hij ondertussen een kop koffie kon krijgen?

"Wil je een koekje bij de koffie?" vroeg Johansson beleefd, maar de ander schudde slechts afwerend zijn hoofd. Moe, uitgeteerd en vriendelijk, dacht Johansson en nu gaan ze zich van je ontdoen.

"Ik heb advies nodig", zei hij. "Jij werkt al jaren in Stockholm. Ken je een collega die Koskinen heet?"

Johansson knikte. Al wordt hij meestal Koskenkorva genoemd, naar het wodkamerk, dacht hij.

"Heeft hij zich kapot gezopen?" vroeg Johansson tactvol.

"Was dat maar zo", steunde het hoofd Personeelszaken zwaar. "Nee, hij is benoemd tot hoofd van de centrale meldkamer en nu hebben we zes klachten binnengekregen, waarvan één anoniem die ondertekend is door een of andere groepering die zich de Nog Altijd Functionerende Ordepolitie in Stockholm noemt. Die klacht telt tweeëntwintig bladzijden en bevat een uitvoerig verslag van de inspanningen van hoofdinspecteur Koskinen als chef van dienst op Norrmalm. Als wat daarin staat waar is, is het verschrikkelijk."

"Het is ongetwijfeld waar", zei Johansson.

"Terwijl de vakbond op Norrmalm hem met hart en ziel steunt en zijn bazen hem de beste getuigschriften hebben gegeven die ik in al mijn jaren bij Personeelszaken heb gezien."

"Dat spreekt vanzelf", zei Johansson. "Hoe moeten ze anders van hem afkomen?" Daarom heet het ook transportgetuigschrift, dacht hij, maar dat zei hij niet.

"Wat heb je voor advies?" De ander keek hem bijna smekend aan.

"Geen", zei Johansson opgewekt. "Dat is er niet. Dat is ook niet de bedoeling."

Hoe naïef kan een mens zijn, dacht Johansson terwijl hij overhemden uitkoos op de herenafdeling van het warenhuis NK. Zijn komende reis vereiste een paar aanvullingen op zijn garderobe en bovendien had een oude kennis, die hoofd Beveiliging was bij de grootste van de drie grote zakenbanken, hem die avond uitgenodigd voor een etentje, maar zijn gedachten werden niet daardoor in beslag genomen. Het probleem Koskinen zal volgens de klassieke darwinistische politie-principes worden opgelost, dacht hij. Of hij drinkt zich dood, of hij schiet zich een kogel door het hoofd, of hij wordt zo ziek dat hij gewoon niet kan blijven werken. Dat hij gewoon zou worden ontslagen, was daarentegen minder waarschijnlijk. In de regel was er altijd wel een collega in de buurt die mensen als hij uit de brand kon helpen als hij in een lastig parket terechtkwam en zo niet, dan was het meestal niet belangrijk genoeg. Wat zou belangrijk genoeg kunnen zijn? Wat zou hier kunnen gebeuren, dacht Johansson terwijl hij twijfelde tussen een donkerblauw overhemd en een overhemd in een lichtere nuance blauw.

"Ik neem ze allebei", zei Johansson en de verkoopster knikte gedienstig.

's Avonds dineerde hij met zijn kennis. Een ex-politieman, maar tegenwoordig hoofd Beveiliging bij de grote bank. Nu zou hij verder omhoog, een staffunctie en lid van het concernbestuur, en hij had een opvolger nodig.

"Ik heb een aanbod, Lars", zei hij vriendelijk terwijl hij zijn wijnglas tussen zijn vingers draaide. "Een aanbod waar je geen nee tegen kunt zeggen."

Johansson kon dat wel.

"Ik ben politieman", zei Johansson. "De reden dat ik politieman werd, was dat ik ervan droomde boeven in de bak te stoppen. Wat ik nu doe is weliswaar iets anders, maar ik weet dat het tijdelijk is."

Zijn kennis had verbaasd gekeken.
"Denk erover na", zei hij.

***

Jarnebring had de hele ochtend tot over zijn oren in het werk gezeten, zo vatte hij het zelf samen. Eerst de gebruikelijke ochtendbespreking met de medewerkers van de plaatselijke rechercheafdeling, waar ze de actuele gebeurtenissen in het district hadden doorgenomen. Daarna had hij een speciale actie gepland tegen de auto-inbraken die de laatste tijd enorm waren toegenomen. Hij had een wagen geregeld waarin zijn rechercheurs konden zitten zodat ze het niet koud kregen, want dat was nooit goed voor het onderzoek, en hij had apparatuur geleend van de narcotica-afdeling: camera's, extra sterke kijkers en betere communicatieapparatuur. Nu zou het geboefte op zijn donder krijgen.

Na een snelle lunch op het politiebureau deed hij het rode lampje boven zijn deur aan zodat hij niet gestoord zou worden. Nu zou hij het onderzoek naar het overlijden van Krassner afronden. Zelfmoord, dacht Jarnebring en hij belde naar het forensisch laboratorium in Solna om te horen hoe het was gegaan. Het was uitstekend gegaan, antwoordde de verantwoordelijke patholoog-anatoom die de autopsie 's ochtends vroeg al had verricht.

Er waren geen verwondingen op het lichaam die op een andere dan een natuurlijke manier leken te zijn ontstaan.

"Een natuurlijke manier", zei Jarnebring vragend.

"Zo natuurlijk als het maar kan zijn als je van vijftig meter hoogte op straat duikt", antwoordde de arts lacherig.

Hij kwam uit Joegoslavië, werd door iedereen Onverschillig genoemd en stond bekend als een grappenmaker, zolang het maar niet om hemzelf ging.

"Zijn hoofd was verbrijzeld, dertig andere fracturen. Wij mensen kunnen niet vliegen."

Dat is helemaal waar, dacht Jarnebring met een zachte zucht.

"Wat doe ik met de kleren?" vroeg Onverschillig. "Zijn schoenen en kleren liggen hier nog."

Verdomde luiwammesen, dacht Jarnebring, en de mensen die hij bedoelde waren zijn collega's van de technische afdeling.

"Hebben de technische rechercheurs die niet meegenomen toen ze zijn vingerafdrukken namen?" vroeg Jarnebring.

"Ze zijn de kleren vergeten", zei Onverschillig. "Ze kregen een of ander alarm."

"Ik stuur een wagen", zei Jarnebring en hij begon de intercom in te toetsen.

"Uitstekend. Je krijgt een voorlopige verklaring. Zelfmoord. Wij mensen kunnen niet vliegen."

"Bedankt", zei Jarnebring en hij verbrak de verbinding.

***

Oredsson en Stridh kregen de opdracht om Krassners kleren en schoenen bij het forensisch lab in Solna op te halen en die naar het hoofd van de recherche in hun eigen district te brengen. Stridh bleef in de auto zitten terwijl Oredsson de praktische zaken regelde. Hij heeft het zelf aangeboden, dacht Stridh terwijl hij naar de ingang van het forensisch lab keek. Ooit moeten we die weg allemaal bewandelen, dacht hij somber. Oredsson was ook degene die de lift naar boven nam om de twee zakken aan Jarnebring te overhandigen toen ze op het bureau waren teruggekeerd. Hij bood het zelf aan, dacht Stridh somber terwijl hij in de auto in de garage zat te peinzen.

***

Waar heb ik hem toch eerder gezien, dacht Jarnebring en hij keek naar de stevige jonge agent van de ordepolitie die in de deur van zijn kamer stond. Hij zat te telefoneren en gebaarde met zijn vrije linkerhand dat hij binnen kon komen.

"Ik bel je straks terug", zei Jarnebring en hij hing op.

"Ja?" zei hij en hij keek vragend naar zijn bezoeker.

"Hier zijn de kleren die we op het forensisch lab hebben opgehaald. Die vent die vrijdag van de studentenflat sprong."

"Leg ze maar op de stoel", zei Jarnebring en hij begon het nummer te draaien van degene met wie hij zojuist had gesproken.

"Ik dacht aan de schoenen." Oredsson hield de kleinste zak naar voren.

"Ja", zei Jarnebring. Een paar stevige, op laarzen lijkende schoenen in een doorschijnende en verzegelde plastic zak.

"Ik weet het niet", zei zijn bezoeker aarzelend. "Maar het zijn geen gewone schoenen."

"Geen gewone schoenen?" Jarnebring had de hoorn weer op de haak gelegd en leunde achterover in zijn stoel, terwijl hij de jonge Oredsson monsterde. "Je bedoelt dat het een paar ongewone schoenen is?"

"Ja. Als u dit tijdschrift even wilt bekijken." Zijn bezoeker stak een

dik tijdschrift met een kleurige omslag uit naar Jarnebring op hetzelfde moment dat de telefoon weer ging.

"Leg maar op de stoel", zei Jarnebring en hij nam de telefoon op.
Jarnebring antwoordde kortaangebonden en gebaarde met een linkerhand die geen tegenspraak duldde, dat Oredsson kon vertrekken. Wat
voor mensen laten ze tegenwoordig toe, dacht hij geïrriteerd.

***

"De commissaris is de stad in", antwoordde Johanssons secretaresse
met haar gebruikelijke koele stem. "Hij had een paar dringende boodschappen te doen. Nee, hij komt vandaag niet terug. Hij is er morgen
om acht uur weer. Ja, ik beloof dat ik hem zal zeggen dat u heeft gebeld." Ze legde de hoorn op de haak en maakte een aantekening op
een telefoonpapiertje. *Hoofdinspecteur Bo Jarnebring van de recherche
heeft gebeld. Hij wil dat je hem zo snel mogelijk terugbelt. Het is belangrijk en je hebt zijn nummer.* Ze keek op haar horloge, 15.33 uur, en
schreef de tijd en datum op het papiertje. Jarnebring, dacht ze. Hoe
is hij in vredesnaam hoofdinspecteur geworden?

***

Jarnebring had een lichte kleur op zijn wangen en oorlellen. Dat
kwam omdat hij uitermate verbaasd was en dat was hij bijna nooit.
Hij kon heel makkelijk boos worden, maar verbazing beschouwde
hij als een genotmiddel voor kinderen en intellectuelen. Op zijn bureau lag een doorschijnende plastic zak waarvan de verzegeling was
verbroken en daarin lag een stevige, op een laars lijkende rechterschoen. Naast de zak stond een linkerschoen en vlak voor hem op
het bureaublad lag een opengeslagen geïllustreerd tijdschrift dat zich
eigenlijk niet op een politiebureau zou mogen bevinden. En verder
nog een sleutel die eruitzag alsof die bij een bankkluis of bagagekluis
hoorde en een klein papiertje met twee regels handgeschreven tekst.
Jarnebring staarde naar het papier. Wat is dit verdomme, dacht hij.
Het moet een of andere klootzak zijn die me voor de gek houdt, dacht
hij. Die ons voor de gek houdt, verbeterde hij zichzelf.

Dinsdag 26 november

Johansson was laat wakker geworden. Op het moment dat hij het rol-
gordijn in zijn slaapkamer omhoog deed, was hij normaalgesproken

al onderweg naar zijn werk. Buiten scheen een bleek ochtendzonnetje aan een blauwe hemel en de thermometer in het raamkozijn gaf een paar graden boven nul aan. Uitstekend, dacht Johansson, en de hoogste tijd om als een mens te gaan leven. Eerst douchen, daarna ontbijten en de ochtendkrant lezen en vervolgens een verkwikkende wandeling naar de werkplek. Dezelfde werkplek waar je kennelijk zelfs succes kon boeken als je je netjes gedroeg, zoals hijzelf bijvoorbeeld. Chef de bureau, dacht hij tevreden. En als ik dwars ga liggen, krijg ik een transportgetuigschrift en word ik deze zomer hoofd van de Rijkspolitie.

Toen Johansson de entree van de directie Rijkspolitie aan de Polhemsgatan binnenstapte, had hij een nieuw record neergezet voor de afstand tussen zijn woning aan de Wollmar Yxkullsgatan en zijn werk. Dat komt vast door het zwemmen, dacht Johansson verbaasd en hij controleerde zijn horloge nog een keer toen hij de kamer van zijn secretaresse binnenkwam. Dezelfde koele glimlach, dacht hij toen ze hem de post van die dag en diverse andere papieren overhandigde. Niets wat dreigend leek.

"Het hoofd van de Rijkspolitie heeft laten weten dat hij heel tevreden is met je verklaring", zei ze.

Dat spreekt vanzelf, dacht Johansson.

"Een hoofdinspecteur Bo Jarnebring heeft verschillende keren gebeld", ging ze verder. "Hij belde gistermiddag en heeft vanmorgen al twee keer gebeld. Het lijkt erg dringend."

Jarnebring, dacht Johansson met gemengde gevoelens. Nog steeds zijn beste vriend, al was het de laatste keer niet zo geweldig gegaan.

"Bel hem maar en verbindt hem dan door", zei Johansson. Het privilege van de chef, dacht hij toen hij achter zijn bureau plaatsnam.

"*Long time no see*", zei Jarnebring. Hij klonk onverwacht monter. Bijna uitgelaten, dacht Johansson verbaasd.

"Ja, misschien moeten we wat afspreken", zei Johansson.

"Precies", zei Jarnebring.

"Wanneer had je in gedachten?" vroeg Johansson en hij wierp een snelle blik op de agenda op zijn bureau. Laten we de lucht maar zuiveren, dacht hij.

"Over een kwartier op mijn kamer", zei Jarnebring. "Ik kan een van de jongens vragen je te komen halen als je voor de verandering liever in een politieauto rijdt dan in een taxi."

"Is er iets gebeurd?" vroeg Johansson verbaasd.

"Eerlijk gezegd weet ik dat niet", antwoordde Jarnebring. "Ik hoop dat jij me kunt helpen. Als de commissaris dus zo vriendelijk wil zijn hierheen te komen, dan zet ik ondertussen koffie."

Er ging een steek door zijn hart toen hij zijn beste vriend door de gang op zich af zag komen, en dat hij een stevige knuffel kreeg in plaats van een handdruk, maakte het er niet beter op.

"We gaan naar mijn kamer", zei Jarnebring met een brede grijns. "Ik wil niet dat het personeel me ziet als ik moet gaan huilen."

"Je bent gegroeid, Lars", zei Jarnebring terwijl hij zijn bezoeker aankeek. "Je krijgt echte commissarisspieren. Als die knoop in je colbertje loslaat en ik hem tegen mijn kop krijg, zullen Bäckström en de andere genieën van Geweldsdelicten je van moord verdenken."

Johansson zette zijn koffiekopje neer en glimlachte neutraler dan hij eigenlijk van plan was geweest.

"Goed, Bo", zei Johansson. "*Let's skip the Bull,* zoals de Amerikanen zeggen. Vertel op. Voordat je uit elkaar barst."

Jarnebring knikte en pakte een dunne map van de stapel op zijn bureau.

"John P. Krassner. Jonathan Paul Krassner, geboren in drieënvijftig, Amerikaans staatsburger, volgens nog niet bevestigde informatie een soort freelance journalist uit Albany in de staat New York. Dat schijnt een paar uur rijden ten noorden van de stad met dezelfde naam te liggen", verduidelijkte Jarnebring terwijl hij opnieuw in zijn papieren keek. "Kwam zes weken geleden naar Zweden."

"Ja", zei Johansson verbaasd. Wat heeft dat met mij te maken, dacht hij.

Jarnebring leunde over zijn bureau, steunde op zijn grove armen, terwijl hij Johansson aankeek.

"Hoe ken jij hem?" vroeg hij.

Waar gaat dit over, dacht Johansson.

"Geen flauw idee", zei Johansson. "Ik ken hem niet, voorzover ik weet is het niet iemand die ik heb ontmoet en ik kan me ook niet herinneren dat ik die naam ooit heb gehoord. Hoe zou het trouwens zijn als je ..."

"Rustig, Lars." Jarnebring glimlachte en hief zijn hand op in een afwerend gebaar. "Vergeet het, en voordat je net zo boos wordt als de vorige keer dat we elkaar zagen, stel ik voor dat je achteroverleunt, naar me luistert en dat we elkaar helpen."

"Waarom?" vroeg Johansson terwijl hij goed op zijn stoel ging zitten.

"Dit gaat wel iets langer dan vijf minuten duren", zei Jarnebring, "maar ik heb jouw hulp echt nodig."

"Goed", zei Johansson. "Vertel op."

"Afgelopen vrijdag om ongeveer vier minuten voor acht viel genoemde Krassner uit het raam van zijn kamer op de vijftiende verdieping van die studentenflat aan de Valhallavägen. Hij huurde de kamer uit de tweede hand, ik geloof dat een internationaal studentenhuisvestingsbureau dat had geregeld. Ik heb de naam hier in mijn papieren. Hoe dan ook", zei Jarnebring en hij keek naar het plafond, terwijl hij probeerde zijn gedachten te ordenen.

"Moord, zelfmoord, ongeluk", zei Johansson. "Wat is het probleem?"

"Naar alle waarschijnlijkheid zelfmoord", zei Jarnebring. "Hij heeft onder andere een brief achtergelaten. De technische recherche belde vanmorgen en zei dat zijn vingerafdrukken op de brief zaten. Zitten waar ze moeten zitten als hij de brief inderdaad zelf heeft geschreven."

"Je bedoelt de afdrukken van het lijk", zei Johansson. "Je bedoelt dat de afdrukken van het lijk zitten waar ze moeten zitten, maar hoe weet je dat de afdrukken van het lijk zíjn afdrukken zijn?"

"Het zijn zijn afdrukken", zei Jarnebring. "Dat heb ik gisteren al per fax van de ambassade gehoord."

"Hebben zij de vingerafdrukken van Krassner? Is hij veroordeeld?" Jarnebring schudde zijn hoofd.

"Nee, maar ze schijnen in de VS van bijna iedereen vingerafdrukken te nemen. Die van hem toen hij een bijbaantje had bij de incheckbalie van een vliegveld. Ze hebben met geen woord van een crimineel verleden gerept. Het lijkt een heel gewone zwaarmoedige vent te zijn geweest."

"Zelfmoord", herhaalde Johansson. "Wat is het probleem?" Jarnebring haalde zijn schouders op.

"Als dat er al is", zei hij. "In de eerste plaats weet ik niet wie hij was, maar ik heb de ambassade gevraagd me daarbij te helpen. Ze hebben beloofd met de politie in zijn woonplaats te praten en zijn kennissen te ondervragen."

"Goed", zei Johansson.

"Hij lijkt de flat nogal vaak in- en uitgelopen te zijn."

Jarnebring vertelde snel over Krassners heen-en-weer-geren en over zijn gesprek met professor Lidman.

"Volgens Lidman is het dus helemaal niet ongewoon. Ze zijn vrolijk en opgewekt en glimlachen naar iedereen die ze tegenkomen, dat heet geloof ik een glimlachende depressie. En dan opeens pang, nu is het genoeg geweest, nu pleeg ik zelfmoord. Ze kunnen volstrekt irrationeel zijn terwijl ze verder helemaal normaal lijken."

"Dat wil ik wel geloven", zei Johansson die een neef had gehad die in opperbeste stemming het verjaardagsfeestje van zijn jongste dochter had verlaten om zich in de garage op te hangen.

"Rest er nog een schoen", zei Jarnebring en hij legde zijn en Hultmans theorieën voor, zonder laatstgenoemde te noemen.

"Klinkt hoogst aannemelijk", zei Johansson. "Ik ben het met je eens, zelfmoord."

Hij keek stiekem op zijn horloge. De schoen is tegen een metalen raamdorpel of een balkonleuning of misschien zelfs een nestkastje gestuiterd dat een biologiestudent voor zijn kleine raam had opgehangen, dacht Johansson en hij glimlachte tevreden.

"Zeker", zei Jarnebring. "Tot gistermiddag, toen die rotschoen weer ging spoken." Hij knikte naar Johansson en leek zowel ernstig als oprecht bezorgd.

"Hoezo?" zei Johansson.

"Heb je dit tijdschrift wel eens gezien?" vroeg Jarnebring en hij overhandigde hem het augustusnummer van het Amerikaanse maandblad *Soldier of Fortune*.

"*Soldier of Fortune*", zei Johansson en hij trok een gezicht naar de figuren op de omslag die al schietend in camouflagekleding naar voren stormden. "Is dat niet zo'n Amerikaans nazi-blad?"

"Yes", zei Jarnebring. "Een van de jongere collega's van de ordepolitie tipte me hierover. Er lag een hele stapel in hun koffiekamer. *Soldier of Fortune, The Minuteman, Guns and Ammo, The Survivalist*, dat schijnt 'hij die overleeft' te betekenen", verduidelijkte hij volstrekt overbodig aangezien Johansson uitstekend Engels sprak. "Van die rechts-extremistische Amerikaanse tijdschriften die zich richten tot wapenhomo's en oude clanleden en mensen die gewoon in het algemeen willen vechten, geen sociaal-democratische tijdschriften, als je begrijpt wat ik bedoel."

Nee, dacht Johansson, want dergelijke tijdschriften kwam je niet tegen in de koffiekamer van een Zweeds politiebureau.

"Bevat een heleboel advertenties over wapens en overlevingsattributen en wat je moet doen als de Russen komen, hoe je huursoldaat wordt, hoe je ruzie kunt maken met de politie en hoe je belasting kunt ontduiken. Ja, al dat soort rotzooi tussen hemel en aarde", besloot Jarnebring.

"Hoe komt de schoen in beeld?" vroeg Johansson zakelijk.

"Kijk maar in het advertentiegedeelte, pagina 89. Daar staat een advertentie van een bedrijf dat StreetSmart heet, afgekort tot SS."

Johansson had de advertentie in kwestie al gevonden. Hierin werd mensen die wilden overleven 'in de jungle waarin wij gedwongen zijn te leven' al het noodzakelijke geboden. De twee S'n van de advertentie hadden hetzelfde lettertype als de S'n die de 'beschermingstroepen' van de Duitse nazi's op hun uniform hadden gedragen. Dit was gezien de samenhang niet erg verbazend.

"Ik begrijp het nog steeds niet", zei Johansson koppig.

"Die rotschoen", zei Jarnebring, terwijl hij een stevige linkerschoen van bruin leer met een hoge schacht omhooghield. Hij keek bijna opgewekt. "Dezelfde rotschoen die de hond op zijn kop kreeg, maar dat moet toch toeval zijn geweest", dacht hij hardop.

Jarnebring drukte met zijn duim tegen de zool, terwijl hij tegelijk met zijn rechterhand de stevige hak beetpakte. Er viel een metaalkleurige sleutel uit en daar dwarrelde een stukje papier ter grootte van een visitekaartje achteraan.

"Simsalabim", zei Jarnebring en hij glimlachte voldaan. "Schoen met holle hak van het bekende merk StreetSmart."

"De sleutel lijkt van een bankkluis of een bagagekluis te zijn, waarschijnlijk in de VS", vervolgde Jarnebring en hij hield de sleutel omhoog. "De ambassade werkt daar ook aan, dus heb ik het rustig."

"Ja", zei Johansson. Wat moest hij zeggen? Hij had ergere dingen gezien en gehoord. "Wat zat er in de andere schoen?" vroeg hij.

Jarnebring schudde zijn hoofd.

"Die was leeg", zei hij. "Ik vermoed dat hij rechtshandig was." Johansson knikte. Dat lijkt logisch, dacht hij.

"Wil je niet weten wat er op het papiertje staat?" Jarnebring keek hem verwachtingsvol aan.

Johansson liet zich niet kennen en haalde zijn schouders op. Jarnebring schoof hem het papiertje toe en Johansson las de met de hand geschreven tekst die uit twee regels bestond.

An honest Swedish Cop. Commissaris van politie Lars M. Johansson. Wolmar Yxkulls Gata 7 A, 116 50 Stockholm.

Johansson keek nog een keer naar het papiertje. Hij hield het voorzichtig tussen de nagels van zijn duim en wijsvinger bij de rand vast. Dat was een oude gewoonte. Al leek dat hier niet nodig te zijn. Naar de grijszwarte vlekken te oordelen had iemand er al spul op gedaan om vingerafdrukken te vinden.

Net een visitekaartje, dacht Johansson, ongeveer vijf centimeter hoog en acht centimeter lang. In het midden gevouwen.

Hij keek Jarnebring aan, die dezelfde gelaatsuitdrukking had als zijn kinderen vroeger op kerstavond hadden.

"Iemand probeert ons voor de gek te houden", zei Johansson. "Mij", verbeterde hij zichzelf.

"Dat dacht ik ook. Eerst dacht ik dat. Nu ben ik er vrij zeker van dat Krassner dit heeft geschreven."

"Vertel", zei Johansson en hij leunde weer achterover in zijn stoel. Tegelijkertijd kon hij het niet laten stiekem naar het papiertje te kijken.

Aanvankelijk had Jarnebring op dezelfde lijn gezeten als Johansson. Toen hij op zijn gebruikelijke effectieve manier naspeuringen had gedaan en had ontdekt dat dezelfde aspirant Oredsson die Krassners schoenen en kleding had opgehaald en naar zijn kamer had gebracht, ook de ene helft was geweest van de 'eerste patrouille ter plaatse', en degene die genoemde schoen in een plastic zak had gestopt, de zak had verzegeld en die met de lijkwagen naar het forensisch laboratorium had meegestuurd, was de zaak overduidelijk. Ik kook die klootzak tot lijm, dacht Jarnebring en tien minuten later zaten Oredsson en Stridh ieder op een stoel in de gang voor Jarnebrings kamer en moest Oredsson als eerste binnenkomen.

Rampspoed, dacht Stridh duister en hij gluurde naar de dichte deur. Ben benieuwd of hij hem in elkaar slaat, dacht hij. Hij had in de loop der jaren het een en ander over Jarnebring gehoord, dus het leek hoogst aannemelijk hoewel hij geen bijzondere geluiden van de andere kant van de deur hoorde. Karate-expert, dacht Stridh en hij werd nog duisterder. Zo'n geluidloze rakker.

Jarnebring had Oredsson een kwartier lang het vuur na aan de schenen gelegd, zonder iets over de inhoud van de hak te zeggen. Oredsson was rood, bezweet en al vrij snel behoorlijk geschrokken. Eén ding was duidelijk. Hij had geen flauw idee waar Jarnebring het over had. Ik heb naar de stem van de onschuld zitten luisteren, dacht Jarnebring verbaasd. Hij stuurde Oredsson naar buiten en zei dat hij Stridh kon meenemen, natuurlijk zonder enige uitleg te geven of zijn verontschuldigingen aan te bieden.

"Daarna heb ik Rosengren gebeld", zei Jarnebring.

"Rosengren?" zei Johansson. "Is hij niet met pensioen? Hij moet tegen de honderd lopen."

"Discretie verzekerd", zei Jarnebring kort. "Ik vertrouw die lui van de technische recherche niet", legde hij uit. "Ze kletsen en roddelen en lekken als een zeef. Bovendien is Rosengren de beste die ik ooit ben tegengekomen. En hij is geen honderd, hij is vijfenzeventig. En hij kan zijn mond houden."

"Maar hoe zijn jullie de technische afdeling binnengekomen?"

vroeg Johansson verbaasd. "Het papier is immers gekwast. Om vingerafdrukken te vinden."

"Ik kan wel merken dat je nooit bij Rosengren thuis bent geweest. Hij woont niet in een woning, hij woont in een forensisch laboratorium. De oude man verdient geld als water met allerlei onderzoeken voor particuliere opdrachtgevers. Alles van personeel dat vingerafdrukken op het jampotje van het bedrijf heeft achtergelaten tot brieven van getrouwde mannen die vreemdgaan."

"Ik dacht dat hij handschriftdeskundige was", zei Johansson.

"Dat is hij ook, de beste die er is", constateerde Jarnebring met een knik die geen tegenspraak duldde. "Een gewone vingerafdruk kan hij in zijn slaap tevoorschijn kwasten. Ik heb hem Krassners vingerafdrukken en verschillende met de hand geschreven aantekeningen laten zien die ik tussen Krassners papieren had gevonden."

"En?" zei Johansson.

"Het zijn Krassners vingerafdrukken, alleen die van hem, en ze zitten op de juiste plaatsen, daar waar ze moeten zitten."

"En het handschrift?" vroeg Johansson.

"Ook van Krassner, typisch Amerikaans."

Johansson keek nog een keer naar het papiertje en knikte. Hij begreep wat Jarnebring bedoelde; de manier waarop zijn titel, de getallen, het adres waren geschreven.

"Krassner lijkt je te hebben gemogen", zei Jarnebring met een grijns. "Enig idee waarom?"

"Geen flauw idee." Johansson schudde zijn hoofd. "Zou ik die brief mogen lezen die hij heeft geschreven?"

"Natuurlijk", zei Jarnebring genereus en hij gaf hem een wit A4-vel in een insteekhoes. "Ik dacht dat je het nooit zou vragen."

"Kende Krassner Zweeds?" vroeg Johansson verbaasd toen hij de getypte tekst zag.

"Nee", zei Jarnebring en hij schudde zijn hoofd. "Dit is een vertaling. Ik heb het origineel nog niet teruggekregen van de technische recherche. Het bericht over de vingerafdrukken heb ik telefonisch gekregen. Vervloekte luiwammesen", snoof Jarnebring. "Waarom namen ze zijn kleren niet mee toen ze daar toch waren om zijn afdrukken veilig te stellen?"

"Wie heeft dit vertaald?" vroeg Johansson.

"Hultman", antwoordde Jarnebring.

"Hultman? Onze Hultman?" vroeg Johansson.

"Ja," zei Jarnebring, "en zijn Engels is nog beter dan dat van jou, dus je kunt gerust zijn."

Dat ben ik, dacht Johansson, en hij las de korte tekst.

Ik heb mijn leven geleid tussen het verlangen van de zomer en de kou van de winter. Toen ik jonger was, dacht ik, als het zomer wordt zal ik verliefd worden op iemand van wie ik veel kan houden, en dan pas zal ik echt gaan leven. Maar toen ik alles had gedaan wat ik eerst moest doen, was de zomer al voorbij en alles wat restte was de kou van de winter. En dat was niet het leven dat ik mij had voorgesteld.

Merkwaardig, dacht Johansson. Net als de gedichten die ik schreef toen ik jong was en die ik verbrandde toen ik wat ouder werd.

"Lijkt een gevoelig type te zijn geweest", zei Jarnebring.

"Maar hij lijkt een goed inzicht in Zweedse politiemensen te hebben gehad", zei Johansson en hij stond met een ruk op uit zijn stoel. "Zullen we vanavond samen gaan eten?"

"Graag", zei Jarnebring. "Als je maar belooft dat je niet met porselein gaat smijten."

"Halfacht in mijn buurtrestaurant", zei Johansson. "Ik betaal, je hoeft je dus geen zorgen te maken."

"Dus hier neem je al je vrouwen mee naartoe", zei Jarnebring toen ze op de afgesproken tijd plaatsnamen aan Johanssons gebruikelijke tafel in zijn favoriete restaurant.

"Zoveel zijn het er heus niet", zei Johansson.

"Hier wordt dus Italiaans gegeten", zei Jarnebring en hij keek naar de grote lei waarop het menu stond. Hij leek niet onverdeeld enthousiast.

"Inderdaad", zei Johansson, "en dat zou je eigenlijk een keer moeten proberen, maar omdat ik je heb uitgenodigd heb ik iets speciaals geregeld. Je krijgt entrecote met gegratineerde aardappels en een toetje waarvan ik zeker weet dat je het lekker zult vinden. Maar je krijgt geen haring vooraf, dat ging de eigenaar te ver. In plaats daarvan wordt het heerlijk gemarineerde zalm. Past trouwens perfect bij de snaps."

"Ik had niet gedacht dat ze in een tent als deze snaps kenden", zei Jarnebring.

"Ik kom hier", zei Johansson, "en dat doe ik al sinds de opening, dus ze weten wat snaps is. Ik heb ook een paar van mijn eigen snapsglazen meegenomen, die taps toelopende kristallen brandewijnglazen met een hoge voet waaruit je bij mij thuis wel hebt gedronken. Ik heb een paar dozijn van die glazen van mijn oudtante geërfd, ik heb je toch wel eens over haar verteld?" vroeg hij.

Hoewel hij dat meer dan eens had gedaan, knikte Jarnebring naar hem dat hij verder moest gaan.

"Je had haar moeten ontmoeten, Bo", ging Johansson verder. "Dat was een vrouw die heel wat in haar mars had. Ze runde het hotel in Kramfors in de tijd dat de drank nog op de bon was, en in die glazen ging zevenenhalve centiliter, dat was toen een half maandrantsoen." Die vrouw was uit het goede hout gesneden, dacht Johansson.

Jarnebring schudde zijn hoofd. Hij leek bijna een beetje ontroerd.

"Lars, mijn vriend, weet je wat jij bent? In hart en ziel?"

Johansson schudde zijn hoofd.

"Jij bent geen bureaucraat bij de directie Rijkspolitie, wat nou commissaris? In hart en ziel ben je een herenboer uit Noord-Zweden, zo'n sluwe vos met eindeloze bossen en een zagerij bij de rivier. Als je honderd jaar eerder was geboren, had je met Zorn en die andere kunstenaars in de Operabar zitten zuipen, en niet met een eenvoudige diender."

Of in die andere restaurants zoals Den Gyldene Freden, Rydbergs en Berns, en je hebt het niet over mij maar over mijn grootvader of mijn grote broer, als je de tijd even buiten beschouwing laat, dacht Johansson. Bovendien zit je er in mijn geval naast, maar dat zei hij niet.

"Mijne heren", onderbrak de eigenaar hen met een diepe buiging terwijl hij licht zijn keel schraapte. "Gemarineerde zalm volgens recept van het huis."

Hij zette de borden voor hen neer: grote, schuin gesneden plakken zalm, roze met streepjes wit, citroen ernaast, een beetje olijfolie en verse groene kruiden.

"De drankjes, mijne heren." Een van zijn medewerkers droeg een dienblad met twee grote glazen bier en twee tot de rand toe gevulde brandewijnglazen die hij met ervaren hand voor hun couvert neerzette, eerst bij Jarnebring, daarna bij Johansson. Toen deed hij een stap naar achteren en boog licht.

"Ik wens u een smakelijke maaltijd."

Jarnebring knikte naar Johansson en pakte het brandewijnglas in zijn rechterhand.

"Proost, grootgrondbezitter!"

"Echt heel lekker", constateerde Jarnebring na het voorgerecht en twee grote borrels uit de glazen van tante Jenny. Maar de groene kruiden en het schijfje citroen had hij in de asbak gelegd voordat hij aan de zalm was begonnen. Daarna hadden ze over de goede oude tijd gepraat. Omdat ze elkaars beste vrienden waren, was het zowel natuurlijk als noodzakelijk om te beginnen met de tijd voordat hun carrières een verschillende wending hadden genomen. Terwijl Johansson verder was geklommen, was Jarnebring gebleven waar hij was. Het was jaren geleden dat ze samen op de versleten voorbanken van de politiewagens hadden gezeten en dezelfde zure koffie in de koffiekamer van de recherche hadden gedronken, en omdat ze elkaar tegenwoordig alleen in hun vrije tijd konden ontmoeten, spraken ze het liefst over de tijd dat ze samen hadden gewerkt.

Het ging altijd op dezelfde manier: vroeger was het veel beter, bij de recherche, bij Geweldsdelicten, het was gewoon veel beter binnen de politie, zelfs het geboefte viel in de goede oude tijd te begrijpen.

"Herinner je je Moord-Otto nog?" vroeg Jarnebring. "En de Sheriff?"

"En Dahlgren en Mattson", ging Johansson nostalgisch verder. "En Kleine Gösta en Splinter en de Allo en het Mes. Pikmans, weet je Pikmans nog, en Åström en Salle, die altijd als eerste door de ordepolitie werd gepakt als we in actie waren? En die vent die we hoofdinspecteur Toivonen noemden en die eruitzag als een echte zuipschuit uit Karelië die de boot terug had gemist?"

Alle genoemde personen waren legenden op het politiebureau en oude afdelingshoofden die ofwel de pijp uit waren gegaan, of met behulp van het algemene pensioensysteem van het toneel waren verdwenen, maar geen van de jongere collega's had hen ooit in het park achter het politiebureau de duiven zien voeren.

"Chagrijnige oude kerels", zei Jarnebring, "maar wat een knappe politiekoppen."

"Ze wisten wat goed en slecht en wat juist en verkeerd was, en ze konden onderscheid maken tussen belangrijke zaken en pure onzin", zei Johansson die zich meer dan een beetje beïnvloed voelde door de borrels van tante Jenny en het gesprek op een fatsoenlijk niveau probeerde te houden. Het is dinsdag, dacht Johansson. Ik kan midden in de week niet dronken worden, ook al is hij mijn beste vriend en ook al ging het de vorige keer dat we elkaar zagen helemaal mis en ...

"Eva-Lena", onderbrak Jarnebring hem. "Herinner je je Eva-Lena nog?"

"Eva-Lena?" Johansson, die vond dat het politieberoep van nature door mannen moest worden uitgeoefend omdat het nu eenmaal voor negenennegentig procent om andere mannen ging, maar die het uiteraard nooit in zijn hoofd zou halen daar iets over te zeggen, zocht koortsachtig tussen zijn oude politieherinneringen.

"Eva-Lena, die griet die hoofd werd van de narcoticabrigade, de eerste vrouwelijke hoofdinspecteur bij de recherche in Stockholm. In heel Zweden, geloof ik zelfs. Kleine, blonde, slanke vrouw, iets te slank misschien, maar toch best leuk om te zien, vloekte als een ketter. Die herinner je je toch nog wel?"

Johansson wist het plotseling weer. De recherche had hem in een nijpende situatie uitgeleend aan Narcotica en de eerste nacht had hij een eenvoudige schaduwklus verknoeid. Verprutst gewoon, omdat die ander sluwer was dan hij, omdat zijn vrouw hem net had verlaten, omdat hij sinds die tijd niet had geslapen, en omdat zijn kinderen altijd op hetzelfde moment belden als hij dat probeerde te doen, en omdat ze meteen begonnen te krijsen voordat hij zijn zegje had kunnen doen, en omdat hun moeder altijd ophing voordat ... Maakt ook niet uit, hij had de klus verprutst en de volgende ochtend had hij de visie van zijn nieuwe chef te horen gekregen.

"Kun je me dit verdomme uitleggen", begon ze.

Persoonlijke problemen, dacht Johansson, want hij had op de politieschool geleerd dat je dat moest zeggen, maar zodra hij was gaan werken had hij begrepen dat het flauwekul was, dus zei hij het niet.

"Hij was beter dan ik", zei Johansson. Eén nul voor mij, dacht hij, want hij had gezien hoe verbaasd ze was.

"Hij was beter dan jij? Maar dat is toch bijna iedereen? Is dat niet zo? Ik heb gehoord dat je een enorme nul bent. Dat zeggen mijn jongens. De recherche heeft ons een enorme nul gestuurd om ons te pesten."

En ze zouden jouw mond met groene zeep moeten spoelen, dacht Johansson, maar dat had hij ook niet gezegd.

"Bijna niemand is beter dan ik", zei Johansson met een duidelijk Noord-Zweeds accent terwijl hij haar recht in de ogen keek. Hij moest haar nageven dat ze haar blik niet had neergeslagen, ze had alleen maar teruggestaard, maar toch had ze verloren omdat zij als eerste weer iets had gezegd.

"Goed", zei ze. "Je krijgt nog een kans. Zorg dat je hier om zeven uur bent."

In plaats daarvan was hij naar zijn chef gegaan. Een van de oude legenden, en hij had de makkelijkste weg gekozen.

"Ze zegt rare dingen over ons hier op de recherche", zei Johansson. "Ze zegt rare dingen over ons en ook over jou en dat pik ik niet." Hij had aan het eind zijn Noord-Zweedse accent nog een beetje aangedikt.

"Dat kutwijf", zei zijn chef die al een rood aangelopen gezicht had. "Die verdomde lesbo." Hij begon het nummer te draaien van zijn beste vriend die net als hij een oude worstelaar was en tevens hoofd van de hele rechercheafdeling. "En jij," hij knikte naar Johansson, "jij blijft bij mij, jongen. Het komt allemaal door die vervloekte sociaal-democraten", legde hij uit. "Je moet wel sociaal-democraat zijn als je zo dom bent om vrouwen voor de politie te rekruteren." Hij grinnikte, leunde achterover in zijn stoel en knikte naar Johansson dat hij kon gaan. Jij, Laplander, dacht hij liefkozend toen Johansson de deur uitging.

"Ja, die herinner ik me wel", zei Johansson. "Ze was goed", ging hij verder, "echt goed, bijna even goed als jij en ik."

Dus probeerde ze te klinken als jij en ik, en zich te gedragen als jij en ik en alle andere kerels, en op een dag was ze gewoon verdwenen, dacht hij.

"Wat is er met haar gebeurd?" vroeg Johansson, hoewel hij het antwoord wist.

Jarnebring haalde zijn brede schouders op.

"Ze verdween, ze stopte bij de politie, *nobody knows*", zei Jarnebring.

Hoe kunnen ze in godsnaam vrouwen voor de politie rekruteren, dacht hij, maar omdat Johansson commissaris was en daardoor meer dan halverwege in de politiek zat, zei hij het niet.

"Proost", zei Jarnebring en hij hief zijn glas. "Proost op alle mannen van de recherche en proost op de goede oude tijd."

Wie heeft er meer brandewijn ingeschonken, dacht Johansson lichtelijk in de war. Iemand moest het hebben gedaan, want de glazen van tante Jenny waren tot de rand toe gevuld.

"Gustav Adolf Nilsson", zei Jarnebring met een glimlach. Ze hadden halverwege het hoofdgerecht een pauze ingelast, Johansson dronk wijn terwijl Jarnebring ervoor had gekozen bier te blijven drinken, met nog wat extra's in de glazen van tante Jenny, en alles was helemaal perfect. "Gustav Adolf Nilsson, geboren in 1930", herhaalde Jarnebring.

"Jouw getuige", zei Johansson. "Die man met de hond die de schoen op zijn kop kreeg", ging hij verder. Vreemd verhaal, dacht Johansson. Je reinste detectiveraadsel.

"Vindeln", ging Jarnebring verder. "Kun je je hem nog herinneren, bijna tien jaar geleden. Toen we bezig waren met die beroving bij het Odenplan en die dubbele moord, waarvan ik bijna zeker weet dat onze collega van de afdeling Veiligheid verantwoordelijk was voor de eigenlijke uitvoering. Weet je dat nog?"

"Ja", zei Johansson. "Ik kan me Vindeln herinneren." Het andere had hij geprobeerd te vergeten. "Dat was toch die zuipschuit die het slachtoffer kende?"

"Tegenwoordig niet", zei Jarnebring. "Dezelfde Gustav Adolf Nilsson", vervolgde Jarnebring enthousiast. "Alias Vindeln. En wij zijn tegenwoordig allebei een grotere zuipschuit dan hij is."

"Ik dacht dat hij zich allang had dood gezopen", zei Johansson verbaasd. "Zoals hij er toen uitzag."

"Niks daarvan", zei Jarnebring en hij schudde enthousiast zijn hoofd. "Een halfjaar later erfde hij van zijn oudste zus, hij was het enige familielid dat er nog was. Zij was met een lid van de pinkstergemeente getrouwd, een ijzerwarengrossier die tweemaal zo oud was als zij. De zwager van Vindeln dus", verduidelijkte Jarnebring, "maar omdat hij Vindeln de helft van de nalatenschap van de ouders had ontfutseld zodra hij de zuster aan de haak had geslagen, hadden ze elkaar niet dagelijks gesproken, om het zo maar te zeggen. Dan gaat de oude man dood, die van de pinkstergemeente dus, en tien jaar later als de tijd van de weduwe is gekomen, laat ze alles na aan Vindeln. Hoewel ze twintig jaar lang niets van zich had laten horen. Haar geweten was zeker aan haar gaan knagen."

"Dat is me ook wat", zei Johansson met oprecht gevoel in zijn woorden.

"Inderdaad", zei Jarnebring. "Ik had het idee dat ik hem herkende toen we bij hem thuis waren en over zijn dode hond zaten te praten, maar Hultman was degene die de stukjes op hun plaats liet vallen toen we daar weggingen."

Dus Hultman was erbij, dacht Johansson, maar dat zei hij niet.

"Niet zo vreemd", ging Jarnebring verder, "want hij leek wel een atleet vergeleken met toen jij en ik hem zagen en dat moet toch al bijna tien jaar geleden zijn geweest, mager, pezig, een atleet uit Noord-Zweden, een echte grijze panter. Stapels met geld van zijn zuster en geen druppel sinds de erfenis. Hij schijnt gezegd te hebben dat je wel moest stoppen met zuipen als je zoveel geld had. Hij is dus gewoon gestopt en heeft al zijn oude drankvrienden vaarwel gezegd, van de ene dag op de andere. Hij woont nog steeds in zijn oude woning aan de Surbrunnsgatan, maar toen het koopappartementen werden heeft Vindeln het aangrenzende appartement ook gekocht. Hij heeft de muur doorgebroken en de boel verbouwd, is penningmeester van de vereniging van huiseigenaren en puissant rijk."

"Dat is me ook wat", zei Johansson. "Vindeln, die oude zuipschuit."

"Ja", zei Jarnebring. "Ik vergat het te vertellen toen je op het bureau was, omdat ik alleen maar aan die rotschoen dacht, wat een geschiedenis, je reinste detectiveraadsel." Jarnebring schudde enthousiast met zijn bovenlichaam en omdat hij zich over de tafel had gebogen, was dat in het hele lokaal te voelen.

"Ik heb nog steeds geen flauw idee", zei Johansson. "Voorzover ik weet, heb ik die Krassner nog nooit ontmoet."

Een schoen met een holle hak, in de holle hak een sleutel van een bankkluis in de VS, en tot zover was er niets aan de hand. Als dat stukje papier er niet was geweest, dacht Johansson. Het papiertje met zijn naam en adres, hoewel hij niet in het telefoonboek stond en slechts heel weinig mensen buiten zijn familie en naaste vriendenkring wisten waar hij woonde. Terwijl het nooit bij zijn secretaresse, of bij iemand anders op zijn werk trouwens, zou opkomen om zijn huisadres aan iemand te geven.

"Het is gewoon een raadsel", zei Johansson zwaar, en dat was precies wat hij dacht. Een vervloekt raadsel.

"Eerst dacht ik dat de collega's van de ordepolitie je een streek wilden leveren", zei Jarnebring.

Dat dacht ik ook, dacht Johansson en hij knikte terwijl hij het laatste restje wijn in zijn glas schonk. Ik had gewoon bier moeten blijven drinken net als Jarnis, dacht hij. Jarnis die tante Jenny's glas nog een keer had bijgevuld, maar nog steeds capabel leek om iemand in te rekenen, wat meer was dan je van hemzelf kon zeggen. Ze moeten maar een transportgetuigschrift over me schrijven, dacht hij en bij die gedachte knapte hij meteen op.

"Waar was ik gebleven", zei Jarnebring en hij nam een grote slok uit zijn bierglas. "Ja, de collega's van de ordepolitie, tegen wie jij een paar maanden geleden zo enorm tekeer bent gegaan."

In zijn hoedanigheid van hoofd van de Rijksrecherche had Johansson een onderzoek geleid naar een groep agenten van de patrouilledienst in Stockholm. Hij was voortvarend te werk gegaan en de mannen hadden zelfs een poosje in de bak moeten zitten, maar nu leek alles weer bij het oude te zijn. Vrijgelaten uit de gevangenis, terug op het werk, maar wel zonder politiebusje, in elk geval voorlopig, en met een aanklacht die ongetwijfeld op niets zou uitlopen bij de arrondissementsrechtbank in Stockholm.

"Herrieschoppers", zei Johansson uit de grond van zijn hart. "Hoe kunnen ze in godsnaam zulke lui tot het korps toelaten?"

"Ja," zei Jarnebring, "ik ben het met je eens. Je geeft maar een gil als je je gram wilt halen bij die klootzakken, maar wat die schoen betreft zijn ze onschuldig. Daar weten ze niets van."

"Ik ben het met je eens", zei Johansson en hij keek naar zijn wijnglas.

"Het is Krassners schoen. En om onbekende redenen heeft hij jouw adres opgeschreven en het in de hak van zijn schoen gestopt. Waar blijft het toetje trouwens?"

Je reinste detectiveraadsel, dacht Johansson en hij zocht met zijn blik naar zijn vriend de restauranteigenaar. *An Honest Cop*, dacht hij.

"Ik zit aan die brief te denken", zei Johansson.

Jarnebring knikte. Ze hadden het nagerecht opgegeten en zaten nu aan de koffie met cognac. Johansson nipte slechts aan de cognac, maar na een halve fles Ramlösa voelde hij zich aanzienlijk beter.

"Ja", zei Jarnebring, die in mentale zin niet leek bij te houden hoeveel hij dronk.

"Het was een elektrische typemachine, zei je. Heb je het inktlint gecontroleerd, het was toch zo'n inktlintcassette als ik je goed heb begrepen?"

"Jezus, Lars", zei Jarnebring. "Ik ben verdomme politieman. Ja, ik heb de cassette gecontroleerd en het enige wat er op het lint staat, is wat er ook in de brief staat. Wie denk je wel niet dat je voor je hebt?" zei Jarnebring en hij nam een grote slok uit zijn cognacglas, terwijl hij zijn vriend met zijn gebruikelijke brede grijns aankeek.

"De prullenbak ...", zei Johansson.

"En de prullenbak", onderbrak Jarnebring hem. "Het enige wat daarin lag, was de verpakking van de cassette."

"Maar je zei dat die vent hier anderhalve maand had gewoond", volhardde Johansson. "Wat heeft hij de hele tijd uitgespookt? Hij moet toch iets hebben gedaan?"

"Hij heeft waarschijnlijk over het leven en de toekomst gepiekerd", zei Jarnebring en hij haalde zijn schouders op. "Verder schijnt hij niet veel te hebben uitgespookt. Had zeker andere dingen aan zijn hoofd."

"Meer dan een maand", zei Johansson met duidelijke twijfel in zijn stem.

"Ruim zesenhalve week", zei Jarnebring. "Ik heb de precieze dag gecontroleerd. Hij kwam op zondag 6 oktober uit New York op Arlanda aan. Sprong op vrijdag 22 november."

"De boeken die op zijn kamer lagen", zei Johansson. "Waar gingen die over?"

"Over van alles en nog wat", antwoordde Jarnebring en hij grijnsde om redenen die Johansson niet goed kon begrijpen. "Een paar Engelse detectives in pocketformaat, die leek hij in elk geval te hebben gelezen, want ze waren nogal beschadigd. Tja", Jarnebring zocht in zijn geheugen, "verder waren er flink wat boeken over Zweden en de geschiedenis van Zweden en Zweedse politiek, allemaal in het Engels. *Sweden the Middle Way, The Paradise of Social Democracy*, ik heb een lijst in mijn verslag als je geïnteresseerd bent."

Zo, zo, dacht Johansson.

"Verdomme, Lars." Jarnebring had zich over de tafel gebogen en zijn rechterhand op Johanssons arm gelegd. "Relax. Er is ongetwijfeld een eenvoudige en voor de hand liggende verklaring."

"Ik luister", zei Johansson en hij kon een glimlach niet onderdrukken.

"Wij zien het als volgt", zei zijn beste vriend. "Een halfradicale chaoot uit de VS komt om verschillende onduidelijke redenen naar Zweden en heeft precies dezelfde ideeën als al die lui hebben. Op een avond zit hij in de kroeg en ontmoet hij onze eigen genieën die er net zo over denken als hij, en ze staan daar te kletsen en hebben een gezellige avond en praten over zaken die al dat soort mensen verenigen, ongeacht waar ze vandaan komen."

"En wat is dat dan?" vroeg Johansson.

"Dat mensen zoals jij en ik echte klootzakken zijn. Politiemensen. De ergste klootzakken die er bestaan."

"Ik begrijp wat je bedoelt", zei Johansson. Hij had het van een van zijn kinderen gehoord.

- "Uitstekend", zei Jarnebring, "en in die situatie herinnert een van onze eigen linkse rakkers zich dat hij of zij, het was vast een vrouw nu ik er dieper over nadenk, in de krant heeft gelezen dat er werkelijk uitzonderingen bestaan, zelfs onder de ergsten van de ergsten."

"Ja, ja", zei Johansson.

"En dan begint ze te vertellen wat ze in de krant heeft gelezen over jou en jouw kruistocht tegen de collega's van de patrouilledienst, die die oude zuiplap zouden hebben doodgeslagen, en Krassner wordt er helemaal warm van en besluit dat hij die man mee zal nemen als hij de eeuwigheid in gaat. Daarom schrijft hij jouw naam op en stopt die in zijn geheime schoen. Wat een romanticus", snoof Jarnebring, "en als je niet gauw een drankje bestelt, bestel ik er op eigen kosten zelf twee. Wat wil je drinken?"

"Laat me even denken", zei Johansson, wiens gedachten bij heel andere zaken waren dan bij gin-tonic.

"Goed", zei Jarnebring. "Herinner je je dat artikel nog in de kleine *Pravda*, onze geliefde avondkrant, de dag nadat je de collega's had laten opsluiten, een halve pagina. Weet je het nog?"

"Het begint me te dagen, nu je het erover hebt", loog Johansson, die het artikel woordelijk kon weergeven.

"Als ik me niet vergis luidde de kop EEN EERLIJKE SMERIS", zei Jarnebring.

"Jij zegt het", zei Johansson ontwijkend.

"Precies", zei Jarnebring. "De andere collega's en ik hebben ons wezenloos gelachen. Lars Martin Johansson, een heel gewone agent, een

71

van ons, al is er heel wat gebeurd sinds we op dezelfde voorbank zaten en samen moesten posten, het leek wel alsof je op weg was minister te worden. De enige collega in de Zweedse politiegeschiedenis die een positieve vermelding in die krant heeft gekregen. Bovendien een echte politieman, niet zo een die je tegenwoordig tegenkomt."

"Was het zo erg?" zei Johansson en de bezorgdheid die hij voelde was echt.

"Hou toch op", zei Jarnebring. "Niets aan de hand. We kennen je toch. Hoe staat het trouwens met die borrel?"

"Dat ga ik meteen regelen", zei Johansson en hij gebaarde discreet naar zijn vriend de restauranteigenaar.

Maar hoe kende zij of hij mijn huisadres, dacht hij.

Woensdag 27 november

De vorige avond was het laat geworden. Jarnebring was met hem mee naar huis gegaan en ze hadden tot één uur zitten pimpelen. Toen had Johansson op zijn horloge gekeken en vastgesteld dat het wat hem betreft mooi was geweest en als Jarnebring wilde blijven, kon hij kiezen tussen de bank in de woonkamer of die in Johanssons werkkamer. Jarnebring had het aanbod afgeslagen, hij had een taxi genomen en was naar huis gegaan. Hij was een beetje geil en zijn vriendin was de laatste tijd ongewoon liefderijk geweest. Ze heeft het geklets over mijn goede moraal waarschijnlijk wel gehoord, dacht Jarnebring toen hij door de nacht reisde.

Johansson was zoals gewoonlijk om zes uur wakker geworden. Hij was opgestaan, had twee aspirines en een groot glas water genomen voordat hij de wekker op acht uur zette en weer in slaap viel. Hij moest om tien uur op een conferentie op Lidingö zijn, en omdat hij geen spreker maar toehoorder was, hoefde hij zich eigenlijk nergens zorgen om te maken. Behalve om dat irritante stukje papier.

Nu bevond hij zich in elk geval op de plek waar hij volgens de agenda op zijn bureau moest zitten, maar terwijl de sprekers op het podium elkaar aflosten, gingen zijn gedachten hun eigen weg en steeds weer kwamen ze bij het stukje papier uit.

Mijn adres, dacht Johansson, want die gedachte liet hem niet los. Hoe is hij aan mijn adres gekomen? Ik sta niet in het telefoonboek. Op mijn werk geven ze het niet door en ook niemand van mijn familie of vrienden zou dat doen. Aan de andere kant was het voor iemand die dat echt wilde, niet al te moeilijk om eraan te komen. Maar wat moest Krassner met zijn naam en adres? Johansson had een goed geheugen voor zowel namen en personen als hun uiterlijk en hun doen en laten – dat moest je hebben als je een oude speurder was – en hij had zijn geheugen het afgelopen etmaal echt goed geraadpleegd. Geen Krassner, dacht Johansson.

Stel dat Jarnebring op het goede spoor zat. Dat Krassner een gewoon warhoofd was, iemand die een beetje interessant en geheimzinnig wilde doen en die het zelfs in zijn hoofd haalde om in schoenen met een holle hak rond te lopen. Een holle hak, Johansson schudde zijn hoofd. In al zijn jaren als politieagent was hij duizenden criminelen tegengekomen, maar hij kon zich niet herinneren dat er ooit een bij was geweest die schoenen met een holle hak had gehad. Daarentegen massa's die helemaal geen schoenen hadden gehad. Narcotica, dacht Johansson. Daar waren ze volgens hem wel eens iemand tegengekomen die zijn spullen bij voorkeur op die manier bewaarde. Er deed op het politiebureau zelfs het sterke verhaal de ronde dat een heel lange neger op vliegveld Arlanda had geprobeerd een halve kilo heroïne het land in te smokkelen in een paar kniehoge plateaulaarzen van krokodillenleer. Hij wist niet of het verhaal waar was, en daar ging het ook niet om, maar misschien moest hij toch maar eens met een van de jongens van Narcotica gaan praten. Hoe moet ik dat nu weer aanpakken, dacht Johansson somber, maar als hij Jarnebring goed kende was het al gedaan. Ben benieuwd wat we voor de lunch krijgen, dacht hij en hij keek op zijn horloge.

***

Jarnebring was niet iemand die zich onnodig overgaf aan gepieker. Krassner was een afgesloten hoofdstuk. Hij hoefde de zaak alleen nog maar af te schrijven. Dat zou hij doen zodra Hultman hem liet weten tot welke conclusie de Amerikaanse collega's waren gekomen ten aanzien van Krassner, en hij was er al van overtuigd dat dat niet tot enige wezenlijke veranderingen zou leiden. Zelfmoord, constateerde Jarnebring, en daarna had hij de ochtend besteed aan praktische kwesties en de middag aan fysieke training. Wat hij na zijn werk ging doen was zijn eigen zaak.

***

Goed nieuws, dacht Wijnbladh. Als de roddels op het politiebureau klopten, had het waarnemend hoofd van de Rijksrecherche, commissaris Lars Martin Johansson, kennelijk een verklaring geschreven over de collega's die de twee lijken in de liftschacht over het hoofd hadden gezien. Iemand die graag over de lijken van collega's gaat, dacht Wijnbladh, en hij zou die dilettant van een Olsson echt niet missen als de bijl viel. Olsson was weliswaar niet op de plaats delict geweest, hij had zich elders bevonden, wat zijn onachtzaamheid en algemene ongeschiktheid alleen maar onderstreepte, maar hij was toch hoofd van de groep op de technische afdeling waar de collega's werkten. De baan die ik had moeten hebben, dacht Wijnbladh, en kennelijk was het nog niet te laat. Binnenkort zouden ze de zestigste verjaardag van het hoofd van de afdeling vieren en ik ben tenslotte degene die het geld inzamelt en het feest regelt, dacht Wijnbladh tevreden.

***

Op maandagochtend was Bäckström teruggekeerd naar zijn gewone werk als inspecteur op de afdeling Geweldsdelicten, en hij had een zo goed als afgerond onderzoek naar een geval van vrouwenmishandeling bij zich. Normaalgesproken zou hij die rotzooi niet eens met een tang hebben aangeraakt, en tegenwoordig was het zo praktisch geregeld dat de afdeling Geweldsdelicten was gezwicht voor de politieke druk van allerlei feministen en andere linkse trutten en een apart onderzoeksteam voor vrouwenmishandeling had ingesteld, waar de homo's en potten van het korps natuurlijk graag in wilden zitten. Vrouwenmishandeling, dacht Bäckström. Allemaal dronken wijven die regelmatig een pak voor hun broek nodig hadden, en wilden. Het probleem was nou net dit exemplaar; heel veel geld en tieten als meloenen en die alcoholist met wie ze getrouwd was, zat nog steeds in de bak. Daar had Bäckström zelf voor gezorgd.

Eerst was hij van plan geweest zijn directe chef te vragen of hij de hele zaak zelf mocht afhandelen. Enerzijds was het onderzoek zo goed als klaar, anderzijds waren er geen nieuwe verse moorden die zijn inspanning vereisten. Alleen maar stapels onopgeloste rotzooi waar geen normaal mens zich mee wilde bezighouden, maar het probleem lag wat gecompliceerder. Bäckströms chef was een oude idioot van twee meter en honderddertig kilo die bij het minste of geringste ontplofte. Toen Bäckström hem die maandag zag, had zijn chef een enorme kater en alleen een slechtziende zelfmoordenaar zou de vraag hebben gesteld. Daarom besloot Bäckström zich rustig te houden en geen woord over de zaak te zeggen. Hij had alleen nog een paar extra aanvullende verhoren met het arme slachtoffer nodig. Hij was al halverwege in haar, dat had hij aan haar stem gehoord toen hij haar door de telefoon sprak, en in het ergste geval kon hij altijd nog de data van de verhoren veranderen.

**

Jarnebring was niet de man die hij leek te zijn, dacht Oredsson en toen hij met zijn oudere maten had gesproken, had hij ook begrepen waarom dat zo was. Jarnebring was kennelijk een oud-collega en goede vriend van die verrader Johansson die hoofd was van de Rijksrecherche. Jammer, dacht Oredsson. Als je het geboefte serieus wilde aanpakken, was het belangrijk dat mensen als Jarnebring aan de goede kant meededen.

**

Toen Stridh thuiskwam, had hij de tv aangezet om naar het avondnieuws te kijken, maar dat was als gewoonlijk alleen maar ellende, dus zette hij de tv weer uit. Er komt nooit een eind aan, dacht Stridh, het enige lichtpuntje was dat hij binnenkort weer vrij had.

Donderdag 28 november

Hultman was niet iemand die rustig afwachtte, dacht Jarnebring enthousiast, en de Amerikaanse collega's ook niet. Toen hij na de ochtendbijeenkomst zijn postvakje controleerde, vond hij een fax van de Amerikaanse ambassade. Het proces-verbaal van verhoor dat was opgesteld door de politie in Albany, New York, een paar korte officiële regels van de juridische attaché van de ambassade en een met de hand geschreven brief van Hultman waarin hij de meest essentiële zaken samenvatte: tien jaar geleden had Krassner geprobeerd zelfmoord te plegen door van het balkon van het huis te springen waar hij toen woonde. De plaatselijke politie had nog een oud onderzoek naar de gebeurtenis. Krassners toenmalige vriendin was ook verhoord en om een lang verhaal kort te maken, kon zij alles bevestigen wat Jarnebring de hele tijd al had vermoed. Krassner was op zijn zachtst gezegd een gecompliceerd mens. Krassner had al eerder geprobeerd zelfmoord te plegen, bovendien op dezelfde manier als nu.

Als zelfmoordpoging had het niet veel om het lijf gehad. Krassner had een hersenschudding en een beenbreuk opgelopen. Deze keer is het je beter gelukt, dacht Jarnebring, en hij besloot het onderzoek naar het sterfgeval af te sluiten zodra hij definitief bericht van de patholoog-anatoom kreeg. Zelfmoord, dacht Jarnebring wederom, en het zou eigenlijk wel zo eenvoudig zijn om dat ergerlijke stukje papier met de naam van zijn beste vriend gewoon te vergeten. En die stomme schoen met de holle hak misschien ook, dacht Jarnebring. De sleutel van de bankkluis kon hij ook ergens anders hebben gevonden en het zou het eenvoudigst zijn om die gewoon in het proces-verbaal van inbeslagname te zetten. Ik ben niet van plan een of andere spionageroman te schrijven, dacht Jarnebring, dus dat kan evengoed tussen mij en Lars Martin blijven.

***

Johansson was onthutst en raakte steeds meer geïrriteerd. Eerst had hij geprobeerd orde in zijn hoofd te scheppen door ervoor te zorgen dat hij drukbezet was. Dus had hij voor de lunch snel en effectief alle oude bronnen van ergernis en andere onzinzaken weggewerkt die net zo goed voor altijd hadden kunnen blijven liggen, en na de lunch was hij een oud voorstel voor reorganisatie van de werkzaamheden van de Rijksrecherche gaan lezen waar zelfs de indiener zich niet langer om bekommerde ... en toen belde hij Jarnebring.

"Goed", zei Jarnebring. "Kom maar hier, dan kunnen we praten."

Jarnebring had verteld over het bericht van de ambassade, maar dat leek geen diepe indruk te maken op zijn beste vriend. Evenmin als het feit dat hij had besloten in zijn onderzoek niets te zeggen over het gehate stukje papier en de schoen met de holle hak. Johansson leek het niet eens te hebben gehoord.

"Goed", zei Jarnebring, met lichte berusting in zijn stem. "Hoe kan ik je helpen?"

"Je had een foto van Krassner", zei Johansson. "Zou ik die mogen lenen?"

Jarnebring grijnsde en haalde zijn schouders op.

"Wie was je van plan te verhoren?"

Johansson haalde ook zijn schouders op.

"Ik heb zo lopen piekeren dat ik er bijna gek van word. Ik was niet van plan iemand te verhoren."

"Je wilt alleen je oor te luisteren leggen?"

Johansson glimlachte onwillig en Jarnebring grinnikte.

"Je oor op de rails leggen?"

"Zoiets", zei Johansson.

"Volgens mij maak je je druk om niets", zei Jarnebring. "Maar jij bent nou eenmaal zo. Is er verder nog iets waarmee ik je kan helpen?"

"De brief", zei Johansson. "Zou ik de brief mogen lenen die hij heeft geschreven?"

"Ik was van plan het origineel bij het dossier te voegen, maar als je genoegen neemt met een kopie vind ik het best", zei Jarnebring.

"Een kopie is prima", zei Johansson.

Jarnebring grijnsde en knikte en vermoedelijk was hij helderziend, want zowel de foto van Krassner als een kopie van de brief lag al in het insteekhoesje dat hij tevoorschijn haalde en aan Johansson overhandigde.

"Heb je verder nog iets nodig?" vroeg Jarnebring en hij leunde met zijn handen achter zijn hoofd achterover in zijn bureaustoel.

"Nee, wat dan?"

Jarnebring schudde zijn hoofd. Gespeeld bezorgd.

"Ik maak me zorgen om je, Lars", zei hij. "Niet omdat je je onnodig druk maakt om dat warhoofd, zo ben je altijd al geweest dus daar maak ik me niet zozeer zorgen om, maar omdat je niet echt in vorm lijkt. Wat denk je hiervan?"

Jarnebring pakte een nieuwe insteekhoes uit zijn bureaula, die hij aan Johansson gaf. Daarin zat een tiental foto's van mannen die dezelfde leeftijd en ongeveer hetzelfde uiterlijk hadden als Krassner.

Johansson glimlachte onwillig.

"Ik was niet van plan iemand te verhoren", zei hij. "Dat is jouw zaak."

"Nee, natuurlijk niet", zei Jarnebring, "maar stel dat je je bedenkt en het toch wil doen. Dan zou het toch jammer zijn als degene met wie je praat niet uit verschillende foto's kan kiezen", zuchtte hij. "Je maakt je onnodig zorgen", ging hij verder. "De confrontatiefoto's wil ik trouwens wel terug hebben."

"Natuurlijk", zei Johansson. "Er is nog iets." Er was hem plotseling iets ingevallen. "Dat inktlint van de typemachine, heb je dat nog?"

"Het is zo'n plastic cassette", zei Jarnebring, "van een draagbare elektrische typemachine van het merk Panasonic. Hij is alleen maar gebruikt om die brief te schrijven waar je een kopie van hebt gekregen. Ik heb de cassette zelf met de brief vergeleken. Ik kan je verzekeren, Lars, dat ik elke aanslag op de inktcassette, elke letter op het correctielint, in de brief heb afgevinkt."

Jarnebring keek afwachtend naar Johansson, die een afwerend gebaar met zijn handen maakte.

"Ik geef me over", zei Johansson. "Allejezus", zei hij en hij glimlachte scheef. "Ik kruip in het stof."

Jarnebring leek dit laatste niet te hebben gehoord.

"Ik ben weliswaar maar een eenvoudige inspecteur bij de recherche", zei hij, "en als die collega er niet was geweest die zo graag wilde worstelen, dan had ik deze stoel niet eens warm hoeven houden."

Johansson knikte glimlachend. De reden van Jarnebrings plotselinge promotie vormde al een onderdeel van het politieverhaal dat verteld werd onder de mensen die elkaar konden vertrouwen.

"Eén ding heb ik al vroeg geleerd", ging Jarnebring verder en het leek alsof hij hardop dacht. "Dat was zelfs voordat wij elkaar tegen het lijf liepen."

Johansson knikte. "Ga door."

"Nou", zei Jarnebring. "Als je toch iets moet doen wat vrij veel tijd kost, zorg er dan in godsnaam voor dat je het goed doet, want anders kun je het net zo goed niet doen. Het heeft me meer dan een uur gekost om de brief te vergelijken met het inktlint en het correctielint."

"Toch snel gedaan", zei Johansson waarderend.

"Zeker", zei Jarnebring met een brede grijns. "Misschien wel omdat de oude Rosengren me heeft geholpen."

***

Toen Johansson in de garage in zijn auto was gaan zitten, pakte hij de plastic insteekhoes met de brief en de foto van Krassner uit zijn aktetas. Aan de achterkant van de foto had Jarnebring dat irritante briefje met een paperclip bevestigd. Het zat in plastic, maar Johansson zag toch dat het het origineel was.

Bo, dacht hij.

Vrijdag 29 november

Nu hebben we de poppen echt aan het dansen, dacht Bäckström toen de secretaresse van het afdelingshoofd hem via de intercom belde en zei dat het hoofd hem onmiddellijk wilde spreken. Dat kutwijf, dacht Bäckström. Ze heeft me in de rug gestoken en wat moet ik nu in godsnaam doen?

De vorige dag had hij een afspraak gemaakt met zijn slachtoffer aan de Karlavägen. Bäckström had gezegd dat hij om zes uur bij haar zou zijn. Een snel verhoor, wat hartverwarmend geklets en dan hup eroverheen. Dan neem ik je mee op een reis die je nooit eerder hebt gemaakt, dacht Bäckström tevreden.

Toen hij bij haar huis was en aanbelde, deed er niemand open. Bäckström belde verschillende keren en ten slotte had hij door de brievenbus gekeken om te zien of er iets aan de hand was. Het enige wat er gebeurde, was dat haar buurman zijn lelijke smoel door de deur had gestoken en had gevraagd of hij hem ergens mee kon helpen. Een zure, magere, kale, nare, oude man, was Bäckströms diagnose, terwijl hij overwoog of hij met zijn legitimatie voor het gezicht van de man zou gaan zwaaien of dat hij hem gewoon zou vragen op te hoepelen. Maar voordat hij iets had kunnen doen, had die klootzak hem toegeschreeuwd dat hij moest vertrekken, want anders zou hij de politie bellen.

Omdat hij geen zin had om in het trappenhuis met een van die nazi's van de ordepolitie te onderhandelen – om de een of andere reden had hij aan die idioot van een Oredsson moeten denken – had hij een nette aftocht geblazen en was naar een nabijgelegen Chinees restaurant gegaan waar hij aan de bar was gaan staan om beter te kunnen denken. De bal, dacht Bäckström met een grijns.

"Een glote biel, een glote, stelke biel", zie hij tegen de Chinees achter de bar, maar de van alle humor gespeende klootzak had niet eens geglimlacht.

Na nog een paar pilsjes was hij vertrokken en had hij bij haar woning rondgehangen. Alle ramen waren donker.

Bäckström had een nieuw café gevonden, hij had nog een paar pilsjes gedronken en uiteindelijk had hij haar vanuit een telefooncel gebeld. Niemand nam op en nadat de telefoon een aantal keren was overgegaan, had hij een antwoordapparaat gekregen en toen had hij opgehangen.

Daarna was het allemaal eigenlijk vanzelf gegaan. Een volgend café, nog twee pilsjes, een nieuwe poging vanuit de telefooncel, en plotseling had hij voor die oude bekende tent aan de Kungsgatan gestaan. Eerst had hij een voorzichtige blik door het raam geworpen. Aan de halfflege bar zat dat loeder dat in het Sabbatsberg-ziekenhuis werkte, met wie hij afgelopen zomer een wip had gemaakt. Ze zat hand in hand met een of andere stomme bewaker. Bäckström besloot naar binnen te gaan.

"Het is vol", zei de mongool in de deuropening met een grijns.

"Hoezo vol?" zei Bäckström.

"Het is hier altijd vol", zei de mongool met een nog bredere grijns. "Bovendien heb jij volgens mij al genoeg gehad."

Jij, dacht Bäckström. Jij zegt verdomme geen jij tegen mij, want dan vermoord ik je. Maar dat zei hij niet. Hij was gewoon weggegaan. Uiteindelijk was hij thuisgekomen, had het laatste restje uit een van de flessen geperst die hij had gekocht toen hij zijn loon had gekregen en toen had hij haar weer gebeld. Er nam niemand op en toen had hij een boodschap op haar antwoordapparaat ingesproken. En wat heb ik toen verdomme gezegd, dacht hij toen hij de kamer van het afdelingshoofd binnenstapte.

Het afdelingshoofd heette Lindberg. Een paar jaar eerder had hij een van de legenden van de Stockholmse politie opgevolgd en omdat iedereen op de afdeling schoon genoeg had van legenden, hadden een paar oudere, geroutineerde collega's met de vakbond gepraat, en zo was Lindberg hun chef geworden en het voordeel met hem was dat hij nergens enig benul van had. Een kleine, dikke, onbekwame klootzak, dacht Bäckström, en als je er maar voor zorgde dat je zelf als laatste met hem sprak, dan leefde je in de beste der werelden.

Het probleem was zijn eigen chef. Die had zich in Lindbergs bezoekersstoel weten te persen en zag er al uit alsof hij een longbloeding nabij was. Hij heette Fylking, volgens de personeelslijst hoofdinspecteur Fylking, maar op het bureau werd hij door vrijwel iedereen Koning Drank genoemd, wat zowel makkelijker als eenvoudiger te onthouden was. Koning Drank, dacht Bäckström met een vriendelijk knikje naar de man aan wie hij dacht, terwijl hij op een lege stoel vlak bij de deur plaatsnam zodat hij verzekerd was van een vluchtweg als de bom eventueel zou barsten. Vreemd dat je je nog niet hebt doodgedronken.

"U wilde me spreken", zei Bäckström.

"Ja", zei Lindberg afwerend. "Het gaat over die vrouw aan de Karlavägen, ene mevrouw Östergren die door haar echtgenoot is mishandeld. Haar advocaat heeft gebeld en ..."

"Werk je niet meer bij Moordzaken?" onderbrak zijn chef Lindberg.

"Hoe bedoel je?" vroeg Bäckström.

"Zeg nou maar hoe het zit", zei Koning Drank. "Je had een lekker nummertje willen maken met die rijke trut aan de Karlavägen. Dat wijf dat geprobeerd heeft om haar man in de val te laten lopen."

"Rustig nou maar", zei Lindberg vergoelijkend. "We hoeven geen ruzie te maken alleen vanwege ... ja, vanwege de eisende partij. We weten allemaal hoe lastig mensen in dat soort situaties kunnen zijn. Ja, vooral jij, Fylking, weet dat toch", voegde hij er met een nerveuze blik op zijn gast in de fauteuil aan toe.

Wat weet jij daar in godsnaam vanaf, dacht de aangesprokene zuur, jij hebt immers nog nooit een misdrijf onderzocht, maar dat zei hij niet.

"Geilaard", zei hij in plaats daarvan met een boze blik naar Bäckström.

Wat een geluk dat ik niet van gisteren ben, dacht Bäckström een half-uur later toen hij weer op zijn kamer was. Het was precies zoals hij dacht. Die stomme hoer had hem misbruikt en geprobeerd hem in de rug te steken, maar op dat punt had ze zich vergist, dacht Bäckström. Dat lukte bij een oude prof niet zomaar, hoeveel moeite ze ook had gedaan. Kennelijk had ze het bandje uit haar antwoordapparaat aan haar advocaat gegeven die het weer aan Lindberg had gegeven, waarop die zuipschuit van een chef van hem erop had gestaan dat ze ernaar zouden luisteren, hoewel hij en Lindberg al hadden besloten dat ze de zaak zouden overdragen aan die idioten van de groep die zich bezighield met vrouwenmishandeling.

Maar helaas voor jou heb je buiten de waard gerekend, dacht Bäckström, want toen was hij met zijn geniale zet op de proppen geko-men.

Eerst hadden ze het bandje van het antwoordapparaat afgespeeld en misschien klonk het wel een beetje wonderlijk, wat wel vaker het geval is als je ongerust bent en 's avonds laat iemand belt. Maar Bäckström had zich niet laten kennen.

"Wat is het probleem?" vroeg Bäckström. "Zij had erop aangedrongen dat ik haar in haar woning zou spreken omdat ze het niet aankon naar het politiebureau te komen. En natuurlijk werd ik ongerust toen ze niet opendeed."

"En toen heb je haar dus gebeld?" zei Koning Drank met milde stem.

"Ja", zei Bäckström. "Ik had geen goede redenen iets anders te doen, al vreesde ik een kort moment het ergste."

"Om halftwee 's nachts", zei Koning Drank.

"Dat moet verkeerd zijn", zei Bäckström. "Het was beduidend vroeger." Er zit toch geen klok op die dingen, dacht hij.

"Je bent zo dronken dat je nauwelijks kunt horen wat je zegt", onderbrak Koning Drank hem.

"Dronken!" barstte Bäckström verontwaardigd uit. "Ik was volkomen nuchter en stond mijn tanden te poetsen. Ik zou immers naar bed gaan. Het was iets na tienen. Ik stond mijn tanden te poetsen en daarom klonk het waarschijnlijk een beetje onduidelijk." Geniaal, dacht Bäckström.

"Goed", zei Lindberg, terwijl hij zijn handen ophief alsof hij een dominee van de pinkstergemeente was. "Dan denk ik dat we deze kwestie wel hebben afgehandeld."

∗∗∗

Je kunt over Bäckström zeggen wat je wilt, dacht zijn directe chef, hoofdinspecteur Fylking, maar het is een sluwe vent. Lui en onbekwaam. Maar sluw! De vetzak was ook geil, en het was een mysterie dat hij nog in staat was iets klaar te spelen, zo veel als hij zoop. Ik heb zelf ook een borrel nodig, dacht hij en hij gluurde naar de A4-map in zijn boekenkast waar hij zijn kantoorfles had verstopt. Hij keek op zijn horloge. Niet voor twaalven, dacht hij somber en bovendien was hij vergeten keelpastilles te kopen. Ik vraag me af waar hij dat verhaal van het tandenpoetsen vandaan heeft, dacht hij.

∗∗∗

Waarom wordt Fylking Koning Drank genoemd, vroeg Bäckström zich af. Eenvoudig. Makkelijk te onthouden. Hoe ontneem je Koning Drank het leven? Stel dat ik hem uitnodig om bij me thuis te komen eten, voor de vorm koop ik wat haring en gehaktballetjes en verder een heleboel brandewijn. Een doos vol en ook drie of vier kratten bier. Dat mag hij allemaal opdrinken tot hij stikt en dan help ik hem met de laatste slokken. Te onzeker, besloot Bäckström, en het klinkt verschrikkelijk duur. Bovendien was het vrijdag en hoog tijd om de gewone verplichtingen uit de weg te gaan.

∗∗∗

Vindeln komt uit Noord-Zweden, dacht Johansson; een oude hondenbezitter en geheelonthouder. Dus staat hij vroeg op. Johansson keek op zijn horloge en besloot een praatje met Vindeln te maken voordat hij naar zijn werk ging. Al heb ik geen idee waarom, dacht hij plotseling mistroostig terwijl hij op straat op zijn taxi stond te wachten.

Zijn analyse was in elk geval correct geweest, dacht Johansson toen hij met een kop koffie in Vindelns pronkkamer zat. Donkere ouderwetse meubelen, een groot Perzisch tapijt op de vloer, een pendule boven de bank en alles glimmend schoon. Johansson had het grote ingelijste portret al gezien dat op het buffet bij het raam stond. Een zilveren lijst met tierelantijnen.
"Dat is Kalle", zei Vindeln met een zucht. "Hij is dertien jaar geworden."
"Ik houd ook van jämthonden", zei Johansson, wat eigenlijk niet

82

helemaal waar was, aangezien zijn vader en broers altijd Noorse elandhonden hadden gehad en hijzelf nooit bezwaar had gemaakt tegen hun keuze.

"Jij jaagt natuurlijk", constateerde Vindeln.

"Klopt", antwoordde Johansson en zijn Noord-Zweedse accent was duidelijk te horen.

"Thuis op de boerderij", zei Vindeln en dat was eerder een constatering dan een vraag.

"Ja", zei Johansson. "Mijn ouders leven allebei nog, hoewel mijn vader een beetje kwakkelt met zijn gezondheid."

"Jij hebt het ver geschopt", zei Vindeln met een blik op Johanssons visitekaartje, dat hij voor zich op de tafel had gelegd. "Commissaris van politie, dat is geen kattenpis."

"Ja", zei Johansson. "Het is goed gegaan."

"Met mij is het een tijdlang helemaal mis geweest", zei Vindeln.

"Liet je gezondheid je in de steek?" vroeg Johansson, hoewel hij het antwoord al kende.

Vindeln schudde zijn hoofd.

"De drank", zei hij. "Het grootste verderf dat hij daarbeneden naar ons arme zielen hierboven heeft gestuurd. Maar ik heb me losgebroken uit zijn boeien en dat was maar op het nippertje, dat kunnen verschillende mensen getuigen."

Onder wie ik, dacht Johansson en hij knikte, maar zei niets. Vindeln nam een koekje van de schaal en glimlachte plotseling naar Johansson.

"Het is leuk als mensen uit Noord-Zweden het goed doen", zei hij. "Wij hebben ons aandeel geleverd, maar hoeveel mensen uit Noord-Zweden zitten er in de regering? Mensen uit Stockholm en Södermanland en Skåne, daarvan gaan er dertien in een dozijn, maar mensen uit Noord-Zweden?" Vindeln zuchtte en schudde zijn hoofd. "Maar als er te weinig geld in de staatskas zit zijn we weer goed genoeg."

Helemaal waar, dacht Johansson, en wat doe ik hier eigenlijk?

Johansson had hem toch de foto's laten zien. De foto van Krassner en de negen foto's van andere mannen, die hij van Jarnebring had gekregen.

"Zijn toestand was zodanig dat hij niet herkenbaar was", zei Vindeln, "en ik woon hier weliswaar sinds ik naar Stockholm ben verhuisd, maar die mensen kan ik me niet herinneren." Hij knikte naar Johanssons foto's en schudde zijn hoofd.

"Wie van hen was het?" vroeg Vindeln.

"Deze", zei Johansson en hij wees naar de foto van Krassner.

"Hem heb ik nooit gezien", zei Vindeln. "Heeft hij iets gedaan of ...?" vroeg hij. "Meer dan dat hij Kalle om zeep heeft gebracht, bedoel ik."

"Voorzover we weten niet", antwoordde Johansson.

"Ik hoorde dat het een Amerikaan was", zei Vindeln. "Jouw collega's die hier dit weekend waren, vertelden dat. De ene was een grote, grove kerel, echt een boom van een vent, en hij had een klein fatterig mannetje bij zich, die eruitzag als een directeur. Maar ze waren allebei vriendelijk, dat moet ik zeggen, ik heb geen klachten over ze."

Dat moest er nog bij komen, dacht Johansson.

"Er schiet me nog iets te binnen", zei Vindeln toen ze in het halletje stonden en afscheid zouden nemen.

"Ja?" zei Johansson.

"Ik vertelde mijn buurvrouw, mevrouw Carlander, aardige dame, weduwe, al is ze bijna tachtig ..."

"Ja?" zei Johansson.

"Nou, ik vertelde haar dat het een Amerikaan was."

"Ja", zei Johansson.

"Nou, ze had ze kennelijk gezien toen ze stonden te praten op de plek waar hij was verongelukt. Jouw collega's dus."

"Ja", zei Johansson, terwijl hij de deur uitstapte. De hoogste tijd om naar mijn werk te gaan, dacht hij.

"Ze had gehoord wat er met Kalle was gebeurd, daarom hadden we het erover en toen vertelde ik haar dat ze hadden gezegd dat het een Amerikaan was."

Je bent toch niet weer gaan drinken, dacht Johansson en op hetzelfde moment dat hij dat dacht, schaamde hij zich.

"Dat is helemaal niet erg", zei Johansson. "Het is geen geheim. Nog hartelijk bedankt voor de koffie."

"Het was niets", zei Vindeln en hij knikte naar Johansson die de trap afliep.

"Ze had kennelijk met een Amerikaan gepraat toen ze op het postkantoor was", zei Vindeln tegen Johanssons rug.

"Wát zeg je!" zei Johansson en hij draaide zich om.

***

"Hij was het", zei mevrouw Carlander en ze wees naar de foto van Krassner. "Ik hoorde meteen dat hij Amerikaan was, maar bovendien sprak hij met zo'n keurig *upstate New York-accent*. Mijn echtgenoot was hoofd verkoop bij SKF in de VS en we hebben daar vrij lang gewoond", verduidelijkte mevrouw Carlander.

Dit is niet waar, dacht Lars Martin Johansson.

"Vertel verder", zei hij.

"Het moet ruim een maand geleden zijn geweest", vertelde mevrouw Carlander. Ze was niet helemaal zeker van de dag, maar aan het eind van elke maand zocht ze altijd alle rekeningen bij elkaar die betaald moesten worden en ging ermee naar het postkantoor, dus het moest toen zijn geweest. Bovendien werd dan de pensioenuitkering van haar echtgenoot op haar rekening gestort, zodat ze geen overboekingen van de bank of andere lastige dingen hoefde te regelen.

Dat zal wel, dacht Johansson terwijl hij om zich heen keek in het smaakvol gemeubileerde appartement. Mevrouw Carlander zit er warmpjes bij.

"Op zich zou ik een overschrijvingskaart van mijn girorekening kunnen gebruiken en die gewoon op de bus kunnen doen", ging ze verder, "maar er is tegenwoordig zo veel veranderd dat ik het veiliger vind om naar het postkantoor te gaan waar je altijd iemand om hulp kunt vragen. Bovendien zijn ze heel vriendelijk, de mensen die daar werken, vooral de cheffin. Zo innemend."

Johansson knikte.

"Waar ligt het postkantoor?"

"O", zei mevrouw Carlander. "Het is ons eigen postkantoor, zo noemen de ouderen hier in de wijk het. Het is het kleine kantoor aan de Körsbärsvägen. Op de hoek voor de studentenflat, maar wel aan de andere kant van de straat", verduidelijkte ze. "Bovendien is het een prettige wandeling."

Johansson knikte. Hij meende zich vaag te herinneren dat hij er wel eens langs was gelopen of gereden.

"En het wordt natuurlijk opgeheven", zei mevrouw Carlander en je kon een zekere irritatie bespeuren over de knagende tand van de nieuwe tijd.

"Ach zo", zei Johansson.

"En dus hebben we onder de ouderen die hier wonen een oproep gedaan. De politiek kan toch niet de gehele buurtservice van ons afpakken", zei mevrouw Carlander.

Dat kunnen ze wel degelijk, dacht Johansson, maar dat zei hij niet.

"Het moet 's ochtends zijn geweest", vervolgde mevrouw Carlander. "Dat ik daar was, bedoel ik. 's Ochtends zijn er meestal maar heel weinig mensen, en je wilt natuurlijk zo min mogelijk in de rij staan."

"Ja, natuurlijk", zei Johansson. "Wie wil er nu in een rij staan?"

"Daarom kan ik het me zo goed herinneren", zei mevrouw Carlander. "Ik ergerde me enorm aan hem."

Toen mevrouw Carlander ongeveer een maand geleden 's morgens het postkantoor aan de Körsbärsvägen had bezocht, was het vrijwel helemaal leeg geweest. Alleen een man die Engels stond te praten met de vrouw achter het enige loket dat open was.

"Ik kon meteen horen dat hij Amerikaan was", zei mevrouw Carlander. "Mijn man en ik hebben bijna tien jaar in de VS gewoond. SKF had in die tijd een kantoor in Manhattan en zelf woonden we ongeveer op een uur reizen daarvandaan, aan de Hudsonrivier, net buiten een heel leuk dorpje dat Montrose heet. Gerhard ging elke dag op en neer, 's ochtends en 's avonds, en zelf zorgde ik voor onze kinderen. Nu zijn ze volwassen en hebben ze zelf kinderen."

Johansson knikte. Dat had hij al begrepen van de ingelijste familiefoto's op haar kleine bureau.

"Waar was ik gebleven?" Mevrouw Carlander glimlachte afwezig, maar pakte toen de draad weer op en haar grijze ogen begonnen te schitteren. "Het was zo grappig, plotseling herkende ik zijn, tja ... accent zal ik maar zeggen, die nogal heftige en tegelijk lijzige toonval van upstate, van de wat deftiger mensen bedoel ik, in elk geval proberen ze deftig te doen. New England, maar eigenlijk is het natuurlijk niet echt New England."

"U ergerde zich aan hem", hielp Johansson haar herinneren.

"Hij wilde een brief versturen en het Engels van de caissière was niet al te best, ik ergerde me eerlijk gezegd ook een beetje aan haar, en even overwoog ik me ermee te bemoeien en te zeggen dat ik wel wilde helpen met tolken, maar je wilt je ook weer niet opdringen."

Nee, dacht Johansson. Zo'n type ben je niet. Hij knikte bemoedigend.

"Maar ten slotte ergerde ik me behoorlijk, want hij ging maar door en ik kan niet zo goed lang staan, maar net op het moment dat ik er iets van wilde zeggen, nam de cheffin het over. Een heel innemende jonge vrouw, u zou haar eens moeten ontmoeten, al hebben ze haar wel een vreemde titel gegeven. Postmeester. Wat is er mis met postmeesteres? Je zegt toch ook lerares. Het is niet logisch."

Dat weet ik ook allemaal niet, dacht Johansson, maar dat zei hij niet.

"Weet u nog wat voor problemen er met die brief waren?" vroeg Johansson.

Mevrouw Carlander schudde langzaam haar hoofd.

"Nee", zei ze aarzelend. "Maar ik ben ervan overtuigd dat de cheffin het allemaal voor hem heeft geregeld, als er al problemen waren."

"U weet niet hoe ze heet?" vroeg Johansson.

"Hoe ze heet?" zei mevrouw Carlander zweverig. "Ik weet dat haar voornaam Pia is. Maar haar achternaam ... ik weet dat ik die ken, maar soms verdwijnen dingen zomaar uit mijn geheugen. Een paar dagen geleden was ik het woord navel kwijt. Ik telefoneerde met een van mijn kleinkinderen en het was helemaal weg. Hij zal wel gedacht hebben dat zijn oma gek was geworden, de arme jongen."

"Het komt wel goed", zei Johansson geruststellend. "Dat zoeken we bij de politie wel uit." Pittige Pia, dacht hij.

"Dat denk ik ook", zei mevrouw Carlander met overtuiging. "Ik ben er vrij zeker van dat ze u zal opvallen. Ze heeft zo'n uiterlijk dat jullie mannen opvalt, als ik het zo mag zeggen."

Tijd om afscheid te nemen, dacht Johansson en hij glimlachte naar mevrouw Carlander.

"Ja, mevrouw Carlander, dan wil ik u hartelijk bedanken ..."

"Kunt u niet vertellen wat hij heeft gedaan? Waren het drugs en dat soort vreselijke dingen?"

Johansson schudde met een geruststellende glimlach zijn hoofd.

"Nee, voorzover we weten niet", zei hij. "Hij wordt niet verdacht van een misdrijf."

"Niet", zei mevrouw Carlander. Ze klonk niet echt overtuigd.

"Nee", herhaalde Johansson. "We proberen er alleen maar achter te komen wie hij was."

Mevrouw Carlander knikte weer, maar ze leek nog steeds niet echt overtuigd.

***

Mevrouw Carlander had helemaal gelijk. Pia had zo'n uiterlijk dat mannen opvalt: donker, kortgeknipt haar, blauwe ogen, grote boezem en een smalle taille. Haar achternaam was Hedin. Er is waarschijnlijk ook niets mis met haar benen, dacht Johansson, maar omdat ze allebei aan een andere kant van de balie stonden, kon hij dat niet met zekerheid zeggen.

Johansson had gezegd hoe hij heette en haar zijn visitekaartje gegeven. Hij had gemerkt dat ze verbaasder had gereageerd dan waartoe zijn naam en titel aanleiding hadden moeten geven. Toen glimlachte ze vriendelijk naar hem en knikte vragend.

"Waarmee kan ik u helpen?"

Johansson liet haar de foto van Krassner zien.

"U schijnt ongeveer een maand geleden met deze persoon te hebben gesproken. Hij wilde hulp hebben met het versturen van een brief."

Ze pakte de foto aan en Johansson zag dat ze het gezicht op de foto herkende. Toen glimlachte ze weer vriendelijk en knikte naar het visitekaartje dat ze op de balie had gelegd.

"Heeft u misschien een legitimatie of zo?" vroeg ze. "Ik wil niet moeilijk doen, maar wij hebben nu eenmaal ook onze regels."

Dat was slordig van me, dacht Johansson, en hij vroeg zich af hoeveel cursussen over bedrijfsveiligheid ze had gevolgd. Hij glimlachte verontschuldigend en toonde zijn legitimatie. In tegenstelling tot vrijwel alle andere mensen keek ze er grondig naar. Toen glimlachte ze opnieuw en Johansson begreep dat mevrouw Carlander een vrouw was die mannen beter begreep dan de meeste vrouwen die half zo jong waren als zij.

"Dat klopt", zei ze. "Ik herken hem en ik was degene die hem hielp die brief naar u te versturen."

Wat zegt ze in vredesnaam, dacht Johansson, en waarschijnlijk was Pia Hedin even oplettend als hij, want ze glimlachte alleen maar en knikte naar een ruimte achter in het postkantoor.

"We kunnen misschien beter naar mijn kantoor gaan", stelde ze voor. "Dan kunnen we ongestoord praten."

Mooie benen, dacht Johansson toen hij haar naar haar kamer volgde. Dat geeft nog een beetje troost in deze misère.

Ruim een maand geleden was Krassner naar het postkantoor aan de Körsbärsvägen gekomen en had hij een brief verstuurd naar het postkantoor Stockholm 4 aan de Folkungagatan op Söder, poste restante commissaris van politie Lars Martin Johansson. Ze had hem zelf geholpen, maar ging niet in op de redenen waarom ze dat had gedaan.

"Het was een nogal vreemd verzoek. We krijgen hier bijna nooit iets poste restante en wat er komt, komt meestal uit het buitenland. Zoals u ongetwijfeld weet ..."

"Zeg alsjeblieft je", zei Johansson. Hij werd beloond met een glimlach en een knikje.

"Als je iets poste restante naar een van onze kantoren stuurt, blijft het daar een maand liggen, dertig dagen om precies te zijn, daarna gaat het terug naar de afzender. Vooropgesteld dat de geadresseerde het niet heeft opgehaald natuurlijk."

Als hij mijn adres had, dacht Johansson, waarom heeft hij het in hemelsnaam dan niet direct naar mijn huis gestuurd maar naar een postkantoor, bovendien naar het postkantoor waar ik altijd heen ga?

"Ik denk na", zei Johansson met zijn meest charmante glimlach.

"Ik had er geen idee van dat ik poste restante een brief had gekregen."

"Dat heb ik ruim een week geleden begrepen", zei Pia Hedin. "Toen we de brief retour kregen."

Eindelijk, dacht Johansson. Weldra zal de waarheid worden onthuld, maar voor die tijd doen we alles in de juiste volgorde. Kalm en methodisch.

"Er is natuurlijk geen bezwaar om lokale zendingen poste restante te sturen, maar het is niet gebruikelijk. Dat kan ik je verzekeren. Ik herinner me dat ik aanbood om te proberen je adres te achterhalen zodat de brief zeker zou aankomen."

"Wat zei hij daarop?" vroeg Johansson.

"Hij legde uit dat jullie hadden afgesproken het op deze manier te doen."

Zo, dacht Johansson. Zei hij dat?

"Ja", knikte ze weer met een glimlach. "Natuurlijk schrok ik even van de titel van de geadresseerde, jouw titel, ik vond het eerlijk gezegd nogal spannend."

"Wat dacht je?" vroeg Johansson. Wat een glimlach, dacht hij.

"Tja, dat het een geheime tip was. Ik bedoel, hij leek niet stoned of zo, of vreemd. Hij wilde me zelfs zijn legitimatie laten zien, maar ik zei dat dat niet nodig was. Ik begreep natuurlijk wel dat er geen drugs in de brief zaten. Het was een gewone brief. Ook niet bijzonder dik, ik kon voelen dat er alleen papier in zat. Tja. Wat ik dacht? Ik vond het spannend. Een soort spionagefilm."

Ze lijkt behoorlijk enthousiast, dacht Johansson.

"Goed", zei Johansson. "Zou je de brief kunnen halen zodat ik hem kan bekijken?"

"Dat gaat niet." Ze glimlachte en schudde haar hoofd. "Helaas."

Hoezo gaat dat niet, dacht Johansson.

"Hij had om speciale nazending hiervandaan gevraagd, dus heb ik de brief daarheen gestuurd. Dat was gisteren."

Dit is verdomme niet waar, dacht Johansson en hij steunde inwendig.

"Waarom deed hij dat?" vroeg Johansson.

"Ik legde hem uit hoe poste restante werkt en dat de brief hier over ruim een maand zou terugkomen en toen zei hij dat als hij de brief niet binnen een week had opgehaald, hij dan wilde dat ik hem zou doorsturen naar zijn adres in de VS. Hij vertelde dat hij in de studentenflat aan de overkant woonde, maar dat hij van plan was om over een maand naar huis te gaan, hij wist nog niet precies op welke dag, en hij wilde niet dat de brief hier bij ons zou blijven liggen en hij wilde ook niet dat die naar de studentenflat werd gestuurd, omdat hij daar alleen maar tijdelijk woonde. En omdat wij ook niet willen dat hier allemaal brieven blijven rondslingeren, deed ik wat hij had gevraagd, speciale service zeg maar." Ze glimlachte en knikte.

"Waar heb je de brief heen gestuurd?" vroeg Johansson.

"Naar het adres in de VS dat hij me had gegeven en dat vond ik eerlijk gezegd ook een beetje vreemd."

"Hoezo?"

"Nou, zoals ik al zei, vertelde hij dat hij hier tijdelijk was en in de studentenflat aan de overkant woonde en dat hij waarschijnlijk over een maand weer thuis zou zijn, voor het geval wij de brief retour zouden krijgen, maar dat we de brief een week konden laten liggen en hem daarna naar hem moesten doorsturen als hij hem niet binnen die week had opgehaald."

"Ja?" zei Johansson vragend. "Wat is daar voor vreemds aan?"

"Hij wilde dat we de brief naar iemand anders zouden doorsturen", legde ze uit. "Een vrouw, dus dacht ik aan nog meer geheime zaken waar ik me niet mee moest bemoeien, maar ik heb haar naam en adres. Ik heb een kopie van de verzending, die mag je zien als je daar wat aan hebt."

"Ja", zei Johansson. "Graag."

Sarah J. Weissman, las Johansson, 222 Aiken Avenue, Clinton Park, Rensseelaer, NY 12144 VS. Zo, zo, dacht Johansson. En wie mag dat wezen?

"Ik heb het adres gecontroleerd", zei ze. "Ik bedoel, een beetje nieuwsgierig ben ik wel."

Dat zie ik aan je ogen, dacht Johansson. Jij vindt dit allemaal veel leuker dan ik, dacht hij duister.

"En?" vroeg Johansson.

"De postcode komt overeen met het adres. Of de geadresseerde daar ook woont heb ik niet gecontroleerd. Ik weet eerlijk gezegd niet eens of we dat kunnen doen, maar de rest klopt. Rensseelaer ligt ten noorden van New York."

Upstate New York, dacht Johansson, tot zover klopt het allemaal.

"Je kijkt bezorgd", zei ze. "Kan ik je ergens mee helpen?"

Als de ogen inderdaad de spiegel van de ziel zijn, dacht Johansson, lijk jij in elk geval intelligent genoeg. De vraag is of je ook kunt zwijgen.

"Misschien", zei Johansson.

"Probeer maar", zei ze. "Soms moet je proberen je medemensen te vertrouwen."

"Ben jij iemand die ... haar smoel kan houden?" vroeg Johansson.

Op hetzelfde moment bedacht hij dat hij wellicht een ander woord had moeten gebruiken.

"Ja", zei ze en ze knikte nadrukkelijk. "Dat ben ik."

"Goed", zei Johansson. "Het probleem is kort gezegd dit. Ik heb deze Krassner nog nooit ontmoet. Ik wist niet eens van zijn bestaan af. Ik ben weliswaar hoofd van de Rijksrecherche", een korte tijd van geluk, dacht Johansson, "maar", ging hij verder, "Krassner is niet een van onze informanten en als hij dat wel was, zouden we het niet op deze manier doen. Kun jij me uitleggen waarom iemand iets poste restante naar een politieman stuurt die hij nog nooit heeft ontmoet, zonder te vertellen dat hij dat heeft gedaan? De kans dat die politieman de brief krijgt, is toch zeker nul procent?"

"Zeker", zei ze. "Maar er is iets anders wat ik niet begrijp."

Johansson knikte dat ze verder moest gaan.

"Hoe je er toch achter bent gekomen, ik bedoel, je komt hier opeens bij mij. Hoe ben je erachter gekomen?"

Je bent niet dom, dacht Johansson. Wat moet ik nu zeggen zonder te veel te zeggen?

"Dat was puur toeval", zei Johansson. "Waarom stuurt hij me iets op een manier waarvan hij vrijwel zeker weet dat ik het nooit zal krijgen of nooit te weten zal komen?" ging hij afleidend verder.

"De eenvoudigste manier is dat je het hem gewoon vraagt en als hij al naar huis is en het heel belangrijk is, kun je de Amerikaanse politie toch om hulp vragen? Ik bedoel, de politie kent toch wel een vorm van internationale samenwerking? Dat hebben wij bij de post tenslotte ook, en soms werkt dat echt uitstekend."

Nu glimlachte ze weer en ze was zichtbaar enthousiast.

Zucht, dacht Johansson. Als ze maar niet denkt dat ik een volslagen idioot ben.

"Het probleem is dat ik dat niet kan doen", zei hij. En ga nou alsjeblieft niet vragen waarom, dacht hij.

"Ben jij die politieman over wie een maand of wat geleden zoveel in de kranten stond?" vroeg ze.

Johansson knikte.

"Misschien heeft hij wel over je gehoord", zei ze. "Je werd in diverse kranten écht gehuldigd en dat is toch niet zo gebruikelijk voor een politieman? Kan hij Zweeds?"

"Dat geloof ik niet", zei Johansson. "Maar ik ben er niet helemaal zeker van. Hij kan natuurlijk ook met iemand hebben gesproken. Iemand die Zweeds sprak, bedoel ik." Ze denkt op dezelfde manier als Jarnebring, dacht hij. Verder geen overeenkomsten.

"Stel dat het als volgt is", zei ze met plotselinge geestdrift in haar stem. "Stel dat hij met iets geheims bezig is, of iets wat gevaarlijk is en dat hij zich een soort verzekering wil verschaffen. Dat heb ik vaak genoeg in detectives gelezen. Mensen die al hun geheime papieren naar mensen brengen die ze kunnen vertrouwen, advocaten en journalisten, of naar geheime bankkluizen. Als een soort verzekering, mocht hen iets overkomen."

Johansson had vijf minuten geleden aan hetzelfde gedacht. Maar er was één maar.

"Er is één maar", zei Johansson. "Hoe had ik erachter moeten komen?"

"Je bent hier toch", zei ze, "dus kennelijk ben je erachter gekomen."

"Dat klopt", zei Johansson, "maar ik heb nog steeds geen idee waar het over gaat."

"Precies", zei ze en ze klonk nog geestdriftiger. "Dat moet ook helemaal niet. Zolang er niets is gebeurd, moet je ook van niets weten. Hij had zijn verzekering niet nodig. Je zou hier niet zijn als je er niet bij toeval achter was gekomen. Dat zei je immers zelf."

Johansson knikte en deed alsof hij over haar woorden nadacht. Toen glimlachte hij.

"Heb je er nooit over nagedacht bij de politie te gaan werken?" vroeg hij.

"Nee, nooit", antwoordde ze met een glimlach.

"In elk geval heel hartelijk bedankt", zei Johansson.

"Graag gedaan", zei ze en het was overduidelijk dat ze enthousiast was. "Kom gerust nog eens langs als je ergens mee zit."

Breng me niet in verleiding, dacht Johansson en plotseling voelde hij zich behoorlijk ellendig.

Wat een misère, dacht Johansson. Waar gaat het eigenlijk over? Eerst was hij bij het politiebureau van Östermalm gestopt en had hij Jarnebrings confrontatiefoto's teruggebracht. Jarnebring was er niet en dat scheelde hem tijd en uitleg. Daarna was hij naar zijn werk gegaan en nu zat hij achter zijn bureau te piekeren. Wat verbindt mij met de inmiddels overleden John Krassner en de hopelijk nog levende Sarah Weissman, vroeg hij zich af. Krassner en Weissman, Amerikanen van wie hij eigenlijk alleen maar wist dat de eerste dood was en dat hij zich waarschijnlijk van het leven had beroofd door uit het raam van zijn studentenflat te springen. En wat weet je eigenlijk over jezelf, dacht Johansson duister. Als je er goed over nadenkt? Wiklander.

"Kun je Wiklander voor me bellen?" zei Johansson via de intercom tegen zijn secretaresse, hoewel ze gewoon vijf meter bij hem vandaan

aan de andere kant van de muur zat. Ik heb vandaag geen zin om rond te rennen, dacht Johansson.

Wiklander was mager en donker, lang en goed getraind en tien jaar jonger dan Johansson. Hij werkte op de afdeling Onderzoek van de Rijksrecherche en was een buitengewoon bekwaam politieman. Mocht het ooit actueel worden om de zwijgzaamheid een gezicht te geven – wat nauwelijks waarschijnlijk was omdat dat strijdig was met het eigenlijke idee – dan maakte Wiklander een goede kans. Nu stond hij in Johanssons kamer te snuiven als een jachthond die wordt losgelaten.

"Wat kan ik voor je doen, chef?" vroeg Wiklander.

"Je moet een telefoonnummer vinden en controleren of het adres klopt", zei Johansson en hij gaf hem een met de hand geschreven papiertje.

"Sarah Weissman", zei Wiklander. "Adres controleren en haar telefoonnummer achterhalen. Komt voor elkaar", zei hij en hij klonk bijna beledigd. "Verder nog iets?"

"Ja", zei Johansson, "dus je hoeft niet zo zuur te kijken. Ik wil dat je het doet zonder dat ook maar iemand erachter komt."

"Je bedoelt onze dierbare collega's", zei Wiklander die beslist geen stommeling was.

"Precies", zei Johansson. "Wereldwijd zelfs. En verder het liefst ook niemand."

"Komt voor elkaar", zei Wiklander. "Als ze een telefoonnummer heeft, krijg je het."

"Uitstekend", zei Johansson.

Een kwartier later kwam Wiklander terug met het begeerde telefoonnummer. Het stond op hetzelfde papiertje dat hij van Johansson had gekregen, en als Johansson Wiklander goed kende, was dit ook het enige wat hierover op papier was gezet.

"Dat ging snel", zei Johansson.

"Valt wel mee", zei Wiklander bescheiden. "Het is haar nummer en het klopt met het adres."

"Vertel", zei Johansson nieuwsgierig. "Hoe heb je het gedaan?" Met een vragende glimlach hield hij zijn horloge omhoog.

"Dat ben ik vergeten", zei Wiklander. "Ik weet eerlijk gezegd helemaal niet waar je het over hebt."

Het zou natuurlijk het eenvoudigst zijn haar te bellen. Johansson staarde somber naar het papiertje. Hoe laat is het daar nu, vroeg hij zich af. Hij keek op zijn horloge. Bijna twaalf uur hier, dat betekent dat het daar bijna zes uur is, dacht hij. Dat is misschien niet zo geslaagd, dacht Johansson. En morgen zou hij naar de VS vertrekken.

De wereld zit vol vreemde toevalligheden, dacht Johansson met een zware zucht.

Johansson had haar niet gebeld. Daarentegen had Jarnebring hem 's avonds thuis gebeld.

Hij klonk opgewekt en vroeg hoe het met Johanssons naspeuringen was gegaan.

"Hoeveel wil je dat we er oppakken en moeten we de patrouilledienst om hulp vragen?" vroeg hij grinnikend.

"Het ging wel", zei Johansson. "Ik ben bij Vindeln langs geweest, maar dat leverde niets op."

"O nee?" zei Jarnebring met gespeelde verbazing. "Leverde dat niets op?"

"Ik had gedacht dat hij hem misschien was tegengekomen. Dat Vindeln Krassner eerder had gezien, omdat ze in dezelfde buurt woonden. Het was een wilde gok", zei Johansson met een zucht.

"Je bent dus geen cent wijzer geworden?"

"Nee", loog Johansson. "Geen cent."

"Daar hoef je niet over te pruilen", zei Jarnebring. "Niet veel mensen lijken de beste Krassner te hebben gekend."

"O", zei Johansson. "Hoe bedoel je?"

"Ik heb vanmiddag de ambassade gesproken, met Hultman dus, en hij lijkt geen familie te hebben gehad."

"O", zei Johansson. Wat bedoel je, dacht hij.

"Ja, en Hultman maakte zich een beetje zorgen omdat ze iemand moeten hebben naar wie ze zijn spullen kunnen sturen."

Dat is niet mijn probleem, dacht Johansson.

"De enige die de collega's daarginds hebben gevonden was een ex-vriendin. Maar volgens haar was het al tien jaar uit tussen haar en Krassner. Aldus Hultman."

Een ex-vriendin, dacht Johansson, terwijl de bekende alarmbellen in zijn hoofd begonnen te rinkelen.

"Ik begrijp het niet", zei Johansson. "Heeft Hultman de ex van Krassner gesproken?"

"Je bent toch niet dronken, Johansson?" vroeg Jarnebring beleefd.

"Ik ben broodnuchter", antwoordde Johansson. "Misschien een beetje moe."

"Ik begrijp het", zei Jarnebring pedagogisch. "Onze Amerikaanse collega's, die geprobeerd hebben te achterhalen wie Krassner was, hebben een ex-vriendin van hem gesproken. Ik heb trouwens een kopie gekregen van het gesprek dat ze met haar hebben gehad. In de eerste plaats zegt ze dat het zo'n tien jaar geleden was dat ze het met hem uitmaakte ..."

"Ja", zei Johansson, "ik luister."

"Onderbreek me dan niet", zei Jarnebring. "Waar was ik gebleven?"

"Ex-vriendin die het tien jaar geleden uitmaakte."

"Ja, juist", zei Jarnebring met de nadruk die kenmerkend is voor alle mensen die een net kwijtgeraakte draad hebben teruggevonden. "En in de tweede plaats lijkt ze niet tot zijn naaste bewonderaars te hebben behoord."

"Misschien dat ze het daarom uitmaakte", zei Johansson.

"Zeker", zei Jarnebring, "maar dat schijnt Krassner te zijn ontgaan, want hij heeft haar als naaste familielid opgegeven en bovendien hebben ze een testament gevonden waarin hij al zijn bezittingen aan haar nalaat. Wat dat zou moeten zijn kan ik niet beoordelen, maar ik durf er mijn oude politiepet onder te verwedden dat we het niet over miljarden hebben."

"Heeft ze ook een naam?" vroeg Johansson onschuldig.

"Sarah nog iets. Het ligt op mijn bureau."

Sarah J. Weissman, dacht Johansson, maar hij hield zijn tong in toom.

"Ja", zei Johansson. "Eerlijk gezegd komt deze hele geschiedenis me de strot uit."

"Prettig om te horen", zei Jarnebring. "En ..."

"Ja", zei Johansson.

"Ik wou je nog een goede reis wensen en wees voorzichtig daarginds. Daarom belde ik je eigenlijk."

"Dankjewel", zei Johansson. "Wees jij ook voorzichtig."

Het wordt alsmaar gekker, dacht hij toen hij had opgehangen.

Zaterdag 30 november

Op zaterdag 30 november nam Lars Martin Johansson een vroege vlucht naar New York. Zijn reisgezelschap bestond uit twee hoofdinspecteurs van de Rijksrecherche. Uitstekende politiemannen en aardige kerels.

Fuck you Krassner *and fuck you* Weissman, dacht Johansson. Want nu ga ik lol maken en misschien leer ik nog wel iets nieuws wat ik kan gebruiken.

"Ik denk dat ik maar een borrel bij de lunch neem", zei Johansson met een scheve glimlach.

Zijn collega van de afdeling Narcotica bij de Rijksrecherche knikte bedachtzaam.

"Dat was ik ook van plan."

Ook de collega van de Interpolsectie knikte.

"Wat vreemd", zei hij. "Ik zat net aan hetzelfde te denken. Het leven kan soms echt vreemd zijn, vinden jullie ook niet?"

II

Vrij vallen als in een droom

Stockholm, jaren zeventig, jaren tachtig

In de herfst van 1976 richtte de Säpo, de Zweedse binnenlandse veiligheidsdienst, een externe groep op om de bescherming van haar organisatie te verbeteren. De groep kreeg de werknaam 'groep voor interne veiligheid en bescherming tegen lekken' en vormde het meest geheime onderdeel van de geheime politiewerkzaamheden. Om zichzelf tegen ontdekking te beschermen had men een aantal maatregelen doorgevoerd. Een gewoon particulier adviesbureau binnen de managementsector diende als dekmantel voor de werkzaamheden. Het had een kantoor in de stad en niemand die daar werkte kon in verband worden gebracht met de geheime rollen en loonlijsten van de Säpo.

De contacten met de moederorganisatie, die door de groep bewaakt en beschermd moest worden, waren vanzelfsprekend met alle denkbare geheimhouding omgeven. Om te beginnen werden die contacten uitsluitend onderhouden door het hoofd van het Operationele Bureau, die in werkelijkheid ook het hoofd van de hele Säpo was, maar gezien het karakter van de opdrachten van de groep was die oplossing verre van ideaal gebleken, voornamelijk omdat ze de mogelijkheden tot behoorlijk toezicht op de verschillende takken van de werkzaamheden beperkte.

Daarom had men al het jaar daarop de eerste veranderingen doorgevoerd. Men had binnen de grote organisatie een speciale groep gevormd, de groep voor organisatiebescherming, en met die groep als basis had men een netwerk van informanten opgebouwd dat alle onderdelen van het werk moest dekken. Het viel te hopen dat deze informanten zich niet bewust waren van het feit dat ze tegenwoordig een dubbele functie hadden; ze deden niet alleen hun werk, maar brachten middels dagelijkse rapporten, die van uur tot uur werden bijgehouden, en continu gevoerde logboeken over allerlei data en interne en externe contacten ook verslag uit van wat zij en hun collega's deden. De vakbond had natuurlijk bezwaar gemaakt, maar omdat de vakbond van de Säpo slechts een bleke schaduw was van de vakorganisatie van de gewone politiemensen, en omdat ze er zoals gewoonlijk geen idee van had gehad waar het eigenlijk over ging, was het toch allemaal volgens plan verlopen.

De externe groep was natuurlijk blijven bestaan en in essentie in dezelfde gedaante als voorheen. De instroom van informatie naar de groep was ook sterk gestegen, maar de prijs die men daarvoor had moeten betalen was dat tegenwoordig meer personen binnen de moederorganisatie van het bestaan van de externe groep op de hoogte waren. Het hele proces was in feite een goed voorbeeld van het klassieke dilemma waar binnenlandse veiligheidsdiensten altijd mee te maken hebben. Uiteindelijk ging het erom een puzzel te leggen, en het behoefde nauwelijks betoog dat de taak van degenen die dat moesten doen, wezenlijk werd vergemakkelijkt als ze toegang hadden tot alle stukjes. Als methode was dit natuurlijk een regelrechte ramp, omdat men zowel het leggen van de puzzelstukjes als de afgemaakte puzzel voor zo veel mogelijk mensen geheim wilde houden. Ongeacht aan welke kant ze stonden.

Binnen het ingewijde groepje dat op de hoogte was van deze werkzaamheden wist men ook dat de hele constructie het idee was van chef de bureau, Berg. Berg was hoofd van het Operationele Bureau, maar hij had nooit met een woord gerept over zijn rol als initiatiefnemer. Zijn opdrachtgevers beschouwden dit als een goed teken van discretie en persoonlijke bescheidenheid. Berg zelf wist wel beter, want hij had het hele concept overgenomen van de Duitse veiligheidsdienst, zowel in grote lijnen als tot in de kleinste details, omdat ze daar een lange historische traditie hadden met juist dit soort veiligheidswerkzaamheden.

Op grond van zijn goede historische kennis en alles wat hij over het werk van buitenlandse veiligheidsorganen wist, had hij ook een strategie ontwikkeld voor de groei en ontwikkeling van zijn nieuwe werkzaamheden. Het einddoel dat hij voor ogen had was een geheim bureau, of misschien zelfs een eigen geheime organisatie voor Staatsveiligheid, die niet alleen de Säpo controleerde, maar ook de zogenaamde open werkzaamheden binnen de politie, en de krijgsmacht natuurlijk, evenals alle andere overheidsdiensten, particuliere organisaties of groepen wier activiteiten de hoogste politieke macht konden bedreigen of schaden. Die taak was immers de historische oorsprong van alle staatsveiligheidsdiensten: de oorspronkelijke, alles overschaduwende taak. Staatsveiligheid, dacht Berg. Een uitstekende benaming in een context waar je uiterst kies moest zijn als je je taak beschreef voor een omgeving die vaak niet alleen onkundig en vijandig was, maar die ook graag elke kans aangreep om de bewakers van de democratie als haar vijanden voor te stellen.

De Zweedse binnenlandse veiligheidsdienst was, in tegenstelling tot haar equivalenten in het Westen en het Oosten, een organisatie die bijna uitsluitend uit politiemensen bestond. Het ontbrak de Säpo aan een intellectuele of academische traditie, en volgens Berg was dit ook haar grote kracht. Geen upperclassidioten uit Oxford of Cambridge die de hele natie aan de vijand konden verkopen voor een nummertje in een of ander shabby hotel in een derde land, geen overspannen theoretici die geen eigen gedachten konden denken als ze die niet meteen op een seminar met een massa gelijkgestemden konden ventileren, geen filosofische warhoofden of politieke piekeraars. Een heel zuivere organisatie die alleen uit politiemensen bestaat, dacht Berg.

In de daaropvolgende jaren had men ook grote en welverdiende successen geboekt, binnen de organisatie als geheel en misschien vooral binnen dat deel van de organisatie dat Bergs troetelkindje was geworden en dat steeds meer ging lijken op zijn beoogde geheime bureau voor Staatsveiligheid. Ze hadden geluk gehad en ze hadden pech gehad, ze hadden het goede beheerd en het kwade in hun voordeel omgezet, en om kort te gaan was het hun gelukt de hele situatie te beheersen.

Eerst hadden ze geluk gehad en een spion binnen de eigen organisatie ontmaskerd. Een door drankmisbruik verlopen politieagent die met dezelfde finesse als een gewone markthandelaar en voor een onbeduidend bedrag geheime informatie aan de vijand had verkocht. Levenslange gevangenisstraf, goede pers en bemoedigende schouderklopjes van de gewone man op straat en van de politieke hoofdman.

Daarna hadden ze pech gehad. Vijandig gezinde elementen binnen extreem links hadden het verhaal verspreid dat de Zweedse spion in feite door de Israëlische veiligheidsdienst was opgepakt. Op de voor hen gebruikelijke onsentimentele manier zouden Israëlische agenten de man op het vliegveld in Beiroet hebben ontvoerd en naar een geschikt gelegen kerker hebben gebracht, waar ze een pistool tegen zijn slaap hadden gedrukt en hem hadden aangeboden zijn hart te luchten. Toen hij dit had gedaan – het zou slechts een etmaal hebben geduurd – hadden ze hem teruggebracht naar het vliegveld en hem op het vliegtuig naar Kopenhagen gezet. Vervolgens hadden ze hun Zweedse collega's gebeld met de mededeling dat er een cadeau onderweg was.

Of het nu waar was of niet, het had in elk geval problemen veroorzaakt. Berg was niet iemand die zijn werkzaamheden in de media besprak, al zeurden ze nog zo hard. Maar de politiek verantwoordelijke minister van Justitie had de kwestie tijdens hun wekelijkse overleg ter sprake gebracht en om redenen die alleen Berg en hemzelf bekend waren, had hij eerder bezorgd dan geïrriteerd geklonken. Lag er iets van waarheid in deze op zijn zachtst gezegd verbazingwekkende beweringen?

Berg had resoluut zijn hoofd geschud. Absoluut niet, maar zoals wel vaker het geval was, was de waarheid van dien aard dat ze zelfs niet in het meest besloten gezelschap besproken kon worden. In werkelijkheid was zijn groep voor interne veiligheid de spion op het spoor gekomen en had het externe deel van de groep de praktische kant van het werk uitgevoerd. Omdat die activiteiten allemaal zo gevoelig waren, en tot elke prijs beschermd moesten worden, had Berg contact opgenomen met de Israëliërs en in overleg met hen was de spion opgepakt. Daarna hadden ze gezamenlijk een indianenverhaal verzonnen over hoe het allemaal in zijn werk was gegaan, en via hun gewone kanalen hadden ze ervoor gezorgd dat het 'nieuws' onder hun tegenstanders werd verspreid.

"Ze slikten alles voor zoete koek, dus dat waren twee vliegen in één klap", vatte Berg samen en hij knikte vriendelijk naar de sprakeloze minister. Net als jij, maar dan precies andersom, dacht hij.

"Je kunt ervan op aan dat dit tussen ons blijft", antwoordde de minister van Justitie met warme stem.

Een spion in de eigen organisatie ontmaskeren was weliswaar goed, maar tegelijkertijd was het niet iets waar ze eeuwig op konden teren, en als het er meer dan één werd, kon het snel de verkeerde kant opgaan. Bovendien was het onnodig. Veiligheidswerk bestond in de eerste plaats uit het veredelen van de informatie die ze toch al verzamelden, het beheren van elk denkbaar risico en dit ten gunste van de organisatie te gebruiken. Op die manier konden ze voorwaarden scheppen voor de groei van de organisatie, zonder dat ze op allerlei vervelende dingen hoefden te wijzen die toch al hadden plaatsgevonden.

Dreigingen en vijandbeelden, gevaren en toekomstscenario's, prognoses en preventieve maatregelen, daar ging het in feite om, en je moest wel een echte idioot zijn als je niet begreep dat voor het aanboren van financiële bronnen een goedgeschreven, goed onderbouwde en selectief verspreide veiligheidsanalyse veel en veel beter was dan vliegtuigkapingen, bombardementen of neergeschoten politici. Op dat gebied kunnen we veel van de Duitsers leren, dacht Berg, die tot in het kleinste detail had bestudeerd hoe zij de erfenis van hun inheemse terroristen hadden beheerd. Maar zelf zijn we daar niet bijster goed in geweest, dacht hij. En begin jaren tachtig was het tijd voor de volgende verandering binnen de organisatie.

Eerst hadden ze de interne dienst omgedoopt tot de sectie voor dienstbescherming. Enerzijds klonk dat beter, wat diffuser, wat wijder, wat Zweedser eenvoudig gezegd, anderzijds was de werkdruk enorm toegenomen en men had onder meer een speciale groep moeten oprichten die belast was met het onderzoeken en veredelen van alle informatie die ze in het kader van de algemene dienst verzamelden. Bij de jacht op nieuwe financiële bronnen mochten geen mogelijkheden onbeproefd blijven. Dat had Berg bij de inleidende aftrap benadrukt. Al had hij zich niet op die manier uitgedrukt.

Ze hadden de externe dienst behouden. Die was weliswaar zo sterk gegroeid dat ze nog een dekmantelorganisatie hadden moeten oprichten, wat weer aanleiding had gegeven tot een bestuurs- en coördinatieproblematiek die men binnen het kader van een stichting had opgelost, maar de fundamentele strategie, evenals de gerichtheid van het werk, was dezelfde als voorheen.

De speciale 'groep voor vijandbeelden' die hij had opgericht – Berg dacht vaak en met trots aan die groep als zijn eigen marketingafdeling – had ook een zeer geslaagde start gemaakt. Eerst hadden ze de situatie op de Balkan aangepakt. Sinds het begin van de jaren zeventig waren de Joegoslaven een bron van vreugde geweest voor de Zweedse veiligheidsdienst. Kroatische extremisten hadden de Servische ambassadeur van de republiek neergeschoten en daarna hadden hun vrienden hen uit de Zweedse gevangenis bevrijd door een vliegtuig te kapen, en het eind van het liedje was dat de Säpo veel geld had gekregen om het nieuwe terrorisme te kunnen bestrijden.

Maar de Joegoslaven waren ook nog voor andere dingen goed geweest. De stroom politieke vluchtelingen was gestaag gegroeid en onder de mensen die naar Zweden kwamen, bestonden sterke politieke tegenstellingen. Er zaten ook flink wat gewone criminelen bij die in hun rokerige clublokalen nachtenlang samenzweringen beraamden. De financiële middelen voor recherchewerk en externe bewaking, het aftappen van telefoons en tolkwerkzaamheden waren verveelvoudigd. Alleen al de middelen voor tolkwerkzaamheden waren in minder dan vijf jaar met meer dan tweeduizend procent gestegen.

Maar daarna leek het alsof de lucht uit de Joegoslaven was weggezogen en op sombere momenten dacht Berg dat ze de behaaglijke warmte in de Zweedse huizen kennelijk niet hadden aangekund. De terroristische daden waarmee ze in hun prognoses hadden geschermd, waren uitgebleven en naarmate de jaren verstreken en de bijdragen bleven stijgen, had de tegenpartij gewoon geweigerd alle gruwelijkheden te leveren die de Säpo haar politieke opdrachtgevers had beloofd. Illegale clubs, gewelddadige berovingen en af en toe een bloedige afrekening onder Joegoslavische criminelen waren op zich wel goed, maar in de context waarin Berg werkte was dat natuurlijk onvoldoende. De politici waren gaan klagen en onder de collega's van de open werkzaamheden leefde de groeiende, steeds luider wordende en volstrekt serieuze opinie dat de Joegoslaven nu hún zaak waren en dat de veiligheidsdienst zich met andere zaken moest bezighouden.

De situatie was niet goed, de ontwikkeling nog slechter, en precies op dat moment had zijn nieuw opgerichte groep voor vijandbeelden, 'de groep voor analyse en informatiebehandeling', zoals ze in plechtiger verband heette, de hele Balkanproblematiek aangepakt. Ze hadden een overzicht gemaakt van allerlei oude strategische analyses die ze van de Zweedse militaire inlichtingendienst en hun buitenlandse collega's hadden gekregen. Die riepen al jaren dat de Joegoslavische republiek binnenkort uiteen zou vallen, wat een totale chaos op de Balkan en in de rest van Europa tot gevolg zou hebben. Met deze eenvoudige middelen waren ze erin geslaagd een rapport samen te stellen met een alarmerende inhoud voor de bewakers van de natie; er was sprake van de hoogste graad van geheimhouding, de hoogste prioriteit en de meest beperkte verspreiding onder de politieke opdrachtgevers. Zoals te verwachten viel stroomden de extra gelden binnen.

Daarna was men rap verdergegaan en had men de Koerdische problematiek aangepakt. Onder de Koerdische vluchtelingen in Europa heerste niet alleen maar rust en eensgezindheid en toen de conflicten heviger werden, wilde het wel eens voorkomen dat ze elkaar neerschoten. Het probleem was dat ze alleen andere Koerden bleven neerschieten, wat uit het oogpunt van de veiligheidsdienst natuurlijk financiële waanzin was. Bergs Duitse collega van de organisatie voor Staatsveiligheid had hetzelfde probleem als hij en aangezien de Koerden zelf kennelijk geen politieke ambities hadden, hadden ze besloten dat ze iets aan de zaak moesten doen.

Eerst hadden ze de druk op de informanten onder de Koerdische vluchtelingen opgevoerd. Hen duidelijk gemaakt dat ze hun koffers konden pakken en naar Turkije moesten terugkeren als ze niets anders konden leveren dan de gebruikelijke flauwekul over alweer een te verwachten moord op een loslippige groentehandelaar. Het argument had kennelijk effect gehad, want binnen een paar maanden hadden ze veel verontrustende informatie binnengekregen van diverse infiltranten in zowel Zweden als Duitsland. Het was duidelijk dat extremistische politieke groeperingen onder de Koerden aanslagen voorbereidden op verschillende hooggeplaatste binnenlandse politici in de landen waar ze als vluchteling mochten verblijven. En de nieuwe extra gelden stroomden dan ook onvermijdelijk binnen. Eindelijk, dacht Berg, die uiteindelijk had weten aan te tonen dat het mogelijk was om zelfs uit een voormalige schaapherder uit de bergstreken rond Diyarbakir geld te persen.

Wanneer Berg in latere tijden terugkeek op het begin van de jaren tachtig, beschouwde hij die periode meestal als de gelukkige jaren in zijn leven. Ze hadden het druk gehad, maar het was allemaal leuk geweest en de successen waren groot geweest. Daarna hadden de zorgen zich opgestapeld. Eerst had hij een regeringswisseling op zijn dak gekregen. Dat de conservatieve en liberale partijen niet eeuwig aan de macht zouden blijven, had hij al in een vroeg stadium uitgedacht, en zelf had hij natuurlijk helemaal geen politieke mening mocht iemand op het absurde idee komen hem daarnaar te vragen, maar als hij had kunnen kiezen ... natuurlijk.

Hij had de liberalen en conservatieven makkelijk aangekund, die waren absoluut niet gewend aan mensen als hij, maar de sociaal-democraten vertegenwoordigden een andere soort. Dat wist hij uit ervaring. Berg draaide al langer mee, en na zes jaar oppositie voeren hadden de sociaal-democraten er weer zin in. Zodra de verkiezingsuitslag duidelijk was, had Berg al zijn afspraken afgezegd en zijn naaste medewerkers meegenomen naar het geheime adres waar ze drie dagen lang de ontstane situatie hadden geanalyseerd. Geanalyseerd? Ze hadden alles tot in het kleinste detail doorgenomen. Ze waren gewaarschuwd en daardoor voorbereid.

De nieuwe regering was nog maar net geïnstalleerd toen de militaire inlichtingendienst met behulp van haar goed ontwikkelde contacten binnen de sociaal-democratische leiding exact de verwachte stap had gezet. Het was het oude bekende liedje over het afbakenen van werkterreinen, maar deze keer was Berg beter voorbereid geweest dan wie dan ook. De dag voor de vergadering in het regeringsgebouw had hij de meest recente analyse van de situatie op het terroristenfront opgestuurd en ervoor gezorgd dat die goed gekruid was met een optimale selectie uit de eigen beoordelingen van de militaire inlichtingenorganen. Waar bestond de tegenstelling uit, vroeg Berg onschuldig. Voorzover hij kon zien waren zowel hij als zijn medewerkers het volstrekt eens met de kijk van de militaire collega's op de zaak.

Berg had besloten na de vergadering terug te wandelen, en toen hij in de herfstzon van het regeringsgebouw Rosenbad naar zijn eigen huis op Kungsholmen liep, betrapte hij zichzelf erop dat hij zachtjes de finale van Beethovens koorsymfonie neuriede. *Alle Menschen werden Brüder*, neuriede Berg tevreden, en toen hij achter zijn bureau was gaan zitten, lagen de papieren waar hij afgelopen weekend om had gevraagd al boven op de stapel.

Hij begon met het overzicht van de nieuwe ministers, staatssecretarissen en de andere politiek benoemde ambtenaren en deskundigen die nu het regeringsgebouw hadden overgenomen. Veel van laatstgenoemden hadden tot een dag geleden in het persoonsregister van de Säpo gezeten. Om goede redenen en in de vorm van welverdiend dikke dossiers, dacht Berg met een scheve glimlach, maar na een zeer recente herfstschoonmaak was het archief schoon en netjes, en alle noodzakelijke papieren die onnodige irritatie konden opwekken, werden inmiddels veilig elders bewaard. Over een week zou hij het politiek benoemde bestuur van de binnenlandse veiligheidsdienst ontmoeten, en onder zijn medewerkers werden al volop weddenschappen afgesloten over wie van de nieuwe leden deze keer zou voorstellen een bezoek aan het persoonsarchief van de Säpo te brengen. Ze konden uit drie mensen kiezen en alle drie waren even kansrijk.

Binnen de externe dienst had men een analyse gemaakt van de politieke sleutelfiguren met wie de moederorganisatie nu moest samenwerken. In totaal betrof het een tiental personen van wie de gekwalificeerde meerderheid in Rosenbad zat en zich ongeveer gelijkelijk verdeelde over het ministerie van Algemene Zaken, het ministerie van Justitie en het ministerie van Defensie. De Säpo had van allemaal een profiel gemaakt, waarbij het zwaartepunt werd gevormd door een overzicht van hun speciale interesses en voorkeuren in kwesties die de veiligheid van het land betroffen.

Met dat overzicht als basis had men vervolgens een klantgerichte prioriteitenlijst opgesteld met gebieden en vraagstellingen die misschien bij de nieuwe consumenten in de smaak zouden vallen, en op dit moment was Bergs hele analysegroep bezig de gegevens te verzamelen die nodig waren als ze over ongeveer veertien dagen – over de precieze datum waren de weddenschappen ook in volle gang – moesten laten zien dat dit de probleemgebieden waren die ze al geruime tijd met de grootste aandacht in de gaten hielden.

De lijst met geprioriteerde gebieden was voor een oude vos als Berg weinig opwindend. Het waren de oude gebruikelijke artikelen uit het standaardassortiment, zoals de controle van personen die een gevoelige positie bekleedden en het in de gaten houden van verschillende politieke extremistische partijen, wat uiteindelijk alleen het eigen hachje betrof, ongeacht politieke kleur. In feite hoefden ze alleen wat onkruid te wieden en het perspectief een paar graden te verschuiven, dan kon alles gewoon doorgaan als voorheen. Dat het noodzakelijk was een hoge prioriteit aan nazi's en rechts-extremisten te geven was natuurlijk vanzelfsprekend, maar het ergerde hem ook. Zijn financiële middelen waren niet onuitputtelijk en volgens Bergs vaste overtuiging bestonden er betere manieren om het geld te gebruiken dan een paar honderd randdebielen en verdwaalde snotapen in de gaten te houden die, ook als ze geen kratje bier achter de kiezen hadden, uit de maat liepen. Wat ze meestal wel hadden, dacht Berg zuur. Maar nu was het eenmaal zoals het was en zo moest het dan ook maar zijn.

Hij was blij met zijn eigen bijdrage aan de lijst van geprioriteerde gebieden. Als je naar de geschiedenis van de Säpo keek, ging het om iets volstrekt nieuws dat op termijn echt goed kon worden. Dat zijn mislukte neef hem op het idee had gebracht, maakte het er niet slechter op. Bergs vader was lang vóór de nationalisatie binnen de oude organisatie politieagent geweest op het platteland. Hij had twee zonen gekregen, die allebei politieagent waren geworden. Met Berg was het boven verwachting goed gegaan en met zijn oudere broer was het slecht gegaan. Na de politieschool was Berg als patrouillerend agent bij de ordepolitie in Stockholm begonnen. In zijn vrije tijd had hij een schriftelijke cursus gevolgd en zo zijn eindexamen voor de middelbare school gehaald. Daarna had hij onbetaald verlof genomen en met het geld dat hij als agent had gespaard voltijds rechten gestudeerd. De studie had hem drie jaar gekost in plaats van de vijf die er normaal voor stonden en toen hij bij het Openbaar Ministerie had gesolliciteerd, was hij met open armen ontvangen. Verschillende van zijn nieuwe collega's hadden dezelfde klassenreis gemaakt als hij. Na tien jaar als officier van justitie te hebben gewerkt, werd hij benaderd door de Säpo. De politie was genationaliseerd, de veiligheidsdienst had een nieuwe organisatie gekregen en was een aparte afdeling onder de directie Rijkspolitie geworden. De oude dienst moest worden ververst, oude bezems moesten door nieuwe worden vervangen en Berg was een van de eerste mensen die werden gevraagd. Tien jaar later was hij in de praktijk hoofd van het geheel.

Zijn oudere broer was na de politieschool getrouwd en als patrouillerend agent bij de ordepolitie in Stockholm gaan werken. Hij was in korte tijd vader geworden van drie kinderen en had problemen gekregen met zijn financiën, de alcohol en zijn echtgenote. Vervolgens had zijn vrouw hem verlaten en de kinderen meegenomen. Zelf had hij dronken achter het stuur van een surveillancewagen gezeten en was tegen een kiosk aangereden. Hij had een geldboete en een voorwaardelijke veroordeling gekregen, was disciplinair gestraft in de vorm van een schorsing en inhouding op zijn loon, en uiteindelijk was hem een nieuwe carrière aangeboden als bewaker bij de afdeling Gevonden Voorwerpen van de politie. Daar was hij vijf jaar gebleven en in dezelfde zomer dat zijn eigen zoon bij de ordepolitie in Stockholm City was begonnen, had hij een dienstauto geleend, was naar Vaxholm gereden en vanaf de steiger van de stoomboot het water ingereden.

Berg huldigde de opvatting dat je je om je naaste familie moest bekommeren, maar wat zijn eigen neef betrof, had zijn overtuiging op dat punt meer dan eens gewankeld. Toen zijn broer was verongelukt, zo werd dat immers genoemd, had hij echt zijn best gedaan voor zijn jonge familielid. Omdat het leeftijdsverschil tussen hen slechts twaalf jaar was – en op eenzame momenten dankte hij zijn schepper dat het niet groter was – had hij geprobeerd een oudere broer voor zijn neef te zijn, maar achteraf gezien was het verspilde moeite geweest.

Zijn neef had gedurende zijn hele schooltijd slechte cijfers gehaald. Al in de eerste klas van de lagere school had hij zich een onwrikbare reputatie als zittenblijver verschaft en de politieke opvattingen waar hij vaak en graag uitdrukking aan gaf, pasten nooit op de kaart die het Zweedse parlement bood.

Maar hij was groot en grof, had een grootvader, een vader en een oom die allemaal bij de politie zaten en toen hij zich aanmeldde bij de politieschool, was hij met open armen ontvangen.

Zijn carrière was op rolletjes gelopen en sinds een paar jaar stond hij in Stockholm aan het hoofd van een patrouille-eenheid tegen wie zonder meer de meeste aanklachten werden ingediend. En zonder dat hij daar ook maar enig idee van had, had hij een eigenschap die hem zowel nuttig als bruikbaar maakte voor de organisatie die hij diende. Agenten zoals zijn neef, dacht Berg, creëerden voor alle normaal functionerende collega's voldoende ruimte om te handelen. Bovendien was hij een onbenutte bron voor de dienst die Berg vertegenwoordigde.

Een absolute meerderheid van alle politiemensen stemde op de conservatieven, dat wist Berg. Hij wist ook dat veel agenten dat deden wegens gebrek aan meer radicale alternatieven, en dat maakte zijn opdracht vanzelfsprekend. Dus: begin met het in kaart brengen van elementen binnen de politie die de grondwet vijandig gezind zijn en breid na verloop van tijd de opdracht uit tot hun gelijken binnen de krijgsmacht. Veel van die lui gingen al privé met elkaar om, dus bestonden er natuurlijke ingangen en hoefde het niet al te moeilijk te zijn.

Berg had zelf de lange achtergrond geschreven bij het rapport over ondemocratische bewegingen en elementen in de organen die tot taak hadden de veiligheid van het rijk tegen externe en interne aanvallen te beschermen, en hij had benadrukt dat er twee organisaties bestonden die in het verleden buitengewoon gevaarlijk waren geweest voor de politiek benoemde machthebbers, namelijk de krijgsmacht en de eigen veiligheidspolitie. Hij was geëindigd met de constatering dat dit een belangrijke maar helaas veronachtzaamde kwestie was, waaraan men echter sinds enige tijd meer aandacht besteedde. Hij had ook een verklaring voor de ontstane situatie. *Het feit dat onze Zweedse democratie een van de meest stabiele democratieën in de Europese geschiedenis van de twintigste eeuw is geweest, is er hoogstwaarschijnlijk de belangrijkste oorzaak van dat de belangstelling voor deze kwestie in het verleden zo gering is geweest.*

Het had twaalf dagen geduurd, geen veertien, voordat Berg werd verzocht naar het regeringsgebouw te komen om verslag te doen van de geprioriteerde werkzaamheden. Normaalgesproken waren ze tijdens deze bijeenkomsten met zijn drieën, de minister van Justitie, de verantwoordelijke directeur-generaal Juridische Zaken en Berg zelf, maar deze keer was er nog iemand bij. Een week eerder had de minister-president Berg laten weten dat hij had besloten bepaalde veiligheidskwesties over te hevelen naar zijn eigen kabinet op Algemene Zaken, dat hij daarom had besloten dat zijn bijzondere deskundige in het vervolg namens hem aan deze bijeenkomsten zou deelnemen, en dat hij ervan uitging dat Berg onmiddellijk contact met hem zou opnemen als hij bezwaar had tegen de persoon die hij hiervoor had uitgekozen.

Het was bijna zeven jaar geleden dat Berg voor het laatst genoodzaakt was geweest naar machtsuitingen van zijn opdrachtgever te luisteren en deze keer was hij, in tegenstelling tot de vorige, ook enigszins geschokt geweest en iets meer verontrust dan prettig was. Op zich had hij iets dergelijks wel verwacht, hij had zelfs de mogelijkheid niet uitgesloten dat hij op Rosenbad zou worden ontboden om te horen dat hij door iemand anders was vervangen, maar hier had hij geen rekening mee gehouden en vooral niet met het laatste gedeelte van de richtlijn van de minister-president: 'bezwaar tegen de persoon die ik heb uitgekozen'. In Bergs oren klonk het verdacht veel als een verborgen boodschap, een waarschuwing zelfs.

owel Berg als de minister-president en diens deskundige wisten natuurlijk dat laatstgenoemde al sinds jaar en dag toegang had tot zeer geheime informatie. Maar het was de vraag of de minister-president en de direct betrokkene nog iets meer wisten, dacht Berg. Bijvoorbeeld dat Berg gegevens uit het persoonsdossier van de deskundige had laten verwijderen waarvan hij niet wilde dat de persoon op wie de gegevens betrekking hadden wist dat Berg ze kende. Hij had de halve nacht liggen piekeren tot hij zichzelf in een spiegel zag die een andere spiegel schuin achter zijn rug spiegelde en hem tot in het oneindige vermenigvuldigde, en de volgende dag was hij moe en terneergeslagen geweest. Heel even had hij in volle ernst overwogen zijn meest vertrouwelijke medewerker te ontbieden om met hem te overleggen. Dat was hoofdcommissaris Waltin die aan het hoofd stond van de externe dienst, maar omdat er geen tijd voor zwakte was, had hij deze gedachte uit zijn hoofd gezet. Laat nooit zien wat je denkt, wacht rustig af, dacht Berg. Bovendien wist hij niet of hij Waltin volledig kon vertrouwen.

Misschien heb ik me nodeloos zorgen gemaakt, dacht Berg, en als je alleen keek naar wat er feitelijk was gezegd, dan was de bijeenkomst in goede harmonie en met slechts marginale zakelijke tegenwerpingen van de kant van zijn opdrachtgevers verlopen. De nieuwe minister van Justitie had eerst een zekere verbazing geuit over het feit dat de Koerden zulke vergaande plannen voor staatsvijandige activiteiten hadden als uit Bergs 'zo verdienstelijke' rapport bleek, maar toen puntje bij paaltje kwam was hij eigenlijk niet zo verbaasd, want hij had al vrij lang begrepen dat 'er iets loos was'.

"Met de Koerden, bedoel ik", verduidelijkte hij.

Iemand om wie ik me geen zorgen hoef te maken, dacht Berg.

Het nieuwe lid van de groep had niet veel gezegd. Een tijdje leek het zelfs alsof hij was weggedommeld, omdat hij met gesloten ogen achterovergeleund in zijn stoel zat, maar toen Berg was aanbeland bij zijn huidige onderzoek naar functionarissen binnen de politie en de krijgsmacht die de democratie vijandig gezind waren, was hij plotseling bij zijn positieven gekomen en had hij zijn zware oogleden in elk geval een klein beetje opgeheven.

Berg vond zijn blik niet prettig, zijn gelaatsuitdrukking trouwens ook niet. Hij leek bijna geamuseerd en Berg kreeg het onbehaaglijke gevoel dat de man hem niet aankeek, maar hem gadesloeg alsof hij een voorwerp was en geen mens. Toen had hij plotseling gelachen zodat zijn dikke buik op- en neerging, hij had geknikt en breeduit naar Berg geglimlacht, echter zonder dat zijn oogleden ook maar een millimeter hadden bewogen.

"Hoor het donderen in de krater van het recht", grinnikte hij en zijn dikke buik bewoog weer op en neer. "Wanneer mogen we van deze goede sigaar genieten? Ik kan er amper op wachten."

"Volgens mijn medewerkers kunnen we begin volgend jaar een eerste overzicht presenteren", antwoordde Berg met een correct gezicht.

"De wonderen zijn de wereld kennelijk nog niet uit", constateerde de bijzondere deskundige van de minister-president. Hij was met gesloten ogen en een geamuseerde glimlach om de lippen weer teruggezakt in zijn stoel.

Die man is niet goed bij zijn hoofd, dacht Berg. Maar dat zei hij niet.

De volgende dag had hij Waltin op het geheime adres ontmoet. Waltin had de papieren meegenomen die uit het dossier van de bijzondere deskundige waren verwijderd en tegenwoordig elders werden bewaard, terwijl Berg de spullen had meegenomen die nog bij hem lagen. Daarna was hij naar zijn werkkamer op de bovenste verdieping gegaan en had hij het dossier gelezen, terwijl Waltin aan een eenarmige bandiet rukte die om onduidelijke redenen in de vergaderzaal vlak onder zijn voeten stond opgesteld. Met regelmatige tussenpozen was een zwak rammelend geluid door de dubbele zoldering heen gedrongen en Waltin had minstens één keer een enthousiaste kreet geslaakt. Waarom mocht Joost weten, dacht Berg, want hij wist dat Waltin een eigen sleutel van het muntenmagazijn van het apparaat had.

Er zaten drie documenten in het dossier die Berg verontrustten. Hij nam het zichzelf kwalijk dat hij ze niet vóór het overleg van gisteren had gelezen. Alle documenten waren bijna twintig jaar oud en hadden betrekking op de tijd dat de bijzondere deskundige zijn dienstplicht vervulde. Volgens het eerste document was hij in Noord-Zweden bij een gewoon schuttersregiment ingedeeld en ook daadwerkelijk in dienst getreden. Een maand later was hij na een direct verzoek van de defensiestaf gericht aan het hoofd van het regiment, overgeplaatst naar de defensiestaf in Stockholm. Daar zou hij ruim een jaar op een afdeling hebben gewerkt die onder de defensiestaf ressorteerde. Die afdeling hield zich bezig met het verzamelen van 'niet-geheim opleidingsmateriaal' voor dienstplichtigen en onderofficieren binnen het leger. En toen hij na vijftien maanden was afgezwaaid, was hij nog steeds gewoon dienstplichtig soldaat.

Het tweede document bevatte twee verschillende intelligentietesten die hij in verband met de keuring had gedaan. De eerste test was de gewone test die iedereen bij de keuring moest invullen en de uitslag had hem in de hoogste categorie geplaatst, waar ongeveer twee procent per jaar terechtkwam. Dat was op zich niet uitzonderlijk, Berg had zelf tot de categorie er vlak onder gehoord, maar gezien de stationering van de bijzondere deskundige als gewoon dienstplichtig soldaat bij een gewoon schuttersregiment klopte er iets niet. Logischerwijs had men hem een andere stationering moeten aanbieden, maar daar was geen enkele aantekening van te vinden.

In plaats daarvan was hij een week later teruggekomen en had hij nog een test gedaan. Berg was geen expert op het gebied van psychologische testen, maar hij kon wel gewoon Zweeds lezen. Op de laatste pagina had de psycholoog die de test had afgenomen een met de hand geschreven aantekening bijgevoegd. *Respondent heeft in de uitgebreide variant van de Standford-Binet Test de maximale score gehaald. Dit betekent dat hij tot dat gedeelte van de totale bevolking behoort dat circa een honderdste promille van genoemde bevolking vormt.* Eén op de honderdduizend, dacht Berg. Eén van de nog geen honderd Zweden die een paar maanden later als gewoon dienstplichtig soldaat in dienst treedt?

Het derde document bestond uit slechts één getypt vel papier en de envelop waarin dat papier had gezeten: het adres was met de hand in blokletters geschreven en de brief was geadresseerd aan DE RECHERCHE-AFDELING VAN DE POLITIE IN STOCKHOLM, POLITIEBUREAU KUNGSHOLMEN. Daarvandaan was de brief kennelijk via onbekende wegen in de archieven van de Säpo beland. De afzender was anoniem, maar uit de inhoud en tussen de regels door bleek dat hij hoofd administratie was bij een opleidingsafdeling van de defensiestaf in Stockholm, waar hij onder meer verantwoordelijk was voor de verlofpassen van de dienstplichtigen.

De anonieme schrijver had de brief geschreven omdat hij op een duidelijke wantoestand wilde wijzen. Een van de dienstplichtigen had al op de eerste dag dat hij op zijn nieuwe dienstplek moest beginnen, een verlofpas ingeleverd waarin hem voor de komende veertien dagen verlof werd verleend. Daarna was hij weer opgedoken en had een nieuwe verlofpas met dezelfde inhoud ingeleverd. Het hoofd van de administratie had dit zo vreemd gevonden dat hij de dienstplichtige gevraagd had te wachten terwijl hij de verlofpas controleerde bij de officier die hem had ondertekend. Hij was 'bijzonder bot behandeld door genoemde officier, die mij op onbeschaamde toon zei dat ik me niet met zaken moest bemoeien die mij niet aangingen'. Toen hij weer in zijn kantoor kwam, 'was de dienstplichtige al verdwenen en omdat deze duidelijke wantoestand nu al bijna een jaar duurt, wend ik mij tot u om de zaak te melden. De situatie op mijn werkplek is helaas niet zodanig dat ik het probleem met mijn chef heb kunnen bespreken'.

"Wat denk jij ervan?" vroeg Berg.

Waltin en hij zaten op de bank in de vergaderzaal en hij had al een halve kan koffie op terwijl Waltin zat te lezen en na te denken.

"Het lijkt alsof we weer een spion op ons dak hebben gekregen", constateerde Waltin met een scheve glimlach.

Twee van de drie, dacht Berg en hij steunde inwendig. De ander was de directeur-generaal Juridische Zaken van de minister van Justitie, die meestal bij het wekelijkse overleg aanwezig was. Dat was hij al jaren, of zijn minister nu sociaal-democraat was of niet. Bovendien had hij een nevenfunctie als jurist van de opperbevelhebber met de rang van luitenant-generaal en een plaats in de defensiestaf.

Op zich was de directeur-generaal Juridische Zaken een zeer zwijgzame man. De weinige keren dat hij het woord nam, was dat meestal om een vraag te beantwoorden en wat hij zei, ging altijd over formaliteiten en juridische kwesties. Zijn hele voorkomen was aangenaam en discreet. Een ontwikkelde, ouderwetse schriftgeleerde, had Berg gedacht, maar omdat hij niet iemand was die voor een mooie façade viel, en omdat de directeur-generaal degene was die tijdens het overleg altijd de aantekeningen maakte, zij het buitengewoon summier, had Berg toch een gewone routinecontrole laten uitvoeren. Zijn rechercheurs hadden midden in de bitter koude winter een hele week in een koude bestelwagen doorgebracht voor de prachtige villa van de DG op Lidingö, maar ze hadden niets kunnen rapporteren. Maar in de achtste nacht was het losgebarsten en volgens de memo die de volgende ochtend op Bergs bureau lag, was het volgende gebeurd.

Om 02.18 uur is het te volgen object op het balkon van zijn slaapkamer op de bovenverdieping van de villa verschenen. Daarna is hij met zichtbare moeite in de houding gaan staan en heeft hij met zijn rechterhand een glas champagne geheven, waarna hij een viervoudig hoera heeft uitgebracht voor Zijne Majesteit de Koning. Bij deze gelegenheid was hij gekleed in een blauwe onderbroek met gele biezen, het uniformjasje van het leger met de onderscheidingstekenen van luitenant-generaal, alsmede dito pet. Het object heeft vervolgens de eerste strofen van het lied ter ere van de koning gezongen, waarop de balkondeur van binnenuit werd geopend en een naakt vrouwspersoon op het balkon verscheen die het object door de balkondeur naar binnen heeft geleid. De vrouwspersoon in kwes-

tie is volgens onze mening identiek met de echtgenote van het object, dat bij de hier beschreven gelegenheid een zeer opgewekte indruk maakte. Daarna schijnen bepaalde activiteiten in de slaapkamer te hebben plaatsgevonden. Omdat de gordijnen en de balkondeur dicht waren, hebben wij de inhoud van deze activiteiten niet kunnen vaststellen. Om 05.30 uur ging het licht in de slaapkamer uit.

Hoe kunnen ze weten dat het champagne was, dacht Berg terwijl hij de memo in de papierversnipperaar stopte.

Voordat Waltin en hij afscheid van elkaar namen, hadden ze afgesproken om het militaire gedeelte van hun overzicht van antidemocratische elementen wat af te zwakken. Met de minister hoefden ze nauwelijks rekening te houden, maar twee tegen een was er toch een te veel.

"Volgens mij moeten we ons terughoudend opstellen tot we weten hoe het zich allemaal ontwikkelt", zei Berg.

"Ja, tot we weten of hij vogel of vis is, is dat waarschijnlijk wel zo verstandig", stemde Waltin in. Hoe kan iemand die zo begaafd is sociaal-democraat zijn, vroeg hij zich af.

Het was goed gegaan en het was slecht gegaan, maar Berg was gebleven. Het was goed gegaan en het was slecht gegaan, maar hoe dan ook hadden de dagen elkaar opgevolgd en waren eerst maanden en daarna jaren geworden, en Berg zat nog steeds op zijn plek. Tegelijkertijd was het alsof zijn omgeving, dat wat zijn opdracht was en de mensen die die opdracht tastbaar en concreet maakten, zich om hem heen sloot. Maar niet om hem in de armen te sluiten, wat al moeilijk genoeg zou zijn omdat hij de voorkeur gaf aan een stevige handdruk op respectvolle afstand, maar als een voorbereiding op iets heel anders. Berg had een dag op het geheime adres doorgebracht om met zichzelf als enige gesprekspartner zijn situatie serieus en grondig te analyseren.

Bergs naaste man was hoofdcommissaris Waltin. Hij was tien jaar jonger dan Berg en de keren dat Berg erover nadacht wie hem moest opvolgen, gedachten die hij niet graag had, zag hij Waltin voor zich. Ze deelden een geschiedenis, ze deelden geheimen, ze hadden zelfs persoonlijke vertrouwelijkheden uitgewisseld en bovendien was hij Waltins mentor. Als je naar hun gemeenschappelijke opdracht keek, was Waltin ook degene aan wie hij de taak had gegeven om zijn beschermende hand rond de binnenste kern te houden, het meest gevoelige, het geheimste van al het geheime, dat wat absoluut niet op het spel mocht worden gezet en nooit onthuld kon worden: de externe dienst.

Er was ook niets wat erop wees dat hij Waltin niet kon vertrouwen. De controles die hij op Waltin had laten uitvoeren hadden geen enkel resultaat opgeleverd, niet de geringste aanwijzing dat er iets was wat niet klopte, als je dat rare verhaal over zijn geheime sleutel van de eenarmige bandiet en ander vergelijkbaar kinderachtig gedrag tenminste buiten beschouwing liet. Toch was er iets wat niet klopte. Hij voelde dat het er was, maar hij kon zijn vinger er niet op leggen.

Alle medewerkers van Berg waren ambitieus, nauwgezet en hardwerkend. Hij ontdeed zich van de mensen die dat niet waren of hij gaf hun een plaats in zijn organisatie waar hun gebreken een hulpmiddel en een voordeel voor zijn hogere doeleinden konden worden, maar soms liep het toch verkeerd.

Tijdens het overleg dat hij de vorige week met zijn opdrachtgevers had gehad, hadden ze de meeste tijd besteed aan het bespreken van de verontrustende inlichtingen die zijn Koerdensectie had verzameld. De laatste in de rij van ministers van Justitie, die sprekend op zijn voorganger leek, had een warboel gemaakt van het overleg.

"Die Kudo", vroeg de minister van Justitie, "wat is dat voor een vent? Kudo? Het klinkt buitenlands, Afrikaans bijna. Is hij Afrikaan?"

Dan zou zijn voornaam toch niet Werner zijn, dacht Berg, maar dat zei hij niet. In plaats daarvan schudde hij beleefd zijn hoofd.

"Hoofdinspecteur Kudo is het hoofd van de onderzoekseenheid van de Koerdensectie", legde Berg uit. "Hij heeft het actuele rapport samengesteld en geschreven", verduidelijkte hij.

"Aha, dan begrijp ik het", zei de bijzondere deskundige en hij tilde zijn oogleden een millimeter op. "Daarom heeft hij zijn naam eronder gezet."

"Ik bedoel zijn naam", zei de minister van Justitie, die zich niet zo makkelijk gewonnen gaf. "Kudo? Is dat niet Afrikaans?"

"Ik meen dat zijn vader na de oorlog als vluchteling uit Estland naar Zweden is gekomen", zei Berg. "Kudo. Ik geloof dat het een Estlandse naam is."

"Persoonlijk zou ik me kunnen voorstellen dat het een aangenomen naam is", zei de bijzondere deskundige met gesloten ogen en zijn gebruikelijke irritante glimlach. "Laten we aannemen, puur hypothetisch dus", zei hij en hij knikte om de een of andere reden naar Berg, "dat zijn vader Kurt heette en zijn lieve moeder Doris. Toen werd het KuDo in plaats van Andersson. Je mag blij zijn dat hij het niet met hoofdletter 'd' schrijft. Ku-Do", zei de bijzondere deskundige met nadruk op beide lettergrepen, terwijl hij om de een of andere reden de minister aankeek.

"Precies", zei de minister van Justitie giechelend. "Want dan zou ik hebben gedacht dat hij Japans was. Net als in judo", verduidelijkte hij en hij gaf de directeur-generaal Juridische Zaken, die vriendelijk glimlachte zonder iets te zeggen, een por.

"Als de heren het belangrijk vinden, kan ik het natuurlijk uitzoeken", zei Berg beleefd. Eén echte idioot, een die nooit iets zegt en een die niet goed wijs is, dacht Berg.

"Het zou geweldig zijn als je dat kon doen", zei de bijzondere deskundige met overdreven warmte in zijn stem. "Dat de man niet kan denken en schrijven kan ik desnoods verdragen, wat hebben we eigenlijk voor keuze, maar mensen die hun naam veranderen, vertrouw ik niet."

Wat wil je eigenlijk zeggen, dacht Berg.

Een verborgen boodschap, dacht Berg een paar uur later. Hij zat achter zijn bureau en had net het persoonsdossier van Werner Kudo doorgenomen. Geboren als Werner Andersson, zoon van Kurt Andersson en diens echtgenote Doris, geboren Svensson.

Slordig van me, dacht Berg.

Het was een heel delicate klus geweest om mensen voor de Koerdensectie te rekruteren. Het ging erom mensen te vinden die ambitieus, nauwgezet en hardwerkend waren, en die tegelijkertijd de meest fantastische verhalen geloofden die de in het nauw gedreven informanten leverden. Werner Kudo was perfect geweest toen hij op een dag in de kantine in het grootste vertrouwen aan een van Bergs geheime informanten binnen de dienst had onthuld dat er op de boerderij in Småland waar hij was opgegroeid, kabouters waren geweest. Kleine in wol geklede mannen die een wakend oog hielden op de mensen, het vee en de gebouwen van zijn ouderlijk huis, verklaarde hij terwijl de collega in de kantine aanmoedigend knikte, enthousiast luisterde en elk woord in zijn geheugen opsloeg.

Berg was ook degene die de perfecte partner voor Kudo had gevonden. Hij heette Christer Bülling; ook een aangenomen naam, maar omdat hij geboren was als Vricklund – Stuikbosje – was dat misschien wel begrijpelijk. Bülling werkte bij de sectie Planning van de politie in Solna toen Berg hem aan de haak sloeg. De hoofdcommissaris in Stockholm had hem getipt. Tijdens een dineetje had hij over een jongere collega uit Solna verteld die hij op een bijeenkomst had ontmoet en die een onuitwisbare indruk op hem had gemaakt.

"De meest intelligente jongere collega die ik ooit heb ontmoet, de andere collega's noemen hem de Professor", vatte de hoofdcommissaris samen, wat onmiddellijk Bergs nieuwsgierigheid had opgewekt. Berg was een man die over veel kennis beschikte. Hij wist onder meer dat de schoonheid meestal in het oog van de toeschouwer huisde en omdat hij er tegelijkertijd stellig van overtuigd was dat de hoofd-commissaris in Stockholm de meest onnozele collega was die hij ooit had ontmoet, had hij meteen de volgende dag contact opgenomen met Waltin en hem gevraagd een grondig onderzoek te doen naar Christer Bülling, alias de Professor.

"Waarom wordt hij de Professor genoemd?" begon Berg toen hij Waltin een week later ontmoette om de stand van zaken door te ne-men.

"Volgens een van zijn schoolvriendjes uit de eerste klas komt het omdat hij de enige was die een bril droeg, bovendien schijnt hij enorme flaporen te hebben gehad en zag hij er sowieso nogal grappig uit", verklaarde Waltin. "Zelf dacht ik dat het door zijn schoolcijfers kwam", ging hij verder, "maar volgens een van onze psychologen zijn kinderen kennelijk niet op dezelfde manier ironisch als volwassenen."

"Geen genie dus", vatte Berg samen.

"Niet echt, nee", zei Waltin met een zucht. "Als je wilt kan ik je de testresultaten van zijn keuring geven. Volgens de psycholoog ..."

"Laat maar zitten", onderbrak Berg hem. "Heb je nog iets an-ders?"

"Bülling is al vrij vroeg uit de buitendienst gehaald. De bedrijfsarts had aanbevolen hem uit het veld te halen. Bülling schijnt aan plein-vrees te lijden en heeft in het algemeen moeite om met mensen in con-tact te komen, is enorm zwijgzaam, bijna autistisch."

"Niet iemand die allerlei praatjes rondbazuint?" vroeg Berg.

"Nee", zei Waltin vol overtuiging. "Daarentegen is hij bijna bezeten van het lezen van allerlei papieren. Dat hoort volgens de arts bij zijn diagnose. Het schijnt angstdempend te zijn voor mensen als hij. Op de sectie Planning is men heel tevreden over hem. Hij wordt van harte aanbevolen."

Kan ik me voorstellen, dacht Berg, maar hij zei het niet.

"Is het iemand die je wilt rekruteren?" vroeg Waltin.

"Voor de Koerden, als hoofd onderzoek en analyse. Wat denk jij er-van?"

Waltin knikte goedkeurend.

"Kudo en Bülling." Waltin proefde de namen. "Die twee zullen een perfect duo vormen. Bovendien hebben ze een radar die wij gewone stervelingen niet bezitten."

Kudo en Bülling begonnen een probleem te worden. Het hele Koer-denonderzoek was bezig uit de hand te lopen omdat die twee zichzelf en hun opdracht zo bloedserieus namen, dacht Berg. Ze wisten niets van de werkelijke reden waarom de sectie waar ze nu werkten was op-gericht, en ze waren absoluut niet in staat om zelf te ontdekken hoe het eigenlijk in elkaar stak. Tijdens het laatste overleg met de minister van Justitie had het echt fout kunnen gaan. Merkwaardig genoeg was het ook de minister geweest die de onbehaaglijke ontdekking had ge-daan in de papieren die Berg van tevoren veel grondiger had moeten lezen.

"Die geheime afluisterpraktijken", zei de minister.

"Ja", zei Berg en hij keek hem met een neutrale blik aan.

"Hoe zit dat eigenlijk?" ging de minister verder. "Ik kan het niet in de wetstekst vinden. Is het geregeld in een van de geheime verordenin-gen?"

"Als je het tappen van telefoons bedoelt", zei Berg, "dat is geregeld in een bijzondere ..."

"Nee", onderbrak de minister hem en hij klonk bij wijze van uit-zondering enigszins geïrriteerd. "Ik bedoel geen telefoons, ze zitten toch zeker niet in dezelfde kamer met elkaar te telefoneren? Volgens mij zijn jullie met geheime afluisterpraktijken bezig. Jullie verstoppen allerlei microfoons in muren en plafonds en meubels en weet ik waar."

"Ik begrijp het", zei Berg vaag. "De juridische situatie is nogal on-duidelijk om het zo maar te zeggen. Wat jij, Gustav?"

Berg keek naar de directeur-generaal Juridische Zaken die in zijn papieren bladerde en niet overdreven geïnteresseerd leek om deze bij-zondere juridische situatie uit te leggen.

"Ik geloof dat Gustav de juiste man is", preste Berg. "Hoevelen van ons is het gegund om zowel de weegschaal van Vrouwe Justitia als het zwaard van de macht in handen te mogen hebben?" vervolgde hij vleierig terwijl hij de DG vriendelijk aankeek.

Wat bedoelt die vreselijke man in godsnaam, dacht de DG terwijl er een rilling door hem heen ging. Probeert hij soms iets te zeggen?

Wat ziet hij er raar uit, dacht Berg. Hij maakt al wat langer een vreemde indruk. Het is misschien hoog tijd voor een nieuwe kleine controle, dacht hij.

"Ja", zei de DG en hij schraapte zijn keel. "Zoals gezegd is het een bijzonder ingewikkelde materie die de minister hier ter sprake heeft gebracht en om tijd te sparen, stel ik voor dat we het er na dit overleg verder over hebben. Ik sta ter beschikking zodra de minister tijd heeft en dat wenst. Maar als ik nog heel kort iets mag zeggen", hij schraapte opnieuw zijn keel voordat hij verderging, "dan ben ik het helemaal met de minister eens dat het een bijzonder gecompliceerde juridische materie is."

De minister van Justitie zag er even gelukkig uit als toen zijn juf in de eerste klas een gouden ster in zijn rekenschrift had geplakt.

"Ja, dat vermoedde ik al", zei hij tevreden. "Waar waren we gebleven voordat ik jullie onderbrak?"

Hij had toch geluk gehad, dacht Berg toen hij in betrekkelijke veiligheid achter zijn bureau zat. De bijzondere deskundige van de minister-president was niet aanwezig geweest. Hij had een uur voor het overleg laten weten dat hij verhinderd was. Iets wat het afgelopen jaar trouwens steeds vaker was voorgekomen. Niet dat ik daar iets op tegen heb, dacht Berg.

De dag nadat hij tot jurist van de opperbevelhebber was benoemd, had diens secretaresse de directeur-generaal Juridische Zaken gebeld en gevraagd wanneer hij tijd had om naar de kleermaker te gaan.

"Naar de kleermaker?" vroeg de DG.

"Om de maten voor uw uniform te laten opnemen", legde de secretaresse uit.

Ik wil helemaal geen uniform, dacht de DG verlamd van schrik, maar voordat hij dat had kunnen zeggen, bedacht hij plotseling dat als de natie in een oorlogssituatie zou belanden, hij gedwongen kon worden een uniform te dragen. Zo was de wet.

Hij had niets tegen zijn dierbare echtgenote durven zeggen. Ze hadden elkaar een paar jaar geleden leren kennen op een vereniging voor liberale juristen en waren het jaar daarna getrouwd, en een generaal in huis stond hoogstwaarschijnlijk niet boven aan haar huwelijksverlanglijst. Toen ze op een avond na een goed diner in de muziekkamer naar een uitstekende opname van Mahlers tweede symfonie luisterden, had hij echter moed verzameld en haar het hele verschrikkelijke verhaal verteld.

"Ach, mannetje toch", zei ze troostend en ze aaide hem over zijn arm. "Dat is toch niet zo erg. Ga naar boven en trek je uniform aan, dan kan ik zien hoe het je staat. Ik beloof dat ik niet zal lachen."

Dat had ze ook niet gedaan. In plaats daarvan had ze een wonderlijke glimp in haar ogen gekregen en hem aangekeken op een manier zoals ze nog nooit eerder had gedaan. Zo was het allemaal begonnen.

De eerste keer hadden ze oorlogje gespeeld. Omdat zijn schoonmoeder Noorse was en zijn echtgenote die taal vloeiend sprak, had Zweden Noorwegen mogen bezetten. Het was allemaal vanzelf gegaan. Eerst had hij het hele uniform aangehad, ja, de schoenen natuurlijk niet want die had hij uitgeschopt en die vervloekte pet was diverse keren van zijn hoofd gevlogen, maar vrijwel het hele uniform. Het was een unieke ervaring geweest. Daarna was hij naar het balkon gegaan om even bij te komen en toen hij daar toch stond, had hij van de gelegenheid gebruikgemaakt om een toast uit te brengen op Zijne Majesteit de Koning, maar toen was zijn echtgenote naar buiten gekomen en had hem weer naar binnen getrokken om verder te gaan met de bezettingsonderhandelingen en de laatste vredesvoorwaarden vast te leggen, en daarna was het doorgegaan en doorgegaan. Als in een droom, dacht de DG. Tot dit moment, dacht hij bedroefd. Want nu was die afgrijselijke spion van een Berg hem en zijn echtgenote kennelijk op het spoor gekomen.

"Wat moeten we nu doen?" zei de DG met een bedroefde blik naar zijn echtgenote. Wat is ze mooi, dacht hij. Maar alles wat een begin heeft, moet ook een eind hebben, dacht hij.

"Ach", zei zijn echtgenote. "Dat geeft toch niet. Er zijn toch allerlei uniformen die je kunt huren."

Niet aan gedacht, dacht de DG.

"Heb je iets speciaals in gedachten?" vroeg hij voorzichtig.

"Ik denk erover verpleegkundige te worden", zei zijn echtgenote met een wakkere en effectieve glimp in haar mooie, bruine ogen. "Hoe is het, mannetje? Sukkel je de laatste tijd niet nogal met je gezondheid?"

Tijdens het overleg de week erna had de DG onder het punt 'wat verder ter tafel komt' een eigen agendapunt ingebracht en omdat dit de eerste keer was in Bergs tijd, was het niet bevorderlijk geweest voor zijn gemoedsrust. De op zijn zachtst gezegd cryptische omschrijving bood ook niet veel houvast. Tot het punt aan de orde was, had Berg op hete kolen gezeten en de enige troost in de hele ellende was dat de eigen deskundige van de minister-president alweer had laten weten dat hij verhinderd was om te komen.

"Ja", zei de DG en hij schraapte zijn keel. "Zoals ik al tegen mijn zeer gewaardeerde baas heb gezegd", de DG knikte naar de minister van Justitie die terugknikte, terwijl Berg het gevoel had er buiten te staan, "heb ik vandaag ontslag genomen als jurist van de opperbevelhebber. Met onmiddellijke ingang overigens en mijn opvolger zal al aan het eind van deze week worden benoemd."

"Wat jammer", zei Berg. Wat is hier gaande, dacht hij.

"Ja", zei de DG met onverwacht koele stem. "Ik ben van oordeel dat er gezien jouw onderzoek naar antidemocratische elementen binnen de politie en de krijgsmacht een kans bestaat dat ik in een belangen-conflict kan raken, en ik heb ervoor gekozen dat op deze manier op te lossen", eindigde hij.

"Dat is wellicht een verstandig besluit", zei Berg neutraal.

"Zeker", zei de DG en hij keek Berg aan. "Hoewel we nog steeds niet over concrete feiten beschikken, geloof ik toch dat voorkomen beter is dan genezen."

"Je neemt me de woorden uit de mond", zei de minister met valse hartelijkheid in zijn stem. "We hebben ons hier allemaal afgevraagd hoe het daarmee zit. De minister-president sprak me er trouwens laatst na de kabinetsvergadering over aan. Hoe gaat het met je onder-zoek, Berg? Daar zijn jullie ondertussen al vrij lang mee bezig."

Wat is hier gaande, vroeg Berg zich af.

"Hoe gaat het met dat verdomde onderzoek naar onze collega's?" vroeg Berg toen hij een paar uur later bij Waltin zat.

"Vrij goed", zei Waltin en hij haalde onverschillig zijn schouders op. "Of vrij slecht. Dat ligt eraan hoe je het bekijkt."

"Hebben we iets op voorraad?" vroeg Berg. "De troep wolven in Rosenbad begint te huilen."

"Van alles", zei Waltin.

"Mooi zo", zei Berg.

III

Tussen het verlangen van de zomer en de kou van de winter

Quantico, Virginia in december

Zondag 1 december

Johansson was op zaterdagavond om tien uur in slaap gevallen, maar in zijn hoofd was het zondagochtend vier uur geweest. Toen hij wakker werd, was het nog steeds zondagochtend vier uur, aangezien hij zich op de FBI-academie in Quantico in Virginia bevond, terwijl zijn hoofd kennelijk nog steeds op de Wollmar Yxkullsgatan in Stockholm was waar het bijna zondagmiddag was. Johansson zelf was zo fris als een hoentje.

Buiten was het pikdonker. Maar het zou kennelijk een mooie dag worden, dacht hij. Het plaatselijke weerbericht dat beneden in de receptie op het mededelingenbord hing, had droog weer beloofd, een paar graden boven nul en zon, want op deze plek werd kennelijk niets voorspelbaars aan het toeval overgelaten. Zal ik het advies van mijn grote broer opvolgen, dacht Johansson. Of zal ik in plaats daarvan een gezonde wandeling maken? Het probleem was alleen dat het nog drie uur duurde voordat het licht werd en de beveiliging op het terrein was rigoureus. HOGE ZWEEDSE POLITIEAGENT TIJDENS OCHTENDWANDELING NEERGESCHOTEN DOOR DE FBI, dacht Johansson en hij glimlachte scheef toen hij de krantenkoppen voor zich zag. Ontbijten viel ook af, want de eetzaal ging pas om zeven uur open en geen enkel zinnig mens wil toch om één uur 's middags ontbijten? In tegenstelling tot zijn medewerkers die niet even hoog waren als hij, had hij een kamer met eigen douche. Zij moesten de douche delen met de anderen die aan dezelfde gang woonden.

Johansson was de douche in gegaan en had het advies van zijn grote broer opgevolgd, terwijl hij aan een vrouw dacht met wie hij slechts één keer in zijn leven had gesproken en die zich nu op een afstand van ongeveer zevenduizend kilometer in noordoostelijke richting bevond. Ik vraag me af wat zij op dit moment doet, dacht hij. Ze zal op zondag toch niet op het postkantoor zitten. Daarna was hij weer naar bed gegaan en had een Engelse roman uitgelezen die hij had gekocht om tijdens de reis te lezen, en toen de eetzaal openging, was hij een van de eersten in de rij. Mijn grote broer had gelijk, dacht hij terwijl hij roereieren en gebakken ham met roggebrood at. Het is zelfs goed voor de eetlust.

Toen Johansson klein was, was zijn tien jaar oudere broer verantwoordelijk geweest voor het wezenlijke deel van zijn opvoeding. Omdat ze met zeven kinderen waren, Johansson was de op een na jongste, en de ouders ook een grote boerderij hadden waar ze voor moesten zorgen, hadden ze meestal andere dingen aan hun hoofd dan de kleine Lars Martin. Het was beslist geen conventionele opvoeding, en een kinderpsycholoog zou er zeker enorm van geschrokken zijn, maar Johansson had nooit enige reden tot klagen gehad. Zijn oudste broer was altijd aardig voor hem geweest. Hij was de eerste die ophield hem broertje te noemen, hij had hem leren zwemmen toen hij vijf was, hem niet veel later meegenomen op de jacht en zijn andere broers een goed gedoseerd pak slaag gegeven als ze gemeen tegen hem waren. Bovendien was hij de eerste die hem inwijdde in de mysteries van het volwassen leven.

Toen Lars Martin zeven was, had zijn broer hem op een vertrouwelijk moment zijn pornotijdschriften laten zien. Dikke, witte vrouwen met enorme borsten die niet meer haar tussen hun benen hadden dan Lars Martin zelf. Maar dat was vast bedrog had hij gedacht, ervaren saunabezoeker als hij was.

"Maar je hoeft ze pas te lezen als je haar op je pik hebt", verklaarde zijn grote broer. "Je merkt het trouwens vanzelf. Wanneer de leeslust op komt zetten", voegde hij er vaag aan toe.

Lars Martin had alleen maar geknikt. Wat moest hij zeggen?

"Moet je horen", zei zijn broer terwijl hij een flinke portie pruimtabak in zijn mond stopte. "Ik bekijk ze meestal als ik me afruk. Dan gaat het beter", zei zijn broer met een knikje. Vooral bij zichzelf, leek het.

Afrukken, dacht Lars Martin, maar hij vroeg niets.

"Ja, verdomme", ging zijn broer verder. "Hier zijn immers geen vrouwen. Het is hier niet zoals in Kramfors."

Sinds drie maanden werkte zijn grote broer als leerling-bosarbeider bij sca in Kramfors, dus tegenwoordig was hij niet alleen tien jaar ouder, hij was ook bereisd.

Waar heeft hij het over, dacht Lars Martin verward, geen vrouwen? Het wemelt hier van de vrouwen, moeder Elna en mijn zussen en oma en alle tantes. En buurvrouw Nordlund, en je kon zeggen wat je wilde over mevrouw Nordlund, maar ze was nog dikker dan de vrouwen in de tijdschriften waar hij net in had gekeken.

En daarna was het allemaal nog vreemder geworden.

Zijn broer had ernstig naar hem geknikt en hem door zijn haar gewoeld.

"Ik geef je een raad voor als het zover is", zei hij. "Geen geruk als er vrouwen in het spel zijn, maar anders moet je ervoor zorgen dat je je een keer of drie per dag aftrekt."

Kramfors, vrouwen, rukken, aftrekken, dacht de kleine Lars. Waar heeft hij het over?

"Want anders kan het faliekant fout lopen." Zijn broer knikte ernstig.

"Faliekant fout?" vroeg Lars Martin, want wat dat was, wist hij tenminste. "Hoe dan?"

"Nou", zei zijn broer en hij had met een veelbetekenend gebaar zijn schouders opgehaald. "Je kunt enorme last van je prostaat krijgen."

"Prostaat", herhaalde Lars Martin zwevend.

"Ja, zoals oudoom Einar. Ze moesten hem midden in de nacht naar het ziekenhuis brengen en daar kreeg hij een hele katheder in zijn pik geschoven zodat hij eindelijk weer kon pissen."

Een hele katheder, dacht Lars Martin die inmiddels bijna twee semesters voor een katheder had gezeten. Zijn oudoom was weliswaar een grofgebouwde man, maar dit was toch niet mogelijk?

"Een katheder?"

"Zo'n ziekenhuiskatheder", verduidelijkte zijn broer met fnuikende stem. "Bergqvist vertelde het me toen ik een paar dagen later met hem mee ging jagen. Stel je toch eens voor. Een katheder, ik bedoel maar, verdomme ..." Zijn broer schudde berustend zijn hoofd.

Bergqvist was de zeer verlopen en zeer gewaardeerde districtsarts, en zijn grote broer was zijn jagersgezel, dus aan de zegsman mankeerde eigenlijk niets, dacht Lars Martin. Maar een katheder? Weliswaar slechts een ziekenhuiskatheder, maar die kon toch niet zoveel kleiner zijn? Dokter Bergqvist was immers twee keer zo groot als zijn juf op school.

"Dit is dus mijn advies, als je geen vrouwen in de buurt hebt, moet je je afrukken. En minstens twee of drie keer per dag, anders kan het faliekant fout lopen", vatte zijn broer samen.

Dit is dus het Mekka van de westerse politiewereld waarheen ik als een pelgrim uit het Hoge Noorden op bedevaart ben gegaan, dacht Johansson, die in een uitstekend humeur verkeerde toen hij na het ontbijt aan zijn kwieke ochtendwandeling begon. Maar zonder minaretten en gebedsroepers, want dit Mekka bevond zich amper honderd kilometer ten zuiden van Washington DC, aan de monding van de Potomac, onopvallend gesitueerd tussen de zachte beboste heuvels van Virginia.

In het centrum van het complex lagen ongeveer twintig gebouwen, gepleisterd en opgetrokken uit baksteen – gebouwd in een soort naoorlogs functionalisme – die op de begane grond waren verbonden door een netwerk van glazen gangen. Er waren kantoren, laboratoria, trainingsruimten, een zwembad en bibliotheek, klaslokalen, collegezalen en een bioscoop. Er waren een restaurant, een cafetaria, en drie grote gebouwen met een paar honderd eenpersoonskamers van tussen de zes à tien vierkante meter voor de sprekers, studenten en overige gasten die op de academie verbleven of haar bezochten.

Het doet nog het meest denken aan een kleine Amerikaanse universiteit, dacht Johansson, die weliswaar nooit een dergelijke plek had bezocht, maar toch een stellige en op zich volstrekt juiste mening had over hoe een kleine, moderne Amerikaanse universiteit eruitzag. Typisch campuskarakter, besloot Johansson deskundig. Maar daarna klopte het niet meer; in elk geval niet met een kleine, moderne Amerikaanse universiteit.

Ongeveer een kilometer buiten het complex lag een Amerikaans stadje, Hogan's Alley, met een rechtbank, kerk, school, postkantoor, bank, winkels, een theater en een casino, en wat ze allemaal gemeen hadden, was dat ze niet echt waren. Hier oefende en perfectioneerde men zijn politiële kunsten met ingehuurde acteurs die moordenaars, rovers, dealers, dieven, bedriegers en valsspelers voorstelden. Een Disneyland voor wie diefje en politie wilde spelen, dacht Johansson en hij zette koers naar het omringende terrein met zijn zachte, beboste heuvels.

Maar daar waren alleen hindernisbanen, trimbanen en schietbanen. Het terrein was in elk geval niet bedoeld voor een frisse wandeling onder een wolkeloze hemel. Dat maakte hij op uit de modderige en kapotgelopen ondergrond en uit de glazige blikken die de afgepeigerde lopers op het terrein hem toewierpen. Shit, dacht Johansson. Dat is geen rennen meer, dat is jezelf om zeep helpen. Dit is geen universiteit met docenten en studenten, dacht hij. Dit is een legerplaats voor een ridderorde met een kasteel en vestingwerken en steekspelbanen en gevechtszalen waar men zich opmaakt voor een heilige oorlog.

Toen hij terugkwam van zijn ochtendwandeling, was zijn goede humeur verdwenen, hij had ook allemaal modder aan zijn voeten zitten. Hij ging terug naar zijn kamer en ging op bed liggen lezen. Daarna moest hij in slaap zijn gevallen want toen hij zijn ogen opensloeg, was het gaan schemeren en hij had de lunch gemist. Over een uur is het avondeten, dacht Johansson en hij voelde zich enigszins opgewekter.

Na het eten waren hij en zijn twee reisgenoten van de Rijksrecherche naar de pub gegaan, waar ze een pilsje hadden gekocht en hadden zitten kletsen over wat er tot nu toe was gebeurd en wat er nog zou komen. Over één ding waren ze het roerend eens. Het was hier nogal militaristisch. Maar het eten was goed, en het was er ook schoon en netjes, en hun gastheren waren bijzonder hartelijk. Precies zoals het bij een orde moet zijn, dacht Johansson.

"Ik heb een rondje op het trimparcours gelopen", zei de hoofdinspecteur van Narcotica die zowel ordegenoot als trainingsverslaafde was. "Ze renden alsof iemand hen met een soldeerlamp achternazat. Ik moest in de overdrive om een beetje rust te krijgen."

"Zelf heb ik een lekkere wandeling gemaakt", zei Johansson. "De hoofdstraat heen en terug." Hij besloot zijn ervaringen met het omringende terrein voor zich te houden.

"Hoover Road, genoemd naar John Edgar Hoover, bijna vijftig jaar lang hoofd van de FBI en de grondlegger van de plek waar wij nu voor het slapen gaan een pilsje zitten te drinken." De hoofdinspecteur van de Interpolsectie glimlachte en hief zijn bierglas.

"Ik dacht dat hij de hele FBI had opgericht", zei Johansson.

"Dat heb je mis", zei de inspecteur van Interpol en hij veegde wat schuim van zijn bovenlip. "De FBI werd in 1908 opgericht als een speciale afdeling van het ministerie van Justitie. Hoover werd in 1924 hoofd, het derde. Maar hij heeft wel de academie opgericht die wij momenteel bezoeken."

"Zo leer je elke dag weer iets nieuws", zei Johansson en hij glimlachte terwijl zijn collega van Narcotica zich naar voren boog en samenzweerderig zijn keel schraapte en een beetje met zijn rechterhand zwaaide.

"Ik heb gehoord dat hij van de verkeerde kant was", zei de Narcotica-inspecteur met een scheve glimlach.

"Ja, dat is best interessant." De collega van de Interpolsectie knikte. "Hoewel hij hoofd was van de FBI, een echte machoman, zwaar conservatief, gelovig, christelijk Amerikaans rechts, een meedogenloos vervolger van de kleinste liberale misstap, om maar te zwijgen van alles wat daar links van lag, had hij een levenslange relatie met een andere FBI-agent. Ze woonden in hetzelfde huis en officieel was hij Hoovers chauffeur, oppasser en lijfwacht, maar iedereen die iets wist, wist dat ze een stel waren. En dat zijn baas bij plechtige gelegenheden een jurk aantrok."

"Ja, 't is me wat", zei de Narcotica-inspecteur en hij schudde zijn hoofd. "Wat een leven."

"Laten we hopen dat ze van elkaar hielden", zei Johansson neutraal en hij hief zijn glas.

Maandag 2 december – vrijdag 6 december

De dagen waren snel voorbijgegaan. Van tevoren gepland, al lange tijd tot in detail geregeld en op de minuut ingeroosterd, gevuld met de inhoud die het programma bood, maar alleen dat en niets anders. Drie maaltijden per dag, een halfuur voor het ontbijt, een uur lunchen en anderhalf uur voor het avondeten. Daarna het avondpilsje in de pub dat als een vrije sociale activiteit was ingeboekt die natuurlijk uiterlijk om tien uur ophield, hoewel dat niet eens in het programma stond. Vergaderingen, groepsbijeenkomsten, lezingen, seminars en elke dag een ingeroosterd uur voor lichamelijke training.

De mensen die bij de academie hoorden, rekruten, speciale agenten, begeleiders en superieuren, zagen er allemaal uit alsof ze gekloond waren naar een soort archiefagent, die waarschijnlijk in de meest geheime kluis op het hoofdkantoor in Washington werd bewaard. Gemiddelde lengte, kortgeknipt haar, rechte rug, opgeheven hoofd en de blik gericht op degene met wie men sprak, brede schouders, smalle taille, brede dijen en kuiten. En bijna altijd kleine voeten en kleine, dikke handen.

De geluiden, de stemmen, de uniformen. Het onregelmatige gepuf van de pistoolschietbaan, de kletsende knallen van de geweren van de scherpschutters, de hoestaanvallen van de automatische wapens. Wilde kreten uit Hogan's Alley die ervan getuigden dat daar geprobeerd werd een eind te maken aan een gijzeldrama. Rekruten in colonne, ritmisch lopende kistjes, stemmen in koor, onmogelijk om de woorden te onderscheiden, op weg van de ene oefening naar de andere, blauwe baseballpetten, blauwe katoenen jassen, ruime broeken ingestopt in de hoge schacht van de kistjes. "*Yes sir, Good Morning sir, No sir, Good Evening sir.*"

Woensdag was de beste dag geweest. 's Ochtends hadden ze twee ingeroosterde uren voor lichamelijke training en Johansson had zijn dagelijkse kwieke wandelingen, op en neer door de hoofdstraat, verruild voor een bezoek aan het zwembad. De dag ervoor had hij onder andere een zwembroek gekocht in de souvenirwinkel van de academie, en die was net als alle andere souvenirs natuurlijk voorzien van het FBI-embleem. Hij had staan twijfelen bij een blauwe baseballpet met hetzelfde embleem en uiteindelijk had hij die ook gekocht. Voor het geval dat, dacht Johansson.

In het zwembad bevond zich Special Agent Bäckström die vanwege zijn afkomst de opdracht had gekregen als gastheer op te treden voor de Scandinavische afgevaardigden, maar verder zag hij eruit alsof hij op het hoofdkantoor in Washington was vervaardigd.

"Sir", zei Bäckström, hij trok zijn buik in, breedde zijn borst en staarde hem strak aan. "U wilde gaan zwemmen, sir?"

Nee, dacht Johansson die, hoewel hij zich pas drie dagen bewust was van het bestaan van agent Bäckström, de ander al met een stille Noord-Zweedse gloed was gaan haten. Ik was van plan naar een concert van Vikingarna te luisteren en daarom ben ik gekleed in slechts een zwembroek naar het zwembad van de FBI-academie zeventig kilometer ten zuiden van Washington gekomen. Maar dat zei hij niet. In plaats daarvan knikte hij als het boertje dat hij was.

"Ja", zei Johansson. "Ik dacht van de gelegenheid gebruik te maken nu ik hier toch ben."

"*Very good, sir*", zei Bäckström met een steelse blik op de reddingsattributen die aan een haak aan de muur hingen.

"Ik zou heel dankbaar zijn als u de tijd wilde opnemen", zei Johansson.

"Yes sir", zei Bäckström. "Hoeveel baantjes, sir?"

"Vijftig", antwoordde Johansson, hij knikte en gleed het water in met dezelfde gecontroleerde beweging als een kegelrob die zijn rots in de zee verlaat.

Na veertig baantjes was Bäckström bijna gek geworden. Hij had met Johansson meegelopen langs de rand van het zwembad en met zijn armen gezwaaid. De stopwatch omhooggehouden en een wisselend aantal vingers laten zien. Toen Johansson uit het zwembad klom en zijn haar naar achteren streek, was Bäckström een instorting nabij.

"Sir", hijgde Bäckström. "U bent een buitengewoon goede zwemmer, sir." Hij tikte met zijn wijsvinger op de stopwatch.

Johansson glimlachte vriendelijk. Knikte.

"Dat gaat wel", zei hij. "Ik doe het al een tijdje. Waar is de douche?"

Bäckström had hem met gebogen bovenlijf en uitnodigende hand-
gebaren de weg gewezen. Als hij maar niet verliefd op me wordt, dacht
Johansson.

De lezing na de lunch was ook niet slecht geweest. Johansson behoorde tot het exclusieve groepje mensen dat deelgenoot mocht worden van de allernieuwste ontdekkingen op het intellectuele gebied van
de voortdurende strijd tegen de misdaad. Johansson zou leren hoe er
psychologische profielen werden gemaakt van onbekende daders van
grove geweldsdelicten. De spreker was mentor van de pasopgerichte
eenheid van de FBI voor gedragswetenschappen, en afgezien van het
feit dat hij twintig jaar ouder was dan Bäckström, was het overduidelijk dat hij op dezelfde plek was vervaardigd. Daarna was er een halfuur uitgetrokken voor een afsluitende discussie.

Ja, ja, dacht Johansson. Zo eenvoudig was het dus, en wat hij van de
lezing begreep, was dat alle seriemoordenaars in zes categorieën konden worden ingedeeld. Of ze waren asociaal en hadden ronduit lak
aan wat de omgeving vond of deed. Of ze waren antisociaal en haatten
hun omgeving, ongeacht wat die omgeving vond of deed. En los daarvan konden ze ongeorganiseerd of georganiseerd of beide zijn als ze
eenmaal op dreef raakten. Twee keer drie is zes, dacht Johansson,
want dat had hij al in de eerste klas geleerd.

En wat hebben we hier, dacht hij terwijl hij naar de vreselijke beel-
den keek die de spreker met het rustige pathologische enthousiasme
dat kennelijk kenmerkend is voor profieldeskundigen, op het dia-
scherm klikte.

Ja, ja, dacht Johansson. Hier hebben we een glimworm die bij zijn
buurman aanklopt omdat die net een gele kanarie heeft gekocht. Hij
haat mensen die gele kanaries hebben. Hij haat iedereen. Als de buurman de deur opent, slaat hij diens hoofd in met een pijptang. Sleept
hem de hal in en slaat hem voor de zekerheid nog een paar keer met de
tang. Dit windt hem allemaal zo op dat hij op de gangmat van de
buurman moet poepen en als hij zijn broek weer heeft opgehesen, is
hij al vergeten wat hij eigenlijk had willen zeggen. Hij vergeet zelfs het
vogeltje uit zijn kooi te bevrijden. Daarna banjert hij dwars door de
bloedplassen, en keert via het trappenhuis terug naar zijn eigen woning. Daar gaat hij voor de tv zitten en werkt een zak Berliner bollen
naar binnen.

"En?", zei de spreker op de verwaande manier die kenmerkend is
voor alle onwetenden die de wijsheid in pacht menen te hebben.
"Mijne heren. Wat denkt u ervan? Mag ik een voorstel horen?"

Het lijkt verdacht veel op een antisociale ongeorganiseerde dader, dacht Johansson, maar voordat hij zijn hand had kunnen opsteken, had zijn collega van Moordzaken van de Deense directie Rijkspolitie al geantwoord. Dat was een oudere norse man die ondanks dertig jaar in het vak, stug doorging de mensen op te sporen die hij achternazat. Bovendien sprak hij verbazingwekkend goed Engels.

"De buurman heeft het gedaan."

De spreker had geschokt gekeken en ondanks druk schaduwboksen over alleenstaande moeders, afwezige vaders, vroege contacten met zorginstanties, bedplassen, spijbelen en herhaalde gevallen van dierenmishandeling in de vroege kinderjaren, had hij slechts een paar technische punten gescoord.

"Je had hem goed te pakken", zei Johansson toen hij en zijn Deense collega na de lezing en een ongewoon levendige discussie de zaal verlieten voor de ingeroosterde pauze.

"Ja", zei de Deen met een grijns. "Die vervloekte academici. Ik haat ze."

"Er zijn maar drie regels", zei Johansson met een glimlach.

"Ja? Laat maar horen."

"Je moet de situatie leuk vinden, het niet onnodig ingewikkeld maken en je moet het toeval haten", zei Johansson.

"Je bent een goede jongen, Johansson", zei de oudere man met onverwacht warme stem en hij sloeg zijn arm om Johanssons schouders. "En nu gaan we een pilsje pakken."

Op donderdag had hij Jarnebring in Stockholm gebeld. Enerzijds wilde hij horen of er iets was gebeurd. Anderzijds wilde hij Krassners adres hebben. Hij wist zelf niet goed waarom, maar omdat hij hier toch was, kon hij net zo goed van de gelegenheid gebruikmaken en kijken hoe hij had gewoond. Misschien met een buurman praten, dacht Johansson vaag. Zijn oor te luisteren leggen. Het adres van Krassners ex-vriendin had hij al. Hij wist niet waarom, maar hij had het in zijn aantekeningenboekje genoteerd voordat hij vertrok.

"Broeder", zei Jarnebring met warmte in zijn stem. "Hoe is het daar? Alleen maar bier en vrouwen of zit je ook in de schoolbanken?"

Na de gewone plichtplegingen was Johansson ter zake gekomen.

"Hoe gaat het met die Krassner?" vroeg Johansson. Onschuldig en als het ware terloops.

"Jij geeft ook nooit op, Lars", zei Jarnebring. "Die vent heb ik eergisteren afgeschreven. Zelfmoord."

"Heb je zijn adres toevallig?" vroeg Johansson. "Hier in de VS, bedoel ik."

"Wat moet je daarmee?" zei Jarnebring. "Was je van plan een krans te overhandigen of zo?"

"Eh, nee", zei Johansson. "Ik dacht dat nu ik hier toch ben ..."

"Dat je van de gelegenheid gebruik kon maken om te kijken hoe hij woonde, misschien een praatje kon maken met zijn buren, je oor te luisteren kon leggen ..."

"Zoiets", zei Johansson.

"Natuurlijk", zei Jarnebring. "Als je maar geen domme dingen doet. Ik heb het hier. Heb je pen en papier?"

"Shoot", zei Johansson.

Toen Johansson en zijn twee reisgenoten op vrijdagmiddag in het vliegtuig naar New York zaten en ze allemaal een klein flesje whisky hadden genomen als tegenwicht voor al het slappe bier dat ze die week hadden gedronken, was zijn collega van Narcotica plotseling gaan lachen.

"Ja", zei Johansson. "Voor de dag ermee."

Zijn collega van Narcotica knikte.

"Nou", zei hij. "Ik moest denken aan mijn vorige congres. Toen de Narcotica-afdelingen een congres hadden op de boot naar Finland."

"Ja", zei Johansson.

Zijn collega was weer gaan lachen.

"Nou", zei hij. "Dat leek niet echt op dit congres, om het zo maar te zeggen."

Johansson glimlachte en knikte.

"Ik begrijp wat je bedoelt", zei hij.

IV

Vrij vallen als in een droom

Stockholm in de herfst

Die herfst hadden ze niet veel paddestoelen geplukt, placht Berg te denken als hij terugkeek op de herfst voordat alles gebeurde. Zijn vrouw en hij hadden een boerderijtje in Roslagen en in de herfst gingen ze vaak paddestoelen plukken. Berg vond paddestoelen lekker, het was leuk om in gedachten door het bos te lopen terwijl zijn vrouw tussen de struiken rende. En het leverde ook wat geld op. Hij was weliswaar chef de bureau en verdiende meer dan bijna al zijn collega's binnen het korps, maar alle beetjes helpen, dacht hij.

Maar deze herfst niet, want zijn politieke opdrachtgevers werden steeds veeleisender en de deskundige van de minister-president was het wekelijkse overleg ook weer gaan bijwonen, en als hij echt zo intelligent was als werd beweerd, kon Berg zich verschillende betere manieren indenken om de gaven te benutten waarmee Onze-Lieve-Heer hem kennelijk had uitgerust. Hij was niet eens ironisch meer, eerder perfide, en Berg had zijn volledige analytische vermogen nodig om te interpreteren wat de man eigenlijk zei. Maar na een hele hoop ellende was het eindelijk klaar, het eerste rapport over 'Bewegingen en elementen binnen de open werkzaamheden van de politie in Stockholm die de grondwet vijandig gezind zijn'.

Toen het werk bijna klaar was, had hij zich er zelf mee moeten bemoeien om enige orde in de inhoud en de vorm te scheppen, hoewel zijn medewerkers vast en zeker deden wat ze konden en hij een paar van zijn beste krachten op de klus had gezet. Mensen die beslist beter gebruikt hadden kunnen worden voor veel dringender opdrachten. Helaas was hij zelf degene die de opdracht had afgebakend en de titel van het rapport had bepaald, iets wat hij die herfst nog vaak op zijn brood zou krijgen tijdens diverse bijeenkomsten, en wat hem bijna in een hoek had gedreven waar hij makkelijk de controle over het hele verdere proces had kunnen verliezen.

Zijn foute neef was natuurlijk ook in het materiaal opgenomen, wat hij op zich ook had ingecalculeerd, maar toen alles klaar was, moest hij helaas constateren dat dit simpele feit evenveel psychische energie had gekost als het hele werk zelf. Moest hij de namen van de collega's die in het materiaal voorkwamen, bekendmaken als hij het rapport aan zijn opdrachtgever liet zien? Natuurlijk niet, dat was strijdig met de gangbare procedure en schiep aanzienlijke en volstrekt onnodige risico's. Zou erover geroddeld en gepraat worden? Waarschijnlijk. Zou hij daar vragen over krijgen? Waarschijnlijk niet. Zou het tegen hem worden gebruikt ongeacht wat hij deed of had gedaan? Zeer beslist.

Het was geen lang rapport. Inclusief bijlagen bestond het uit ruim honderd pagina's en als je alleen naar het menselijke materiaal keek, bevatte het een overeenkomstig aantal politiemannen, die bijna allemaal gemeen hadden dat ze bij de ordepolitie in het centrum van Stockholm werkten en dat ze afzonderlijk en samen, op verschillende manieren en met wisselende frequentie, uitdrukking hadden gegeven aan rechts-extremistische of puur nazistische opvattingen. De manier waarop ze dat hadden gedaan varieerde ook heel wezenlijk. Er waren afzonderlijke politiemannen die zich openlijk en zodra de gelegenheid zich voordeed, denigrerend of zelfs hatelijk uitlieten over vrouwelijke collega's, over immigranten, over de zogeheten clientèle met wie ze werkten, over mensen in het algemeen, over sociaal-democraten, over links in het algemeen. In grote lijnen over iedereen behalve zichzelf. Er waren anderen die zich minder gepast hadden gedragen in het bijzijn van meer dan vier ogen die niet in het hoofd van andere agenten zaten. Die het hakenkruis aan de binnenkant van hun colbertje droegen, die in de kroeg de Hitlergroet hadden gebracht, die op Adolf Hitler hadden geproost, die erop hadden geproost dat de minister-president werd neergeschoten of dat alle immigranten tot lijm werden gekookt.

Er was zelfs een harde kern die zich op diverse manieren organiseerde, regelmatig bijeenkwam en een hoge veiligheid en discretie in stand hield ten opzichte van de omgeving. Natuurlijk had Berg zijn eigen neef in deze kern teruggevonden; bovendien op de voorgrond, als formele en informele leider. *Politieman B. schijnt in dit verband een leidende rol te spelen. Maar er moet op gewezen worden dat zijn chef zeer tevreden over hem is en hem zelfs beschrijft als een van de beste politie-agenten van het district, met een goed beoordelingsvermogen en gedrag.*

Ze hielden zowel in gehuurde lokalen als op politiebureaus vergaderingen en bijeenkomsten, deden gemeenschappelijke oefeningen en andere vrijetijdsactiviteiten in Gods vrije natuur, dineerden samen met speciale genodigden in een zogenaamde herenclub, luisterden naar lezingen over het goede leven in Zuid-Afrika, over Hitler als politiek denker, over de reden waarom negers geen Nobelprijswinnaar waren en over de verlinkste pers. Ze speelden Duitse marsmuziek en brachten voor, tijdens en na het eten gemeenschappelijk de Hitlergroet. *Er moet echter speciaal worden opgemerkt dat het drankgebruik tijdens deze samenkomsten altijd matig is,* noteerde Bergs infiltrant in een van de memo's die hij had ingeleverd.

Verslag aan de opdrachtgever in de blauwe kamer op de vijfde verdieping in Rosenbad. Buiten scheen een bleek septemberzonnetje en nu kon de ellende beginnen, dacht Berg.

"Als ik goed geteld heb in jouw papieren", zei de bijzondere deskundige, terwijl hij Berg met zijn voortdurende en irritante halve grijns aankeek, "wat voor de wiskundig geïnteresseerde niet altijd even makkelijk is", voegde hij er zachtjes grinnikend aan toe.

Berg knikte alleen maar.

"Dan bevat jouw materiaal tussen de honderdvijf en honderdvijftien zogenaamde collega's bij de verschillende ordeafdelingen van de Stockholmse politie, die allemaal gemeen hebben dat ze een zekere zwakheid lijken te koesteren voor ...", hij proefde de woorden bijna wellustig, "... voor de bruine en zwarte kleuren op het politieke palet."

Berg knikte alleen maar. Waar wil hij heen, dacht hij.

"Hoeveel politiemannen werken er op de afdelingen waarop jouw onderzoek betrekking heeft?" vroeg hij.

"Ergens tussen de twaalfhonderd en vijftienhonderd", antwoordde Berg snel. "Het spijt me dat ik geen exactere cijfers kan geven." Nu gaan we dus in procenten praten, dacht hij.

"Negenhonderdzeventig, volgens de gegevens die ik van de hoogste leiding van de Stockholmse politie heb gekregen. Wat een percentage van elf of twaalf zou betekenen. Als ik zo snel goed heb gerekend."

Stel je niet aan, dacht Berg, maar hij zweeg.

"Dat kan wel kloppen", zei Berg, "maar ik vind jouw cijfers nogal aan de lage kant. Nog geen duizend agenten, ik ben er vrijwel zeker van dat het er beduidend meer zijn."

"Wat ons een percentage van tussen de zeven en acht zou geven, als het er vijftienhonderd zijn zoals jij zegt. Dat klinkt bijna troostvol."

Nu grinnikte hij weer.

"Zeven procent is erg genoeg", zei Berg.

"Het getal negenhonderdzeventig heb ik trouwens van de hoofd-commissaris van politie te Stockholm, maar jij denkt dus dat hij zijn eigen personeel met ruim vijftig procent te laag zou hebben ingeschat?"

De meest simpele politieman van Zweden en de enige die op de sociaal-democraten stemt, als je hem zelf moet geloven, dus is het heel goed mogelijk dat hij die fout heeft gemaakt, dacht Berg.

"Dan ben ik waarschijnlijk verkeerd geïnformeerd", zei Berg. "Het is hoe dan ook erg genoeg."

"Deze ruim honderd mensen die je voor ons hebt gevonden", de bijzondere deskundige leek hardop te denken, "is dat slechts het topje van de ijsberg, of is het juist zo gunstig dat jullie ze allemaal hebben gevonden?"

"Helaas moeten we er rekening mee houden dat we niet iedereen hebben ontdekt", zei Berg verdedigend.

"Als iemand er dergelijke opvattingen op nahoudt, maar zoge-naamd normaal menselijk gedrag vertoont, dat wil zeggen dat hij niet met een pet met een doodskop erop rondrent en Heil Hitler schreeuwt en *Die Fane Hoch* zingt ..."

"Dat risico bestaat inderdaad. Helaas", zei Berg. Waar wil je heen, vroeg hij zich af.

"Maar dat hij gewoon zwijgend instemt en zijn getuigschriften op een bepaalde manier schrijft en er door een eenvoudige roosterinvul-ling en planning bijvoorbeeld voor zorgt dat vrouwelijke agenten geen buitendienst verrichten, of dat er geen immigranten op de politie-school worden toegelaten. Zolang iemand dat doet, komt hij toch niet op jouw overzicht terecht?"

Nee, dacht Berg. Hoe zouden we dat moeten doen? Maar dat zei hij natuurlijk niet.

"Dat klopt", zei Berg en op hetzelfde moment wenste hij dat hij zijn tong had afgebeten.

"Dat klopt", herhaalde de bijzondere deskundige en hij keek alsof hij net iets bijzonder lekkers had geproefd. "Dat klinkt als een ernstige tekortkoming in de feitelijke onderzoeksmethode."

Red je hieruit, dacht Berg. Keer het om.

"Uit jouw opmerkingen maak ik op dat je misschien over de zaak hebt nagedacht, dat je concrete voorstellen hebt?"

"Voorstellen en voorstellen. Of het nu vijf of vijftig procent is, we moeten een manier zien te vinden om van hen af te komen. Het liefst per direct en in het ergste geval zo snel mogelijk. We hebben het over de Zweedse politie, niet over de SS of de SA of de Gestapo. Zelfs niet over de Geheime Zweedse Staatspolitie of Hestapo zoals ze zichzelf destijds noemden."

Hoe naïef kan iemand zijn, dacht Berg. Daar zou de vakbond nooit mee akkoord gaan en dat zou iemand als jij toch moeten weten.

"Op dat punt zie ik helaas bepaalde problemen met de wetgeving en de zekerheidsregeling op de arbeidsmarkt en de belangen van de vakbond. Om maar een paar factoren te noemen." Berg haalde met een veelbetekenend gebaar zijn schouders op.

Het was niet beter geworden. Ze waren bijna twee uur langer doorgegaan dan gepland. En hij kon zich ook niet verontschuldigen en weggaan. Vooral niet omdat ze dat misschien juist hoopten.

"Ik dacht aan je uitstekende memo, die over de Säpo en de krijgsmacht als de grote bedreigingen voor de democratie", zei de bijzondere deskundige. "Niet de mensen in uniform over wie dit overzicht gaat. De verkeerspolitie bezorgt me geen slapeloze nachten." Nu leek hij weer hardop te denken.

"Mij ook niet meer", merkte de minister enthousiast en voor de eerste keer in een halfuur op. "Niet sinds ik gestopt ben met autorijden", zei hij grinnikend.

"Nee", zei Berg beleefd. "Ja?" voegde hij er vragend aan toe met een blik op zijn kwelgeest. Waar wil je heen, dacht hij.

"Zou je je eigen medewerkers meer of minder betrouwbaar noemen dan de figuren die je net voor ons hebt beschreven?"

"Dat is natuurlijk een heel andere categorie collega's", zei Berg nadrukkelijk. "Gedrag, opvattingen of gedachten van de hier beschreven soort zouden nooit bij ons worden getolereerd." Eindelijk vaste grond onder de voeten, dacht hij.

"Agenten van de Säpo zijn intelligenter dan gewone politiemensen", verduidelijkte de bijzondere deskundige. "Gecontroleerder, zwijgzamer, kort gezegd volstrekt normaal in hun uiterlijke, waarneembare gedrag. Ze zijn toch vooral zwijgzamer?"

"Precies", zei Berg, hoewel hij nu zag welke kant het op ging. Gelukkig zijn ze zwijgzamer dan de meeste anderen, dacht hij.

"Als je voor je sollicitatiegesprek de Hitlergroet brengt, mag je in elk geval niet bij de binnenlandse veiligheidsdienst werken", constateerde de bijzondere deskundige. "Klinkt als een lastige groep om te onderzoeken."

"Hoe bedoel je?" vroeg Berg, hoewel hij het antwoord al wist.

"Begaafder, zwijgzamer, discreter, heel gewoon in hun gedrag. Maar hoe denken ze eigenlijk? Het zijn tenslotte allemaal politiemensen, met dezelfde achtergrond, dezelfde opleiding, dezelfde ervaringen. Velen van hen zijn zelfs uit diep ingewortelde gewoonte politieman."

"Ik heb het volste vertrouwen in alle mensen die bij ons werken", zei Berg met nog meer nadruk.

"Daar verschillen we dus van mening", zei de bijzondere deskundige. "Begrijp me niet verkeerd", voegde hij er snel aan toe. "Ik bedoel alleen maar dat volstrekt aperte gekken, mensen die duidelijk laten zien wat ze vinden en denken en van plan zijn te doen, in feite een kalmerende invloed op me hebben. Ik maak me juist zorgen over de anderen."

Ik ook, dacht Berg, maar dat was het laatste wat hij tegen deze man wilde zeggen.

Nu moet het toch snel zijn afgelopen, dacht Berg met een steelse blik op zijn horloge. Anders moet ik maar wat verzinnen, ongeacht de consequenties.

"Iets heel anders", zei de deskundige en hij keek Berg vanachter zijn halfgesloten oogleden aan.

Knik alleen maar, dacht Berg en hij knikte.

"Zuiver concreet en als we proberen ons te verplaatsen in de gedachtewereld van deze personen, helemaal los van de inhoud en het kwalitatieve gehalte. Ik heb het over die zogenaamde collega's in jouw onderzoek."

"Ja", zei Berg vragend. Leer je het dan nooit, dacht hij geïrriteerd.

"Waar hebben ze de grootste hekel aan? Persoon, fenomeen, maatschappelijk verschijnsel, kwestie? Wat is hun kleinste gemene deler?"

Dus daar moesten we heen, dacht Berg.

"De minister-president", zei Berg. "Als je een afzonderlijke persoon in gedachten hebt, is het helaas zo dat de minister-president een terugkerend haatobject lijkt te zijn."

"Dus daarom gebruiken ze tijdens hun activiteiten in de open lucht zijn portret als schietschijf", constateerde de bijzondere deskundige en om de een of andere reden glimlachte hij breed toen hij dat zei.

"Van dat specifieke feit ben ik niet op de hoogte", antwoordde Berg, maar de ander leek hem niet te horen, gemakkelijk achteroverleunend in zijn stoel, halfgesloten ogen, de handen gevouwen over de dikke buik, maar niet langer glimlachend.

Die man is echt niet goed wijs, dacht Berg.

Voordat ze uit elkaar waren gegaan, waren ze het erover eens geworden dat dit een kwestie was die ze uiterst serieus namen en die de hoogste prioriteit moest krijgen. Bovendien moest het onderzoek worden uitgebreid. Hoe zag het er in de rest van het land uit? Hoe zag het er uit bij de Säpo en de krijgsmacht? En dan was er nog de dreiging tegen de minister-president en de hoogste politieke leiding van het land.

Op dit punt wilden ze zo snel mogelijk een volledig overzicht hebben. In de breedte en in de diepte en zonder terug te deinzen voor welke feiten dan ook, hoe vervelend ze ook konden zijn. Het puur praktische gedeelte lieten ze met vertrouwen aan Berg en zijn medewerkers over. Wat is er gaande, dacht Berg toen hij op de achterbank van zijn dienstauto zat op weg naar zijn kantoor op Kungsholmen. Het is al donker, binnenkort is het winter en wat is er eigenlijk met de zomer gebeurd? Waar is die gebleven?

Toen hij op zijn kantoor kwam, had hij gehoopt dat Waltin daar zou zijn om samen met hem de nieuw ontstane situatie te bespreken, maar het enige wat er van hem was, was een boodschap van Bergs secretaresse dat Waltin heel lang had zitten wachten maar uiteindelijk weg had moeten gaan vanwege een dringende kwestie in de stad. Helaas was hij niet bereikbaar op zijn pieper, maar hij zou de volgende ochtend vroeg van zich laten horen.

"Als je er geen bezwaar tegen hebt, wilde ik ook gaan", zei zijn secretaresse met een vriendelijke glimlach.

De volgende ochtend hadden ze elkaar gesproken en Waltin was zoals altijd fris en goedgekleed en rook naar aftershave. Berg zelf had zich wel eens beter gevoeld. Hij had tot middernacht in zijn bed liggen draaien, toen had hij het opgegeven, was naar zijn werkkamer gegaan en had zijn gedachten op papier gezet. Daarna had hij een nieuwe poging gedaan om te slapen, maar met matig resultaat. Pas tegen vier uur in de ochtend was hij in een soort droomtoestand geraakt en toen hij en zijn vrouw zaten te ontbijten, had zij hem voorgesteld zich ziek te melden en thuis te blijven.

"Of kan ik je misschien helpen?" vroeg ze. Berg had slechts zijn hoofd geschud en een uur later zat hij achter zijn bureau. Als laatste maatregel voordat hij zijn huis verliet, had hij zijn nachtelijke aantekeningen in de papierversnipperaar gestopt die in zijn werkkamer stond. Waltin had genoegen moeten nemen met een stuk papier waar slechts drie punten op stonden, die Berg aanvulde met een kort mondeling verslag van wat er tijdens het overleg van gisteren was gebeurd.

"Ja", zei Waltin en hij gaf het papier dat hij net had gelezen terug aan Berg. "Het klinkt alsof we een behoorlijke som extra geld nodig zullen hebben. Bovendien denk ik dat we gevaarlijke wegen bewandelen."

Berg knikte naar hem dat hij door moest gaan.

"Als we het eerste punt nemen over uitbreiding, verdieping en aanvulling van ons overzicht van bepaalde collega's, zullen we flink wat problemen krijgen, om het maar voorzichtig te zeggen."

"Wat voor problemen?" vroeg Berg.

"In de eerste plaats puur praktische problemen met het verzamelen van gegevens. Ik zal je een voorbeeld geven. Een van mijn mensen raakte een tijdje geleden geïnteresseerd in een mogelijke informant. Hij is over een paar maanden klaar met zijn politieopleiding, loopt stage bij de ordepolitie op Östermalm en leek geknipt om te infiltreren in de kringen die wij onderzoeken."

"Maar?"

"Het probleem is dat hij al in die kringen verkeerde. Het was puur toeval dat we hem op tijd ontdekten."

En hoeveel hebben we er nog meer gemist, dacht Berg en hij steunde inwendig.

"Stel dat we dit kunnen oplossen", ging Waltin verder. "Dat we werkelijk tot op de bodem kunnen doordringen, dat het ons lukt die ... krachten ... binnen het korps te vangen." Waltin glimlachte.

"Ja?" Berg knikte dat hij door moest gaan.

"Dan hoeven we ons alleen maar om de inhoud te bekommeren en als we proberen daar iets aan te doen, dan kunnen we even goed ..." Waltin haalde zijn schouders op. "Je weet wat ik bedoel. We lopen allebei al een tijdje mee. Wat zou er trouwens met ons gebeuren, we hebben toch geen van beiden last van zelfmoordneigingen?" En jij zou moeten weten wat ik bedoel, want jij hebt zo iemand in je familie, dacht hij, maar dat zei hij niet.

"Wat is je voorstel?" zei Berg.

"In de eerste plaats tijd", zei Waltin. "We moeten het proces verlengen. Onze problemen gebruiken om hun uit te leggen waarom het zoveel tijd kost, maar ons ervoor hoeden om iets aan de zaak zelf te doen."

"En in de tweede plaats?" vroeg Berg.

"Ervoor zorgen dat dat wat we hun al hebben gegeven wordt afgezwakt. Ze hebben al te veel gekregen. Daar hebben we een fout gemaakt."

Berg knikte. Wat had ik voor keuze, dacht hij. Me laten vervangen door iemand als die hoofdcommissaris van politie in Stockholm?

"Dan doen we dat", zei Berg. "Wil jij nadenken over de opzet en met een concreet voorstel komen?"

Waltin knikte en glimlachte op zijn voorkomende manier.

"Wanneer wil je het hebben?" vroeg hij.

"Ja, het liefst zou ik het nu hebben", antwoordde Berg. "Maar omdat jij het bent, krijg je uitstel tot morgenochtend." Waltin is scherp, dacht hij. Hij denkt zoals ik. De vraag is of ik hem op dezelfde manier kan vertrouwen als ik mezelf vertrouw.

Het moet wachten, besloot Berg. Mijn god, dacht hij. Ik heb immers nog tien jaar te gaan.

"Dreigingen en vijandbeelden tegen politieke sleutelfiguren", vervolgde hij.

"Daar zou ik ze in kunnen laten verzuipen", antwoordde Waltin en om de een of andere reden leek hij echt enthousiast. "Brieven, telefoongesprekken, aangiften, onderzoeksmateriaal, resultaten van onze afluisterpraktijken. *You name it.* Er is heel veel."

"Wat doen we? Zullen we ze laten schrikken of houden we ze juist rustig?"

"Ik stel voor dat we ze een gepaste selectie geven", zei Waltin. "We laten ze een beetje schrikken, terwijl we tegelijkertijd uitleggen dat dit soort mensen het voordeel heeft dat ze alleen maar praten en nooit leveren."

Berg knikte. Dat doen we, dacht hij.

"Die ellendige deskundige met wie ze ons hebben opgezadeld. Hebben we bedreigingen tegen hem?"

Waltin schudde zijn hoofd.

"Niets."

"Hij is een algemeen gewaardeerd persoon? Populair in brede kringen?"

"Dat kan ik me niet voorstellen", zei Waltin. "De simpele reden is waarschijnlijk dat vrijwel niemand van zijn bestaan weet en de mensen die hem kennen, zijn misschien niet zo goed op de hoogte van zijn eigenlijke werk. Een enkele hooggeplaatste uitzondering daargelaten. Als je wil kan ik mijn oor te luisteren leggen. Horen of er misschien toch iets is." Waltin glimlachte veelbetekenend.

"Laat maar", zei Berg en hij schudde zijn hoofd. "Ik laat me door hem geen slapeloze nachten bezorgen."

Misschien reageerde ik daar een beetje te heftig, dacht Berg. Dat laatste was in feite niet nodig.

Na de lunch had Berg een speciaal ingelaste bijeenkomst met Kudo en Bülling, op dringend verzoek van beide heren zelf. Wat zij te zeggen hadden was zo belangrijk dat ze het alleen rechtstreeks aan hem konden vertellen. Kennelijk waren ze ook punctueel, want toen Berg een minuut te laat binnenkwam, zaten ze al op hun plaats in zijn vergaderkamer.

Een apart stel, dacht Berg toen hij hen begroette. Kudo was klein, donker, mager, goedgetraind en goedgekleed en het was duidelijk dat hij er belang aan hechtte een alerte indruk te maken. De hele vent ademde scherpte uit en net als al zijn soortgenoten binnen het korps die Berg in zijn meer dan dertig dienstjaren was tegengekomen, probeerde hij de middenhandsbeentjes van degene die hij begroette te verbrijzelen. Bülling was lang, blond en slungelig, hij liet zijn hoofd hangen en keek steels vanonder zijn pony toen hij een hand gaf. Zijn magere hand droop van het zweet en zodra Berg die losliet, stopte hij hem snel terug in de zak van zijn flodderige ribfluwelen colbertje.

Zweethanden, dacht Berg en op dat moment begon er in zijn hoofd een alarmbel te rinkelen. Rijkelijk of overvloedig zweterige handen kunnen duiden op een grote inname van psychofarmaca, dacht Berg, want dat had hij uit zijn hoofd geleerd op de interne cursus voor personeelsbeveiliging, waar ze hadden geleerd hoe ze zich op tijd tegen hun personeel moesten beschermen. Misschien moet ik maar discreet contact opnemen met de psychiater van het bureau, besloot Berg en hij glimlachte extra vriendelijk tegen zijn beide bezoekers. Hij wilde absoluut niet dat een van de medewerkers van zijn eigen bureau plotseling psychisch ziek werd.

"Ga zitten", zei Berg en hij gebaarde met zijn rechterhand. Wat een vreemd stel, dacht hij.

"Het gaat om de PKK", zei Kudo met fnuikende ernst in zijn stem.

"*Partiya Karkeren Kürdistan*", mompelde Bülling met zijn blik op het tafelblad gericht.

Al die verdomde afkortingen ook, dacht Berg.

"Ik weet wat dat is", zei hij. "De arbeiderspartij van Koerdistan, voorheen de revolutionairen van Koerdistan geheten. Ga door."

Berg knikte naar hen.

Heel concreet ging het over een afgeluisterd telefoongesprek dat ze bijna een week geleden hadden opgevangen en dat vervolgens de volledige capaciteit van de hele analysegroep in beslag had genomen. Om 22.37 uur had Semir G., een 'bekend Koerdisch activist', zijn buurman Abdullah A., ook een 'bekend Koerdisch activist' gebeld. Beiden woonden in dezelfde huurflat aan de Terapivägen in Flemingsberg. Na bijna een halfuur in het Koerdisch over koetjes en kalfjes te hebben gepraat, waren ze plotseling ter zake gekomen.

Kudo keek naar Berg met dezelfde ernst in zijn blik alsof Berg een kleine in wollen kleding gehulde kabouter was geweest op de boerderij waar Kudo was opgegroeid.

"Het was een gesprek over een bruiloft", zei Kudo zwaar.

"Zoals u zeker weet, is bruiloft hun codewoord voor aanslag", mompelde Bülling met zijn blik nog steeds strak op het tafelblad gericht. "Dat codewoord gebruiken ze als ze iemand gaan doodschieten."

Berg knikte alleen maar. Zelf wist hij dat het ook andere dingen kon betekenen, zoals een bruiloft bijvoorbeeld of een demonstratie of een andere niet nader gespecificeerde collectieve activiteit.

"Ze zijn dus van plan iemand dood te schieten", zei Kudo dof met ogen die even zwart waren als de tromp van een pistool.

Of het is gewoon iemand die gaat trouwen en we weten allemaal waar dat op den duur toe kan leiden, dacht Berg.

"Waarom bellen ze elkaar?" vroeg Berg. "Ze wonen toch in hetzelfde flatgebouw?"

"Daar zijn we nog niet klaar mee", zei Kudo en hij knikte energiek.

"We werken eraan", mompelde Bülling.

"Weten jullie wie het is?" vroeg Berg.

"Wie bedoelt u?" mompelde Bülling met een nerveuze blik naar de deur.

"Die ze van plan zijn dood te schieten", zei Kudo, hoewel hij niet degene was die de Professor werd genoemd.

"Welke overloper of andersdenkende zijn ze deze keer van plan dood te schieten?" verduidelijkte Berg. "Weten jullie hoe hij heet?" voegde hij er voor de zekerheid aan toe.

"Deze keer gaat het helaas niet over een gewone bruiloft", zei Kudo terwijl hij zich vooroverboog en zijn stem liet dalen. Om de ernst van de situatie nog verder te benadrukken schudde hij ook zijn hoofd.

"Ze hebben het over lammeren", zei Kudo.

"Lammeren?" Berg keek hem vragend aan. "Zoals in lamsbout?"

"Lammeren", mompelde Bülling. "We zijn er dus volstrekt van overtuigd dat ze deze keer van plan zijn een heel ander iemand neer te schieten, waarschijnlijk een hooggeplaatst persoon. Vermoedelijk een van onze eigen hooggeplaatste politici."

"Waarom denken jullie dat?" vroeg Berg.

"Ze gaan een lam kopen", mompelde Bülling. "En ze gaan wijn kopen en er komen twee dichters."

Het had Berg ruim een kwartier gekost om uit te vinden waarom de analysegroep van de Koerdensectie tot de conclusie was gekomen dat er binnenkort een aanslag zou worden gepleegd op een hooggeplaatste Zweedse politicus.

"Ik lees het transcript van de bandopname voor", zei Kudo. "Dan kunt u zich een eigen mening vormen."

Doe dat, dacht Berg en hij knikte vermoeid.

"Het is dus Semir G. die over de kwestie begint. Dezelfde Semir die opbelt", voegde Kudo er sluw aan toe. "Letterlijk zegt hij het volgende. Ik citeer van de bandopname."

Schiet toch eens op, kerel, dacht Berg en hij knikte.

"Citaat: 'We moeten binnenkort de bruiloft organiseren. We moeten taarten en gebakjes en bolletjes kopen, maar deze keer moeten we ook een lam kopen. En wijn, en we moeten twee dichters hebben.' Einde citaat."

Kudo knikte voordat hij verderging.

"Citaat: 'Moeten we twee dichters hebben?' Einde citaat, vraagt Abdullah A. Citaat: 'Deze keer moeten we een lam en wijn kopen en we moeten twee dichters hebben.' Einde citaat, antwoordt Semir G. Dat is het", zei Kudo. "Vlak daarna beëindigen ze na de gebruikelijke afscheidswoorden het gesprek."

Zucht, dacht Berg.

"Ze hebben het nooit eerder over lammeren gehad", legde Kudo uit. "Als ze iemand van hun eigen mensen gaan vermoorden, hebben ze het alleen maar over gebak en bolletjes en taarten. Soms alleen maar bolletjes."

"En hoe interpreteren jullie dit?" vroeg Berg terwijl hij zichzelf als in een spiegel zag.

"Dat het met zekerheid over een hooggeplaatste persoon buiten hun eigen kringen gaat", zei Kudo en hij knikte triomfantelijk.

"En ze hebben het over twee dichters, normaalgesproken doen ze het met één dichter", mompelde Bülling.

"Moordenaars dus", zei Kudo. "Dichter is hun codewoord voor moordenaar en dat ze het over twee dichters hebben, kan alleen maar betekenen dat er grote dingen op stapel staan."

"De wijn", mompelde Bülling met een scheve blik op zijn partner.

"Ja", zei Kudo energiek. "De wijn, ja. Die wordt anders ook nooit genoemd en wij interpreteren het zo dat het enerzijds als het ware het lam moet benadrukken, anderzijds dat het een aanwijzing is dat het niet om een politicus uit hun eigen cultuur gaat."

"Mohammedanen drinken geen wijn", mompelde Bülling, terwijl hij een raadselachtige draai met zijn lange nek maakte.

"Zo", zei Berg. Hij leunde achterover in zijn stoel en vouwde zijn handen over zijn buik. "Dit is zeker de moeite waard. Ik wil dat jullie een memo over deze zaak schrijven en dat jullie alle informatie bijvoegen die jullie hebben. Ook materiaal dat we via onze Duitse collega's hebben gekregen."

Zijn de meeste Koerden geen christenen, vroeg Berg zich af.

"Neem er alle tijd voor", zei hij en hij keek hen ernstig aan. "Volgende week is vroeg genoeg."

***

Waltin had drie medewerkers van de sectie van het Operationele Bureau voor intern onderzoek aangewezen om het materiaal dat Berg wilde hebben samen te stellen. Bovendien had hij een van zijn eigen analytici opgedragen het werk te leiden en te verdelen. Zelf had hij belangrijkere dingen te doen.

"De minister-president, het kabinet van de minister-president, de regering, hoge ambtenaren binnen het openbaar bestuur, hooggeplaatste politici ongeacht partijkleur. Ik wil dat de bedreigingen in categorieën worden verdeeld, ik wil weten hoe ze zijn binnengekomen, ik wil een beeld hebben van de mensen die erachter zitten. Hamilton hier", hij knikte naar zijn eigen medewerker, "helpt jullie met de details. Vragen?"

"Hoe ver moeten we teruggaan?" Degene die de vraag stelde was een jonge vrouwelijke rechercheur die eruitzag alsof ze hoogstens twintig was en van wie niemand zou denken dat ze politieagent was.

Lekker ding, dacht Waltin en hij schoof zijn mannelijke kin naar voren om macht en daadkracht uit te stralen.

"Ga terug tot de vorige verkiezingen", zei Waltin.

"Maar dat worden er ontzettend veel", zei ze verbaasd.

"Dat klopt", zei Waltin energiek. Dat is ook de bedoeling, maar daar ga ik hier niet op in, dacht hij.

"Zoeken we iets speciaals, een speciaal persoon of een speciale groep of organisatie?" vroeg een van de andere rechercheurs. Een jonge man die hoogstens vijfentwintig leek en een blauwe collegetrui droeg waar *Stanford University* op stond.

"Nee", antwoordde Waltin. "Het gaat alleen om een overzicht. Een sociologisch onderzoek zo jullie willen."

Zou die trui echt zijn, vroeg hij zich af.

"Nog meer vragen?" Waltin keek naar de derde persoon in het gezelschap. Ook hij was een jonge man van rond de vijfentwintig, die eruitzag alsof hij in een popgroep speelde.

"Nee." Degene aan wie de vraag was gesteld schudde zijn hoofd. "Ik heb nooit vragen."

Goede lui, dacht Waltin toen hij de lift naar de garage nam. Misschien dat ik die kleine donkere voor mijn eigen kleine onderneming moet rekruteren, dacht hij.

***

Berg had het weekend op zijn boerderijtje doorgebracht. Het was de bedoeling geweest dat hij en zijn echtgenote een paar leuke dagen zouden hebben, paddestoelen plukken, lekker eten en misschien bij zijn ouders langsgaan die in de buurt woonden. Maar er was niets van een bezoek aan zijn ouderlijk huis of paddestoelen plukken gekomen. Het bleek dat zijn vader en moeder naar Åland waren gereisd en toen ze op zaterdagochtend wakker waren geworden, had het pijpenstelen geregend en dat was de hele dag zo gebleven. Ze hadden de open haard aangestoken, zijn echtgenote had een dikke roman gelezen en nauwelijks gereageerd als hij iets tegen haar zei. En zelf was hij vooral in gedachten verzonken geweest. Waarom hebben we nooit kinderen genomen, vroeg hij zich af. We konden geen eigen kinderen krijgen, maar waarom hebben we geen kinderen geadopteerd toen het nog kon? Die gedachte bedrukte hem zozeer dat hij maar aan zijn werk begon te denken. Dat kalmeerde hem meestal en ook deze keer was dat het geval.

Voor de lunch had zijn vrouw een paddestoelenomelet gemaakt. Met paddestoelen die ze eerder hadden geplukt. Boter, brood en kaas erbij.
"Bier of water?" vroeg zijn vrouw.
"Hebben we rode wijn?" vroeg Berg.
Zijn vrouw keek hem verbaasd aan.
"Is er iets gebeurd?"
"Nee", zei Berg. "Waarom vraag je dat?"
"Je drinkt nooit wijn bij de lunch", zei ze.
Berg haalde zijn schouders op en glimlachte zwak.
"Nee", zei hij. "Maar nu heb ik er plotseling zin in. Wil je ook een glas?" vroeg hij.
"Graag", zei ze. "Als jij toch wijn drinkt, neem ik ook graag een glas. We hebben nog heel veel rode wijn over van midzomer. Dat weet je toch wel?"
"Laten we die Spaanse nemen", zei Berg. "Die kist die ik van hun ambassade kreeg."

Het was een uitstekende lunch geweest, dacht hij. Na afloop hadden ze koffie gedronken, zijn vrouw was teruggekeerd naar haar roman, zelf had hij een derde glas wijn genomen en was op de bank gaan liggen.
Wat doe ik met Kudo en Bülling, dacht Berg. Hij kon zich niet van hen ontdoen. De werkzaamheden waren al te ver gevorderd en zou-

den waarschijnlijk ook hem overleven. Hoe onbeduidend dan ook, bestond er toch een risico dat de Koerden ooit een bruiloft buiten hun eigen kringen zouden organiseren en Berg was niet van plan zijn eigen begrafenis bij te wonen. Een waarschijnlijkheid die zo klein is dat ze zich nauwelijks laat berekenen, en die ik toch niet buiten beschouwing kan laten, dacht hij. En of het nu door de rode wijn of iets anders kwam, opeens wist hij wat hij met Kudo en Bülling moest doen.

Op maandagochtend had hij hen laten komen en vijf minuten nadat zijn secretaresse de hoorn op de haak had gelegd, zaten ze voor zijn bureau. Kudo voorovergebogen alsof hij gereed was om te springen, Bülling met zijn blik op de franjes van het vloerkleed gericht.

"Ja", zei Berg. "Ik heb over jullie nagedacht sinds we elkaar de vorige week spraken."

"Wat kunnen we voor u doen?" vroeg Kudo.

"Ik geloof dat we de leiding in Stockholm moeten informeren", zei Berg. "Omdat het zeer geheime informatie betreft, moeten we ons volgens mij beperken tot de hoofdcommissaris."

"Nog verdere beperkingen?" zei Kudo.

"Ja", zei Berg. "De inlichtingen die jullie me vorige week hebben gegeven blijven hier bij ons. Maar jullie mogen wel algemene informatie geven over hun activiteiten en de betrokken personen."

"Wat doen we met Semir G. en Abdullah A.?" mompelde Bülling.

"Natuurlijk moeten we ook over hen informeren", zei Berg. "Over hun persoon en over hun algemene activiteiten. Met uitzondering van de bandopname die we de vorige keer hebben besproken." Hopelijk is dit de laatste keer dat we elkaar op deze manier zien, dacht hij.

Het was tenslotte die idioot die mij met Bülling heeft opgezadeld, dacht Berg toen ze waren vertrokken. Het is dus niet meer dan terecht dat hij hem weer retour krijgt, en bovendien zouden zij hem misschien voor één keertje van nut kunnen zijn. We moeten maar zien of het lukt, dacht Berg.

Tijdens het volgende wekelijkse overleg met de politieke opdrachtgever was het al gelukt. Aanvankelijk was het ook allemaal uitstekend gegaan, hoewel de deskundige van de minister-president aanwezig was geweest. Eerst had Berg hen geïnformeerd over het verdere onderzoek naar staatsvijandige elementen binnen de politie en de krijgsmacht. Er werd onder hoge druk gewerkt, maar omdat de opdracht zo uitermate gevoelig was, moest men uiterst voorzichtig te werk gaan. Het gaat tijd kosten, benadrukte Berg, en hij deed alsof hij het zachte gegrinnik van een bepaalde persoon aan tafel niet hoorde.

Daarna had hij een licht geretoucheerde versie van Waltins mislukte rekruteringspoging gegeven. Politici waren dol op dat soort verhalen. Dat wist Berg uit ervaring en het werkte ook deze keer weer.

"Dat was prettig om te horen", zuchtte een opgeluchte minister. "Dat jullie deze keer faalden. Ja, dat jullie in het grote verband slaagden omdat jullie in het kleine faalden, om het zo maar te zeggen, als je begrijpt wat ik bedoel", verduidelijkte hij met een blik naar Berg.

Ten slotte had hij het overzicht van bedreigingen en vijandbeelden tegen de zittende regering en hun naaste mensen ter sprake gebracht. Ook hier werd onder hoge druk aan gewerkt.

"Ze werken onder hoge druk en ik ga ervan uit dat ik al bij het volgende overleg een overzicht kan laten zien van wat we hebben."

"Dat is natuurlijk vrij veel", zei de minister bezorgd.

"Helaas wel ja." Berg knikte zwaar en bevestigend.

"Die Koerden", zei de minister, die ongekend kwiek leek. "Houden die zich rustig, of ... Ik las laatst een artikel in het *Svenska Dagbladet* dat niet echt leuk was."

"Ik zat me net af te vragen hoe het daar terecht is gekomen", zei de bijzondere deskundige met een irritante grijns.

"Daarover zou ik willen zeggen", zei Berg, "dat we de situatie goed onder controle hebben." Hij knikte naar de minister en deed net of hij de ander niet had gehoord.

De minister knikte dankbaar, terwijl de bijzondere deskundige nog enthousiaster leek.

"Ik ben zelf een keer op een Koerdische bruiloft geweest", zei hij, terwijl hij Berg met halfgesloten oogleden en een geamuseerde glimlach aankeek. "Leuke mensen, ze hadden ook uitstekend eten. Ik herinner me dat we gebraden lam kregen en wijn uit hun geboortestreek dronken."

Oké, dacht Berg toen hij op de achterbank van zijn auto zat op weg terug naar Kungsholmen, wat weet ik nu? Dat Kudo en Bülling, maar waarschijnlijk Kudo want je kon over Bülling zeggen wat je wilde, maar echt mededeelzaam was hij niet, dat Kudo ondanks mijn instructies zijn mond voorbij heeft gepraat. En dat de onnozele hoofdcommissaris in Stockholm kennelijk een direct lijntje naar de bijzondere deskundige van de minister-president heeft. Tot zo ver is het allemaal goed en wel, dacht Berg. Dergelijke kennis betekent alleen maar macht.

Wat probeert hij me te zeggen, vroeg Berg zich af. Want het is toch volstrekt duidelijk dat het een boodschap is. Wie zou zo iemand op zijn bruiloft uitnodigen? Zelfs een Koerd zou dat niet doen. Wat voor boodschap wil hij me geven? Dat hij weet wat ik doe en dat hij me in de gaten houdt? Vast en zeker, dacht Berg. Dat ik op moet passen? Dat zeker ook. Maar waarom vertelt hij me dat? Omdat hij interessant wil doen? Misschien, maar niet echt waarschijnlijk. Om me uit balans te krijgen, al moet hij me daarbij een van zijn kaarten laten zien? Of is het zo erg dat ... Bergs gedachten werden onderbroken door een licht gekuch vanaf de bestuurdersplaats.

"Sorry dat ik u moet storen, maar we zijn er." De auto was in de garage gestopt en zijn chauffeur keek hem via de achteruitkijkspiegel bezorgd aan.

"Neem me niet kwalijk", zei Berg. "Ik was in gedachten verzonken."

Is het zo erg, dacht Berg in de lift op weg naar zijn kantoor op de bovenste verdieping, dat de kaart die hij me heeft laten zien niets voor hem betekent? Dat hij die open kan leggen om me bang te maken, omdat hij nog veel betere kaarten in handen heeft? Wie, vroeg Berg zich af. Wie is in dat geval de verrader in mijn omgeving? Waarschijnlijk Waltin, dacht hij en het verdriet dat plotseling door zijn borst schoot, droeg dezelfde kou en bedroefdheid met zich mee die hij altijd voelde als hij aan de kinderen dacht die hij en zijn echtgenote nooit hadden gekregen.

Tijdens het overleg een week later presenteerde hij Waltins overzicht van bedreigingen en vijandbeelden die zich richtten tegen, of bestemd waren voor, politici en hoge regeringsambtenaren, het parlement en de overheden die van beslissend belang waren voor de veiligheid van het land. Waltin had uitstekend werk verricht. Los van de vraag hoe het met zijn betrouwbaarheid zat, was het uitstekend werk, en zelf was Berg zeer tevreden over de manier waarop hij de zaak had gepresenteerd. Eerst had hij snel de overige overheden en het parlement afgehandeld, om zich vervolgens te concentreren op het vijandbeeld dat het regeringsgebouw en de mensen die daar werkten betrof.

Ter inleiding had hij verschillende vijandbeelden geschetst: bedreigingen van buitenlandse mogendheden, politieke samenzweringen op verschillende niveaus in het land, terroristische acties die hun oorsprong in een ander land hadden, binnenlands terrorisme, extremistische politieke groeperingen en acties uitgevoerd door zogenaamde 'afzonderlijke dwazen', en ook met die beschrijving was hij zeer tevreden. Een opvatting die trouwens overduidelijk werd gedeeld door de minister, die tijdens de presentatie, zowel verbaal als door te knikken, steeds zijn instemming had laten blijken. En ook door de directeur-generaal Juridische Zaken, want dat had Berg in zijn ogen gezien hoewel de man zoals gewoonlijk niets had gezegd. De bijzondere deskundige had met gesloten ogen gezeten en hij had noch gegrijnsd, noch gegrinnikt, noch enige opmerkingen gemaakt, wat waarschijnlijk het grootste compliment was waar hij van die kant op kon rekenen.

"Ja", zei Berg en hij klikte een nieuw plaatje uit de meegebrachte diaprojector tevoorschijn. "We naderen nu de kern van de zaak. Zoals jullie aan de kolommen zien, is het aantal bedreigingen tegen de regering en personen in haar omgeving sinds de regeringswisseling na de vorige verkiezingen enorm toegenomen."

Nu had de deskundige gegrinnikt, hij had niets gezegd maar op die vreselijk enerverende manier gegrinnikt. Zal ik wachten tot hij klaar is, dacht Berg.

"Het aantal bedreigingen tegen de regering en haar directe omgeving dat bij ons geregistreerd staat, is sinds de regeringswisseling met ruim duizend procent gestegen. Bij de vorige regering hadden we meestal een paar honderd bedreigingen per jaar, maar nu hebben we het over een paar duizend per jaar."

"Maar dat is verschrikkelijk", zei de minister van Justitie. "Ik heb een jaar geleden zelf een bombrief gekregen."

"Die zaak is hier ook in opgenomen, zoals je vast wel weet", zei Berg geruststellend, "en we hebben goede hoop de daders te vinden. We weten dat ze tot een extreemrechtse nazistische groepering horen."

"Gelukkig maar dat ze zich nog steeds aan die kant bevinden", zei de bijzondere deskundige. "Je had het over een bom", ging hij verder en hij keek Berg aan. "Hebben we het over dat pakje met drie vuurwerkstukken waarbij een geestelijk gehandicapte jongeman met pyrotechnische neigingen de afstrijkstrookjes van luciferdoosjes aan de lont had geplakt?"

"Onze technici waren inderdaad niet erg onder de indruk", stemde Berg in. "En dat is de positieve kant van de zaak. Zoals jullie nu weten is het aantal bedreigingen dramatisch toegenomen, maar als we naar de afzonderlijke gevallen kijken, krijgen we gedeeltelijk een ander beeld te zien. Het gaat bijna uitsluitend over telefonische mededelingen of verschillende soorten postzendingen, voornamelijk brieven. In zuiver juridische zin gaat het eigenlijk vaker om beledigingen en laster dan om echte bedreigingen. De meest voorkomende afzonderlijke mededeling die we binnenkrijgen is bijvoorbeeld dat onze minister-president een Russische spion is."

"Maar dat is toch schokkend", zei de minister.

"Wees maar gerust", zei de bijzondere deskundige en hij boog zich voorover en tikte de minister op zijn arm. "Ik hou die kleine rakker in de gaten."

"Maar toch", hield de minister vol terwijl hij zijn arm terugtrok. "Zelf ben ik niet zo gecharmeerd van alle bedreigingen en mijn vr... mijn partner ... was echt behoorlijk geschokt toen ze over die bom hoorde die ik had ontvangen."

"Uiteraard", zei de bijzondere deskundige joviaal. "Maar dat was toch een andere partner? Dan de vrouw met wie je nu samenwoont, bedoel ik." Nu lachte hij zo hard dat zijn dikke buik ervan schudde.

"Maak jij er maar grapjes over", zei de minister. "Vertel eens, Berg", vervolgde hij met een vriendelijk knikje. "Wat zijn het eigenlijk voor mensen die dit soort dingen doen?"

"Het is een heel uiteenlopende groep als we het over beroep en sociale klasse hebben", zei Berg. "Mensen met psychische problemen zijn natuurlijk aanzienlijk oververtegenwoordigd, maar we hebben alles van graven en baronnen, artsen en directeuren tot gewone arbeiders, studenten, werklozen, WAO'ers en psychiatrisch zieken. Veel immigranten, daar moet op worden gewezen, maar bijna iedereen in die groep lijkt eerder vanuit een persoonlijk ongenoegen te hebben gehandeld dan vanuit een extreme politieke opvatting."

"Politieagenten", zei de bijzondere deskundige. "Politieagenten en militairen, de mensen die je ons een week geleden beschreef. Hoe zit het met hen?"

"Ik heb vandaag vrijwel uitsluitend verslag gedaan van zaken waarvan aangifte is gedaan. Met of zonder een bekende dader. De personen die in mijn eerdere overzicht voorkwamen en over wie we zelf de gegevens hebben gevonden, komen dus niet in deze statistieken voor." Berg knikte nadenkend voordat hij verder ging. "Maar natuurlijk komen er ook politieagenten en militairen voor in de zaken waarvan aangifte is gedaan. Zo hebben we bijvoorbeeld een hoofdinspecteur van de recherche in Stockholm, die met zijn diensttelefoon het kabinet van de minister-president heeft gebeld en tegenover de secretaresse van de minister-president bedreigingen aan diens adres heeft geuit. Nog steeds in dienst overigens, de zaak is geseponeerd omdat het misdrijf niet bewezen kon worden en de man zelf bleef ontkennen."

Berg schraapte zijn keel en ging verder.

"We hebben een zestal officieren – die met de hoogste rang is luitenant-kolonel bij een jagerseenheid – dat tegenover dienstplichtigen en ondergeschikt personeel meningen over de regering en haar werk en afzonderlijke regeringsleden heeft verkondigd die op z'n zachtst gezegd ongepast zijn. Kortom, er zijn er een heleboel", besloot Berg.

"Is het onredelijk om te zeggen dat het materiaal over de zaken waarvan aangifte is gedaan voornamelijk onzin bevat, maar dat jullie tegelijkertijd over andere gegevens beschikken die misschien op een meer gekwalificeerd vijandbeeld duiden, met vermoedelijke daders van geheel andere, hogere kwaliteit?" De bijzondere deskundige keek Berg afwachtend aan.

"Nee", zei Berg. "Ik kan ongehinderd met jouw beschrijving instemmen. Zo zien mijn medewerkers en ik de situatie ook."

Wat is er gaande, dacht Berg. Ik hoef het niet eens zelf te zeggen. Hij zegt het voor me.

Na het overleg had hij met Waltin gesproken. Eerst had hij hem gecomplimenteerd met zijn uitstekende werk en daarna had hij in het kort zijn mening gegeven over hoe het allemaal was gegaan.

"Het was een goed overleg", zei Berg. "Ik kreeg het gevoel dat we eindelijk op dezelfde golflengte beginnen te komen."

Waltin knikte. Hij keek tevreden, maar niet op een manier die overdreven of verdacht leek, gewoon tevreden. Ik heb me waarschijnlijk vergist, dacht Berg. Wat ik nodig heb is een week vakantie.

Waltin had natuurlijk geen enkel idee van de verdenkingen omtrent zijn persoon die de laatste tijd door Bergs hoofd waren gegaan, en als hij dat wel had gehad, zou hij zich er niet buitensporig druk om hebben gemaakt. Hij had wel andere dingen aan zijn hoofd. Een daarvan was dat kleine donkere ding met het jongensachtige lichaam en die kleine, kleine strakke billen, dat op dit moment op de sectie voor intern onderzoek op een klein, klein stoeltje zat. Voor haar grote, grote computer. Eerst was hij van plan geweest uit te zoeken hoe oud ze was, maar bij nader inzien had hij besloten dat niet te doen. Dat zou het plezier alleen maar bederven, dacht Waltin. Ze zag eruit alsof ze op de middelbare school zat, hoewel ze toch zeker vijfentwintig moest zijn, en dat was goed genoeg.

De laatste tijd was hij steeds vaker even bij haar en haar collega's gaan kijken en die puriteinse adellijke idioot van een Hamilton die toch direct onder hem werkte, was alleen maar chagrijniger en chagrijniger geworden. Daar moet ik maar mee leven, dacht Waltin en hij grijnsde als een wolf wiens fantasieën alsmaar beter werden. Deze keer had ze daar in haar eentje gezeten, dus had hij niet onnodig tijd hoeven te verspillen aan het leggen van rookgordijnen of gesprekken met haar mannelijke collega's.

"Goed dat je er bent", zei ze. "Ik heb hulp nodig. Ik moet je iets vragen."

"Ik luister", zei Waltin. Hij draaide zich half naar haar toe en glimlachte mannelijk maar toch luchtig, terwijl hij tegelijkertijd onopvallend zijn stoel dichter naar de hare schoof. Kleine Jeanette 17, dacht Waltin terwijl het kruis van zijn op maat gemaakte broek zich een beetje spande.

"We hebben een paar tips binnengekregen die ik niet helemaal snap", zei ze en ze fronste haar voorhoofd.

Wat charmant, dacht Waltin, die kleine frons op haar voorhoofd terwijl ze tegelijkertijd op de pen beet die ze in haar kleine hand hield. Stel je voor dat ze ook nog had geslist, dacht hij. Dan had hij zich zelfs kunnen indenken verantwoording te nemen voor zijn daden.

"Vertel", zei Waltin en hij legde zijn rechterbeen over zijn linker. Terloops deed hij zijn das wat losser.

"Het gaat over een Amerikaanse journalist", zei ze. "Hij is afgelopen zondag vanuit New York op Arlanda geland en ik heb al twee tips over hem binnengekregen."

"Hoe heet hij?" vroeg Waltin en hij leunde naar voren om de tekst op haar computerscherm beter te kunnen lezen. Wat een heerlijke geur, dacht hij. Als roze, pasgewassen huid.

"Jonathan Paul Krassner, roepnaam John", zei ze. "Geboren in negentienhonderddrieënvijftig."

V

Tussen het verlangen van de zomer en de kou van de winter

New York, New York State, 6-8 december

Vrijdag 6 december

Toen Johansson en zijn collega's in New York aankwamen, werden ze begroet door een snijdende wind en het eerste wat Johansson deed was een dik jack en een paar stevige schoenen kopen. Ik vraag me af of ze schoenen met een holle hak hebben, dacht Johansson en hij glimlachte bij zichzelf toen hij met de stevige winterschoen in zijn hand in de winkel stond. Hak?

"*What do you call this?*" vroeg Johansson en hij wees met zijn duim naar de hak.

"*Heel, sir*", zei de verkoper beleefd. "Wilt u schoenen met een andere hak hebben?" vroeg hij.

Johansson schudde zijn hoofd en glimlachte.

"Nee hoor", zei hij. "Deze zijn goed. Ik trek ze meteen aan, dus u kunt de oude gewoon in een tas stoppen."

's Avonds waren Johansson en zijn reisgenoten naar een restaurant gegaan om te dineren. Eerst hadden ze overwogen naar een Zweeds restaurant te gaan dat goed bekendstond en niet zo ver van hun hotel lag, maar na enig heen en weer gepraat hadden ze besloten naar een Italiaan te gaan waar de collega van de Interpolsectie tijdens zijn vorige bezoek aan New York had gegeten.

"Als je van Italiaans eten houdt, is het een uitstekend restaurant." De collega van Interpol knikte om zijn woorden te onderstrepen. "Een paar collega's hier in de stad gaven mij de tip toen ik hier de vorige keer was. Het schijnt regelmatig door de plaatselijke maffiabazen te worden bezocht en dat moet toch een goed teken zijn."

"Dus geen haring met een borrel", constateerde de collega van Narcotica. "In plaats daarvan word je van achteren neergeschoten en beland je met je hoofd op een bord spaghetti Bolognese."

"Dat zie je helemaal verkeerd", zei Johansson gemoedelijk. "Je kunt weer haring eten als je thuis bent. Daar heb je alle kerstdagen nog voor."

En omdat hij de baas was, was het Italiaans eten geworden.

"Er zit een uitstekend Italiaans restaurant een paar straten bij mij vandaan, maar ik moet toegeven dat ik zelden zo'n goede risotto heb gegeten", stelde Johansson een paar uur later vast.

"Dat komt door de truffel", zei de hoofdinspecteur van Interpol, die ambtshalve vaak buitenshuis had gegeten.

"Zijn dat deze kleine zwarte schilfers?" vroeg de hoofdinspecteur van Narcotica achterdochtig. "Ik vroeg me net af wat het was."

"De truffel is een bijzondere paddestoel", zei de collega van Interpol. "Hij schijnt het best te groeien als hij met mensenbloed wordt gemest, als je de legende tenminste moet geloven, en hij schijnt het allerlekkerst te zijn als het bloed van vermoorde mensen afkomstig is."

"Vertel dat later maar. Als ze wat groter waren geweest had ik ze eruit kunnen halen, maar ze zijn veel te klein. Vooral als je wat rode wijn achter de kiezen hebt." Het hoofd van de afdeling Narcotica van de Rijksrecherche glimlachte scheef en hief zijn glas.

"Misschien moet je eens proberen wat truffel over de haring te raspen", zei Johansson met een glimlach. "De Zweedse en Italiaanse eetcultuur met elkaar verenigen om het zo maar te zeggen."

"De Zweedse is voor mij goed genoeg, haring en een borrel en nieuwe aardappels met dille." De hoofdinspecteur van Narcotica zuchtte nostalgisch.

"Wat zijn jullie plannen voor morgen?" vroeg de inspecteur van Interpol ter afleiding. "Als jullie daar belangstelling voor hebben kan ik een studiebezoekje in het plaatselijke veld organiseren. Ik heb mijn contacten vanmiddag gesproken."

Klinkt interessant, dacht Johansson. Ik kan die vrouw die Krassner heeft gekend morgen bellen. Als ik haar überhaupt bel.

"Klinkt interessant", zei Johansson. "'s Ochtends ben ik bezet, ik wil wat kerstinkopen doen, maar ik heb nog geen plannen voor de middag en de avond. Ja, het lijkt me wel wat om de plaatselijke criminelen aan te pakken."

"Ik ben van de partij." De hoofdinspecteur van Narcotica knikte en zijn ogen begonnen te stralen. "Dat zal schitterend staan in het reisverslag dat ik voor mijn baas moet schrijven. Nooit een moment van rust, of het nu door de week of zondag is, of waar ter wereld je je ook bevindt. Dat is het lot van een eenvoudige agent." Hij grijnsde naar Johansson.

"Goed, dat is dan afgesproken." De collega van Interpol knikte.

Zaterdag 7 december

Johansson had tot tien uur 's ochtends gewacht voordat hij Krassners ex-vriendin belde. In zijn achterhoofd had hij het idee gehad dat ze waarschijnlijk iemand was die laat opstond als ze de keus had, wat ze vermoedelijk had omdat het zaterdagochtend was. Bovendien had hij een hele poos zitten piekeren voordat hij überhaupt de hoorn van de haak had getild. Het zou natuurlijk het eenvoudigst zijn om het allemaal gewoon te laten zitten, had hij gedacht. Om zich aan te sluiten bij Jarnebrings theorie over een halfgestoorde zelfmoordenaar die om onbekende, en waarschijnlijk oninteressante, redenen had besloten een papiertje met Johanssons volledige naam, titel en huisadres in een schoen met een holle hak te bewaren. *A shoe with a heel with a hole in it*, dacht Johansson met een zucht.

Maar die gedachte had hij losgelaten. Johansson was als kind al nieuwsgierig geweest en dat was in de loop der jaren niet veranderd en de kwestie van de holle hak zat hem echt enorm dwars. Dat wilde echter niet zeggen dat het ook verstandig was om haar te bellen, alleen om zijn eigen nieuwsgierigheid te bevredigen. Professioneel gezien was het bijna altijd beter om onaangekondigd op te duiken en gewoon op de deur van de persoon in kwestie aan te kloppen. Of gewoon niet te kloppen als de situatie daarnaar was. Maar dat gold nu niet echt, dacht Johansson, dus wat moet ik doen?

Met de hulp van een vriendelijke receptioniste in het hotel waar hij logeerde, had hij de vorige dag bepaalde voorbereidende maatregelen getroffen. Eerst had hij het telefoonnummer dat hij van Wiklander had gekregen twee keer gecontroleerd. Niet dat hij hem niet vertrouwde, Wiklander was een bijna even goede politieman als hijzelf op die leeftijd was geweest, maar liever één controle te veel dan één te weinig, dacht Johansson. Het telefoonnummer van Weissman stond in de gids, dus het was heel makkelijk geweest daaraan te komen en omdat het adres hetzelfde was als het adres in zijn aantekeningenboekje, klopte dat vast en zeker ook: Sarah J. Weissman, 222 Aiken Avenue, Rensseelaer, New York State.

Verder was hij erachter gekomen dat Rensseelaer direct aan Albany grensde, dat kennelijk de hoofdstad van de staat New York was. Net als Solna en Sundbyberg bij Stockholm, dacht Johansson.

"Hoe kom ik daar het makkelijkst?" vroeg Johansson.

"Met de trein van Grand Central Station", antwoordde de receptioniste. "De sneltrein doet er iets minder dan drie uur over. Ik kan een dienstregeling voor u regelen, ze gaan vrij vaak, ook in het weekend. Bovendien is het een heel mooie reis langs de Hudson", voegde ze er met een glimlach aan toe. "Niet zoals hier", zei ze met een knikje naar de straat achter de draaideuren die toegang gaven tot de lobby.

Ik ben benieuwd of het even mooi is als een tocht langs de Ångermanrivier, dacht Johansson.

Ik kan zondag de trein nemen, besloot Johansson. Een beetje rondkijken, zien hoe Krassner had gewoond, misschien een praatje maken met zijn ex-vriendin als hij daar toch was. Het was natuurlijk het meest praktisch als hij haar eerst belde. Niets wees erop dat ze een gewone crimineel was die de benen zou nemen als een Zweedse politieman haar belde om over een ex-vriend te praten. Of toch wel, dacht Johansson met een zucht. Maakt ook niet uit, besloot hij en hij draaide haar nummer.

Nadat de telefoon een keer of vijf was overgegaan, kreeg hij haar antwoordapparaat. Ze klonk levendig en opgewekt, dus misschien had hij zich wel vergist in haar ochtendgewoonten.

"Hallo", zei ze opgewekt. "Met Sarah, ik ben op dit moment niet thuis. Laat een boodschap achter."

O, dacht Johansson beteuterd en hij hing op.

's Middags hadden Johansson en zijn twee reisgenoten eerst een bezoek gebracht aan het politiebureau op Zuid-Manhattan. Als je de omvang buiten beschouwing liet, zag het eruit als de meeste politiebureaus die Johansson had bezocht. Dit bureau was vrij groot. Daarna hadden de plaatselijke collega's hen meegenomen naar een nabijgelegen restaurant waar je tegen een gereduceerde prijs een goede en voedzame maaltijd kon krijgen. Dat wil zeggen, als je bij de politie werkte.

"*Never kick ass on an empty stomach*", zei hun gastheer en hij glimlachte breeduit naar hen.

Detective Lieutenant Martin Flannigan, dacht Johansson een beetje geëmotioneerd. Je had net zo goed Bo Jarnebring kunnen heten en waarnemend hoofd van de plaatselijke rechercheafdeling op Östermalm kunnen zijn. En je hebt ook de juiste voornaam.

Inspecteur Flannigan en zijn collega's hadden het zo geregeld dat ze een speciale actie tegen straatroof op Manhattan mochten bijwonen. Ze namen straatroof heel serieus, vooral nu in de dagen voor Kerstmis en in elk geval in bepaalde delen van Manhattan.

"*It's a decoy operation*", legde Flannigan uit. "Werkt perfect bij de domste criminelen."

Decoy, dacht Johansson. Lokvogel. Zoals toen hij zelf in zijn jeugd bij de rivier op eenden schoot. Eerst zette hij de houten lokvogels uit die hij van zijn grootvader had geërfd, en daarna peddelde hij een eindje in zijn kajak en ging in het oeverriet liggen wachten tot het begon te schemeren en de eenden zouden verschijnen. Op een avond had hij meer eenden geschoten dan hij in één keer naar huis kon dragen. Hoe oud zou ik toen zijn geweest, dacht Johansson.

Zodra het donker was geworden en de dieven uit hun holen kropen, waren ze naar een gunstig gelegen achterafstraatje gegaan. Een van Flannigans jongens had zich als zwerver verkleed. Daarna was hij voor een portiek gaan zitten en had hij gedaan of hij bewusteloos was. Naast hem stond een papieren boodschappentas waar een paar groene sloffen sigaretten uitstaken.

"Mentholsigaretten", legde Flannigan uit. "Vraag me niet waarom, maar nikkers zijn dol op mentholsigaretten."

Johansson en Flannigan stonden bij het raam van een bar aan de overkant van de straat en Flannigan had meteen voor alle twee een pilsje besteld. Ik heb de beste plaats gekregen, dacht Johansson want zijn twee reisgenoten verdrongen zich samen met de plaatselijke collega's in verschillende voertuigen die in de straat stonden opgesteld.

"Afwachten of ze bijten", zei Flannigan met een grijns. "Proost", zei hij en hij hief zijn glas.

Het had maar een kwartier geduurd, maar de eerste vis die hapte had de verkeerde kleur. Het was een blanke vrouwelijke drugsverslaafde van een jaar of dertig. Eerst was ze langs de slapende zwerver gelopen, toen was ze op de hoek van de straat gestopt en had ze om zich heen gekeken. Daarna liep ze terug, vertraagde haar pas bij de zwerver, keek nog een extra keer en pakte de papieren tas met de sloffen sigaretten.

"Waakzaam als een arend", zei Flannigan met een grijns.

"*Police, freeze*", en een minuut later zat ze met haar handen geboeid op haar rug op de achterbank van een donkerblauw bestelbusje.

Zo was het doorgegaan tot het bestelbusje vol was. Een vrouwelijke verslaafde, twee echte zwervers en een paar gewone snotjongens, en op één uitzondering na hadden ze allemaal de juiste kleur gehad. Ze hadden de vangst naar het arrestantenlokaal op het politiebureau van Zuid-Manhattan gebracht en daarna had Flannigan hen meegenomen naar zijn stamcafé waar ze een flink aantal biertjes hadden gedronken, elkaar de gebruikelijke heldenverhalen hadden verteld en zich in het algemeen hadden bekommerd om de gemeenschappelijke westerse politiecultuur.

Leuke kerels, had Johansson gedacht voordat hij in zijn bed in het hotel in slaap viel. Maar een vreselijke plek om te moeten werken.

Zondag 8 december

Op zondag hadden Johanssons reisgenoten de vroege vlucht naar Stockholm genomen. Zelf was hij naar Grand Central Station gewandeld en op de trein naar Albany gestapt. Ik ben benieuwd hoe ze is, dacht hij. Aan de stem op het antwoordapparaat te horen klonk ze opgewekt en aardig en volstrekt normaal. Helemaal niet zoals hij zich een ex-vriendin van John P. Krassner voorstelde, die de slechte smaak had om met het huisadres van mensen in een holle schoen rond te lopen.

VI

Vrij vallen als in een droom

Stockholm in oktober

"Het gaat over een Amerikaanse journalist", zei rechercheur Jeanette Eriksson. "Hij is afgelopen zondag vanuit New York op Arlanda geland en ik heb al twee tips over hem binnengekregen." Ze wees naar haar computerscherm terwijl Waltin zich naar voren boog om het beter te kunnen zien. Misschien moet ik maar bij meneer op schoot gaan zitten, dacht ze.

"Hoe heet hij?" vroeg Waltin en hij schoof terloops zijn rechterhand naar haar linkerhand.

"Jonathan Paul Krassner, roepnaam John", zei Eriksson, "geboren in negentienhonderddrieënvijftig. Hij staat ingeschreven in Albany buiten New York." Maar hij is eigenlijk best leuk, dacht ze. Als je van oudere mannen houdt.

"Hebben we iets over hem?" vroeg Waltin terwijl hij zachtjes met zijn vingers op het tafelblad trommelde.

"In onze eigen registers hebben we niets." Rechercheur Eriksson schudde haar hoofd. "Als je wilt dat ik verder kijk, moet ik dat via mijn chef doen." Ik vraag me af of dat een echte Rolex is, dacht ze. In dat geval moet die behoorlijk wat hebben gekost. En hij zag er echt uit, zeker weten.

"Nee, dat is nog niet nodig", zei Waltin en hij glimlachte zijn witte tanden bloot. "Wat is het probleem?"

"Probleem, probleem", zei Eriksson en ze haalde haar smalle schouders op. "De eerste tip kwam eergisteren binnen en die heb ik alleen maar genoteerd. De informatie kwam van een van onze journalisten bij de staatstelevisie. Ik ken hem toevallig. Hij schijnt problemen te hebben met de drank en zijn eigen fantasieleven." Ik vraag me af of hij denkt dat ik mijn voet zal verplaatsen, dacht ze.

"Wat had hij te vertellen?" vroeg Waltin met een geruststellende glimlach.

"Hij was Krassner dinsdagavond in de persclub aan de Vasagatan tegen het lijf gelopen. Ik vermoed in de bar, maar dat zei hij er niet bij. Hij wilde zijn contactpersoon bij ons spreken, maar onze man is elders aan het werk en ik zag geen reden hem te storen. Onze informant beweert in elk geval dat Krassner verdacht geïnteresseerd leek, dat waren zijn eigen woorden, in onze samenwerking met andere westerse veiligheidsdiensten. Krassner zou het onder meer over de Duitsers hebben gehad en hoe wij hen gebruiken als kanaal naar de Amerikanen."

"Wat zou hij daarmee bedoelen?" zei Waltin en hij haalde zijn coutureschouders op. "Welke Duitsers?" Waltin glimlachte mannelijk.

"Precies", zei Eriksson en zij glimlachte ook.

Hij is echt leuk, dacht ze.

"Maar het gaat meer om die andere tip", ging ze verder. "Die kwam een paar uur geleden binnen. Van een andere informant die zegt dat we meteen contact moeten opnemen in verband met een Amerikaanse journalist die John P. Krassner heet."

"Zo", zei Waltin. "En wie is de informant?"

"Daar heb ik jouw hulp bij nodig", zei ze. "Deze informant heeft een geheime identiteit die buiten mijn bevoegdheid ligt. Hoogste prioriteit zowel bij ons als bij de veiligheidsafdeling van de defensiestaf, dus ik kan hem niet bereiken. Maar volgens mijn instructies moet ik dit direct aan de chef de bureau of aan jou doorgeven."

Rechercheur Eriksson knikte energiek. En daar lijk jij geen bezwaar tegen te hebben.

"En omdat mijn chef uitgebreid in de stad zit te lunchen en jij toevallig langskwam ..." Ze glimlachte en haar ogen straalden even. Ik zie dat je best geïnteresseerd bent, dacht ze.

"Je kunt noteren dat ik op de hoogte ben gebracht", zei Waltin effectief en hij keek op zijn horloge. "Zet het even op papier zodat ik het mee kan nemen, dan laat ik later op de dag weer van me horen. En leg een onderzoeksdossier over die Krassner aan. Doe maar alsof het behoorlijk belangrijk is tot we weten waar het om gaat."

Dit loopt gesmeerd, dacht Waltin even later. Berg had geen bezwaren geuit, het had eerder geleken alsof hij met zijn gedachten ergens anders was, en nadat hij had uitgezocht wie de informant was, was Waltin zelf echt nieuwsgierig geworden. Hij had de man twee keer ontmoet, beide keren op het geheime adres, en het was hem niet ontgaan met hoeveel respect Berg hem had behandeld. Uit het weinige dat Berg hem had verteld toen hun gasten waren vertrokken, had hij ook opgemaakt dat dit geen gewone gepensioneerde hoogleraar in de wiskunde aan de Technische Hogeschool in Stockholm was. En de meer delicate en persoonlijke kwestie over hoe hij de kleine juffrouw Jeanette Eriksson moest aanpakken, leek op natuurlijke wijze te kunnen worden geregeld. Je kon van Berg zeggen wat je wilde, dacht Waltin, maar hij lijkt volstrekt niet geïnteresseerd in vrouwen en dat komt mij heel goed uit, dacht hij.

Toen Waltin de gepensioneerde hoogleraar opbelde, was hij op onverwachte problemen gestuit.

"Ja, ik hoor wat u zegt, commissaris", zei de professor met een krakerige oudemannenstem, "maar op het gevaar af halsstarrig te lijken, geef ik er toch de voorkeur aan direct met de chef de bureau te praten."

"Het probleem is dat de chef de bureau op reis is", loog Waltin geoefend. "Ik heb hem telefonisch gesproken en omdat u ons had benaderd, wilde hij dat ik meteen contact met u opnam." Bovendien ben ik hoofdcommissaris, oude zeurpiet, dacht Waltin, maar dat zei hij niet.

"Ik hoor wat u zegt", mopperde de professor.

"Ja, chef de bureau Berg was ervan overtuigd dat het ongetwijfeld om belangrijke zaken ging, omdat u had gebeld", zei Waltin met milde stem.

"Als hij dat inderdaad vindt, dan begrijp ik niet waarom hij niet hier kan komen."

"Zoals ik al zei, is hij helaas op reis." Een oude zeurpiet die om onduidelijke historische redenen een volstrekt waanzinnige categorisering van zijn eigen belangrijkheid heeft gekregen, dacht Waltin. Maar daar kunnen we vast wel iets aan doen.

"Waar is hij?" vroeg de professor.

"Neem me niet kwalijk?" zei Waltin. Wat zegt die vent, dacht hij.

"Ik vroeg waar hij was, chef de bureau Berg. Is dat zo moeilijk te begrijpen? Waar is hij?"

Kennelijk ook seniel, dacht Waltin.

"Ja", zei Waltin met geveinsde hartelijkheid. "Een man met uw achtergrond begrijpt vast waarom ik daar niet op in kan gaan. Vooral niet telefonisch", vervolgde Waltin. "Ik stel voor dat ik naar u toe kom, zodat we de kwestie in alle rust kunnen bespreken. Hallo?"

De oude heeft opgehangen, dacht Waltin verbaasd. Hij heeft zomaar opgehangen.

Toen hij Berg eindelijk te pakken had gekregen in diens dienstvertrek, was de halve middag al voorbij. Bovendien was Berg geamuseerd geweest op een manier die Waltin niet waardeerde.

"Ja, ja", zei Berg met een glimlach. "Johan heeft zo zijn eigenaardigheden. Toen hij in de oorlog op de inlichtingenafdeling van Defensie werkte, schijnt hij een stafmajoor die zijn whisky had verstopt een oplawaai te hebben gegeven. Ik geloof dat hij zelf dienstplichtig korporaal was en in het civiele leven was hij hoogleraar in de wiskunde aan de universiteit van Uppsala. Daarna is hij naar de Technische Hogeschool verhuisd om dichter bij zijn geliefde computers te kunnen zijn."

"Als we het over de Tweede Wereldoorlog hebben", zei Waltin, "verklaart dat de zaak misschien. Er heeft sindsdien heel wat water door de rivieren gestroomd. De tijd heeft niet stilgestaan om het zo maar te zeggen."

Berg schudde nadenkend zijn hoofd.

"Maar hij is niet seniel. Hij was degene die hier op het bureau ons coderingssysteem heeft opgezet. Dat heeft ons miljoenen bespaard. We hebben een halfjaar geleden beroepsmatig contact met elkaar gehad en toen was hij even scherp als altijd. Weet je wat we doen", ging Berg verder en hij knikte naar Waltin. "Ik bel hem op en daarna ga jij met me mee, dan zorg ik ervoor dat je behoorlijk aan hem wordt voorgesteld."

"*Fine with me*", zei Waltin en hij haalde zijn schouders op. Wat moest hij zeggen?

Omdat ik besloten heb je te vertrouwen, dacht Berg.

Emeritus hoogleraar Johan Forselius woonde in een enorm groot ouderwets appartement aan de Sturegatan. Het had nogal lang geduurd voordat ze werden binnengelaten en daarna hadden ze op de tast door een donkere hal moeten lopen naar een afgelegen en behoorlijk doorgerookte werkkamer.

"Het is de schuld van die rotmeid van de thuiszorg", mopperde de hoogleraar. "Ik zeg al de hele herfst tegen haar dat ze nieuwe gloeilampen in de gang moet ophangen, maar het mens lijkt niet goed bij haar hoofd. Praat een of ander onbegrijpelijk Pools dialect."

Forselius snoot nadrukkelijk zijn neus in zijn vuist die hij vervolgens aan zijn broek afveegde.

"Als jullie koffie willen, moeten jullie daar zelf voor zorgen", zei hij met een chagrijnige blik op Waltin. "Zelf heb ik wel zin in een cognacje."

De professor had plaatsgenomen in een doorgezeten leren fauteuil en naar Berg geknikt dat hij ook kon gaan zitten. Daarna keek hij weer naar Waltin. Meer sommerend deze keer.

"Wat vind je ervan, Claes?" zei Berg vriendelijk en hij knikte naar Waltin. "Een kopje koffie zou toch wel smaken?"

"Ja, inderdaad", zei Waltin met warme stem. "De keuken ligt die kant op?" Waltin maakte een hoofdbeweging naar het donkere gedeelte van het appartement.

"Als u een fornuis vindt, bent u op de juiste plaats aanbeland", zei de professor met een tevreden grijns. "De cognac staat in de dienkeuken. Neem de fles trouwens maar mee voor het geval Erik ook een glas wil. Want ik neem aan dat u degene bent die straks rijdt?"

Waltin had alleen maar vriendelijk geglimlacht.

Twee maanden geleden had professor Forselius een brief uit de VS gekregen. De afzender was ene John P. Krassner en hij schreef dat hij onderzoeker en schrijver was en bezig was een boek te schrijven over de veiligheidspolitieke situatie in Europa na de Tweede Wereldoorlog. Hij was van plan naar Zweden te komen en wilde graag een interview. Dat was geen ongebruikelijk verzoek aan een man als Forselius: gerenommeerd codekraker uit de dagen van de grote oorlog, bekend spreker bij militairen en veiligheidsdiensten in de hele westerse wereld. Forselius kreeg elke maand dergelijke verzoeken, hoewel zijn functie in het leger al meer dan twintig jaar was beëindigd, en hij had hetzelfde gedaan als anders. Hij had de brief in de prullenbak gegooid.

"Wie wil er nu met dat soort lui praten?" zei Forselius en hij nam een flinke slok uit zijn cognacglas. "Maar eergisteren wordt er aan de deur gebeld, en ik dacht eerst dat de thuiszorg een nieuwe buitenlander op me af had gestuurd, maar dan blijkt dat die vervloekte Krassner, die me in een brief om een interview had gevraagd, voor mijn deur staat."

Berg knikte begrijpend. Die thuiszorg toch.

"Je liet hem dus binnen?"

"Hm", zei Forselius terwijl hij aan zijn glas snoof. "Eerst was ik van plan hem gewoon weg te sturen, het was een kleine man en ik mag in de loop der jaren dan wat zwakker zijn geworden, maar dat had ik nog wel gekund."

Forselius gromde tevreden en keek bijna begerig naar Waltin.

"Maar toen zei hij iets wat mijn nieuwsgierigheid opwekte."

"Vertel", zei Berg.

"Hij deed me de groeten van een oude kennis", zei Forselius.

De professor nam een nieuwe slok uit zijn grote glas, waarbij hij Waltin achterdochtig over de rand van het glas aankeek.

"Een oude kennis uit de oorlog en de jaren erna." Forselius knikte en leek voornamelijk geïnteresseerd in de inhoud van zijn glas.

"Je hoeft je echt geen zorgen te maken over Claes", zei Berg met overtuigende stem. "Los van het feit dat hij mijn naaste medewerker is, vertrouw ik hem onvoorwaardelijk." Klonk dat niet een beetje vreemd, dacht hij.

Forselius knikte, meer bij zichzelf leek het. Toen ging hij rechtop zitten, glimlachte en schudde zijn hoofd.

"Ik hoor wat je zegt, Erik", zei hij. "Ik hoor wat je zegt."

"Nou dan", zei Berg met een glimlach.

Forselius schudde opnieuw zijn hoofd en zette het glas op de tafel naast de fauteuil.

"Ik ben bang dat het toch onder vier ogen moet", zei hij. "Maar wat jij er daarna mee doet, daar bemoei ik me niet mee."

Een seniele oude man die interessant wil doen, dacht Waltin geïrriteerd terwijl hij in de auto de avondkrant probeerde te lezen die hij in de tabakswinkel aan de overkant van de straat had gekocht.

Het had ruim een halfuur geduurd voordat Berg terugkwam. Zonder iets te vragen had Waltin de auto gestart en was hij richting Kungsholmen gereden, maar toen ze op het Odenplein in het steeds drukker wordende verkeer vast kwamen te zitten, had hij zich niet langer kunnen inhouden.

"En?" zei Waltin. "Vertel het een eenvoudige medewerker."

Berg schudde peinzend zijn hoofd.

"Ik hoop dat je het niet erg vindt", zei Berg, "maar ik moet er eerst zelf over nadenken. Ik kan je ondertussen wel wat algemene informatie geven."

Waltin knikte met zijn ogen op de verkeerslichten gericht.

"Die Krassner bracht de groeten over van een oude kennis van Forselius uit de tijd na de Tweede Wereldoorlog. Dezelfde generatie als onze gewaardeerde professor trouwens, en toen hij en Forselius met elkaar omgingen, werkte deze kennis bij de Amerikaanse ambassade hier in Stockholm. Als je begrijpt wat ik bedoel."

De CIA, dacht Waltin en hij knikte.

"Volgens Krassner zou het de inmiddels overleden oudere broer van zijn moeder zijn. Hij zou dit voorjaar zijn overleden."

"Maar kennelijk nog vief genoeg om een groet over te brengen", zei Waltin met een scheve glimlach.

"Kennelijk", zei Berg. "Misschien is het zelfs zo erg dat hij zijn mond heeft voorbijgepraat."

Oei, dacht Waltin. Dat moet dan de eerste keer in de wereldgeschiedenis zijn dat dat gebeurt.

"Wat moet ik doen?" vroeg Waltin.

"Zoek uit waar Krassner zich hier in ons geliefde vaderland mee bezighoudt", zei Berg met een zwakke glimlach. "En natuurlijk de gebruikelijke achtergrond."

"Zonder contact op te nemen met de Duitsers", zei Waltin retorisch. Die het direct aan de Amerikanen kunnen vragen, wat mij vreselijk veel tijd zou besparen, dacht hij.

"Voordat we weten welke kant dit allemaal op gaat, houden we het binnenshuis", zei Berg en hij knikte nadrukkelijk. "We nemen helemaal geen contact met anderen op." Vooral dat met de Amerikanen lag enorm gevoelig en de Russen waren net katerige beren als ze in dat humeur verkeerden, dacht Berg.

"Kan ik mensen van jouw recherchesectie lenen?" vroeg Waltin.

"Natuurlijk", zei Berg. "Neem er zoveel je nodig hebt."

Jeanette 17, dacht Waltin en hij glimlachte als een wolf wiens fantasieën steeds maar beter werden.

"O ja, er was nog iets", zei Berg toen ze de auto in de garage onder het politiebureau hadden geparkeerd.

"Ik luister", zei Waltin. Waarom glimlacht hij op die manier, dacht hij.

"Forselius zag je horloge." Berg knikte naar Waltins gouden Rolex.

"Ja", zei Waltin met een zucht. "Ik neem aan dat hij ervan uitging dat ik het van de Russen had gekregen?"

"Zoiets ja", zei Berg met een lichte glimlach. "Ik legde hem uit dat je het horloge al droeg toen ik je de eerste keer ontmoette, lang voordat je bij het bureau kwam werken."

"Maakte dat indruk op hem?" vroeg Waltin.

"Ik geloof niet dat hij seniel is geworden", antwoordde Berg. "Volgens mij heb je het op dat punt mis, maar hij is er in de loop der jaren niet minder excentriek op geworden."

Dus dat is hij, dacht Waltin, excentriek, net als alle andere chique eikels.

"Ik vertelde hem dat je het horloge van je oude moeder had gekregen."

Heb ik dat gezegd, dacht Waltin. Hij knikte alleen maar.

Wat moet ik nu doen, dacht Berg even later toen hij veilig achter zijn grote bureau zat.

Als Forselius gelijk had met zijn vermoedens, waren er ontegenzeggelijk grote openingen, dacht hij. Onder andere een reële kans om grip te krijgen op die jongere Forseliuskopie in Rosenbad. Hij was Waltin en diens mooie horloge allang vergeten. Hij was jaren geleden opgehouden zich eraan te ergeren en tegenwoordig, sinds Waltin de externe dienst had overgenomen, beschouwde hij het eerder als een voordeel.

Waltin had meteen rechercheur Jeanette Eriksson opgezocht en haar over drie zaken geïnformeerd. In de eerste plaats dat ze vanaf dit moment voor Waltin werkte en uitsluitend voor hem. In de tweede plaats dat nu alleen Krassner belangrijk was en in de derde plaats – een niet onbelangrijke praktische kwestie – dat het onderzoeksdossier betreffende Krassner zodanig geclassificeerd moest worden dat alleen hij en zij toegang hadden tot de inhoud ervan. Een goede basis voor nader contact van meer grensoverschrijdende aard, dacht Waltin en hij glimlachte naar haar.

"Denk je dat je wat veldwerk kunt verrichten?" vroeg Waltin.

"Ja", antwoordde ze met een knikje. "Dat is geen probleem. Ik heb nog nooit een man ontmoet die me voor een politieagent aanzag."

Ach zo, dacht Waltin, want zijn fantasieën waren nogal broos.

"Probeer zo veel mogelijk uit te zoeken, dan spreken we elkaar na het weekend." Hij glimlachte weer en knikte. Een beetje vaderlijk zoals je dat tegen jonge meisjes als zij moest doen. Vertrouwen kweken voordat je tot de essenties overging.

Rechercheur Jeanette Eriksson was geen zeventien maar zevenentwintig. Toen ze jonger was, was haar uiterlijk haar grootste probleem geweest. Tegenwoordig was het zowel een voordeel als een nadeel, en wat Waltin betrof, wist ze zeker hoe hij erover dacht. Het was niet de eerste keer dat ze die reactie had gezien bij mannen zoals hij. Maar in dit verband was het belangrijker dat ze ook een heel goede politieagent was, die toch echt een beter lot verdiende dan Waltin voor haar in petto had. Na het gesprek met Waltin was ze meteen naar haar nieuwe kamer gegaan. Nu ze was aangesteld voor een zogenaamd bijzonder project had ze een eigen zogenaamde projectkamer gekregen met eigen sleutel en eigen bevoegdheidscodes en alle formele uiterlijkheden, en daar had ze een lijst gemaakt van alle dingen die ze wilde weten over Jonathan Paul Krassner, roepnaam John, geboren in 1953 in Albany, New York, VS.

Eerst had ze een collega bij de marechaussee op Arlanda gebeld om te horen of ze iets bijzonders hadden opgemerkt toen Krassner bijna een week geleden het land was binnengekomen. Dat was niet het geval. Omdat hij uit de VS afkomstig was, hadden ze zijn antwoord op de verplichte vraag of hij Zweden als toerist, voor zijn werk of om andere redenen bezocht niet eens genoteerd. Jammer dat Krassner geen gewone neger is, dacht Eriksson onwillekeurig.

Vervolgens had ze met de collega gesproken die verantwoordelijk was voor hun informant bij de Zweedse televisie. Ze had hem, namens haar chef en om redenen waar ze niet dieper op in hoefde gaan, gevraagd om zo snel en zo gedetailleerd mogelijk achter alle bevindingen te komen die de informant had gedaan toen hij Krassner had ontmoet. Het kwam niet eens in haar op dat zelf te doen. Als ze Krassner puur fysiek moest benaderen, wilde ze geen reacties van zijn nieuwe omgeving riskeren waar ze misschien geen controle over had, en het was natuurlijk ondenkbaar dat ze haar identiteit en gezicht zou tonen aan een zo notoir onbetrouwbare informant als met wie ze nu te maken hadden.

Op zondagavond, na het hele weekend ijverig te hebben gewerkt, wist ze al een heleboel over de persoon die inmiddels een project met een geheim budget was. Daarom had ze Waltin ook gebeld om verslag uit te brengen. Waltin had tevreden geklonken. Hij wilde haar meteen de volgende ochtend spreken en om redenen waar hij niet op in kon gaan moest dat buiten het bureau gebeuren. Een bedrijf met adres op Norr Mälarstrand op slechts vijf minuten lopen van het bureau. Dat was toch wel spannend als ze dacht aan wat er in de wandelgangen werd gefluisterd over de zogenaamde externe dienst.

Papa's flinke meid, dacht rechercheur Eriksson toen ze had opgehangen, maar tegelijkertijd was de gedachte niet echt onaangenaam. Eerder een beetje prikkelend.

De flinke meid van oom Claes, dacht Waltin en dat was een zeer aantrekkelijke gedachte.

***

Berg had in het weekend nagedacht over wat Forselius hem had verteld. Zoals altijd wanneer het gecompliceerde veiligheidszaken betrof, had hij zich opgesloten op zijn werkkamer in de villa in Bromma en er pen en papier bij gepakt. Papier dat hij steeds zelf vernietigde als hij klaar was met denken. De geschiedenis van de Säpo kende in dit opzicht zeer leerzame voorbeelden. Mensen die onzorgvuldig waren geweest met hun papieren en andere bezittingen, en op die manier onnodige sporen hadden achtergelaten, waar de tegenstander gebruik van had kunnen maken.

Toen ze van het appartement in de stad naar Bromma waren verhuisd, had zijn vrouw hem geplaagd. "God, wat heerlijk", zei ze vaak, "dat we eindelijk een open haard hebben. Dan hoef ik niet langer aan te zien hoe je een vuurtje stookt in de gootsteen." Berg had het goed opgenomen want hij wist wel beter, en niets ten nadele van de moderne papierversnipperaars, hij had vanzelfsprekend het nieuwste en beste model in zijn huis staan, maar als je papier wilde vernietigen, was vuur het allerbeste. Eerst verbrandde je de papieren en daarna plette en verpulverde je de as grondig.

Het verhaal van Forselius bevatte drie niveaus. Op het eerste niveau lag de fundamentele vraag of zijn gedachten enige waarheid bevatten of dat hij zich alleen maar iets inbeeldde. Berg had juist dat punt uitvoerig met hem besproken. Forselius stond bekend om zijn vermogen tot kritisch nadenken, vooral als het hemzelf, de schepper van zijn eigen gedachten, zijn eigen intellectuele capaciteit en zijn eigen motieven betrof. "In de wereld waarin ik leef is geen ruimte voor leugens of wensgedachten", had hij tegen Berg gezegd toen ze elkaar voor het eerst ontmoetten.

Natuurlijk had Berg ook geprobeerd hem op dit punt onder druk te zetten. Hoe keek hij zelf aan tegen de verdenkingen die Krassner in zijn bewustzijn had gezaaid?

"Als het een weddenschap was, zou ik mijn geld erop zetten dat hij iets weet en dat wat hij weet waar is en dat het zelfs zo erg is dat hij kan bewijzen dat het waar is."

Toen was Forselius zachtjes gaan lachen, terwijl hij opnieuw zijn cognacglas bijvulde.

"Wat hij weet en hoeveel hij weet?" Forselius haalde met een veelbetekenend gebaar zijn schouders op. "Tja."

"Je hebt geen ideeën op dat punt?" vroeg Berg.

"Nee", zei Forselius. "Als hij geen familie was geweest van mijn oude kennis, had ik waarschijnlijk gedacht dat hij alleen maar interessant wilde doen. Of dat hij gewoon in het algemeen wat rondsnuffelde zoals journalisten wel vaker doen."

Forselius nam een flinke slok uit zijn grote glas.

"Zoals je vast wel ziet, heeft het met elkaar te maken", vervolgde Forselius, "Is het waar of is het niet waar? Als het niet waar is, laat het dan voor wat het is en ga iets anders doen. Als het waar is, helemaal of slechts gedeeltelijk, gaan we ermee door. Wat is waar en wat is niet waar? Als we daarachter komen, kunnen we ons naar het hoogste niveau begeven. Is dat wat waar is eigenlijk interessant, en in dat geval voor wie? Dat zijn hoe dan ook empirische vragen en voor het grove werk heb jij immers die sluwe figuur met dat horloge die door de week in van die mooie kleren rondloopt."

Hier was het gegrinnik overgegaan in een lichte hoestaanval.

"Net als wanneer je een code kraakt", zei Berg.

"Tja", zei Forselius. "Dat klopt misschien als algemene beschrijving, maar het is totaal oninteressant als je het echt moet doen. Jij bent een goede kerel, Berg, en je bent absoluut niet dom, maar in mijn wereld ..."

Forselius maakte een gebaar met zijn handen.

"Ik weet het, ik weet het", zei Berg met een afwerende glimlach. "Wiskunde is nooit mijn sterkste vak op school geweest."

Zo moet het dan maar, dacht Berg, en hoe moet ik Waltin zover krijgen dat hij zijn uiterste best doet zonder dat ik hem alle stukjes geef? Wat hemzelf betrof, wist hij precies wat hij zou doen. Hij zou met geen woord reppen over de verdenkingen die Forselius koesterde. Eerst zou hij ervoor zorgen dat hij meer te weten kwam en als dat eenmaal het geval was, kon hij bepalen wat hij in zijn wereld op het hoogste niveau moest doen. Wie waarover geïnformeerd moest worden.

In de verheven en mooie wereld waarin Forselius en zijn gelijken verbleven, waarin alles en zelfs de chaos geordend, beschreven en met behulp van symbolen en functies verklaard kon worden, was natuurlijk geen plaats voor menselijke, verstorende momenten van het soort dat Berg overkwam toen hij die maandagochtend op zijn werk verscheen.

"Welkom", zei zijn secretaresse met een glimlach. "Je bent uitgenodigd voor een heel chique lunch."

"Wanneer?" vroeg Berg.

"Vandaag", antwoordde zijn secretaresse. "De bijzondere deskundige van de minister-president belde zojuist en vroeg of je tijd had om vandaag met hem te lunchen. Hij wil dat je hem terugbelt."

"Hoe klonk hij?" vroeg Berg en op het moment dat hij dat zei, had hij al spijt van zijn woorden.

"Hij klonk bijzonder aardig", antwoordde zijn secretaresse verbaasd. "Hoezo? Is er iets gebeurd?"

Berg schudde zijn hoofd. Of ik tijd heb? Wat heb ik voor keuze? Geen, dacht hij.

Uiterlijk was hij net als anders geweest, met dezelfde halfgesloten oogleden, dezelfde irritante spottende glimlach en dezelfde achterovergebogen houding hoewel hij nu zat te eten. Maar zijn manier van doen verontrustte Berg diep. In strikt objectieve zin, als je bedacht wat hij eigenlijk zei en hoe hij het zei, was hij namelijk vriendelijk geweest tegen Berg. Gewoon een beleefde en onderhoudende gastheer tijdens een lunch. Bovendien op een plek waar maar weinig mensen mochten komen. Een van de kleinste eetzalen van de regering in Rosenbad.

Zowel zijn gedrag als zijn keuze van omgeving stoorde Berg meer dan wanneer hij geprobeerd zou hebben Berg een kopstoot te geven. Toch zal dat wel de bedoeling zijn van deze poppenkast, dacht hij. Kalm blijven, dacht hij. Kalm, kalm, kalm.

"Fijn dat je kon komen lunchen, Berg", zei de bijzondere deskundige en hij hief zijn glas met mineraalwater.

"Fijn dat ik hier mocht komen", zei Berg neutraal, terwijl hij zijn glas alcoholarm bier hief.

"Ik vond ons laatste overleg enorm positief. Ik kreeg het gevoel dat we eindelijk de kern beginnen te naderen van de kwesties die jij en ik moeten regelen."

Probeer je ironisch te doen, klootzak, dacht Berg, maar hij knikte slechts.

"Ik probeer niet ironisch te doen, dus begrijp me niet verkeerd", zei de bijzondere deskundige van de minister-president en hij maakte een licht afwerend gebaar met zijn linkerhand. "Ik bedoel dat jij en ik, allebei op onze eigen plaats, de gevangenen zijn van onze verschillende samenhangen."

Waar wil je nu weer heen, dacht Berg, maar hij knikte slechts.

"Vrij lang geleden, toen ik in dienst zat, op zo'n plek waarover je niet mag praten maar waarvan jij toch al op de hoogte bent, heb ik een essay geschreven over het spiegelgevecht."

"Dat klinkt interessant, ik luister", zei Berg.

"Mijn opstel ging natuurlijk uit van de speciale dienst die ik op dat moment diende. Mijn opdrachtgever had heel wat in zijn mars. Hij was een zeer begaafde en zeer koppige man op leeftijd en zelf was ik nog maar achttien."

Forselius, dacht Berg, dus nu weet ik dat en hij weet dat ik het weet en waarom wil hij dat ik weet dat hij het ook weet?

"In feite ging het over de dingen die we tegen elkaar zeggen, in woord, in geschift, met gebaren en blikken en op alle andere mogelijke manieren. Bijvoorbeeld door juist niets te zeggen of te doen. Of gewoon de reactie te vermijden die onze tegenstander verwacht."

Berg knikte alleen maar, hij had zijn mes en vork neergelegd.

"De ideale boodschap in de beste der werelden, bevolkt door alleen maar goede mensen ... Hoe ziet die eruit? Om te beginnen is die boodschap waar. Het is zelfs zo praktisch dat de afzender zich op dat punt niet heeft vergist. Wat hij of zij zegt, is gewoon waar. Bovendien is de boodschap belangrijk voor de afzender en voor de ontvanger, en in de beste der werelden zijn alle boodschappen natuurlijk goed. Ze zijn nuttig voor zowel de afzender en de ontvanger als de wereld om hen heen."

"De beste der werelden", zei Berg en hij knikte terwijl hij tegelijkertijd een merkwaardige rust voelde die hij al heel lang niet had ervaren.

"Vergelijk het eens met de wereld waarin jij en ik leven. Ik zag wat je dacht toen ik zei dat ik Forselius kende, hoewel je een gezicht hebt waar een goede pokerspeler zijn rechterhand voor zou geven."

De bijzondere deskundige van de minister-president glimlachte naar Berg en knikte en plotseling leek hij allerminst ironisch.

"Bedankt voor het compliment", zei Berg. "Zou je het hebben gemerkt als je niet met Forselius had gepraat?"

"Waarschijnlijk niet." De deskundige haalde zijn schouders op. "Ik heb een eenvoudige vraag. Zit er iets in de verdenkingen die Forselius koestert, en dan bedoel ik niet van die idiote vanzelfsprekendheden, zoals de samenwerking tussen onze sociaal-democratische regering en ons neutrale en verheven vaderland met de VS en de westerse mogendheden op het gebied van veiligheidspolitiek sinds we wisten hoe de oorlog zou aflopen."

"Ik hoor dat we tijd zitten te besparen", zei Berg met een zwakke glimlach.

"Precies, en ik ben degene die het zegt dus je kunt ontspannen en genieten. Jij weet het, ik weet het, alle andere mensen zoals jij en ik weten het. Er zijn zelfs hoofdredacteuren en hoogleraren in de politicologie en moderne geschiedenis die het weten. Hun dienstplicht en stationering in de oorlog zijn nooit een toeval geweest, ook de verspreiding van desinformatie niet. Zelfs die Guillou weet het, dus het maakt helemaal geen bal uit dat de media niet alle andere mensen hebben geïnformeerd. Hoog tijd trouwens dat ze dat wel deden, dan konden we onze vijand tenminste van een van zijn denkbare argumenten beroven."

"Het probleem zal wel onze neutraliteitspolitiek zijn", zei Berg die zich in tijden niet zo veilig en scherp had gevoeld.

"Dat spreekt vanzelf. In onze wereld bestaat niets wat alleen maar goed of slecht is. Wij zijn ook de gevangenen van onze compromissen en zolang we hier thuis niet zeker kunnen weten hoe het daarginds zal gaan, zijn wij de beste compromissluiters ter wereld."

"Dat is volgens mij een vrij goede samenvatting van de Zweedse naoorlogse politiek", stemde Berg in.

"En wij zijn geen van beiden de eersten die dat hebben verzonnen."

"Absoluut niet", zei Berg.

"Maar wij zijn wel degenen die in de klem kunnen komen te zitten, en van ons wordt verwacht dat we onszelf en de mensen die ons onze baan hebben gegeven uit de nesten halen, en als we dat niet kunnen, dan moeten wij, mensen zoals jij en ik, een beetje extra onder druk worden gezet."

"Zeg het maar als je overweegt een nieuwe baan te zoeken", zei Berg grinnikend.

"En, hoe zit het deze keer?" De bijzondere deskundige van de minister-president keek zijn lunchgast ernstig aan. "Hebben we te maken met zo'n verdomd trieste, historisch bepaalde en persoonlijke vanzelfsprekendheid die interessant genoeg is voor de massamedia en die ons in de problemen kan brengen?"

"Ik ben bezig dat uit te zoeken", zei Berg.

"Maar dat is uitstekend", zei zijn gastheer nadrukkelijk. "Dan doen we dat, laten we elkaar helpen. Helemaal zonder de hulp van spiegels."

***

Op maandagochtend om iets voor acht uur was rechercheur Jeanette Eriksson door de portiekdeur gestapt van het pand op Norr Mälarstrand waar ze Waltin zou ontmoeten: een functionalistisch gebouw met grote balkons en een prachtig uitzicht op het water en de heuvels op Söder aan de andere kant. Het bedrijf waar ze heen moest, lag op de tweede verdieping, maar aan het naambord in de entree te zien woonde er ook een Waltin op de bovenste verdieping van het gebouw. Als dat zijn privé-woning was, moest hij een fantastisch uitzicht hebben, dacht rechercheur Eriksson. Het kantoor was ook niet slecht, weliswaar klein, maar licht, modern, functioneel en discreet gemeubileerd. Zeker aanzienlijk duurder dan het eruitzag. Waltin was keurig gekleed, net geschoren en effectief; hij gaf haar een kopje vers gezette koffie. Spannende vent, dacht ze. Ik ben benieuwd hoe hij eigenlijk is.

"Oké, Jeanette", zei hij met een glimlach. "Vertel."

Wat de persoon Krassner betrof, viel er niet veel te vertellen. Nog niet, want ook in de VS was het weekend geweest en omdat ze niet de gebruikelijke kortere weg kon bewandelen, zou dat deel waarschijnlijk enige tijd kosten. Maar ze had hem wel gevonden.

"Hij woont in de studentenflat Nyponet aan de Körsbärsvägen, op de vijftiende verdieping in zo'n gang met acht kamers en een gemeenschappelijke keuken. Hij huurt de kamer via een internationaal studentenbemiddelingsbureau."

"Wie wonen er nog meer op die gang?" vroeg Waltin.

"Eén kamer staat leeg, want de persoon die daar woont is kennelijk naar zijn ouders vertrokken. Hij studeert rechten en komt uit Östergötland. Zijn moeder heeft een maand geleden een ernstig auto-ongeluk gehad. Wat de andere zes betreft, behalve Krassner dus, dat zijn gewone studenten van in de twintig. Allemaal mannen, al geloof ik niet dat ze aan gescheiden wonen doen. Ik kan het navragen, als je dat wilt."

Waltin schudde zijn hoofd en glimlachte zwak.

"Goed", vervolgde Eriksson. "Een van de jongens zit op de Technische Hogeschool, een op de Handelshogeschool, een studeert aan de Academie voor Lichamelijke Opvoeding, een studeert politicologie, een sociologie en een houdt zich bezig met informatica. Het zijn allemaal Zweden behalve de laatste, dat is zo'n uitwisselingsstudent uit Zuid-Afrika. Hij heeft een beurs voor dit semester, een gekleurde jongen. Hij is ouder dan de anderen, achtentwintig, geboren in Pretoria. Hij heeft de beurs van de Zweedse vakbond gekregen."

Typisch, dacht Waltin. De sociaal-democraten met hun negers en Arabieren en al die andere buitenlanders die ze hierheen halen.

"Heeft een van hen iets uitgehaald?" vroeg hij.

"Daar is noch bij ons, noch bij de open dienst iets van bekend. Ja, als we de dingen buiten beschouwing laten die alle jongens in hun tienerjaren doen. Die op de ALO schijnt nogal wild te zijn geweest toen hij op de middelbare school zat, maar verder, nee, gewone Zweedse studenten. Geen van allen komt uit Stockholm, het zijn allemaal provinciaaltjes."

Waltin knikte. Een onzinnig project waartoe Berg zich door een oude dwaas heeft laten verleiden, dacht hij. De vraag was alleen hoe hij moest bereiken wat hij wilde, zonder te veel tijd aan onnodig werk te verspillen.

"Heb je ideeën hoe we het verder zullen aanpakken?" vroeg hij.

"Ik wilde proberen uit te zoeken wie hij is", zei Eriksson. "Zoals ik al zei zal dat enige tijd kosten, maar er zijn een paar mogelijkheden die ik wil nagaan."

"Ik heb ook een idee." Waltin glimlachte en knikte.

"Vertel", zei Eriksson terwijl ze hem nieuwsgierig aankeek.

Waltin glimlachte geheimzinnig en schudde zijn hoofd.

"Laat zijn biografie maar aan mij over, dan beloof ik je dat je aan het eind van de week een volledige persoonsbeschrijving van hem krijgt."

"Kun je dat?" Ze glimlachte vragend. Hij lijkt echt enorm slim, dacht Eriksson.

"Dat kan ik", zei Waltin nadrukkelijk en hij stak zijn rechterduim naar voren.

Half zo groot als de mijne, dacht hij toen zij haar kleine duim naar voren stak en hij voelde de bekende opwinding toen hij haar voor zich zag, in een hoek van zijn grote bank met haar kleine duim in haar kleine mond, terwijl de tranen over haar ronde, kleine wangen stroomden.

Zodra ze was vertrokken, ging Waltin naar het toilet op zijn kantoor waar hij zichzelf bevredigde. Hij had haar met een vaste greep om haar smalle hals over de wastafel gebogen terwijl hij haar van achteren nam, hard en resoluut, zodat die kant van de zaak meteen vanaf het eerste begin duidelijk zou zijn. Daarna had hij grondig zijn handen gewassen en een telefoontje gepleegd met een van zijn vele zakenrelaties die een dochteronderneming in de VS had.

Rechercheur Eriksson was meteen naar haar eenkamerflat in Solna gegaan en had andere kleren aangetrokken zodat ze eruitzag als een student aan de universiteit. Omdat ze al ruim een jaar in deeltijd criminologie studeerde, was dat snel gebeurd. Daarna nam ze de metro naar de stad en na een korte wandeling stapte ze de ingang van de studentenflat Nyponet aan de Körsbärsvägen in. Ze wist precies wat ze zou doen en hoe ze het zou doen. Ze had de camera en de overige spullen onder de boeken in haar schoudertas gestopt.

Waltin wist ook wat hij zou doen. Hij had zijn zakenrelatie van de Amerikaanse dochteronderneming gevraagd een jonge Amerikaan na te trekken die hem een zakenidee probeerde te verkopen, maar voordat Waltin met hem in zee ging, wilde hij natuurlijk weten of de jonge Amerikaan te vertrouwen was: "Goede ideeën, maar je wilt natuurlijk wel weten wat voor vlees je in de kuip hebt." Het lag ook een beetje gevoelig, dat sprak vanzelf en zoals altijd was er haast bij. Het speelde daarentegen geen rol hoeveel het zou kosten, als het maar goed werd gedaan.

"Je hebt je tot de juiste man gewend, Claes", zei zijn kennis met warme stem. "Wij hebben contacten met een fenomenaal detectivebureau in New York. Ik zal er onmiddellijk werk van maken."

Ben benieuwd hoeveel hij deze keer wil hebben, dacht Waltin. Hij bedankte hartelijk voor de hulp en beëindigde het gesprek.

Criminologiestudente Jeanette Eriksson had diverse keren aangebeld bij de deur van de afdeling waar Krassner woonde voordat een van de deuren op de gang openging. Een man van een jaar of dertig, gekleed in een spijkerbroek, T-shirt en sokken kwam naar buiten. Hij was ongekamd en leek duidelijk geïrriteerd toen hij opendeed.

Dat is hem, dacht ze en ze glimlachte haar meisjesachtige glimlach naar hem.

"Neem me niet kwalijk", zei ze, "maar ik zoek een vriend die hier woont." De man was van gemiddelde lengte, had een tenger figuur, donker haar, blauwe ogen, een mager gezicht met een geprononceerde kaaklijn en een kuiltje in zijn kin. Hij ziet er goed uit, dacht ze routinematig.

Krassner, want die moest het zijn, zuchtte en keek boos.

"*Sorry, I don't speak Swedish*", zei hij en hij maakte geen aanstalten om haar binnen te laten.

Op dat moment verscheen Daniel.

"*Maybe I can help you*", zei hij en hij glimlachte breed, waarbij zijn witte tanden zichtbaar werden.

Alle mannen zijn hetzelfde, dacht Jeanette Eriksson een halfuur later toen zij en haar nieuwe kennis Daniel M'Boye met een kop smerige koffie tegenover elkaar zaten in de cafetaria van de studentenflat. Daniel was heel behulpzaam geweest, de vriend die ze zocht had helaas zijn studie moeten afbreken omdat zijn moeder een verkeersongeluk had gehad.

"Is hij een goede vriend van je?" vroeg hij en het medelijden in zijn ogen leek oprecht.

Ze had met glans gereageerd: een oude vriend van de middelbare school. Ze kenden elkaar eigenlijk niet zo goed. Ze had gehoord dat hij rechten studeerde en had hem willen vragen of ze een paar boeken van hem kon lenen. Maar het was geen probleem, verzekerde ze Daniel. Ze kon het aan andere mensen vragen.

"Heb je zin in een kop koffie?" Hij keek haar aan, vriendelijk en wellevend.

Ze had precies aarzelend genoeg gekeken.

"Ik was zelf net van plan koffie in de cafetaria te gaan drinken." Zijn glimlach was nu breder en bijna een beetje aandoenlijk.

"Goed", zei Jeanette, ze knikte met een glimlach. Dit is eigenlijk veel te makkelijk, dacht ze.

Eerst had Daniel over zichzelf verteld en daarna had hij gevraagd wat zij deed, en ze had helemaal correct geantwoord. Ze studeerde criminologie, dat ging zo zo, tweede jaar aan de universiteit, wist niet goed wat ze wilde worden, woonde in een eenkamerflat in Solna, ook zo zo, vooral studeren en slapen, allemaal niet zo leuk, maar het leven ging door.

"Maar die vriend van jou die me niet binnen wilde laten leek ook niet echt gelukkig", zei Jeanette giechelend. "Chagrijnig type."

"Ik ken hem amper", zei Daniel met een glimlach. "Hij woont er nog maar een week. Hij is Amerikaan. Nogal een geheimzinnig type."

"Ik vond hem er ook vrij oud uitzien", zei Jeanette met de juiste glimlach. "Wat studeert hij?"

"Hij beweert dat hij bezig is een boek te schrijven. Iets politieks, politicologie, over Zweden en Zweedse politiek. Niet echt iets voor mij", zei M'Boye en hij glimlachte terwijl hij zich dichter naar haar toe boog.

Tijd om op te stappen, dacht Jeanette en ze glimlachte verlegen terug. Vanzelfsprekend had hij haar telefoonnummer gekregen, na de even vanzelfsprekende smoesjes. Het nieuwe geheime nummer dat ze al op vrijdagmiddag had geregeld en hopelijk binnenkort weer kon opzeggen.

***

Het wekelijkse overleg met zijn opdrachtgevers was voor de verandering helemaal probleemloos verlopen. Berg had verslag gedaan van een aantal verschillende problemen: de Joegoslaven, de Koerden, het geïntensifieerde onderzoek naar antidemocratische elementen binnen de politie en de krijgsmacht.

"Het gaat langzaam", zei Berg, "maar vooruit."

De bijzondere deskundige had geknikt, een heel licht maar toch instemmend knikje.

Na het overleg had hij Berg apart genomen.

"Hoe gaat het?" vroeg hij.

"Ik hoop dat ik vrijdag iets voor je heb", zei Berg. "We durven er geen buitenstaanders bij te betrekken, daarom kost het nogal veel tijd om uit te zoeken wie hij is."

"Verstandig", zei de bijzondere deskundige en tot Bergs verbazing had hij hem op zijn schouder geklopt.

Hij lijkt bezorgd, dacht Berg. Maar waarom? Wat weet hij dat ik niet weet?

"Hoe gaat het?" vroeg Berg aan Waltin die aan de andere kant van zijn bureau zat en lichtjes aan de al perfecte vouwen van zijn broek trok.

"Het gaat langzaam, maar vooruit", antwoordde Waltin. "Wil je zien hoe hij eruitziet?"

Waltin gaf hem een plastic hoesje met foto's.

Met een telelens genomen foto's van Krassner toen hij de studentenflat waar hij woonde in- en uitging: stevige schoenen, spijkerbroek, dik gewatteerd jack, soms blootshoofds, soms met een gebreide muts op, close-ups van zijn gezicht, mager, verbeten. Een persoon met een idee, dacht Berg. Wat hij zag stond hem niet aan.

"Weet je iets over zijn gewoonten?"

"Hij schijnt voornamelijk op zijn kamer te zitten typen", zei Waltin. "Hij is in de openbare bibliotheek, de universiteitsbibliotheek en de Koninklijke Bibliotheek geweest. Gisteravond heeft hij in de persclub een paar pilsjes gedronken. Liep daarna het hele stuk naar huis. Het licht op zijn kamer ging pas rond tweeën uit." Kleine Jeanette moet er heel wat voor doen, dacht hij tevreden.

"Heb je genoeg mensen?"

"Ja", antwoordde Waltin. Waar gaat dit eigenlijk over, dacht hij.

"Hebben we iemand bij hem in de buurt?"

"Ja", antwoordde Waltin.

"Een van onze eigen mensen?"

"Ja", antwoordde Waltin.

"Hoe is hij?"

"Eenzaam, nogal geheimzinnig, lijkt een beetje opgefokt. Groet de medebewoners op zijn gang, maar gaat met niemand om. Plakt haren aan zijn deur als hij weggaat. Je weet wel, zo'n type."

Berg wist het precies.

"En hij zit dus voornamelijk op zijn kamer te schrijven?"

"Ja", zei Waltin. "Hij schijnt voornamelijk als een mus op zijn kleine typemachine te pikken."

"Waar leeft hij van?" vroeg Berg. Wat hij hoorde stond hem helemaal niet aan. "Vogelzaad?"

"Hamburgers van McDonald's en af en toe een pizza."

Dit klinkt niet goed, dacht Berg. Dit klinkt helemaal niet goed.

Op donderdagavond belde Waltins contactpersoon. Hij had wat materiaal over Krassner en vroeg of hij dat kon faxen. Er zou nog meer komen, maar dat kreeg hij pas de volgende week.

"Het lijkt een vreemde vogel te zijn", zei Waltins contactpersoon. "Mag ik zo brutaal zijn om te vragen wat voor zakenidee hij je wil verkopen?"

"Natuurlijk", zei Waltin. "Het zijn geen grote geheimen. Het betreft de media. Hij had een paar interessante ideeën over de ontwikkeling van bepaalde mediaproducten."

"Ja, ja", zei de contactpersoon. "Ik zou heel voorzichtig zijn als ik in jouw schoenen stond."

Jonathan Paul Krassner, roepnaam John, was geboren op 15 juli 1953 in Albany in de staat New York, enig kind uit het huwelijk van Paul Jürgen Krassner, geboren in 1910, en Mary Melanie Buchanan, geboren in 1920. De ouders waren het jaar voor zijn geboorte getrouwd en een jaar na zijn geboorte gescheiden.

De vader zou verkoper zijn geweest. Na de scheiding was hij naar Fresno in Californië verhuisd. Zijn verdere lotgevallen waren onbekend en men had geen bewijzen kunnen vinden voor enig contact tussen vader en zoon. John was bij zijn moeder opgegroeid die als verpleegster in een katholiek verpleeghuis bij Albany had gewerkt. De moeder was in 1975 aan kanker overleden.

Na de Amerikaanse lagere en middelbare school, met cijfers die ruim boven het gemiddelde lagen, had Krassner aan de universiteit in Albany politicologie, sociologie en journalistiek gestudeerd en een academisch basisexamen afgelegd dat overeenkwam met het Zweedse kandidaatsexamen. Daarna had hij stage gelopen bij een plaatselijke krant, was verdergegaan bij een plaatselijk televisiestation om na ruim een jaar terug te keren bij de krant waar hij zijn carrière was begonnen, maar nu als onderzoeksjournalist met een eigen naamregel. Een paar jaar later was hij zelf in de krant terechtgekomen vanwege een grootse reportageserie, 'Van bootvluchtelingen tot georganiseerde misdadigers', 'From Refugee to Racketeer'. Klinkt toch beter in het Engels, dacht Waltin.

Volgens de onderzoeksjournalist van de krant, John P. Krassner, zou een Vietnamees gezin dat in Albany en omstreken financieel succes en maatschappelijk aanzien genoot achter een façade van restaurants, buurtwinkels en wasserettes een plaatselijk misdaadsyndicaat hebben opgezet. De plaatselijke opwinding was enige tijd omvangrijk geweest. Politie en Openbaar Ministerie waren geïnteresseerd geraakt, maar ze hadden al vrij snel hun hoofd geschud en het onderzoek stilgelegd. Het Vietnamese gezin daarentegen had de kwestie niet even licht opgenomen. Ze hadden tegen de krant en zijn eigenaren een miljoenenproces aangespannen wegens grove laster, tegen alle betrokkenen aangifte gedaan wegens onwettige discriminatie en waren via hun plaatselijke politicus en een nationale organisatie voor Vietnamese bootvluchtelingen actie gaan voeren in het Congres van de staat. De krant had in het stof gebeten, zich publiekelijk verontschuldigd en na overleg een aanzienlijke schadevergoeding betaald. Krassner was met onmiddellijke ingang ontslagen.

Wat hij daarna had gedaan was minder duidelijk. Eerst had hij het huis verkocht dat hij van zijn moeder had geërfd en waar hij na haar dood had gewoond. Daarna was hij naar zijn oom aan moederszijde verhuisd, het enige familielid dat er nog was. Hij had zich ingeschreven voor avondcursussen aan de universiteit en na verloop van tijd zijn basisexamen aangevuld met een mastersopleiding in onderzoeksjournalistiek. Hij had in zijn levensonderhoud voorzien door als freelancer voor verschillende media te werken, op cursussen in de journalistiek als gastspreker op te treden en korte tijd was hij copywriter geweest bij een reclamebureau in Poughkeepsie, ruim honderd kilometer ten noorden van New York en ongeveer even ver ten zuiden van Albany.

Waltin bladerde door de gefaxte papieren; de voorbeeldig systematische samenvatting van het in de arm genomen detectivebureau, bijgevoegde kopieën van de trouwakte en het echtscheidingsvonnis van de ouders, Krassners geboortebewijs, zijn schoolrapporten en klassenfoto van de middelbare school, kopieën van zijn rijbewijs en academische examens, de overlijdensakte van zijn moeder en een flinke stapel met kopieën van de smadelijke krantenartikelen. Helemaal onderaan vond Waltin ook een necrologie van Krassners oom en een kopie van diens testament, en nu begon het pas echt interessant te worden.

De oom, John Christopher Buchanan, roepnaam John, was in 1908 geboren in Newark, New Jersey, en was 'op dinsdagmiddag 16 april rustig ingeslapen in zijn huis in Albany', bijna precies een halfjaar voordat Waltin deelgenoot werd van diens leven en werk. Nadat Buchanan zijn eindexamen van de middelbare school had gehaald, had hij zich ingeschreven aan de universiteit van Columbia en na verloop van tijd was hij in 1938 gepromoveerd in de politicologie. Toen Pearl Harbour werd aangevallen werkte hij als docent politicologie aan de Northwestern University in Chigaco, maar als 'de ware patriot die hij was' had hij de academische wereld onmiddellijk verlaten en een opleiding tot reserveofficier gevolgd.

Na een staffunctie van niet nader genoemde aard in Washington DC was hij aan het eind van de Tweede Wereldoorlog met de rang van kapitein overgeplaatst naar Europa. Drie jaar later, in het voorjaar van 1947, was luitenant-kolonel Buchanan benoemd tot plaatsvervangend militair attaché bij de Amerikaanse ambassade in Stockholm, waar hij ruim vier jaar was gebleven. Daarna werd het weer wat onduidelijker, maar in 1958 had hij in elk geval het leger verlaten als kolonel en was hij als hoogleraar in contemporaine Europese geschiedenis aan de New York State University in Albany teruggekeerd naar het academische leven. In hetzelfde jaar dat zijn twaalf jaar jongere zus aan kanker overleed, 1975, en waarschijnlijk had dat niets met elkaar te maken, was hij met pensioen gegaan 'om met het recht van zijn leeftijd en na een roemvol leven in dienst van de natie te genieten van zijn welverdiende otium'.

Ik vraag me af of hij dronk, dacht Waltin. Anders zou je toch verwachten dat hij wat meer had gedaan?

Het meest interessant was zijn testament. Na de inleidende en verplichte opsomming van zijn nagelaten bezittingen, het huis waarin hij woonde, diverse liquide middelen op bankrekeningen en in pensioenfondsen, zijn bibliotheek, een verzameling 'Europese militaire attributen van na de Tweede Wereldoorlog', meubels, kunst en andere roerende goederen, had John C. Buchanan in zijn testament bepaald dat 'mijn hele verzamelde nalatenschap, zowel de materiële als de intellectuele, bestemd is voor mijn naaste verwant, mijn dierbare vriend en trouwe wapenknecht John P. Krassner'.

De materiële middelen konden makkelijk worden berekend. Volgens het verslag van de rechtbank bedroegen die, na aftrek van de begrafeniskosten, successierechten en leges, 129.850 dollar en 50 cent en volgens de berekeningen van het detectivebureau waren ze waarschijnlijk twee keer zo hoog, afhankelijk van de gebruikelijke belastingtechnische trucjes die werden toegepast wanneer iemand die niet straatarm was het tijdelijke met het eeuwige verwisselde. Er werd echter niet vermeld waar de intellectuele nalatenschap uit bestond.

"Maar dat is fantastisch", zei rechercheur Eriksson en ze glimlachte zowel met haar mond als met haar ogen naar haar goedgeklede chef. "Hoe heb je dat voor elkaar gekregen?" Hij moet vreselijk slim zijn, dacht ze.

Waltin glimlachte bescheiden en maakte een licht afwerende beweging met zijn schouders.

"Daar hebben we het een andere keer over", zei hij. "Ik wil dat je kopieën van dit alles en van je eigen bevindingen naar Berg brengt."

Geweldig, dacht Eriksson. Het kan echt geen kwaad op deze plek te zitten.

Berg leek niet even enthousiast.

"'Mijn hele verzamelde nalatenschap, zowel de materiële als de intellectuele' ... de intellectuele? Wat bedoelt hij daarmee?"

"Zijn nagelaten papieren, zijn aantekeningen, zijn dagboeken, oude fotoalbums uit zijn actieve tijd. Weet ik veel." Waltin spreidde zijn handen. Niet iedereen is zoals jij, Erik, dacht hij.

Berg schudde zijn hoofd en wreef met zijn hand over zijn kin.

"Dat klinkt niet erg waarschijnlijk. Het is toch een standaardmaatregel van de verantwoordelijke superieur om voor dat soort spullen te zorgen als iemand de dienst verlaat. Anders overtreed je de basisregels van deze werkzaamheden."

Natuurlijk, en de ooievaar is de vader van alle kinderen, dacht Waltin, maar hij knikte alleen.

"Goed", zei Berg. "We moeten erachter zien te komen wat deze vogel eigenlijk uitvreet."

"Intellectuele nalatenschap", zei de bijzondere deskundige en hij keek Berg met zijn gebruikelijke scheve glimlach aan. "Wat bedoelt hij daarmee?"

"Daar moeten we achter zien te komen", zei Berg. "Ik kan me niet voorstellen dat hij hier is gekomen om materiaal te verzamelen over de tijd dat zijn oom bij de ambassade in Stockholm werkte."

"Ik heb Krassners zogenaamde onderzoeksreportage gelezen", zei de bijzondere deskundige. "Het inhoudelijke en intellectuele gehalte, om maar niet te spreken van het taalgebruik, bezorgt me een meer dan licht gevoel van weerzin. Vooral omdat Buchanan zijn oom was."

"We zullen erachter komen waar hij mee bezig is", zei Berg nadrukkelijk.

"Ik zou je zeer erkentelijk zijn als je dat zou kunnen doen", zei de bijzondere deskundige en hij knikte, maar zonder de geringste zweem van een glimlach.

***

Waltin vertrouwde Forselius niet. Een seniele oude man die zeker elke mogelijkheid aangreep om op zijn eigen voorwaarden en voor een goedkope prijs een beetje gezelschap te vinden in een verder zinloos bestaan. Bovendien kon hij er met zijn verstand niet bij wat er nu zo belangrijk was. Met alle respect voor de politieke geschiedenis van Zweden, want daar had Berg elke keer dat hij ernaar vroeg op gewezen, maar zelfs de media lieten dat soort zaken al na een paar weken los en wat hemzelf betrof, liet de hele kwestie hem koud. Waltin gaf er de voorkeur aan in het heden te leven, maar zijn baas had hem geen keus gegeven.

Ondanks zijn twijfels had Waltin meer mensen op de zaak moeten zetten. Hij had dit allemaal beschouwd als een eenvoudige en praktische manier om dichter in de buurt te komen van kleine Jeanette, die eigenlijk nog maar zeventien was. Het ging in feite alleen om hem en haar, en in zijn plannen was beslist geen plaats voor een massa collega's die vol testosteron zaten. Het was al erg genoeg dat ze had besloten contact te zoeken met die neger die op dezelfde gang woonde als Krassner. Negers hadden enorme lullen, dat wist Waltin, want dat had hij gelezen in een proefschrift dat de lengte en de breedte van de lullen van hele jaargangen dienstplichtigen uit verschillende landen beschreef. Het was een internationaal onderzoek dat door de VN was uitgevoerd en de cijfers die de Afrikaanse lidstaten hadden geleverd, waren ronduit beangstigend. Bovendien had hij het met eigen ogen gezien toen zijn Duitse collega's van Staatsveiligheid hem een paar jaar geleden na een congres hadden meegenomen naar een particuliere seksclub buiten Wiesbaden.

Het was niet zo eenvoudig geweest om een functionerende en voltallige recherchegroep bijeen te schrapen en hij had zelfs een paar mensen van zijn eigen dienst moeten inzetten. Hij had geprobeerd er het beste van te maken en hij had kleine Jeanette op het hart gedrukt dat zij, in haar nieuwe rol als verbindingsman en coördinator, uitsluitend met hem persoonlijk contact mocht hebben, maar alleen al het feit dat ze andere collega's om zich heen had, jonge, goedgetrainde mannelijke politieagenten die als puntje bij paaltje kwam maar één ding in hun kortgeknipte kop hadden, was genoeg om hem te ergeren. Een van hen heette Martinsson, maar hij werd door iedereen Piel genoemd, een buitengewoon merkwaardige koosnaam voor een politieman. Hij was net dertig, speelde gitaar, schreef zelf liedjes en had een nonchalant kapsel. Hij had zijn koosnaam al gekregen toen hij op de politieschool zat en met name toen hij verschillende toekomstige vrouwelijke politieagenten seksueel had benaderd. Waltin had hem zelf ruim een jaar geleden bij de narcoticarecherche in Solna weggehaald, maar het was niet iemand die hij in nader contact wilde brengen met een jong onschuldig meisje als Jeanette die nog maar zeventien jaar was.

Hoe dan ook. Op 31 oktober had Martinssons directe chef 's morgens vroeg naar Waltin gebeld. Zag de hoofdcommissaris kans om hem en de jonge Martinsson te spreken? Ze hadden misschien een opening naar Krassner gevonden.

"Vertel", zei Waltin en hij knikte naar Martinsson die aan de andere kant van Waltins enorme bureau zat en zichzelf bewonderde in de spiegel aan de muur achter Waltins rug. "Göransson", Waltin knikte naar Martinssons twintig jaar oudere en enigszins kale chef, "heeft verteld dat je een opening voor ons hebt gevonden."

Martinsson knikte. Bladerde in zijn zwarte notitieboekje, de mouwen van zijn overhemd opgerold zodat de omgeving van het spierenspel op zijn onderarmen kon genieten.

"Ik denk het, baas", zei Martinsson. "Mijn collega en ik namen hem gisteravond over."

"Ja", zei Waltin en hij kneep in zijn broek met de keurige vouwen.

"Zoals gewoonlijk ging hij weer naar de persclub. Ik volgde hem naar binnen. Hij praatte met een paar van onze eigen sterren en onder andere met die Wendell van *Expressen* en die had een paar jonge vrouwelijke collega's bij zich, een van hen had enorm mooie tieten. Er hingen veel vrouwen om hem heen, om Wendell dus."

"Ja", zei Waltin met een zucht. Kom nu maar ter zake als je niet terug wilt naar de surveillancewagens, dacht hij.

"Hij vertrok iets voor enen en voor de verandering was hij lichtelijk aangeschoten, hij had vijf halve liters bier gedronken in plaats van de gebruikelijke twee. Het is een kleine vent", constateerde Martinsson op een toon die een natuurlijk gevolg was van het feit dat hij zelf twee keer zo groot en vier keer zo sterk was.

Wat dat er ook maar mee te maken mag hebben, dacht Waltin die zelf maar iets langer dan gemiddeld was.

"Ik volgde hem dus te voet", zei Martinsson.

En ik maar denken dat je het met een helikopter deed, dacht Waltin vermoeid.

"Ja?" zei Waltin vragend.

"Hij liep rechtstreeks naar Sergels Torg en de eerste die hij tegen het lijf liep was Svulle Svelander."

"Svulle?" zei Waltin vragend.

"Jan Svulle Svelander, bekend dealer, bekende junk, hij draait al jaren mee. Tatoeages over zijn hele lichaam dus hij ziet eruit als een Brussels tapijt. Zijn uittreksel uit het misdaadregister van de politie is zo lang dat je het twee keer om een worstkraam kunt winden."

"En wat deden ze?" vroeg Waltin hoewel hij het antwoord al wist.

"Hij kocht stuff", zei Martinsson. "Krassner kocht stuff van Svulle. Heel veel stuff."

VII

Tussen het verlangen van de zomer en de kou van de winter

Albany, New York State, zondag 8 december

Het was anders dan bij de Ångermanrivier, want daar was het vlakker en breder en het water stroomde er meestal grauw en traag tussen de groene beboste heuvels die steeds blauwer werden en in de verte samen met de hemel verdwenen. De hemel die 's zomers altijd blauw was als Lars Martin met zijn ouders en alle broers en zussen met de auto en de caravan naar Kramfors reed om voorraden in te slaan, tante Jenny te bezoeken, het stadsleven te ervaren, haring en gehaktballetjes te eten en te zien hoe vader in de kristallen glazen van tante Jenny zijn borrels dronk.

"Alles goed met jullie, kinderen?" placht zijn vader met een knipoog te zeggen, vlak voordat hij zijn borrel nam. Daarna woelde hij door Lars Martins haar omdat Lars Martin de jongste was van de kinderen en hij hem nog door het haar kon woelen. Lars Martins kleinere zusje was weliswaar nog jonger, maar zij was zo klein dat ze meestal in haar mand lag te krijsen als ze niet bij haar moeder aan de borst lag, en vader woelde nooit door haar haar.

Een keer toen Lars Martin op het erf kwam, had hij gezien hoe zijn vader de hele mand en de kinderwagen waar de mand in zat optilde en daarna had hij met het kleine zusje en de mand en de kinderwagen rondgelopen en iets gezegd wat Lars Martin niet kon horen. Hij had alles gewoon vastgehouden en zijn hoofd in de mand gestopt en iets gemompeld. Toen was Lars Martin verdrietig geworden en had hij besloten om hen allemaal te verlaten, en hij was in zuidelijke richting de rijweg naar Näsåker afgelopen. Toen hij urenlang had gelopen en er eigenlijk geen weg terug was, was zijn grote broer plotseling opgedoken en had hem bij zijn arm gepakt en gevraagd waar hij in godsnaam mee bezig was. Daarna had hij de hele weg naar huis op de schouders van zijn grote broer mogen zitten en het was helemaal niet zo ver als hij had gedacht. En hij was ook vrij snel opgehouden met huilen.

Maar dit was iets anders, dacht Lars Martin Johansson op zijn comfortabele zitplaats bij het raam in de eersteklascoupé. Want dit was geen rivier in Ångermanland, maar een Amerikaanse rivier en soms was die diep en soms was die ondiep, soms was die smal en soms was die breed en welbeschouwd was die precies als de rivieren die hij tijdens de matinees in de bioscoop in het dorpshuis thuis in Näsåker had gezien toen hij nog een kind was. Waar je op de achtergrond trommels hoorde, de indianen vuur maakten en elkaar rooksignalen stuurden en de cavalerie eraan kwam galopperen als de film ten einde liep, terwijl de trompetten schetterden en hij en alle andere kinderen uit heel Näsåker en omgeving op hun bioscoopkaartjes zaten te fluiten.

Hij had geen indianen gezien, maar na een uurtje reizen had hij de sterrenbanier op een hooggelegen landtong aan de overkant van de rivier zien wapperen. West Point, dacht Johansson en hij voelde de tocht van de rechtervleugel toen de adelaar van de geschiedenis vlak langs hem heen raasde. Ruim twee uur later was hij op de plaats van bestemming aangekomen. Er viel zeer fijne sneeuw, het vroor bijna tien graden en er stond maar één taxi op de parkeerplaats voor het station.

"*Twohunderdandtwentytwo Aiken Avenue*", zei Johansson en hij leunde achterover op de achterbank terwijl hij erover nadacht wat hij moest zeggen. Als ze tenminste thuis is, dacht hij duister, want plotseling had hij er spijt van dat hij hierheen was gekomen en zelfs dat hij naar de VS was gegaan, wat op zich al veel eerder was besloten en helemaal niets te maken had met deze privé-expeditie.

Ik kan de taxi maar beter laten wachten tot ik weet of ze thuis is, dacht Johansson toen ze waren gestopt voor een groot wit huis met veranda, dakkapellen, minstens twee erkers en een verlichte kerstboom op de oprit.

"Wilt u even wachten?" zei Johansson tegen de taxichauffeur die knikte, zijn schouders ophaalde en iets mompelde wat Johansson niet verstond.

Groot huis, dacht Johansson. Je zou denken dat ze een gezin had, hoewel ze alleen in de telefoongids stond, en als er een man in huis was, was sneeuwruimen kennelijk niet zijn grootste passie. Johansson feliciteerde zichzelf nogmaals met de aanschaf van zijn nieuwe Amerikaanse schoenen, en nu stond hij op haar veranda en binnen brandde licht; hij hoorde zelfs muziek en eigenlijk was er geen weg terug. Johansson zuchtte, haalde diep adem en belde aan.

Ze was klein en had een enorme bos kroezig rood haar. Best leuk, dacht Johansson toen ze beleefd afwachtend naar hem knikte, terwijl ze tegelijkertijd vanuit haar ooghoeken zijn taxi voor de oprit zag staan.

"Ik ben op zoek naar Sarah Weissman", zei Johansson beleefd.

"Ja", zei ze. "Dat ben ik."

"Ik ben Lars M. Johansson", zei Johansson.

"Eindelijk", zei ze en ze glimlachte breed waardoor haar witte tanden zichtbaar werden. "Een fatsoenlijke Zweedse smeris. Je moest eens weten hoezeer ik op je heb gewacht."

VIII

Vrij vallen als in een droom

Stockholm in november

Waltins hele jeugd had om ziekte, lijden en de dood gedraaid en zijn moeder was degene die hem al vroeg op dat pad had gebracht. Zolang hij zich kon herinneren – zijn eerste herinneringen gingen terug tot zijn derde jaar – was ze voortdurend stervende geweest aan alles wat tussen de A en de Z kon worden gevonden in het *Artsenboek voor Thuis* en waarvoor maar heel zelden genezing of verlichting te vinden was in haar eigen stukgelezen exemplaar van *Fass*, waarin alle geneesmiddelen stonden vermeld. Hun gemeenschappelijke bestaan kende een dagelijkse dramatiek waarin ze heen en weer werden geslingerd tussen haar acute galsteenaanvallen, blokkeringen van het darmkanaal, migraine- en astma-aanvallen. Er was ook een langgerektere vorm van lijden in de gedaante van een kanker die haar vanbinnenuit opat, terwijl psoriasis, allerlei allergieën en gewoon eczeem aan haar buitenkant knabbelden. Er was een moederhart dat als een flakkerende vlam haar uitgemergelde bloedlichaampjes door hopeloos geatrofieerde en verkalkte vaten perste, terwijl haar longen, lever en nieren het onafgebroken lieten afweten. Ze bracht de meeste tijd in verschillende ziekenhuizen, rusthuizen en artsenpraktijken door, terwijl de kleine Claes en zijn opvoeding werden overgelaten aan een licht achterlijke huishoudster die zijn moeder van haar vader had geërfd. Hij was, en dat kwam goed uit, een vermogend man geweest die de goede smaak had gehad al vroeg te overlijden.

Aan zijn eigen vader had Waltin maar weinig herinneringen omdat zijn vader over het algemeen afwezig was geweest tot hij, toen de kleine Claes een jaar of vijf was, voorgoed naar Skåne was verdwenen om met zijn minnares te hertrouwen. Toen had zijn moeder eindelijk de gelegenheid gekregen om haar ziektebeeld met een meer psychiatrisch georiënteerd deel aan te vullen.

Waltin had zijn moeder al op jonge leeftijd beloofd dat hij later arts zou worden. Als hij en zijn vriendjes hommels en sprinkhanen vingen in lucifersdoosjes, speelden zijn vriendjes altijd radiootje, maar zelf had hij een rood kruis op zijn doosje getekend en deed hij alsof het een ambulance was. De patiënten waren er vaak slecht aan toe en werden direct naar de Claes Waltin-kliniek gebracht, waar de professor en chef de clinique hen zelf opereerde met chirurgische apparatuur die hij uit de naaidoos van zijn moeder had geleend, maar ondanks al zijn inspanningen was alles in de regel vergeefs en de sterfelijkheid totaal. Alleen moedertje overleefde, jaar in jaar uit, geheel tegen de astronomische kansen op haar aanhoudende en onmiddellijke overlijden in.

Toen zijn moeder uiteindelijk het tijdelijke met het eeuwige verwisselde, gebeurde dit op de meest onverwachte en banale manier. Volgegoten met port en onder invloed van medicijnen was ze onderweg naar haar dagelijkse doktersbezoek bij metrostation Östermalm van het perron gevallen, er was een heel treinstel nodig geweest om een eind te maken aan haar levenslange lijden. Zelf studeerde hij rechten aan de universiteit. De plannen om arts te worden had hij al lang geleden opgegeven, en dat was wel zo praktisch gezien de slechte cijfers waarmee hij zijn eindexamen had gehaald. Als mens was zijn vorming klaar, leugens waren voor hem een absolute noodzaak om te functioneren, hij was een warme en zeer charmante psychopaat met een sterke belangstelling voor vrouwen die hij, zonder dat hij zich daar bewust van was, diep en intens haatte, en toen moedertje eindelijk doodging, was dat het eerste echte succes in zijn leven geweest.

Hij had haar testament ook op tijd gevonden, wat hem ontegenzeggelijk vele ontberingen had bespaard. Het was twintig pagina's lang en begon met een lange lijst donaties aan diverse belangenverenigingen voor de meest voorkomende doodsoorzaken met uitzondering van tropische ziekten. De begrafenis zou ook niet misselijk zijn geweest en de lijst van speciaal genodigden bestond uit een vijftigtal artsen met een eigen praktijk in de hoofdstad. Zelf had hij een meer praktische oplossing gekozen; een kist van stevig karton met een baarlaken dat de kerk gratis uitleende, geen bloemen en geen genodigden, veiliger kan niemand zijn, en zodra de plechtigheid voorbij was – hij had de hele tijd gehuild van geluk – had hij ervoor gezorgd dat het mens werd verbrand en dat haar as op een beboste heuvel op het Noorderkerkhof werd uitgestrooid, dat was tenminste een plek waarvan hij zeker wist dat hij er nooit zou komen.

Het geluk was ook de jaren daarna met hem geweest. Hij had een doctoraal examen rechten afgelegd dat zo middelmatig was dat hij maar nauwelijks stage zou hebben mogen lopen bij de rechtbank in Haparanda. Hij kon niet eens aspirant-aanklager worden, dus het enige wat overbleef was een sollicitatie bij de opleiding tot hoofdcommissaris van politie. Die opleiding had hij met bravoure voltooid en hij had zijn examen gevierd door een stoelpoot in de schede van een eenvoudige vrouw van het volk te stoppen, slechts een heel klein stukje te ver, maar ze was gelukkig zo verstandig geweest geen aangifte te doen en had in plaats daarvan genoegen genomen met een financiële compensatie die hij zich makkelijk kon veroorloven, en zelf had hij besloten om in de toekomst zijn precisie op het seksuele vlak te verbeteren. Zijn fantasieën waren broze dingen, zijn driftleven een voortdurende evenwichtsoefening, die ook zonder dat een niet-begrijpende omgeving achter zijn nogal speciale voorkeuren kwam, al moeilijk genoeg was.

Vervolgens had hij Berg leren kennen die niet eens half zo sluw was als iedereen dacht en Berg had hem speciaal uitgekozen om bij de Säpo te komen werken. Toen de tijd daar rijp voor was en ze begonnen waren de externe dienst op te zetten, was hij de eerste chef geworden en in die functie was hij zowel succesvol, geliefd als in hoofdzaak onkwetsbaar. Natuurlijk waren er problemen, maar problemen waren er om opgelost te worden en zelf was hij maar zelden stukgelopen op een opdracht. Dat was hij deze keer ook niet van plan nu hij moest uitzoeken wat die geheimzinnige John P. Krassner eigenlijk uitspookte tijdens zijn wandelingen tussen de studentenflat waar hij woonde, diverse bibliotheken en archieven en zijn reguliere avondbezoeken aan de bar van de persclub aan de Vasagatan.

Die idiote Martinsson had hem een mogelijke ingang gegeven en omdat dit eigenlijk Bergs project was, had hij het diepgaand met hem besproken. Wat vond Berg ervan om een gewone narcoticazaak van de kwestie te maken? Een simpele huiszoeking waarbij ze Krassner eerst in de bak stopten en hem de stuipen op het lijf joegen, om vervolgens in alle rust zijn aardse en intellectuele bezittingen te doorzoeken? Berg was op zijn zachtst gezegd afwijzend geweest en wel op een manier die erop duidde dat hij zijn tegenargumenten grondig had voorbereid.

Krassner was een zeer listig type, beweerde Berg – al vroeg Waltin zich af hoe Berg dat kon weten, want volgens zijn eigen kleine verkenster leek Krassner vooral nerveus, uiterst gespannen en steeds meer paranoïde – en hij mocht onder geen enkele voorwaarde worden gewaarschuwd voordat ze wisten welke geheimen hij bij zich droeg. Als zou blijken dat het allemaal verzinsels waren, had Berg er uiteraard geen enkel bezwaar tegen om de hele kwestie af te sluiten met een aanklacht wegens een drugsmisdrijf, waardoor Krassner een maand in een Zweedse strafinstelling zou moeten zitten om vervolgens voor een groot aantal jaren te worden uitgewezen. Maar zolang ze daar niet helemaal zeker van waren, was het uitgesloten. Als Krassner inderdaad over harde feiten beschikte, zou een ingrijpen van de narcoticapolitie kunnen omslaan in een pure en onvervalste provocatie van de kant van de veiligheidsdienst, namelijk het planten van bewijs met de bedoeling om gruwelen van een volstrekt ander kaliber te verhullen.

"We weten toch allebei hoe die lui zijn", constateerde Berg. "Denk alleen maar aan die mensen die zogenaamd de IB-affaire hebben onthuld. Ze waren weer op vrije voeten voordat de inkt van hun veroordeling was opgedroogd. Een jaar voor spionage, dat is zelfs niet een slechte grap."

Waltin had alleen maar geknikt, want hij zag de praktische consequenties al voor zich en omdat hij degene was die ze zou moeten afhandelen, was er geen enkele reden om die met iemand te bespreken, allerminst met de man die zijn chef was.

"Ik reken op je, Claes, en bovendien denk ik dat de tijd begint te dringen." Berg knikte ernstig en alles wat gezegd moest worden was daarmee gezegd.

Wat overbleef was simpelweg een gewone inbraak, dacht Waltin. Of liever gezegd een ongewone inbraak, omdat het slachtoffer van het misdrijf niet eens mocht vermoeden dat hij bezoek had gehad in de tijdelijke woning die toch zijn burcht moest zijn. Het was niet de eerste keer dat Waltin een dergelijke actie voorbereidde. Integendeel, hij had het zo vaak gedaan dat hij tegenwoordig slechts een globaal idee had van het aantal 'geheime huiszoekingen' die op zijn zorgvuldig geheimgehouden staat van dienst stonden vermeld. Op zich niet zo bijzonder, want de speciale geheime wetgeving die de regering in het leven had geroepen voor de organisatie die hij diende, gaf hem en zijn medewerkers alle vrijheid van handelen die ze nodig hadden.

De wettelijke problemen baarden hem geen zorgen. De praktische uitvoering van de inbraak verontrustte hem echter wel. Het was volstrekt uitgesloten om op de vijftiende verdieping van buitenaf naar binnen te komen via een raam dat van binnenuit was vergrendeld, zelfs als hij iemand van de bovengelegen kamer naar beneden kon laten vieren. Maar omdat die kamer werd verhuurd aan een bekende linkse activist die in zijn vrije tijd voor de staatsslijterijen in de stad de *Proletariër* verkocht en verder altijd thuis op allerlei revolutionaire activiteiten zat te broeden, hoefde hij dat alternatief niet eens in overweging te nemen. Bovendien woonden er aan de overkant van de straat honderden mensen, en uit ervaring wist hij dat minstens een van hen zou ontdekken wat er allemaal gebeurde en direct de centrale meldkamer van de politie zou bellen. En omdat de inbreker grote kans liep te pletter te storten, zouden er ongetwijfeld vrije patrouillewagens zijn die meteen op een dergelijke melding zouden reageren.

Wat dus restte was om via de normale weg naar binnen te gaan. Via de afdelingsdeur naar binnen, waar acht kamers en zeven verschillende huurders zich op ruim honderd vierkante meter met elkaar verdrongen, en Krassners kamer ook nog eens het verst weg lag. Het waren ook geen gewone huurders. Twee van hen kwamen voor in het register van de Säpo, georganiseerd in verschillende linkse bewegingen. De derde was die neger die door de vakbond van de sociaal-democraten naar Zweden was gehaald en je hoefde niet bij de binnenlandse veiligheidsdienst te werken om uit te rekenen waar hij in politiek opzicht stond. De vierde was Krassner zelf, die volgens zijn medewerkster ter plaatse bijna paranoïde was. Verder waren er nog een bijzonder goedgetrainde student aan de ALO die een ordebewaarder had neergeslagen toen hij nog op school zat, een technoloog en een student aan de Handelshogeschool. Van de laatste twee was niets negatiefs bekend. Echt een droompubliek bij een inbraak, dacht Waltin met een scheve glimlach.

Op zich hadden de deuren geen gecompliceerde sloten, en met de hulp van een rechtschapen medewerker van de makelaardij die de studentenflat beheerde, hadden ze kopieën gekregen van de sleutels van de afdelingsdeur en van Krassners kamer. Natuurlijk wilde hij de rechercheurs van de politie helpen in hun strijd tegen drugs. Hij had zelf kinderen en wist waar het om ging. "Pak die rotdealers maar stevig aan." Sleutels waren tegelijkertijd het kleinste probleem als je op Waltins niveau werkte, er waren andere dingen die hem meer zorgen baarden. Hoe zorgde hij ervoor dat een van zijn meest betrouwbare medewerkers ongestoord Krassners kamer kon binnenkomen om in alle rust, hij zou minstens een uur nodig hebben, diens papieren en overige bezittingen door te nemen? Kleine Jeanette Eriksson had aangeboden het te doen, maar dat was volstrekt uitgesloten om redenen die niets met risico's te maken hadden. In Waltins wereld was dit geen klus voor jonge vrouwen. Het was al erg genoeg dat ze die neger had gebruikt om bij Krassner in de buurt te komen. Nu moest hij haar zo snel mogelijk zien terug te roepen.

Krassner leek uiterst achterdochtig, wat niet echt verbazingwekkend was als je bedacht wiens 'trouwe wapenknecht' hij was geweest. Jeanette had op een van de eerste dagen dat ze de neger had bezocht en met een smoesje even naar de keuken was gegaan, al gezien dat hij 'haren op zijn deur plakte' als hij wegging.

In dit geval was dat een piepklein stukje papier dat hij aan de bovenlijst van zijn deur bevestigde en dat er uiteraard niet meer zou zitten als iemand de deur zou openen terwijl hij weg was. Een eenvoudige standaardmaatregel onder politiemensen, criminelen en mensen die in het algemeen achterdochtig waren.

Vanwege die achterdocht leek het hem ook niet verstandig om de gang waar Krassner en de anderen woonden leeg te maken door de een of andere acute situatie te creëren, een vals brandalarm bijvoorbeeld. Een dergelijke oplossing was ook strijdig met het discretieprincipe dat in zijn professionele praktijk op de eerste plaats kwam. Zo min mogelijk betrokkenen, zo min mogelijk dingen doen die op hun beurt zo min mogelijk gezien konden worden. Simpelweg microchirurgie, dacht Waltin.

Vrijdagavond was het geschikte tijdstip voor een huisbezoek bij Krassner. Dan waren de studenten meestal elders aan het feesten als ze geen tentamen hoefden voor te bereiden of besloten hadden een feest op de eigen gang te organiseren. Vrijdagavond 22 november, dacht Waltin nadat hij zijn agenda had geraadpleegd en met kleine Jeanette had overlegd. Op die avond zouden minstens twee van de studenten naar hun ouders gaan, een had een feestje buiten de flat, en twee anderen zouden gratis kaartjes krijgen voor een popgala waar ze zelf niet aan hadden kunnen komen. Jeanette moest de neger onder haar hoede nemen en Krassner was zijn probleem. Forselius, dacht Waltin. Het werd echt tijd dat die zure oude man zijn steentje zou bijdragen. Er bleef nog één ding over. Een medewerker zien te vinden die handig genoeg was om de eigenlijke operatie uit te voeren, en toen had hij aan Hedberg moeten denken. Dat was heel vanzelfsprekend, omdat Hedberg de enige was die hij eigenlijk vertrouwde.

IX

Tussen het verlangen van de zomer en de kou van de winter

Albany, New York State, zondag 8 december

De kamer waarin ze zaten was groot en licht, had een open haard en een flinke erker, muren die bedekt waren met boeken, een enorme bank voor de open haard, grote fauteuils met voetenbankjes. Het was duidelijk dat de kamer gemeubileerd was door iemand die aanzienlijk ouder was dan Johanssons gastvrouw en aan haar kleding te zien had die iemand ook een beduidend meer conventionele smaak dan zij. Haar ouderlijk huis, dacht Johansson. Ontwikkelde, intellectuele mensen in goeden doen.

Ze had gevraagd of hij thee wilde en omdat Johansson zaken die van nature eenvoudig waren niet onnodig wilde compliceren, had hij ja gezegd hoewel hij liever koffie had gehad.

"Maar misschien had je liever koffie gehad", zei ze terwijl ze hem een grote aardewerken kop aanreikte.

"Thee is uitstekend", antwoordde Johansson beleefd.

De koppen zijn in elk geval van haar, dacht hij. Maar verder klopte er niet veel. Als Krassner inderdaad zo'n warhoofd was geweest als hij dacht, paste hij absoluut niet bij de vrouw die voor hem zat: glimlachend, licht voorovergebogen, duidelijk aanwezig en stralend van nieuwsgierigheid. Niet echt een diep rouwende ex-vriendin, dacht Johansson.

"Vertel", zei ze. "Voordat ik doodga van nieuwsgierigheid."

Ik vraag me af of ik haar kan vertrouwen, dacht Johansson.

"Well", zei Johansson aarzelend. "Ik weet niet goed waar ik moet beginnen."

"Begin bij het begin", zei ze en ze glimlachte nog breder. "Dat is altijd het makkelijkst."

Goed, dacht Johansson en hij knikte. Wat heb ik eigenlijk te verliezen.

"It all begins with a shoe with a heel with a hole in it."

"A shoe with a heel with a hole in it? You mean a shoe with a perforated heel?"

Zo heet dat natuurlijk, dacht Johansson. Een holle hak, geperforeerde hak, *perforated heel.*

"Perforated heel, yes", zei Johansson.

"Allemachtig", zei ze opgewonden. "Ik durf er wat om te verwedden dat die aan Johns voet zat."

"Ja", zei Johansson en hij knikte. "Dat was inderdaad zo, maar dat is niet de reden waarom ik hier ben."

Dat is natuurlijk de truc, dacht Johansson een halfuur later. Je moet altijd bij het begin beginnen. Hij had haar verteld over dat ergerlijke stukje papier met zijn naam, titel en huisadres dat ze in de holle hak hadden gevonden, over Krassners zelfmoord, over Krassners brief die niet bij hem terecht was gekomen en die hij nog niet had gelezen, over de eigenlijke reden van zijn bezoek aan de VS, over zijn eigen gepieker en hoogstpersoonlijke redenen dat hij nu op haar bank zat. Over de ongerustheid die hij ook had gevoeld, had hij daarentegen met geen woord gerept.

Zelf had ze niets gezegd. Alleen maar geluisterd en geknikt, terwijl ze haar thee onaangeroerd liet staan. Toen hij over Krassners zelfmoord vertelde, was haar glimlach verdwenen en ze had alleen maar een paar keer geknikt. Ernstige, aanwezige ogen.

"Ja, dat was het zo ongeveer", zei Johansson en hij maakte een verklarend gebaar met zijn handen.

"Goed dat je bent gekomen", zei ze. "Ik heb namelijk geprobeerd je te bereiken."

Oei, dat gaat snel, dacht Johansson.

"Je mag zijn brief straks lezen", zei ze. "Ik ben bang dat er niet veel in staat, maar dat zegt juist veel over John", voegde ze eraan toe en ze glimlachte weer.

"Maar eerst wil je het een en ander over jezelf vertellen", zei Johansson.

"Precies", zei ze. "En niet alle politiemensen zijn dom, toch?"

"Niet allemaal", zei Johansson en hij schudde zijn hoofd.

Daarna had ze over zichzelf en over haar ex-vriend John P. Krassner verteld en als ze het tijdens een gewoon politieverhoor net zo zou hebben gedaan, zou ze haar ondervrager eeuwige en onvergankelijke roem hebben geschonken.

Sarah J. Weissman, de J van Judith, was geboren in 1955. Ze was enig kind, haar ouders waren sinds tien jaar gescheiden. Haar moeder was hertrouwd en woonde in New York, waar ze als redacteur bij een uitgeverij werkte. Haar vader was hoogleraar in de economie en het huis waarin ze zaten was van hem. Vijf jaar geleden had hij een professoraat aan de universiteit van Princeton gekregen en zijn dochter was tijdelijk in het huis gaan wonen tot hij had besloten of hij het huis wel of niet zou verkopen. Omdat hij daar nog steeds over nadacht, was ze er maar gebleven.

"Een typisch joods gezin", vatte Sarah met een brede glimlach samen. "Maar niet op die correcte, lastige manier, meer praktisch joods. Je hebt de kerstboom waarschijnlijk wel gezien", zei ze giechelend. "Wij vinden het belangrijk om een kerstboom te hebben."

"Ja", zei Johansson.

"En sneeuwruimen", zei ze. "Mijn buurman doet het meestal voor me, hoewel zijn vrouw hem erom uitscheldt, maar nu zitten ze in Florida."

"Ik kan het voor je doen als je dat wilt", zei Johansson, want dat had hij als kleine jongen geleerd. Zowel wat hij moest zeggen als hoe hij het moest doen.

"Ik geloof je graag", zei ze met een knikje, "maar het zou na het weekend zachter worden, dus ik denk dat ik de gok maar neem en nog even wacht."

"Wat doe je zelf voor de kost?" vroeg Johansson.

Een beetje van alles, zo bleek. Nadat ze aan de universiteit was afgestudeerd in Engels en Geschiedenis, had ze voor diverse uitgeverijen in New York gewerkt, haar moeder had de deur naar die branche voor haar geopend, en de laatste jaren hield ze zich voornamelijk bezig met het verzamelen en controleren van feiten in verband met de uitgave van boeken.

"Zowel non-fictie als romans. Op dit moment ben ik bezig met een roman over de burgeroorlog, een van de bestsellers van de uitgeverij. De auteur is dol op me. Weigert met iemand anders te werken."

Dat kan ik me voorstellen, dacht Johansson.

"Ze heeft me zelfs een aanzoek gedaan", zei Sarah en ze giechelde enthousiast. "Op dit moment bevinden we ons dus in een kleine crisis."

Daarna werd ze weer serieus.

"John", zei ze. "Ik zal je over John vertellen, en ik beloof je dat ik me zal concentreren."

Daarna had ze over John verteld. Het duurde maar een kwartier en toen ze klaar was, waren voor Johansson alle stukjes op hun plaats gevallen. Je zat er toch niet zo ver naast, dacht hij.

"Nu snap je het, hè?" vroeg ze en ze keek hem tevreden aan.

"Ja", zei Johansson en hij glimlachte onwillig. "Nu klopt het beter."

"Ik zag het meteen al aan je", zei ze. "Dat je het niet helemaal snapte."

Sarah en John hadden elkaar op de universiteit leren kennen. Zij was achttien en onervaren. Hij was twee jaar ouder en als je alles moest geloven wat hij zei, wat zij destijds deed, was hij bovendien een heel ervaren en spannende jonge man. Bovendien zag hij er goed uit, dus toen haar eigen ouders waren gescheiden, had zij daarop gereageerd door met John te gaan samenwonen in een studentenflat op de campus.

"Mijn vader haatte John echt", zei ze verrukt, "en omdat ik altijd het meest van mijn vader had gehouden, was het eigenlijk vrij logisch. Dat John en ik gingen samenwonen, bedoel ik. Mijn vader is een heel verstandige man", voegde ze eraan toe, nu weer serieus. "Hij is zo verstandig dat hij eigenlijk nooit iets praktisch voor elkaar krijgt en wat John betrof, had hij helemaal gelijk."

Ze zweeg even voordat ze verderging.

"Johns vader ging er met een andere vrouw vandoor toen John nog heel klein was, dus hij groeide op met zijn moeder en haar broer. Oom John, John is naar zijn oom gedoopt, werd zijn vaderfiguur toen hij opgroeide."

"Ja", zei Johansson. Wat moet ik zeggen, dacht hij.

"Twee van die sluwe, leugenachtige, dorstige Ieren die natuurlijk vol oordelen zaten. Je zou voor minder jood kunnen worden", zei Sarah Weissman zonder een zweem van een glimlach. "Zijn moeder overleed een jaar nadat we elkaar hadden leren kennen aan levercirrose en haar broer heeft zich gewoon doodgedronken om het zo maar te zeggen. Hij overleed dit voorjaar. Hij was echt een vreselijk mens. Hij was hoogleraar hier aan onze eigen universiteit, New York State, maar ze moesten hem ontslaan hoewel hij een heel bijzondere achtergrond had en onze lieve regering in feite voor zijn functie betaalde."

"Waarom dat?" vroeg Johansson. Wat bedoelt ze, dacht hij.

"Daar kom ik zo op", zei Sarah rustig.

De appel was niet ver van de boom gevallen en het was in feite volstrekt oninteressant of dat erfelijk was of door het milieu kwam of door een combinatie van beide, omdat zij er hoe dan ook middenin zat. Jonge John had over grote kennis beschikt, die voor een klein deel feitelijk was, maar wat alle wezenlijkheden betrof fictief. Hij had het een en ander meegemaakt en had bijna alles van anderen en het meeste van zijn oom geleend.

Daar was ze vrij snel achtergekomen toen ze waren gaan samenwonen en toen was het alleen maar erger geworden. Het eerste jaar was hij, ondanks zijn relatief jonge leeftijd, als de echte Ier die hij was al flink gaan drinken en hoewel hij Ier was nog meer gaan roken; hij was met andere vrouwen uitgegaan omdat hij een man was en ten slotte had hij haar geslagen, want dat deed een echte man als zijn vrouw hem tegensprak.

"Toen heb ik het uitgemaakt", zei ze en ze keek Johansson ernstig aan. "Hij sloeg me echt hard en achteraf heb ik god voor elke klap bedankt. Ik maakte het dus uit. Maar het heeft ruim twee jaar geduurd."

"Zo", zei Johansson.

"Toen heeft hij geprobeerd zelfmoord te plegen", zei Sarah met een brede glimlach terwijl ze tegelijkertijd haar hoofd schudde. "Het was geen slechte voorstelling, dat kan ik je verzekeren. We woonden op de eerste verdieping. Vanaf het balkon was het hoogstens vijf meter en er lag gras onder, dus het was volstrekt onmogelijk om te pletter te vallen en dat was vast ook mijn schuld. Als zelfmoordpoging was het precies als alle andere dingen die hij uithaalde."

"En toch heb je van hem geërfd", zei Johansson. Toen hij het uiteindelijk echt deed, dacht hij.

"Ja, zo was hij. Als iets hem niet uitkwam, deed hij gewoon of het niet bestond. Hij is er nooit overheen gekomen dat ik het met hem heb uitgemaakt. Hij heeft de hele tijd contact gehouden hoewel het allemaal tien jaar geleden is. Hij kon me midden in de nacht bellen en vaak alleen maar om te vertellen dat hij een nieuwe vriendin had." Sarah zuchtte veelbetekenend, zo leek het. "En aan iedereen die het maar wilde horen, vertelde hij dat wij nog steeds bij elkaar waren."

"Ja", zei Johansson.

Wat moet je hierop zeggen, dacht hij.

"Hij lijkt nogal apart te zijn geweest", zei Johansson en hij glimlachte vorsend.

"Hij was volledig geschift", zei Sarah. "Maar dat was niet het grootste probleem."

"Wat was dat dan?" vroeg Johansson.

"*In four words*", zei ze met een scheve glimlach. "*He was no good*", zei ze met een klemtoon op elk woord.

"Die brief die hij heeft geschreven", zei Johansson ter afleiding. "Zou ik die mogen zien?"

"Natuurlijk", zei Sarah. "Ik zal hem zo halen, maar er is één ding dat ik niet goed begrijp."

"*Shoot*", zei Johansson met een glimlach.

"Je zegt dat hij zelfmoord heeft gepleegd. Hoe zeker ben je daarvan?"

Moord, zelfmoord, ongeluk, dacht Johansson. Vervolgens had hij verteld van zijn eigen en Jarnebrings conclusies en hij had bijzondere nadruk gelegd op de afscheidsbrief die Krassner had achtergelaten.

"Het papier zat in zijn eigen typemachine, de brief is op diezelfde machine geschreven, we hebben de tekst vergeleken met de aanslagen op het inktlint dat in de typemachine zat. Bovendien zaten zijn eigen vingerafdrukken op de brief. Precies op de plek waar ze moeten zitten."

"Een afscheidsbrief", zei Sarah. "John zou dus een brief hebben achtergelaten waarin hij zei dat hij zich van het leven zou beroven?"

"Ja", zei Johansson. "Een afscheidsbrief, zo interpreteren wij het."

"Zou ik die brief mogen zien?" vroeg Sarah.

"Natuurlijk", antwoordde Johansson. "Ik heb een kopie meegebracht, een fotokopie van het origineel", verduidelijkte hij. "Het origineel ligt in Stockholm. Bij de documenten van het onderzoek."

Johansson haalde de kopie uit de binnenzak van zijn colbertje en gaf die aan Sarah.

"*Here it is*", zei hij.

I have lived my life caught between the longing of summer and the cold of winter.

As a young man I used to think that when summer comes I would fall in love with someone, someone I would love a lot, and then, that's when I would start living my life for real.

But by the time I had accomplished all those things I had to do before, summer was already gone and all that remained was the winter cold. And that, that was not the life that I had hoped for.

Sarah legde de brief neer en keek Johansson ernstig aan.

"En dit is de brief waarvan jullie denken dat John hem heeft geschreven?"

"Ja", zei Johansson.

"Dat heeft hij niet gedaan", zei Sarah en ze schudde resoluut haar hoofd.

"Waarom denk je dat?"

"Ik denk het niet", zei Sarah. "Ik weet het en ik kan je een miljoen redenen geven."

"Ik luister", zei Johansson.

"Ik ben niet jaloers", zei ze met een scheve glimlach. "Het is niet dat hij tien jaar lang heeft gezeurd dat ik de enige vrouw in zijn leven ben, want dat zei hij zelfs als hij me had geslagen. Dat is het niet."

Wat is het dan wel, dacht Johansson maar hij knikte alleen maar. Ik ben niet degene die met die idioot heeft samengewoond, dacht hij en plotseling voelde hij een lichte irritatie.

"Ik ben geen politieagent, maar mijn Engels is goed", zei Sarah. "*American English, British English, Pidgin English, slang English, you-go-fuck-yourself English, you-name-it English. Ik ben zelfs goed in het Engels van Hare Majesteit de koningin."

Ze glimlachte terwijl ze Johansson met haar grote, bruine ogen aankeek.

"Hoe zal ik het zeggen?" zei ze. "Johns Engels was niet beter dan dat van de meeste Amerikanen en dit heeft hij absoluut niet geschreven."

"Hij heeft dit niet geschreven?"

"*No way*", zei Sarah, "en omdat je er toch naar gaat vragen, zou ik willen beweren dat degene die dit heeft geschreven geen Amerikaan of Engelsman is. Als ik ernaar zou moeten raden, zou ik denken dat het iemand is van wie Engels niet de moedertaal is, maar die in het algemeen wel vloeiend Engels spreekt en schrijft. Een man, beslist een man, want vrouwen schrijven niet op deze manier, een ontwikkelde, begaafde man die bovendien een poëtische voorliefde heeft, of liever gezegd een poëtische ambitie."

Net als de gedichten die ik schreef toen ik klein was, dacht Johansson en hij knikte terwijl hij tegelijkertijd zijn best deed er scherp uit te zien. Ze is een beetje te pienter, dacht hij. Ik moet oppassen.

"Je herkent het niet?" vroeg Johansson. "Een of ander citaat, bedoel ik."

"Nee", zei Sarah en ze schudde ontkennend haar hoofd. "Zo goed is het niet."

"Hm", zei Johansson en hij keek alsof hij diep nadacht. "Toch geloof ik dat jouw ex-vriend het heeft geschreven. Puur technisch, bedoel ik", voegde hij er snel aan toe toen hij zag dat ze wilde protesteren.

"Ik bedoel het volgende", verduidelijkte Johansson. "Ik geloof dat hij dit op zijn eigen typemachine heeft geschreven. Híj heeft zelf het papier in de machine gestopt en híj heeft zelf de tekst getypt. Hij heeft zelfs een paar correcties aangebracht zoals je doet als je iets overschrijft en merkt dat je een fout hebt gemaakt. En ik geloof niet dat iemand hem heeft gedwongen het te doen."

Sarah knikte. Ze leek niet afwijzend te staan tegenover deze gedachte.

"Kan het zo zijn dat hij iets heeft gekopieerd wat een ander heeft geschreven?"

Sarah keek opeens behoorlijk enthousiast.

"Dat zou ik me goed kunnen voorstellen. Dat is echt iets voor John."

"Waarom zou hij dat hebben gedaan?" vroeg Johansson.

"Geen idee", antwoordde Sarah en ze haalde haar schouders op. "Maar dat is het grote probleem ook niet."

"Wat dan wel? Wat is het grote probleem?"

"John zou nooit zelfmoord plegen", zei Sarah en ze knikte nadrukkelijk.

"Hoe weet je dat?"

"Hij hield veel te veel van zichzelf", antwoordde Sarah. "Hij zou liever doodgaan dan zelfmoord plegen", zei ze met een glimlach.

Zo, zou hij dat, dacht Johansson, maar dat zei hij niet. Hij knikte alleen maar.

"De brief die hij naar mij had gestuurd", bracht hij haar in herinnering.

"Ik zal hem halen", zei ze. "Hij ligt in mijn werkkamer."

Misschien toch een tikkeltje te dik, dacht Johansson terwijl hij naar haar rug keek toen ze naar de gang verdween. Maar ze lijkt lenig. Al weet ik niet wat dat ermee te maken heeft, dacht hij.

Eindelijk, dacht Johansson toen hij ruim drie minuten later Krassners brief in zijn hand had.

Een gewone witte envelop van C5-formaat voorzien van allerlei poststempels, postzegels, verschillende interne postale noteringen en drie met de hand geschreven adressen. Bovendien was de envelop geopend, keurig geopend met behulp van een briefopener.

"Ik heb hem geopend", zei Sarah. "Daar hebben we het straks wel over. Lees maar."

Aan het eerste poststempel te zien was de brief van het postkantoor aan de Körsbärsvägen naar Johanssons eigen postkantoor aan de Folkungagatan op Södermalm in Stockholm gestuurd, op vrijdag 18 oktober: poste restante commissaris van politie Lars M. Johansson. De titel en naam van de geadresseerde waren geschreven in een keurig vrouwelijk handschrift.

Pia Hedin, dacht Johansson terwijl zijn hart, om redenen die hij niet goed begreep, oversloeg.

Aan het volgende stempel te zien was de brief op maandag 18 november retour gestuurd naar het postkantoor aan de Körsbärsvägen. Daar was hij tot donderdag 28 november blijven liggen, toen hetzelfde keurige vrouwelijke handschrift ervoor had gezorgd dat de brief werd doorgestuurd naar John P. Krassner, c/o Sarah J. Weissman, 222 Aiken Avenue, Clinton Park, Rensseelaer, NY 12144 USA.

Vingerafdrukken op de envelop kun je wel vergeten, dacht Johansson, maar toch hield hij de envelop uit gewoonte tussen de nagel van zijn linkerduim en wijsvinger vast bij de linkerhoek, terwijl hij voorzichtig het dubbelgevouwen getypte A4-vel uit de envelop haalde.

"*You're doing it copstyle*", constateerde een duidelijk enthousiaste Sarah.

"Yes", zei Johansson terwijl hij de brief openvouwde. "Een oude beroepsdeformatie."

"Ik vind het prachtig zoals je dat doet", zei Sarah giechelend. "*Are Swedish detectives always that gentle with their hands?*"

"Niet allemaal", zei Johansson met een zwakke glimlach.

De tekst leek op Krassners typemachine te zijn geschreven. De korte brief was gedateerd op donderdag 17 oktober, geadresseerd aan commissaris van politie Lars M. Johansson. Johansson vertaalde de brief terwijl hij hem las.

Beste commissaris van politie Lars M. Johansson,

Mijn naam is John P. Krassner. Ik ben onderzoeker en journalist uit de VS. Wij kennen elkaar niet, maar ik heb uw naam gekregen van een van mijn Zweedse contacten, een zeer bekende Zweedse journalist die vertelde dat hij u goed kende en dat u een fatsoenlijke, niet-corrupte en zeer bekwame Zweedse politieman bent die niet terugdeinst voor de waarheid, hoe afschrikwekkend die ook kan zijn.

Ik schrijf deze brief als een soort veiligheidsmaatregel en als u deze brief te lezen krijgt, betekent dat helaas dat ik hoogstwaarschijnlijk gedood ben door mensen van de Zweedse militaire inlichtingendienst, van de Säpo of van de Russische inlichtingendienst GRU.

De reden dat ik in uw land verblijf is dat ik bezig ben met de afronding van een grote onderzoeksreportage waar ik al diverse jaren aan werk. Ik zal mijn onderzoek begin volgend jaar in boekvorm publiceren. Het zal worden uitgegeven bij een grote Amerikaanse uitgeverij, maar op dit moment kan ik niet zeggen om welke uitgeverij het gaat. De feiten waarvan ik verslag doe zijn echter van dusdanige aard dat ze de hele veiligheids-

politieke situatie in Noord-Europa en vooral die in uw eigen land zullen veranderen.

Ik beschik over uitgebreide documentatie ter ondersteuning van de zaken die in mijn boek te lezen zullen zijn. Die documentatie ligt samen met het manuscript van mijn boek veilig opgeborgen in een bankkluis waarover ik beschik. Ik heb mijn ex-vriendin Sarah Weissman geïnstrueerd deze papieren aan u te overhandigen, zodat u ervoor kunt zorgen dat er in uw eigen land recht geschiedt.

Met vriendelijke groet,
John P. Krassner

Wat is dit in godsnaam, dacht Johansson en hij keek zijn gastvrouw vragend aan.

"*It's a typical John P. Krassner letter*", zei Sarah Weissman en ze glimlachte even alsof ze zijn gedachten kon lezen. "Ik weet waar ik het over heb, want ik heb er de afgelopen tien jaar honderden gekregen."

Op die manier, dacht Johansson.

"Ik begrijp niet wat hij bedoelt", zei Johansson. "Zweden heeft weliswaar zowel een militaire inlichtingendienst als een binnenlandse veiligheidsdienst, maar ik kan je verzekeren dat die echt geen mensen vermoorden. En zeker geen Amerikaanse journalisten."

"Aah! *You think the russkies did it*", zei Sarah met een knipoog.

"Dat kan ik me niet voorstellen", zei Johansson. "Als je bedenkt hoe hij doodging, bedoel ik."

"Ik ook niet", zei Sarah. "En als ik niet had gehoord dat hij inderdaad dood was, zou ik de brief gewoon hebben weggegooid zoals ik met al zijn andere brieven heb gedaan. De brief lag in mijn brievenbus toen ik vrijdag terugkwam uit New York. Ik had daar een paar dagen gewerkt. Het is niet mijn gewoonte brieven van anderen te lezen, maar gezien alles wat er is gebeurd ... tja, je begrijpt het wel."

"Ik begrijp het", zei Johansson en hij knikte.

"Hij heeft mij ongeveer een maand geleden een soortgelijke brief gestuurd", zei Sarah. "Daarin vertelde hij dat hij een geheime opdracht in Zweden had. Zo was hij. Johns hele leven was een *Top Secret Mission*. Soms kon hij echt helemaal doordraven. Toen we samenwoonden plakte hij vaak haren op de deur als we uitgingen om te controleren dat niemand binnen was gekomen terwijl wij weg waren. Ik durfde 's nachts amper te slapen."

"Stond er nog meer in?" vroeg Johansson.

"Er stond iets over jou in", zei Sarah met een glimlach. "Er stond dat een van zijn, aanhalingstekens openen, geheime Zweedse informanten, aanhalingstekens sluiten, hem de naam had gegeven van een, aanhalingstekens openen, fatsoenlijke Zweedse smeris, aanhalingstekens sluiten. En als er iets met hem zou gebeuren, moest ik ervoor zorgen dat jij de brief zou krijgen die hij jou poste restante had gestuurd, wat bijna een garantie betekende dat je hem nooit zou krijgen, maar omdat John nu eenmaal was zoals hij was ..." Sarah haalde haar schouders met een veelbetekenend gebaar op.

"*Tough shit*", zei Johansson met een glimlach.

"Op zijn zachtst gezegd", zei Sarah. "Verder moest ik voor jou kopieën maken van al zijn geheime documenten", ging ze verder. "Zodat mijn moeder en ik een uitgever voor hem konden regelen die zijn zogenaamde boek kon uitgeven."

"Ik begrijp het", zei Johansson. Die vent lijkt niet goed bij zijn hoofd te zijn geweest, dacht hij.

"Die flauwekul over een grote uitgeverij waarvan hij helaas de naam niet kon zeggen, kun je dus wel vergeten. Dat was een typische John-uitgeverij. Bestond alleen in Johns hoofd."

"Zou ik de brief mogen lezen die hij aan jou schreef?" vroeg Johansson.

"Nee", zei Sarah en ze schudde haar hoofd. "Dat kan niet, want die heb ik weggegooid. Ik heb al zijn brieven weggegooid en dat had jij ook moeten doen."

De sleutel in de holle hak, dacht Johansson.

"Die papieren", zei Johansson. "Die in een bankkluis zouden liggen. Weet jij daar iets van?"

"Nee, ik heb geen flauw idee", zei Sarah. "Ik weet alleen dat het mijn kluis is."

Ruim een halfjaar eerder, een maand nadat Johns oom was overleden, had John Sarah gebeld en haar gevraagd een bankkluis op haar naam, maar voor zijn rekening, te huren. Hij had de kluis nodig om bepaalde 'geheime en zeer gevoelige documenten' waaraan hij werkte te bewaren. Sarah had eerst geweigerd, maar omdat hij bleef doorzeuren had ze uiteindelijk toegegeven. Maar ze had wel bepaalde voorwaarden gesteld.

"Dat ik een van de sleutels zou houden en dat ik alles persoonlijk naar de politie zou brengen, als hij er iets in stopte wat ook maar in de verste verte onwettig zou kunnen zijn."

"Ging hij daarmee akkoord?" vroeg Johansson.

"Natuurlijk", zei Sarah. "Daar had hij waarschijnlijk op gehoopt. Dat ik in zijn kluis zou gaan neuzen en zijn eigen geheime bondgenoot zou worden."

"Heb je ooit gecontroleerd wat er in de kluis lag?" vroeg Johansson.

"Ja", zei Sarah. "Dat was ongeveer een maand nadat ik de kluis had gehuurd en omdat ik toch voor andere zaken in de bank was, heb ik gekeken."

"En?" zei Johansson met een glimlach. "Wat zat erin?"

"Hij was leeg", zei Sarah. "Het was een typische John-kluis."

Maar daarna had ze nooit meer in de kluis gekeken. Op het moment dat ze de brief had gekregen die ze had weggegooid, was dat niet eens in haar opgekomen. Toen ze vervolgens had gehoord dat hij was overleden, had ze er zelfs niet aan gedacht. En toen ze Johns brief aan Johansson had gelezen, was het vrijdagavond geweest en tijdens het weekend was de bank dicht.

"Ze gaan morgen om negen uur open", zei Sarah. "Dan kun je je papieren krijgen."

Nu ik hier toch ben, kan ik het maar beter goed doen, dacht Johansson.

"Is er een goed hotel hier in de stad?" vroeg hij.

"Ja", zei Sarah met een glimlach. "The Weissman Excelsior is absoluut het beste en je mag zelfs in mijn vaders bed slapen."

"Ik wil je niet tot last zijn", zei Johansson.

"Dat ben je niet", zei Sarah. "Maar ik zit nog ergens mee."

"Ja?"

"Ik heb geprobeerd je gisteren te bellen", zei ze. "Nadat ik de brief had gelezen die John jou had gestuurd, heb ik geprobeerd je thuis te bereiken. In Zweden."

"Ik heb een geheim nummer", zei Johansson.

"Dat weet ik", zei Sarah. "Ik heb Inlichtingen in Stockholm gesproken. Daarna heb ik ook naar je werk gebeld. The Swedish National Police Board, de Zweedse FBI, John schreef dat jij de baas van jullie FBI bent. *The Big Boss.*"

Ach ja, dacht Johansson met een zwakke glimlach.

"En wat zeiden ze daar?" vroeg hij.

"Dat ik maandag terug moest bellen, tijdens kantooruren, dan kon ik met jouw secretaresse praten. Ik sprak ook met een of andere dienstdoende agent en hij was heel vriendelijk, maar jou kon ik niet te spreken krijgen."

"Heb je gezegd wie je was?" vroeg Johansson. Waar komen al die nieuwsgierige vrouwen toch vandaan, dacht hij.

"Natuurlijk", zei Sarah en ze glimlachte breeduit. "Ik zei dat ik Jane Hollander heette en dat ik bij de politie in Albany werkte en dat het een dringende dienstaangelegenheid betrof."

Zucht, dacht Johansson.

"Jane en ik zijn oude schoolvriendinnen", zei Sarah en ze giechelde enthousiast. "Ze is echt agent en werkt bij de politie, dus het was bijna waar, maar het mocht niet baten."

"Gelukkig maar", zei Johansson en hij glimlachte.

"Maar nu duik jij hier gewoon op en belt bij mij aan. Alsof het niets is."

"Ja", zei Johansson.

"Hoe doe je dat allemaal?" zei Sarah terwijl ze hem nieuwsgierig aankeek. "Hoe ben je eigenlijk achter de brief met mijn adres gekomen? Ik sterf van nieuwsgierigheid als je het me niet vertelt."

"Puur toeval", zei Johansson bescheiden. "Gewoon puur toeval."

"Jammer", zei Sarah ironisch. "Ik dacht nog wel dat je behoorlijk slim was."

"Je zei iets over Johns oom", zei Johansson, die van onderwerp wilde veranderen.

"Ja, dat was echt een vreselijke man. Gelukkig is hij dit voorjaar overleden. Ik had gedacht om even naar zijn huis te gaan zodat je kunt zien hoe hij woonde. John woonde er sinds een paar jaar ook."

"Is dat geen probleem?" vroeg Johansson.

"Absoluut niet", zei Sarah vrolijk. "Het is nu mijn huis. Eerst heeft John het van zijn oom geërfd en nu heb ik het van John geërfd. Ik ben van plan er een vakantiehuis voor jonge zwarte drugsverslaafden uit New York van te maken", zei Sarah en ze giechelde enthousiast.

"Klinkt interessant", zei Johansson neutraal.

"Ja, hè", zei Sarah. "Aan hen had Johns oom de grootste hekel. Hij haatte weliswaar bijna iedereen, maar jonge zwarte drugsverslaafden uit New York haatte hij het allermeest. Hij zal zich waarschijnlijk in zijn graf omdraaien als hij erachter komt. Dan kunnen we daarna uit eten gaan. Ik weet een heel goede tent daar in de buurt, een Vietnamees restaurant."

Vietnamees, dacht Johansson. Gelukkig is Jarnebring er niet bij.

Praktische zaken. Eerst had Johansson haar telefoon geleend en zijn hotel in New York gebeld. Na enig heen-en-weergepraat en een zekere financiële compensatie kon het worden geregeld. Hij moest de kamer de volgende dag voor drie uur 's middags verlaten, en omdat hij uiterlijk om zes uur op Kennedy Airport moest inchecken, wist hij nu hoeveel tijd hij had. Eerst naar de bank zodra die 's ochtends opening, daarna met de trein naar New York, dan naar het hotel om zijn spullen in te pakken, te betalen en uit te checken. Daarna moest hij maar een taxi naar het vliegveld nemen om daar in te checken, snel kerstinkopen te doen en dan de rechtstreekse avondvlucht te nemen naar Stockholm, waar hij op dinsdagochtend zou aankomen. Een goed uitvoerbaar tijdschema, dacht Johansson, en als hij nog tijd over had, zou hij naar zijn werk bellen om te vragen of een van zijn collega's hem op Arlanda kon komen ophalen om hem rechtstreeks naar kantoor te rijden.

Daarna had hij sneeuwgeruimd. Sarah had een auto die ingesneeuwd in de garage stond en alles bij elkaar genomen, vooral met het oog op de volgende dag, was dat een beter alternatief dan een taxi. Johansson was in zijn colbertje begonnen, maar toen hij klaar was, stond hij in hemdsmouwen en hoewel het bijna tien graden vroor, voelde hij zich merkwaardig opgeknapt. De garagedeur was vastgevroren, maar nadat hij er een paar keer flink tegenaan had getrapt had de deur losgelaten en kon hij hem openen. Binnen stond zijn beloning: een bijna nieuwe Volvo-stationcar.

"Je hebt een Volvo", zei Johansson enthousiast. "Waarom heb je dat niet verteld?"

"*Surprise, surprise*", zei Sarah met een glimlach.

Johansson mocht rijden en dat was wel zo praktisch omdat zijn gastvrouw zich had ingepakt in een lange rode wollen jas met capuchon, met bont gevoerde laarzen en dikke gebreide wanten. In feite was alleen het puntje van haar neus te zien.

"Ik heb hem van mijn vader gekregen", zei ze. "Hij wilde dat ik veilig zou rijden, maar ik vind hem veel te groot."

"Het is een van de veiligste auto's die er bestaan. Je vader lijkt een heel verstandige man", constateerde Johansson.

"Groot, veilig en Zweeds", zei Sarah en ze glimlachte verrukt. "Ik ben blij dat je een familielid bent tegengekomen."

Ik vraag me af of ze in mij geïnteresseerd is, dacht Johansson.

Onderweg waren ze bij een groot winkelcentrum gestopt waar Johansson schoon ondergoed, een overhemd en een tandenborstel had gekocht. Om de een of andere reden lagen al deze artikelen in hetzelfde schap vlak bij de kassa's.

Wat een vreemd land is dit toch, dacht Johansson. Ik vraag me af hoeveel ongeplande overnachtingen er nodig zijn om het rendabel te maken die artikelen een eigen schap te geven, in Albany *of all places*, op drie uur reizen van New York.

"*Can I help you, detective?*" zei Sarah met een vragende glimlach. Ze had de capuchon afgedaan en haar rode kroezige haar hing als een stralenkrans rond haar hoofd.

"Nee", zei Johansson en hij knikte naar het schap bij de kassa's. "Ik moest alleen ergens aan denken."

"*Planning for the unplanned*", zei Sarah en ze glimlachte.

Zij moet de meest pientere vrouw zijn die ik ooit heb ontmoet, dacht Johansson, die hetzelfde had gedacht.

Daarna waren ze naar het huis gereden waar John had gewoond voordat hij naar Zweden was vertrokken waar hij was overleden.

Wat een buitengewoon lugubere plek, dacht Johansson die er een eer in stelde om zijn woordenschat steeds verder uit te breiden. Het huis lag op een heuvel vijftig meter van de weg. Het was opgetrokken uit baksteen dat zwart was geworden van de ouderdom, en groot genoeg om een heel vakantiekamp met jonge drugsverslaafden te herbergen. Eeuwwisseling, Amerikaanse neogotiek, een mausoleum van de duisterheid dat zijn geheimen verborg achter hoge glas-in-loodramen.

"Wat vind je ervan?" vroeg Sarah en ze glimlachte enthousiast. "Echt gezellig, toch?"

"Ik vind dat je het moet verkopen. Anders nemen die stakkers nog een overdosis."

Op de begane grond lag een grote hal die naar een nog grotere woonkamer leidde. Donkere meubelen in een herenkamer uit de tijd van voor de Eerste Wereldoorlog, de beroete schoorsteenmantel boven de open haard stond vol ingelijste foto's en op het bruingevlekte behang waren lichtere rechthoekige en vierkante vlakken zichtbaar die getuigden van de schilderijen die daar vroeger hadden gehangen. De verste lange muur had halfopen dubbele deuren die naar een aangrenzende eetzaal leidden. Johansson hoefde slechts een blik in de eetzaal te werpen om zijn eetlust te verliezen. Bovendien was het er een enorme rotzooi. Asbakken vol peuken, verkreukelde pakjes sigaretten en opgedroogde klokhuizen, kranten op de vloer, stapels boeken die uit een boekenkast waren gehaald die toch al bedenkelijk overhelde. Midden op de vloer opgestapelde rotantuinmeubelen die armzalig bedekt waren met een versleten Perzisch tapijt.

"Mooi hè?" zei Sarah en ze giechelde vrolijk naar Johansson.

Het enige waar Johansson wat beter naar had gekeken waren de foto's op de schoorsteenmantel. In totaal een stuk of twintig foto's van een of meer personen in lijstjes van zilver, tin en hout, en zo te zien waren ze genomen over een periode van ongeveer vijftig jaar. Een van de afgebeelde personen stond op alle foto's op één na en dat was een portret van een vrouw van jongere middelbare leeftijd. Ze had een hoge boezem, haar haar was opgestoken in een knoetje, ze droeg een jurk met een kraag en staarde streng naar de fotograaf.

"Johns moeder", zei Sarah. "De reden dat ze zo kijkt, is dat ze zoals gewoonlijk ladderzat is. Alle andere foto's zijn van zijn oom de kolonel als hij voorname mensen begroet die hij heeft ontmoet."

De kolonel, dacht Johansson. Hij was toch hoogleraar?

"Je zegt kolonel", zei Johansson. "Ik dacht dat je vertelde dat hij hoogleraar was?"

"Daar hebben we het straks over", zei Sarah. "Als je alle foto's hebt bekeken waarop hij voorname mensen groet die hij heeft ontmoet."

Geen slechte samenvatting, dacht Johansson. Op de foto waar de hoofdpersoon het jongst was, was hij gekleed in vol academisch ornaat met platte hoed, zwarte mantel en ketting, beleefd buigend naar een witharig geraamte in dezelfde uitdossing. Verder was hij meestal gekleed in uniform of in een tweeknoops pak met brede revers, en afhankelijk van de kleding salueerde hij of schudde andere mannen de hand. De andere mannen waren zonder uitzondering ouder dan hijzelf en naar hun lichaamstaal te oordelen zeker ook voornamer. Twee van hen herkende Johansson zelfs. De eerste uit zijn geschiedenisboek van school, want dat was president Harry S. Truman die beleefd vooroverbuigend de hand schudde van oom kolonel-professor, die ondanks zijn pak stijf in de houding stond met vooruitgestoken kin en strakke blik. Op wie lijkt hij toch, dacht Johansson.

Op de tweede foto had hij zijn parade-uniform aan en salueerde hij naar een kleine op een buldog lijkende man die naar iets anders leek te kijken, al was het niet duidelijk waarnaar, het lag in elk geval buiten het beeld. Deze man was onlangs en in historische zin gastheer geweest voor Johansson en zijn collega's. Het legendarische hoofd van de FBI, de oprichter van de FBI-academie in Quantico, John Edgar Hoover. Hij lijkt op iemand, dacht Johansson met toenemende ergernis en hij bedoelde niet Hoover, want die leek alleen maar op zichzelf.

Een van de foto's had een meer informeel karakter. De kolonel op 40-jarige leeftijd met een wat oudere man, beiden in gestreept tweeknoops pak, breed glimlachend naar de fotograaf, met hun armen om elkaars schouders. Zomer en zon glinsterden in de golven van het water in Stockholm en het Koninklijk Paleis stond op de achtergrond. Die foto moet voor het Grand Hôtel zijn genomen, dacht Johansson verbaasd en routinematig draaide hij de foto om. Een korte met de hand geschreven tekst: *Kameraden in het veld, Stockholm, juni 1945.*

"Mijn stad", zei Johansson enthousiast, hoewel hij geboren was in de onbewoonde wereld ten noorden van Näsåker. Hij gaf de foto aan Sarah.

"Dit is Stockholm. Op de achtergrond zie je het Koninklijk Paleis."
"*Very nice*", zei Sarah beleefd. "Weet je wie er naast hem staat?"
vroeg ze terwijl ze hem de foto teruggaf.

Niet iemand die ik ken, dacht Johansson en hij schudde zijn hoofd.
"Geen flauw idee."

"Maar je herkende Hoover", zei ze en ze glimlachte plagerig. "Feit
is dat deze man hier een even grote legende is als Hoover. Hij heette
Bill Donovan, werd Wilde Bill genoemd. Hij was het eerste hoofd van
wat later de CIA zou worden, hoewel het tijdens de oorlog het OSS
heette, het Office of Strategic Services. Ik geloof dat ze de naam in
1947 hebben veranderd in CIA."

Op die manier, dacht Johansson en hij knikte. Op wie lijkt hij toch,
vroeg hij zich af. Niet op Wilde Bill Donovan, hoewel hij en oom de
kolonel vrij veel op elkaar leken.

Hij kwam erop toen hij de trap naar de bovenverdieping opliep. Hij
lijkt op die klootzak van een Bäckström, dacht Johansson verrukt. Afgezien van het verschil in leeftijd hadden ze een eeneiige tweeling kunnen zijn, dacht hij.

"Special Agent Bäckström", zei Johansson hardop tegen zichzelf.
"Wat zei je?" zei Sarah.
"Niets", zei Johansson. "Ik dacht hardop."
Vreemd hoe vaak je dingen bedenkt als je een trap oploopt, dacht
hij.

Op de bovenverdieping was een hal, daarachter een smalle gang met
rijen deuren die naar zes slaapkamers van verschillende grootte leidden. Verder waren er een toilet en een grote en een kleine badkamer.

"Ik wou je om te beginnen de slaapkamer van de kolonel laten
zien", zei Sarah.

De kolonel? De professor? Een man met minstens twee ijzers in het
vuur, dacht Johansson.

Kolonel John C. Buchanan had natuurlijk de grootste slaapkamer van
het huis gehad. Bovendien had hij een eigen badkamer gehad. De
meubels gaven ook een beeld van de man die daar had gewoond, al
was dat sterk besnoeid. Langs de ene korte muur stond een smal,
hoog bed van mahoniehout waar de matras nog op lag maar het
beddengoed was weggehaald. Aan beide kanten van het bed een
nachtkastje van dezelfde houtsoort. Op het rechterkastje stond een
ouderwetse ijzeren bedlamp met een perkamenten kap.

Tegen de muur ertegenover stond een Engels bureau met een

bureaustoel in dezelfde stijl. De stoel had een hoge rug, brede armleuningen en de zitting en rugleuning waren bekleed met groen leer. Aan de muur boven het bureau was een tiental lichtere vlakken te zien waar kennelijk schilderijen of foto's van wisselende grootte hadden gehangen en ook het bureaublad was helemaal leeg, op een pennenbak van nieuwzilver na.

De kamer had twee hoge ramen aan de straatkant vanwaar hij Sarahs zwarte Volvo kon zien. Zware, donkere gordijnen die aan rails hingen en dichtgetrokken konden worden. Tegen de tegenoverliggende lange muur naar de gang stond een grote groene brandkast, model jaren zeventig, met combinatieslot. De stevige deur stond op een kier. Vanbinnen was de kast leeg.

Leeg, dacht Johansson en hij keek Sarah aan.

"Je noemt hem de kolonel", zei Johansson, "maar eerst zei je dat hij hoogleraar was aan de universiteit hier in de stad."

"Ja", zei Sarah. "Formeel gezien was hij dat, hoogleraar bedoel ik. Hij heeft vlak voor de oorlog een dissertatie over politicologie geschreven. Ik heb het proefschrift nooit gelezen, maar mijn vader wel toen ik John net kende. Hij is een maand lang helemaal gek geweest. Hij was even gek als wanneer jullie de Nobelprijswinnaar voor economie bekendmaken."

Nu glimlacht ze weer, dacht Johansson.

"Maar eigenlijk was hij officier", zei Sarah. "Dat werd hij toen wij aan de oorlog mee gingen doen en ik geloof dat hij ergens begin jaren zestig is gestopt, dat was toen hij die aanstelling aan de universiteit hier in de stad kreeg. Het was een publiek geheim dat dat een dankbetoon was voor zijn tijd in het leger. Ik geloof dat ze een nieuw professoraat voor hem creëerden, contemporaine Europese geschiedenis of zoiets, en de colleges die hij gaf trokken een zekere aandacht, om het vriendelijk uit te drukken, en hij werd altijd de kolonel genoemd."

"Wat deed hij in het leger?"

"Inlichtingenofficier", zei Sarah en ze knikte resoluut. "Hij werkte gewoonweg voor de CIA, of het OSS zoals het tijdens de oorlog heette. Dat heb ik toch verteld? Hij werkte in Europa, onder meer in jouw land. Hij heeft jaren bij de ambassade in Stockholm gezeten. Je hebt zelf de foto in de woonkamer gezien."

"Je weet heel zeker dat hij voor de CIA werkte?" vroeg Johansson.

"Heel zeker", zei Sarah en ze haalde haar schouders op. "Dat is wat iedereen zei. John had het er voortdurend over en waarom zou hij anders iemand als Wilde Bill Donovan omhelzen?"

En waarom werd die foto genomen toen ze dat deden, dacht

Johansson. In die kringen zou dat toch als een ambtsovertreding moeten worden beschouwd.

"Heb je de kolonel ooit ontmoet?" vroeg Johansson.

"Ik heb hem een paar keer ontmoet toen John en ik een relatie hadden. Hij was even enthousiast over het feit dat John mij had leren kennen als mijn vader over het feit dat ik John had leren kennen, dus op dat punt waren ze het in elk geval eens." Sarah glimlachte en schudde haar hoofd. "Hij mocht me niet", ging ze verder.

"Waarom niet?" vroeg Johansson. "Was hij even gek als zijn neef?"

"Omdat ik jodin ben", zei Sarah.

"Ik begrijp het", zei Johansson. Wat moet je daar in godsnaam op antwoorden, dacht hij.

Daarna waren ze naar Johns kamer gegaan. Beduidend kleiner en zonder badkamer, maar in grote lijnen gemeubileerd volgens dezelfde basisprincipes, behalve dan de brandkast en de zware gordijnen, maar met tv, video en een radio met cassetterecorder. Je kon duidelijk zien dat er heel onlangs iemand had gewoond. Iemand die niet bijzonder netjes was.

"Opruimen is nooit Johns sterkste kant geweest", constateerde Sarah.

Dat is niet het probleem, dacht Johansson. Waar zijn de sporen van de persoon die hier heeft gewoond?

Aan de muur boven het bureau hing een oud olieverfschilderij met een paar paarden die in een wei graasden, waarschijnlijk was het van zijn oom geweest en als kunstwerk had het een zeer dubieuze waarde. Verder een paar ingelijste affiches waarvan de meest gedenkwaardige een foto was, genomen in korrelig tegenlicht, van een jonge en kwetsbare Marilyn Monroe die over een balkonbalustrade gebogen stond.

Op het nachtkastje naast het bed stond een wekkerradio. Op het bureau lagen allerlei dingen die op een gewoon bureau thuishoren. Een vieze koffiebeker met paperclips, nietjes, munten en wat pennen, een goedkoop horloge met kapotte armband, typemachinepapier en enveloppen. Een verstelbare bureaulamp vastgeschroefd aan een stevige ijzeren plaat. Een paar pockets, allemaal detectives en thrillers. Maar geen boekenplank, geen agenda, geen notitieblokken, geen keurig geordende mappen met foto's, geen privé-video's of cassettebandjes. Helemaal niets.

Zo zag het er ook uit in de grote bruine kledingkast tegen de korte muur tegenover het bed: jacks, spijkerbroeken en schoenen, overhemden, T-shirts, onderbroeken en sokken, allemaal door elkaar, en schoon bij vuil. Op de vloer stond een golftas met zes clubs en tussen de clubs stond een halfautomatisch hagelgeweer met korte loop, kaliber .12 van het merk Remington Peacemaker. Geladen met een vol magazijn en voor de zekerheid met een patroon in de loop.

"Waar gebruikte hij dit voor?" vroeg Johansson terwijl hij de patroon uit de loop haalde en het wapen met de pal op veilig zette.

"Ik weet het niet", zei Sarah en ze schudde haar hoofd zonder een zweem van een glimlach. "Zo was hij nu eenmaal. Leg dat ding alsjeblieft weg."

Ten slotte waren ze door de rest van het huis gelopen. Ze waren zelfs op de zolder en in de kelder geweest en de eerste indruk die Johansson van het huis had gekregen, was ook de enige en blijvende. Het meest gedenkwaardige was de gigantische berg lege flessen die ze in de kelder hadden gevonden. Een berg van glas van opgedronken bourbon, Schotse en Ierse whisky plus nog een honderdtal flessen waar Amerikaanse wodka in had gezeten en toen Sarah de berg zag, was ze even vrolijk geworden als ze bijna de hele tijd was geweest.

"Had ik je al verteld dat die oude man behoorlijk dronk?" Ze giechelde verrukt.

Daarna hadden ze de deur op slot gedaan en waren ze vertrokken. Naar een Vietnamees restaurant dat slechts honderd meter verderop in de straat lag, verlicht door gekleurde lantaarns en met een eigen kerstboom voor de ingang.

Geweldig eten, maar niet iets waar ik Jarnebring op zou durven trakteren, dacht Johansson ruim een uur later. Ze waren begonnen met een soep van iets wat op zeegras leek en wat volgens Sarah ook zeegras was, een zeer speciaal en lekker zeegras. Daarna hadden ze een soort Vietnamese ravioli besteld, gevuld met dunne reepjes gerookte eendenborst. Johansson had bier gedronken terwijl Sarah witte Californische wijn dronk en bijna de hele tijd zat te praten en te glimlachen.

Eerst had hij haar gevraagd naar het huis dat ze hadden bezocht. Waar waren alle schilderijen, boeken, kunstvoorwerpen en andere persoonlijke bezittingen die je toch in een huis van die omvang zou verwachten? Verkocht, volgens Sarah, in de loop der jaren en waarschijnlijk om dezelfde reden die het verscheiden van de eigenaar had veroorzaakt.

"Ik weet niet wat voor pensioenregeling de CIA heeft', zei Sarah en ze glimlachte verrukt. "Je moet maar naar hun kantoor in Langley bellen om het te vragen."

Sarah was tien jaar geleden te gast geweest in het huis, en in haar herinnering was het zelfs in de tijd dat de kolonel zijn loon als hoogleraar nog ontving niet bijzonder opvallend gemeubileerd geweest. "Het was vooral troep. Niet bijzonder veel boeken en de kunst was ongeveer zoals dat schilderij met de paarden dat je in Johns kamer zag. Wat ik me het best herinner is dat hij een heleboel troep had die te maken had met het leger, want dat verzamelde hij, allerlei helmen, zwaarden, medailles en dat soort dingen, hij was zelf enorm trots op zijn verzamelingen. Hij kan er geen miljoenen voor hebben gekregen, dat is duidelijk. Maar het was ook niet echt waardeloos. Dit land zit vol gekken die dergelijke spullen verzamelen."

Daarna had Johansson het gesprek op John gebracht en hij had dat gedaan met Johns kamer als uitgangspunt. Wat hem had gestoord, *as a cop*, was niet dat degene die daar had gewoond een echte sloddervos leek te zijn, want Johansson had wel ergere dingen gezien, maar dat diegene een sloddervos was die geen persoonlijke eigenschappen en interesses leek te hebben. Zoiets vond je niet prettig als je een politieman als Johansson was.

Sarah had instemmend geknikt. John was een sloddervos die tegelijkertijd opvallend ongeïnteresseerd was in algemeen aanvaarde genotmiddelen; een bed was een ding om in te slapen, kleren waren dingen die je aantrok omdat het warm of koud was of omdat het regende of sneeuwde, en eten deed je wanneer je honger had.

"Maar hij kon wel de hele tijd bier drinken."

"Maar hij moet toch bepaalde interesses hebben gehad?" hield Johansson vol.

Weinig, volgens Sarah. Hij las bijna alleen maar detectives, spionageromans en andere soortgelijke rommel, en als hij tv keek, leek hij dat vooral te doen om de hele tijd te kunnen zappen.

"Hij was zelfs niet geïnteresseerd in sport. Die golftas in zijn kledingkast moet van de kolonel zijn geweest. Ik weet dat hij een tijdje lid is geweest van een golfclub, maar dat hij zijn lidmaatschap opzei toen ze kleurlingen begonnen toe te laten."

Lekker type, dacht Johansson, maar dat zei hij niet.

"John hield niet eens van wandelen, dat vond hij zonde van zijn tijd. Als we in de tijd dat we nog bij elkaar waren uitgingen, ging hij meestal in het donkerste hoekje van de bar bier staan drinken terwijl hij naar andere vrouwen keek en er geheimzinnig uitzag. Toen vond ik hem enorm spannend."

"Maar hij moet toch iets hebben gedaan", volhardde Johansson, wiens interesse nu serieus gewekt was.

"John was alleen geïnteresseerd in John. Volgens mij had hij niet eens belangstelling voor vrouwen, ondanks alle veroveringen waarover hij pochte. Ik geloof dat het in de familie zat. Zijn oom had helemaal geen interesse voor vrouwen. Alles wat hij zei en deed, ging alleen maar over andere mannen. Vrouwen kwamen in zijn wereld niet voor."

Op die manier, dacht Johansson die al ruim twintig jaar bij de politie werkte.

"*A true member of the homoerotic society*", vatte Sarah samen. "Vanzelfsprekend haatte hij ook homo's."

"Had John vrienden?" vroeg Johansson.

"Massa's", giechelde Sarah. "Wat denk je zelf?"

John had in zijn eigen wereldje geleefd, *The John-world* en daar was geen plaats voor vrienden. Daar waren alleen maar kleine en grote schurken, spionnen en terroristen, en omdat hij een van de weinige overgebleven witte ridders was, was zijn leven eigenlijk een opdracht.

"De boeven ontmaskeren en ervoor zorgen dat ze in de bak kwamen. Dat was Johns leven. Maar hij hield van mannen zoals jij. Grote, sterke smerissen en als je hem zou hebben ontmoet, weet ik zeker dat je hem binnen vijf minuten een trap onder zijn kont had gegeven."

Aha, zo iemand, dacht Johansson die al zijn hele volwassen leven politieman was maar nog nooit iemand een trap onder zijn kont had gegeven, want dat detail had hij meestal aan zijn beste vriend Bo Jarnebring overgelaten als het nodig was.

"Ik ben ervan overtuigd dat hij daarom journalist is geworden", zei Sarah tot besluit.

John had jaren als journalist gewerkt en gedurende een aantal daarvan was hij zelfs een gezien verslaggever bij een plaatselijk televisiestation geweest.

"Hij zag er zo goed uit dat niemand hoorde wat hij zei", legde Sarah uit. "Maar daarna kreeg hij ambities en ging hij als onderzoeksjournalist bij onze grootste plaatselijke krant aan de slag en toen ging het helemaal mis."

Dat het helemaal misging, lag volgens Sarah aan het restaurant waar ze nu zaten te eten, en eigenlijk was het niet John die ervoor had gezorgd dat het misging, maar zijn oom de kolonel. Het restaurant was eigendom van een Vietnamese familie die aan het eind van de jaren zeventig als bootvluchtelingen naar de VS was gekomen. Ze hadden al snel economisch succes geboekt in hun nieuwe vaderland en tegenwoordig bezaten ze een tiental zakelijke ondernemingen in Albany en omstreken: restaurants, wasserettes, buurtwinkels, maar ook een bouwmarkt en een vrij groot motel.

Begin jaren tachtig hadden ze het restaurant geopend waar Johansson en Sarah nu zaten te eten, op slechts een steenworp afstand van het huis waarin de kolonel woonde, en toen was de kolonel echt gek geworden. Vietnamezen waren de Vijand en als vijand waren ze volgens de kolonel tuig. "Geen echte krijgers maar gewone laffe gangsters", en wat de bijna tweehonderdduizend Vietnamezen betrof die naar de VS waren gevlucht, dat waren ofwel communistische infiltranten of gewone deserteurs die ter plekke moesten worden doodgeschoten. Eerst was hij opgestaan uit de bank waarin hij altijd zat te zuipen en had hij een oproep gedaan in de wijk waar hij woonde, maar de belangstelling onder zijn buren was maar matig geweest, terwijl het steeds drukker werd in het pasgeopende restaurant. De situatie was penibel en het was de kolonel gelukt zijn neef voor de zaak te charteren.

"Wat helaas niet zo moeilijk was", zei Sarah met een zucht. "In elk geval kreeg John het voor elkaar dat de krant een reeks artikelen publiceerde waarin stond dat we ons een Vietnamese maffia op de hals hadden gehaald. Na twee artikelen stopte men met de publicatie en om een lang verhaal kort te maken, moest de krant een heleboel geld betalen en werd John ontslagen."

"Zat er enige waarheid in wat John had geschreven?" vroeg Johansson, hij had nu eenmaal zijn beroepsdeformatie.

"Dat kan ik me niet voorstellen", zei Sarah. "Het was waarschijnlijk een typische John-onthulling."

Als dessert hadden ze fruit gegeten maar toen Sarah ook groene thee had besteld, had Johansson meer dan een lichte aarzeling gevoeld.

"Denk je dat ze hier koffie hebben?" vroeg Johansson terwijl hij zijn stem liet dalen.

"Natuurlijk hebben ze dat. Vietnamezen zijn niet dom", zei Sarah verrukt. "Als ik jou was zou ik een dubbele espresso nemen."

Ze is echt leuk, dacht Johansson. Misschien iets te bijdehand, maar dat zei hij niet.

Johansson reed de zwarte Volvo terug naar Sarahs huis. Hij had weliswaar twee biertjes gedronken, maar omdat ze bijna drie uur aan tafel hadden gezeten en het nooit in hem op zou komen het in Zweden te doen, was het niet zo erg. Toen ze weer thuis waren, had ze hem gevraagd of hij wijn, whisky of iets anders wilde drinken, maar hij had bedankt. Hij wist zelf niet goed waarom, hij had gewoon bedankt en daarom ging het ook zoals het ging. Het gesprek was al vrij snel doodgebloed. Ze had hem zijn kamer laten zien, had welterusten gezegd, was op haar tenen gaan staan en had hem een lichte kus op zijn wang gegeven, terwijl ze ondertussen glimlachte en knikte, en dat was dat.

Johansson poetste zijn tanden, trok zijn nieuwe schone Amerikaanse onderbroek aan en kroop in het bed van haar vader dat zowel groot als hard genoeg was voor Johanssons behoeften. Vijf minuten later sliep hij, op zijn rechterzij en met zijn arm onder het kussen zoals hij altijd deed als hij thuis was, maar zonder de raad van zijn grote broer op te volgen. Dat zou me wat zijn, in het bed van haar vader, dacht Johansson vlak voordat hij in slaap viel.

X

Vrij vallen als in een droom

Stockholm in november

Ondanks alles voelde Berg een zeker vertrouwen, een zeker toegenomen vertrouwen zelfs. Die geschiedenis met Krassner was weliswaar niet goed, maar totnogtoe was er niets naar voren gekomen wat direct alarmerend was. De indicaties die hij van Waltin had gekregen duidden eerder op het tegendeel. De man gebruikte kennelijk drugs en gezien de hoeveelheid die hij had gekocht, leek het niet volstrekt onmogelijk – áls het nodig zou zijn, áls bleek dat hij in het bezit was van bepaalde geheimen en de zaak toch openbaar zou worden – dat de politie en het OM hem aan de media zouden kunnen verkopen als een cynische drugsdealer en niet slechts als een gewone drugsgebruikende academicus. In een dergelijk verband ging het er niet om of wat iemand zei waar of niet waar was, maar om wie het zei.

Volgens Waltin en zijn medewerkers was er nog veel meer wat erop wees dat Krassner niet bij zijn volle verstand was. Uiterst gespannen, achterdochtig, bijna paranoïde, en dat waren geen eigenschappen die bevorderlijk waren voor zijn objectiviteit en scherpte, als het nu echt zo erg was dat zijn oom zijn mond voorbij had gepraat over dingen die consequenties konden krijgen voor Berg en de belangen die hij moest beschermen. Wat die ook maar mochten zijn, dacht Berg. Met alle respect voor de Zweedse veiligheidspolitiek, en ongeacht of men de openbaar verantwoorde of de feitelijke veiligheidspolitiek bedoelde, had Krassners oom zijn actieve dienst bijna dertig jaar geleden beëindigd. Bovendien was hij dood, dus in die zin kon Krassner niet rekenen op enige actieve steun van zijn bron. Je moet op klaarlichte dag geen spoken zien, besloot Berg en daarmee was hij de hele situatie ook lichter gaan zien.

In het gunstigste geval kon deze geschiedenis misschien in het voordeel van Berg en de dienst worden gekeerd. Ze had er al voor gezorgd dat zijn relatie met de bijzondere deskundige van de minister-president was genormaliseerd en dat was heel wat. Dat dat kwam doordat de bijzondere deskundige Berg op dit moment harder nodig had dan Berg hem, was niet iets om over te mokken. Het bood hem juist de gelegenheid initiatief te nemen, in de aanval te gaan en hopelijk verloren terrein terug te winnen. Daarom had Berg besloten om tijdens het eerstvolgende wekelijkse overleg met zijn opdrachtgevers in november slechts twee zaken te bespreken, en beide waren met zorg gekozen. Door hemzelf natuurlijk.

Maar hij had helaas niet kunnen ontkomen aan een korte inleidende beschrijving van de situatie. Eerst had hij het overzicht van anti-democratische elementen binnen de politie en de krijgsmacht ter sprake gebracht. "Het gaat niet snel, ik ben de eerste om dat toe te geven, maar het gaat vooruit", zei Berg en hij knikte overtuigend. Geen van zijn opdrachtgevers had vragen gehad of bezwaren gemaakt.

Daarna iets over de Joegoslaven – "de situatie lijkt momenteel rustig" – en ten slotte de gebruikelijke mantra over de Koerden, en op dat moment was de minister bij zijn positieven gekomen en leek alles toch helemaal verkeerd te gaan. Ondanks Bergs inspanningen.

"Die Kudo", zei de minister. "Hoe doet hij het? We hebben al een tijd niets van die kant gehoord."

Gelukkig niet, nee, dacht Berg zonder een spier te vertrekken.

"Dat loopt volgens plan", zei Berg. "Ik heb ze opgedragen wat dieper in die speciale etnische aspecten te duiken van ... ja, van hun communicatie om het zo maar te zeggen. Hoe ze geheime boodschappen uitwisselen en dat soort zaken. We worden vaak geconfronteerd met moeilijke interpretatiekwesties."

"Het zou interessant zijn ze eens te ontmoeten", zei de minister. "Die Kudo en zijn naaste man ... hoe heette hij ook alweer?"

"Bülling", antwoordde Berg snel omdat hij een eind aan deze ellende wilde maken.

"Precies", zei de minister en hij fleurde zichtbaar op. "Bülling, dat klinkt bijna Duits."

"Of het is een aangenomen naam", stelde de bijzondere deskundige met een lichte zucht vast.

"Zoals in bullebak", zei de minister enthousiast. "Best spitsvondig moet ik zeggen, bijna een beetje driest."

"Bülling is ook een enorm driest persoon", zei de bijzondere deskundige en hij keek de minister met bijna gesloten ogen en een bevestigend knikje aan. "Zonder overdrijven kun je stellen dat Bülling waarschijnlijk de meest drieste en moedige agent van het hele korps is."

"Nee, maar", zei de minister en hij leunde voorover om beter te kunnen horen. "Is het iets waarover je hier kunt vertellen?"

"Als het maar onder ons blijft", zei de bijzondere deskundige en hij deed alsof hij aarzelde. "Ja, hij was degene die een paar jaar geleden al die kinderen uit dat brandende kinderdagverblijf in Solna heeft gered."

"Nu je het zegt", zei de minister met diepe rimpels op zijn voorhoofd. "Er begint me iets te dagen."

"Het hele dagverblijf stond in brand, maar Bülling stormde de vuurzee in en heeft alle kinderen naar buiten gedragen. Veertien keer, één kind onder elke arm, in totaal dertig kinderen als ik goed heb gerekend, maar als hij de vlamvaste onderbroek van het Fantoom niet had mogen lenen, zou het zelfs Bülling niet zijn gelukt."

"Je houdt me voor de gek", zei de minister gekwetst.

"Waarom denk je dat?" zei de bijzondere deskundige en hij keek de minister aan alsof deze een interessant voorwerp was en niet een mens van vlees en bloed. En eindelijk had Berg ter zake kunnen komen.

Berg had zich goed voorbereid. Eerst had hij een actuele lijst laten samenstellen van personen van wie op verschillende manieren kon worden vermoed dat ze een bedreiging vormden voor de minister-president en diens naaste omgeving. Hij was heel selectief geweest in zijn keuze en had alleen mensen in de lijst opgenomen die volgens zijn medewerkers 'de moeite waard waren om serieus te worden genomen'. De mensen die alleen maar bij de buurman hadden zitten zuipen en de minister-president op televisie hadden gezien en hadden gezworen dat ze 'hoogstpersoonlijk het hoofd van die klootzak eraf zouden schieten' had men dus niet serieus genomen. Zelfs niet als het leden van de burgerbescherming waren die een AK4 in de kast hadden liggen, of mensen die aan jagen of wedstrijdschieten deden, wat velen van hen trouwens leken te doen. Het waren er zelfs zoveel dat er reden was om te vermoeden dat dergelijke activiteiten een wezenlijk onderdeel van hun persoonlijke profiel vormden.

Hun buren en andere vrienden en familieleden leken ook een interessante groep te vormen, omdat de landelijke politieautoriteiten, en zelfs de Säpo, dagelijks min of meer anonieme tips ontvingen over gewone respectabele Zweedse burgers die 'in een informele sociale samenhang hadden beloofd de minister-president van het leven te beroven'. Maar Berg had er dus voor gekozen om 'al deze zuipschuiten, warhoofden en praatjesmakers' buiten beschouwing te laten; op elk willekeurig moment bestond de stapel in Bergs onderzoeksregister uit honderden van dit soort rustende zaken. Er bleven tweeëntwintig personen over van wie momenteel kon worden vermoed dat ze hun woorden in daden konden omzetten, en de mensen die Berg het meest serieus nam, waren natuurlijk de mensen die niet zoveel over hun wensen of bedoelingen hadden gesproken.

Als sociologisch materiaal vormden deze mensen een interessante groep, ze vertegenwoordigden onder meer het hele maatschappelijke scala. Zo was er een graaf uit Sörmland met een eigen kasteel, grote bossen en veel grond die weliswaar nogal veel praatte, maar die ook over aanzienlijke persoonlijke en materiële middelen beschikte. Bovendien had hij een onheilspellende geschiedenis. Hij was aantoonbaar geneigd tot geweld, nam risico's en in praktisch opzicht was hij capabel. In het B-gebouw aan de Polhemsgatan waar Berg het grootste deel van zijn tijd doorbracht, stond hij al sinds lange tijd bekend als Anckarström, naar de man die twee eeuwen geleden de Zweedse koning Gustaf III had vermoord, en Berg had zelfs persoonlijk een keer ingegrepen in een behoorlijk delicate kwestie. Toen hij had vernomen dat de minister-president had toegezegd een chic diner bij te wonen waar 'Anckarström' ook voor was uitgenodigd, had hij contact opgenomen met het kabinet van de minister-president. Op het laatste moment had de minister-president laten weten dat hij was verhinderd en Berg had niet alleen een persoonlijke hoofdpijn weten te voorkomen, hij had ook een onnodige uitgave voor een groep lijfwachten van de Säpo uitgespaard.

In het materiaal kwam ook een Zweedse miljardair voor die in Londen woonde. Hij was gevlucht voor een belastingproces waarin de Zweedse staat honderden miljoenen kronen van hem eiste, en met Londen als basis gaf hij al jaren grote sommen geld aan verschillende campagnes die gericht waren tegen de sociaal-democratische partij, de regering en met name tegen de minister-president zelf. Tijdens een privé-diner in de West India Club in Londen had hij ook meer vergaande ambities geuit en tien miljoen uitgeloofd voor de persoon of personen 'die de Gustaf III van onze tijd een logisch einde konden bezorgen'. Volgens Bergs informant, die te gast was geweest bij datzelfde diner en die een lang verleden had binnen de eigen veiligheidsorganisatie van de industrie, was de presumptieve aanstichter volstrekt nuchter, serieus en rustig geweest toen hij zijn offerte deed. "Hij leek zelfs lichtelijk geamuseerd toen hij het zei", had de informant gezegd.

De miljardair had in Bergs organisatie de schuilnaam Pechlin gekregen, een naam die Berg zelf had uitgekozen. Berg was geïnteresseerd in geschiedenis en buiten zijn werk las hij vooral boeken over de Zweedse geschiedenis. Geschiedenis had iets rustgevends, vond

Berg. Ongeacht hoe duister het was geweest en hoe slecht het was gegaan, het was al geschiedenis en niemand verwachtte van hem dat hij daar iets aan zou doen. Hoe dan ook vormden deze twee personen met nog een paar anderen toch een uitzondering, en het zwaartepunt lag zeker daar waar het in dit soort zaken meestal lag. Precies de helft van deze tweeëntwintig mensen waren zware criminelen en twee van hen zaten een levenslange gevangenisstraf uit voor moord.

De ene was een Joegoslavische terrorist en omdat hij zat waar hij zat, vormde niet hij maar zijn omgeving het praktische probleem. Hij had nog steeds contact met minstens drie landgenoten die allemaal gekwalificeerde criminelen waren, veel haar op de borst leken te hebben en volledig vrij rondliepen. Het was ook moeilijk deze lieden in de gaten te houden, ze waren extreem zwijgzaam in een moeilijk te interpreteren taal en bijna maffia-achtig in hun gedrag en omgang met anderen.

De andere moordenaar was een Zweed die zich niet veel van de wet leek aan te trekken en die een diepe en onverzoenlijke haat koesterde jegens Zweedse autoriteiten in het algemeen en gerechtelijke autoriteiten in het bijzonder. Maar dat was niet alles. De man was onder meer technisch onderlegd en had in zijn actieve periode diverse bommen in elkaar gezet die zo goed hadden gewerkt dat hij tot levenslang was veroordeeld wegens moord. Onder zijn gelijkgezinden was hij een voorbeeld en leiderfiguur, en omdat bijna al zijn supporters nog steeds vrij rondliepen, was hij een doorn in Bergs bewustzijn. De laatste tijd had hij ook een onheilspellende belangstelling getoond voor de minister-president en minstens twee ministers.

De overige verdachten hadden gemeen dat het allemaal mannen waren die niet eerder waren veroordeeld, maar verder vormden ze een zalige mix. Twee van hen waren in dit verband interessanter dan de anderen. Een regelrechte nachtmerrie voor de veiligheidsdienst, dacht Berg op sombere momenten. De ene was een voormalig parachutist en onderofficier bij de parachutistenschool in Karlsborg. Tien jaar geleden had hij het leger vaarwel gezegd en was zomaar verdwenen, onduidelijk waarheen. Een vriendin had de verdwijning bij de politie gemeld, maar dat onderzoek was stopgezet toen ze een ansichtkaart had gekregen die in Turkije was afgestempeld en waarop hij schreef dat hij geen contact meer met haar wilde; haar bedankte voor 'een gedenkwaardig nummertje' en haar verzocht de politie niet lastig te vallen met zijn verdwijning omdat hij 'het prima maakte' en niet van plan was 'op korte termijn terug te komen'. De vriendin had de kaart aan de politie laten zien, die de gebruikelijke vragen had gesteld, het handschrift op de kaart had vergeleken met eerdere berichten en vervolgens de zaak had afgeschreven. Waar het 'gedenkwaardige nummertje' uit bestond was nooit opgehelderd, maar volgens de plaatselijke roddels zou de ex-vriendin in elk geval één keer in haar leven een sprong met een parachute hebben gemaakt.

Ruim een jaar later was hij weer in Zweden opgedoken, de Säpo had hem toen in levenden lijve gezien bij een grootscheeps onderzoek naar een extreemlinkse Zweedse politieke organisatie. Het was puur toeval dat hij werd opgemerkt. De Säpo-rechercheur die hem had opgemerkt had hem namelijk als bevelhebber gehad toen hij zelf als parachutist zijn militaire dienstplicht vervulde, en hij beschreef hem als iemand die boven aan zijn lijst zou staan als hij een vijand moest kiezen. Door de achtergrond van het object, de situatie waarin hij was geobserveerd en het oordeel over hem van degene die het oordeel had geveld, was de belangstelling van de afdeling Onderzoek van de veiligheidsdienst naar zijn persoon al snel toegenomen.

"We hebben het verdomme over een vent die de helft van deze afdeling met zijn blote handen dood kan slaan", vatte de enigszins cholerische hoofdinspecteur de zaak samen die hij op zijn bord had gekregen.

Omdat noch hij, noch zijn collega bij de militaire inlichtingendienst de ex-parachutist als infiltrant had ingehuurd – de gedachte alleen al was absurd – was het beslist de juiste man op de volstrekt verkeerde plaats. Linkse activisten moesten een bril dragen met lenzen zo dik als borrelglazen. Ze mochten best een gestreept overhemd en een tuinbroek dragen – dat maakte de identificatie en het onderzoek alleen maar makkelijker – en zo lang ze handen als een kantoorbediende hadden en armen die niet grover waren dan die van de vrouwelijke klerken van de afdeling, mochten ze zo hard schreeuwen als ze wilden dat de arbeidersklasse die zij nu vertegenwoordigden de maatschappij met geweld omver zou werpen.

Als ze maar geen auto konden starten zonder sleutel, of een werkende bom in elkaar konden schroeven, of zelfs maar een van zijn collega's een bloedneus konden bezorgen. Dan lieten ze hem niet langer koud. De voormalige parachutist deed dat ook niet.

Maar ze hadden bot gevangen. De parachutist was spoorloos verdwenen en omdat hij zelfs vanaf vijfhonderd meter een gat in een muntstuk van vijf kronen kon schieten, had de baas van de cholerische hoofdinspecteur besloten dat het de hoogste tijd werd om mensen van buiten om hulp te vragen.

"Dit is echt niet iemand die je thuis voor een kopje thee uitnodigt, dus denk ik dat het maar het beste is dat we met de Duitsers gaan praten", besloot de chef die, ondanks zijn rang van commissaris van politie, een ontwikkeld man was met een vriendelijke manier van doen.

De Duitsers hadden een halfjaar later van zich laten horen toen ze een foto van een bewakingscamera hadden gestuurd, die volgens hun eigen fototolken 'met aan zekerheid grenzende waarschijnlijkheid' de voormalige parachutist voorstelde. De foto was genomen met een bewakingscamera die behoorlijk listig geplaatst was en waarmee de parkeerplaats bij de boerenleenbank in het stadje Bad Segerberg, op ongeveer vijftig kilometer afstand van Hamburg, in de gaten gehouden kon worden. Op die dag had de bank een bedrag dat overeenkwam met ruim vijf miljoen Zweedse kronen in kas gehad en vlak voor sluitingstijd waren er drie gemaskerde mannen binnengekomen die met behulp van automatische pistolen, waarschijnlijk van het merk UZI en van Israëlische makelij, al het geld hadden meegenomen. Een roofoverval 'met duidelijke terroristische aanknopingspunten' constateerde het hoofd van de afdeling Staatsveiligheid in Sleeswijk-Holstein. De drie overvallers waren natuurlijk foetsie, en als de Zweedse collega's hulp konden bieden met betrekking tot hun eigen landgenoot, zou dat uiteraard zeer welkom zijn.

De volgende dag was de voormalige parachutist onderwerp geworden van een eigen operationele actie van de Säpo: operatie Olga. De reden waarom men deze naam had gekozen was niet om de vijand in verwarring te brengen, wat men op zich graag deed, maar omdat het onderzoeksobject in zijn tijd bij de paratroepen de bijnaam Olga had gehad. Zo werd hij niet genoemd als hij het kon horen, want dan was je ten dode opgeschreven, maar de reden waarom hij deze naam had gekregen was vleiend genoeg. Op de hele parachutistenschool in Karlsborg was namelijk maar één persoon die nog harder was dan het object, namelijk Olga, het hoofd van het keukenpersoneel.

Een halfjaar later had men operatie Olga beëindigd en op dat moment wist men in grote lijnen alles over de persoon die men onderzocht tot aan het moment dat hij de luchtmacht had verlaten. Vanaf dat moment wist men eigenlijk alleen maar dat hij 'met aan zekerheid grenzende waarschijnlijkheid' een halfjaar geleden een bank in Noord-Duitsland had beroofd en dat hij kennelijk contacten onderhield met een extreemlinkse Zweedse groepering die de Palestijnse kwestie hoog op de agenda had staan. Maar zelf leek hij van de aardbodem te zijn verdwenen. Tot twee maanden geleden toen hij, ondanks alle jaren die verstreken waren, met hetzelfde uiterlijk, bruinverbrand en in perfecte lichamelijke conditie naar het scheen, op een foto stond die genomen was met een vrij listig geplaatste bewakingscamera bij het kleine park voor het regeringsgebouw Rosenbad.

Operatie Olga was onmiddellijk uit de archieven gehaald en had een nieuw projectnummer en een nieuw budget gekregen. Berg had de bewaking voor Rosenbad en de sleutelpersonen die daar werkten verhoogd en hij had de mensen geïnformeerd die verantwoordelijk waren voor de veiligheid van de regering. Hij had ook een gesprek gehad met de bijzondere deskundige van de minister-president, die opvallend weinig geïnteresseerd was geweest in de kwestie, maar zoals gewoonlijk rijkelijk met sarcasmen en twijfels had gestrooid.

"Ik geloof niet in dat soort figuren", zei hij vanachter zijn zware gesloten oogleden. "Zodra ze een gezicht krijgen, zijn ze bijna altijd oninteressant. Ik geloof ook niet in het verband dat jij ziet", ging hij verder. "Waarschijnlijk hebben jullie hem gewoon verward met iemand anders, dat zou trouwens niet de eerste keer zijn. En als dat niet zo is, moeten we dankbaar zijn dat hij naar de juiste vergadering ging."

"De juiste vergadering?" zei Berg vragend. "Ik begrijp niet goed wat je bedoelt."

"Maak je maar geen zorgen", zei de bijzondere deskundige met zijn gebruikelijke scheve glimlach, want dit was voordat Krassner in beeld was gekomen die ervoor had gezorgd dat ze vriendelijker met elkaar omgingen.

"Ik probeer je heus niet tot de Palestijnse zaak te bekeren. Ik bedoel alleen maar dat als hij naar een politieke bijeenkomst was gegaan waar lui zoals hij geacht worden heen te gaan, dan hadden jouw mensen hem waarschijnlijk toch niet gezien."

Dat vind jij dus, dacht Berg zuur, maar omdat dit allemaal gebeurde voordat Krassner hen nader tot elkaar had gebracht, had hij zijn gedachten voor zich gehouden.

Een voormalig parachutist die in tien jaar tijd bij drie korte gelegenheden was geobserveerd en verder spoorloos verdwenen was geweest. De andere persoon die Berg in het bijzonder verontrustte was de eigenaar van een tuincentrum bij Finspång in Östergötland. De eigen veiligheidsafdeling van het regeringsgebouw had hem bij Berg aangegeven en normaalgesproken zou dit gewoon nóg een zaak zijn geworden in de hoge stapel zaken die alleen maar werden geregistreerd en waarmee verder niets werd gedaan.

Ruim een jaar geleden had de man in kwestie de minister-president persoonlijk geschreven en om zijn hulp gevraagd. Na de scheiding had zijn ex-vrouw in haar eentje de zorg voor hun zoon gekregen die toen zes jaar was. Hoewel ze een hoer was, hoewel haar nieuwe man een alcoholist en crimineel was en hoewel hij zelf meer van zijn zoon hield dan van wie ook ter wereld. Kon de minister-president zijn invloed doen gelden en de zaak regelen? Dat kon hij natuurlijk niet. Hij had de gebruikelijke, vriendelijk afwijzende brief gekregen van de vrouwelijke deskundige van het kabinet van de minister-president die dat soort zaken behandelde en de juridische argumenten in haar slaap kon opdreunen. Toen had hij nog een keer geschreven en hetzelfde antwoord gekregen als de vorige keer. In zijn derde brief had hij een scherpere toon aangeslagen, hij was persoonlijk en onbehoorlijk geworden en had zelfs dreigementen geuit. Daarna was hij gaan bellen en tegen de tijd dat hij op Bergs bureau was beland, had hij niets meer van zich laten horen. Zonder dat iemand enige invloed op de gang van zaken had uitgeoefend, was de zaak toch naar de afdeling van de veiligheidsdienst in Norrköping doorgestuurd, waar ze ofwel niet veel te doen hadden, ofwel geld te veel hadden. De tuinman was zowel schutter als parachutist en had vergunningen voor maar liefst acht wapens: een revolver, twee pistolen, drie geweren en twee buksen. Veertien dagen nadat de veiligheidsdienst in Norrköping een officieel onderzoek naar de man had ingesteld, was hij op een politieke bijeenkomst in Åtvidaberg opgedoken waar de minister-president hoofdspreker was.

Toen de bijeenkomst was afgelopen, had hij wat rondgelopen op de parkeerplaats en toen de minister-president en zijn gevolg wegreden om in het Frimurarhotel in Linköping te dineren, was hij hen in zijn auto gevolgd. Hij had deze een eindje bij het hotel vandaan geparkeerd, had voor het hotel op straat heen en weer gelopen en was na een tijdje de receptie van het hotel binnengestapt. Op dat moment was hij al omringd door een in allerijl verdubbelde groep bewakers die bestond uit vier rechercheurs van de veiligheidsdienst in Norrköping.

"Weten we of hij gewapend is?" vroeg de groepschef over de radio.

"Dat weten we niet", antwoordde de rechercheur die het object het best kon zien, terwijl hij zijn dienstwapen van zijn schouderholster naar zijn rechter jaszak verplaatste.

"Oké", zei de groepschef. "Als hij zich ook maar een meter in de richting van de feestzaal beweegt pakken jullie hem."

Maar dat had hij niet gedaan. In plaats daarvan was hij snel weer naar buiten gegaan, in zijn auto gaan zitten en naar zijn huis gereden. De volgende dag, na een bijeenkomst van de onderzoeksleiding, had hij de codenaam Immortelle gekregen.

Als onderzoeksproject had Immortelle zich op een veelbelovende manier ontwikkeld, maar als mens scheen hij zich steeds slechter te gaan voelen. Het leek alsof hij plotseling de hoop had opgegeven om zijn zoon terug te krijgen. Hij had niet eens geprobeerd met hem in contact te komen. De werknemer die hij eerst had gehad, had hij ontslagen, en het bedrijf dat hij runde was op een laag pitje gezet. Zijn contacten met de omgeving, telefonisch en anderszins, waren drastisch verminderd. Hij had zich als mens geïsoleerd. In plaats daarvan was hij zich aan een aantal oude interesses gaan wijden en had hij in elk geval één nieuwe hobby ontwikkeld die absoluut niet in overeenstemming was met zijn verleden. Hij kon uren op de schietbaan doorbrengen. Liggend op de schietwal loste hij op drie- honderd meter afstand van de pop met behulp van zijn jachtgeweer en een onlangs gekochte vizierkijker van het grootste model het ene schot na het andere. Toen hij begon, was hij een goede schutter ge- weest. Tegenwoordig had hij hetzelfde niveau als de scherpschutters van de politie.

's Morgens vroeg ging hij gekleed in sportschoenen en joggingpak hardlopen. Een paar maanden geleden had hij ruim een kwartier nodig gehad om zijn trainingsronde te lopen. Tegenwoordig legde hij de drie kilometer in minder dan negen minuten af. 's Avonds deed hij aan gewichtheffen. Hij had de trainingsbank, de halter en de gewichten naar een van zijn kassen gebracht en zijn nachtelijke training duurde meestal twee uur. Hij trainde minstens vier keer per week. Hij was sterk, hij was snel, hij kon schieten, en al met al was het helemaal niet goed.

Verder was hij lid geworden van de sociaal-democratische partij. Nauwelijks uit overtuiging, want niets in zijn achtergrond wees in die richting. Afgaande op de voorzichtige markeringen die hij met potlood in de partijkrant, het clubblad van de plaatselijke vereniging en andere circulaires had gemaakt en die men uit zijn vuilnisbak had weten te redden, leek hij vooral te willen weten waar de minister-pre- sident zich in de naaste toekomst puur fysiek zou bevinden. Hij had een motief en hij beschikte ook over de middelen. Nu zocht hij alleen nog maar een geschikte gelegenheid, en hierover was men het roerend eens, niet alleen bij de veiligheidsdienst in Norrköping, maar ook bij hun hoogste bazen in Stockholm.

Bergs verslag had indruk gemaakt op zijn toehoorders. De minister van Justitie was bijna gechoqueerd.

"Ja, ik vind het toch wel schokkend om zoiets te horen", zei hij. "Je wilt er liever niet aan denken dat er zulke mensen bestaan."

Daarna had hij een nogal lange uiteenzetting gegeven over hoe het in de tijd van de oude koning was geweest. Dat hij als kleine jongen met zijn vader naar de lederwarenzaak van Palmgren achter de schouwburg was gegaan om vaders nieuwe rijlaarzen te halen, toen de koning plotseling was binnengekomen en vriendelijk naar alle aanwezigen in de zaak had geknikt.

"Hij was helemaal alleen, ja, afgezien van zijn adjudant natuurlijk, maar dat was waarschijnlijk om niet zelf te hoeven betalen. Hij liep in zijn eentje door Stockholm en niemand zou het in zijn hoofd hebben gehaald om ook maar iets onbeschaamds tegen hem te zeggen." De minister schudde verdrietig zijn hoofd.

Zelfs de directeur-generaal Juridische Zaken had het woord genomen. Toen Berg, zonder de man bij naam te noemen, een korte beschrijving had gegeven van de graaf uit Sörmland, had de DG plotseling zijn mond geopend. Voor het eerst over iets wat buiten zijn juridische werkterrein lag, hij deed het omdat hij zelf zowel aan vaderskant als aan moederskant van adel was.

"Helaas is hij familie van mij", stelde de DG droog vast. "Aangetrouwd natuurlijk", voegde hij er snel aan toe toen hij de tevreden glimlach van de bijzondere deskundige zag.

De bijzondere deskundige had precies datgene gezegd waarvan Berg had verwacht dat hij het níét zou zeggen.

"Hoeveel mensen zou je nodig hebben om al die mensen volledig te bewaken?"

"Volledig?" zei Berg vragend om er zeker van te zijn dat degene die de vraag had gesteld ook de betekenis ervan had begrepen.

"Volledige bewaking. Ik heb het over tweeëntwintig bewakingsteams." De bijzondere deskundige knikte bevestigend.

"Dat kunnen we vergeten", zei Berg. "Zoveel mensen heb ik niet. Bovendien hebben ze genoeg andere dingen te doen zoals de heren zeker weten." Waarom vraagt hij dat, dacht Berg. Hij weet toch precies hoeveel geld ik tot mijn beschikking heb, en hij kan ook rekenen.

De bijzondere deskundige had alleen maar geknikt.

"Nog iets", zei hij. "Hoeveel anderen zijn er nog? Behalve deze gekwalificeerde groep waar je net over hebt verteld."

"Honderden", zei Berg. "Zeker honderden." Hij vraagt het niet voor zichzelf, dacht Berg. Hij wil dat ik het tegen de anderen zeg. Waarom wil hij dat, vroeg hij zich af.

Daarna had hij verslag gedaan van de gegevens die hij door het hoofd Lijfwachten had laten verzamelen en hij had met vliegende vaandels en slaande trom de eindstreep gehaald.

"Ik heb een overzicht laten maken", zei Berg. "Van de bewaking van de minister-president gedurende de dertig dagen voorafgaand aan dit overleg."

De minister-president was zeventien van de dertig dagen op reis geweest, zowel in Zweden als in het buitenland, en als het aan Berg had gelegen had hij de hele tijd weg mogen zijn. Dan werd hij namelijk altijd bewaakt door zijn eigen lijfwachten, die bovendien vaak versterking kregen van het Operationele Bureau, terwijl ook de lokale politie veel mankracht inzette. Het was het allerbest als hij in het buitenland was, want daar hadden ze andere ervaringen en de veiligheidsmaatregelen waren meestal gigantisch in vergelijking met de middelen waarmee Berg het moest doen. Het was het ergst als hij gewoon in het regeringsgebouw werkte of thuis was.

"Gedurende elf van deze dertien dagen heeft hij 's nachts geen andere fysieke bewaking gehad dan de bewaker van het bewakingsbedrijf die wij voor zijn deur hebben neergezet. Gedurende al deze dagen is hij bij een of meer gelegenheden buiten Rosenbad of zijn woning alleen geweest. Alles bij elkaar gaat het om meer dan twintig keer, variërend van een kwartier tot een paar uur. Hij is van en naar zijn woning gewandeld, hij is uit eten geweest of heeft boodschappen gedaan in de stad. Dat is de situatie", zei Berg en hij knikte met alle ernst die de situatie vereiste.

"Foei, foei, Berg", zei de bijzondere deskundige en hij grinnikte enthousiast.

"Ik heb hem niet, ik herhaal níét, laten schaduwen", zei Berg. "Dit zijn gegevens die ik op een andere manier heb verkregen en er is maar één reden waarom ik dat heb laten doen. De minister-president is een bewakingsobject voor wie ik en mijn mensen verantwoordelijk zijn, hij is trouwens een van de zes objecten die onze hoogste prioriteit hebben. Jullie kennen de achtergrond waarover ik heb verteld en de rest kunnen jullie vast wel zelf bedenken."

"Ik zal met hem praten", zei de bijzondere deskundige en hij klonk ironisch noch ongeïnteresseerd, zelfs niet vermoeid. "Maar je moet er niet te veel van verwachten. Hij is nu eenmaal zoals hij is en bovendien is hij mijn baas", voegde hij er verklarend aan toe.

"Ik zal ook met hem praten", zei de minister van Justitie. "Dat zal ik zeker doen."

"Je kunt hem vertellen dat het niet langer is zoals in de tijd van de oude koning", zei de bijzondere deskundige vanachter zijn halfgesloten oogleden en toen hij dat zei, klonk hij weer net als altijd.

***

Waltin was sinds veertien dagen bezig een inbraak voor te bereiden en dat was niet de eerste keer. De eerste keer dat hij een inbraak had gepleegd, was hij slechts vijftien jaar geweest en had hij nog op de middelbare school gezeten. En net als nu was hij die keer ook niet van plan geweest iets te stelen. Hij had alleen maar even willen kijken. Hij had ingebroken bij een klasgenoot die met zijn familie op voorjaarsvakantie was. Het was niet bijzonder moeilijk geweest. Hij had de sleutels van de woning al lang van tevoren weten te bemachtigen en hij was een paar keer bij zijn vriendje thuis geweest en kende de woning behoorlijk goed. Eigenlijk was Waltin geïnteresseerd in de moeder. Een kleine, slanke, mooie vrouw met veel stijl, die helemaal niet op haar zwijnachtige zoon leek.

Het was een fantastische ervaring geweest. Hij had uren door de grote, stille, donkere woning rondgelopen. Hij had latex handschoenen gedragen, een kleine praktische op een pen lijkende zaklamp bij zich gehad die hij in de hobbywinkel had gekocht en hij had bijna de hele tijd een erectie gehad. Hij was heel systematisch te werk gegaan en had geen enkel spoor achtergelaten. Uiteindelijk had hij in de slaapkamer van de ouders in een fotoalbum gevonden wat hij zocht. Het was een foto van de moeder van zijn vriendje. Helemaal naakt glimlachte ze op de meest schaamteloze manier naar de fotograaf en aan de achtergrond te zien was de foto bij hun zomerhuisje aan de scherenkust genomen, want daar was hij zelf ook geweest. Tegelijkertijd had hij een grote teleurstelling gevoeld. Ze hield zijn klasgenoot bij de hand vast – de jongen had er tien jaar geleden ook al als een varken uitgezien – en bovendien had ze veel grotere borsten dan hij had gedacht. Tenminste in die tijd.

Eerst was hij toch van plan geweest de foto mee te nemen, hij had willen proberen het kleine varken weg te knippen en een kopie te maken van de rest van de foto. Die had hij haar, met een paar goed geformuleerde zinnen waarin hij aangaf dat er nog meer was wat veel erger was, anoniem willen toesturen met het voorstel dat ze elkaar misschien moesten ontmoeten ... maar die borsten waren veel te afstotelijk in hun vette, witte duidelijkheid, dus had haar foto in het album mogen blijven en terwijl hij zich aftrok, probeerde hij het kleine varken en de borsten met de vingers van zijn linkerhand te bedekken. Het was vrij goed gegaan al had het een poosje geduurd en toen hij klaar was, had hij het varken en de borsten flink ingewreven met zijn sperma.

Toen hij de woning verliet had hij een paar gouden sieraden en wat

227

flessen uitstekende Franse wijn meegenomen. Na een tijdje had hij de sieraden beleend en er behoorlijk wat geld voor gekregen. De wijn had hij in afzondering op zijn jongenskamer opgedronken, terwijl moedertje als gewoonlijk in de kamer ernaast op sterven lag. Alles wees erop dat hij het netjes had gedaan. Ze leken niet ontdekt te hebben dat ze geheim bezoek hadden gehad. Het varken had zich volstrekt gewoon gedragen, net zo snotterend en opdringerig als altijd, en als er bij hem thuis was ingebroken, zou de hele school dat voor de ochtendpauze hebben gehoord.

Dat was toen. Tegenwoordig hield hij zich alleen maar bezig met legale inbraken en niemand van het selecte, zwijgzame gezelschap dat ooit de eer had gehad om hem met de praktische kant van de zaak te helpen, had ooit aan zijn professionele capaciteiten getwijfeld. Maar deze keer voelde het niet goed. Enerzijds was hij niet bijster gemotiveerd. Wat kon een man als Krassner eigenlijk laten zien als men hem onder de loep nam? Als het een gewone weddenschap was geweest, zou hij geen cent op die dwaas hebben ingezet. Anderzijds was het geen eenvoudige opgave. Daken en muren, alarminstallaties, detectoren en bewakingscamera's waren één ding, die mochten zo verfijnd mogelijk zijn want dat maakte het er allemaal alleen maar leuker op, maar zeven waakzame jongeren die samengepakt in een schoenendoos woonden, was iets heel anders en tien keer zo erg.

Eén ding was duidelijk: hij moest hen de flat uit zien te krijgen zodat het daar leeg was. Kleine Jeanette zou de neger onder haar hoede nemen; hoewel hij dat geen prettig idee vond, had hij geen betere oplossing weten te bedenken. Het leek alsof hij zich ook van de andere vijf studenten kon ontdoen. Twee van hen zouden naar hun ouders gaan en een derde naar zijn vriendin. Twee waren van plan thuis te blijven en daar wat te drinken voordat ze eventueel in de stad verder gingen feesten, maar omdat Jeanette kaartjes had weten te bemachtigen voor een popconcert, wat hen zelf niet was gelukt, zou hij hen ook kwijt zijn. Waarschijnlijk zou hij hen kwijt zijn, en dan resteerde alleen het grote probleem: Krassner zelf.

Het was niet meer dan juist en billijk dat die oude Forselius daarbij zou helpen. Tenslotte vormden zijn fantasieën de basis voor de hele zaak. Maar hij had natuurlijk als een koppige ezel tegengestribbeld toen Waltin hem opzocht om over de kwestie te praten.

"Ik hoor wat je zegt", zei hij zuur toen Waltin uitlegde waar het over ging. "Ik hoor wat je zegt."

"Jij bent de enige die ik kan vertrouwen", zei Waltin vleierig. "Hij heeft weliswaar contact met een paar journalisten, maar dat risico wil ik niet nemen. Dan vergeet ik de hele zaak liever."

"Prettig om te horen", zei Forselius en hij klonk iets opgewekter. "Je zou die vent gewoon moeten neerschieten."

Zeker, dacht Waltin. *Fine with me*, maar wat kunnen we doen?

"Zou je hem niet kunnen uitnodigen om wat oorlogsherinneringen aan jou en zijn oom op te halen?" stelde Waltin voor.

"Met zo'n vent!" snoof de oude. "Vind je de situatie niet al erg genoeg?"

Welke situatie, dacht Waltin die er geen idee van had waar het eigenlijk over ging.

"Geen echte natuurlijk", zei Waltin met goed gespeelde schrik. "God bewaar me, nee, ik dacht dat we een goed verhaal in elkaar konden draaien als we toch bezig waren. Als je begrijpt wat ik bedoel?" Hij had zich voorovergebogen in de doorgezeten leren fauteuil en knikte zo vleierig als zijn riskante positie toeliet.

"Je denkt aan de tijd dat professor Forselius de spiegels vasthield", knorde de oude man terwijl hij naar de karaf met cognac greep. "Dat waren nog eens tijden."

Welke spiegels, dacht Waltin. Waar heeft hij het over? Opeens helemaal tevreden?

"Natuurlijk, natuurlijk", zei Forselius. Hij slikte een flinke slok door en veegde een paar achtergebleven druppels weg met zijn hand. "Maar hoe krijg ik die vent te pakken, want hij heeft waarschijnlijk geen telefoon in die vervloekte studentenflat."

"We moeten een brief schrijven", zei Waltin.

Dus hadden ze een brief geschreven waarin Forselius Krassner uitnodigde bij hem thuis langs te komen, op vrijdagavond 22 november om 19.00 uur. Ze schreven dat Forselius oude documenten had doorgenomen sinds hij Krassner de vorige keer had gesproken, en dat hij dingen had gevonden die misschien waardevol konden zijn voor Krassners werk en die hij eigenlijk aan Krassners oom had willen geven als die nog had geleefd, maar als Krassner zelf geïnteresseerd was dan ...

"Nu maar hopen dat die klootzak antwoordt", zei Forselius.

"Dat doet hij zeker", zei Waltin met warme stem.

"En als hij dat niet doet, moet je maar iets anders verzinnen", zei Forselius sluw.

"Het komt wel goed", zei Waltin en hij stond op.

"Ik kan me een Pool herinneren. Het was vlak na de oorlog. We zaten ook in tijdnood. En het was enorm belangrijk."

"Ja", zei Waltin vriendelijk. "Ik luister."

"Maakt ook allemaal niet uit", zei Forselius en hij schudde zijn hoofd. "Het was vlak na de oorlog en we speelden toen volgens andere regels, maar we zijn hem kwijtgeraakt. Dat is ons gelukt." Forselius zuchtte zwaar.

Ik vraag me af of ze die Pool over wie die oude zat te mompelen hebben gedood, dacht Waltin toen hij weer op straat stond. Dat zou best een praktische oplossing zijn, maar omdat de tijden nu anders waren, had hij voor een andere aanpak gekozen. Tot zijn verbazing was Berg er ook ingetrapt. En nog verbazingwekkender was dat Berg plotseling helemaal niet meer geïnteresseerd leek in de hele zaak.

"Als je geen andere oplossing kunt bedenken, dan moet het maar zo", zei Berg en hij spreidde zijn handen. "Ik neem aan dat onze eigen mensen het doen."

"Ja", zei Waltin. "Wij pakken hem en dan mogen de mensen van Narcotica de rest doen, zonder dat ze weten wie de afzender is. Ik heb een oud contact met wie ik dat kan regelen."

Daarna had hij met Göransson en Martinsson gesproken. Dat leverde geen enkel probleem op, want zij moesten gewoon doen wat hij zei. Voor de studentenflat posten en als Krassner op vrijdagavond voor 19.00 uur naar buiten ging, moesten ze hem volgen en controleren dat hij naar de oude Forselius ging. Daarna moesten ze Krassner bewaken zolang hij bij Forselius was en waarschuwen als er iets misging. En als alles voorbij was en Krassner weer naar huis ging, zat hun werk erop.

Als Krassner niet naar buiten kwam, moesten ze hem boven inrekenen. Hem naar de recherche op Kungsholmen brengen en hem opsluiten als verdachte van een drugsmisdrijf, eventueel een ernstig drugsmisdrijf. Zo min mogelijk papieren en een snelle overhandiging aan de collega van de afdeling Narcotica, en ze hoefden absoluut niet aan een huiszoeking te denken, want daar zouden anderen voor zorgen.

"Begrijpen we elkaar?" vroeg Waltin.

"Zeker", antwoordde Martinsson en hij bewoog discreet zijn biceps in de spiegel achter Waltins rug.

Göransson had alleen maar geknikt, maar hij liep dan ook al veel langer mee dan Martinsson.

Ik moet Forselius' brief niet vergeten, dacht Waltin.

Waltin had weliswaar niet zo veel tegen rechercheur Jeanette Eriksson gezegd, maar omdat ze zevenentwintig was en absoluut niet dom, kon ze de rest zelf bedenken.

Er gaat kennelijk een huiszoeking plaatsvinden, dacht ze. Zo'n huiszoeking waarover niet wordt gepraat. Maar daarna had ze er niet meer aan gedacht, want ze had andere dingen aan haar hoofd die ze dringender en lastiger vond. De kaartjes die ze voor het popconcert van vrijdagavond had geregeld waren haar kleinste probleem geweest en dat was makkelijk opgelost. Weliswaar had Waltin de kaartjes geregeld, maar het was haar idee geweest.

Zij en Daniel hadden in de keuken koffie zitten drinken toen Tobbe en Patrik binnenkwamen en erbij waren komen zitten. Die twee kenden elkaar al sinds de middelbare school en speelden al jaren in dezelfde band voordat ze op dezelfde gang kwamen te wonen. Nu waren ze enorm chagrijnig, want hoewel ze om de beurt uren in de rij hadden gestaan, was het hun niet gelukt om kaartjes te krijgen voor het concert van hun favoriete band aanstaande vrijdag. Ze had nog nooit van de band gehoord, maar ze greep haar kans.

"Dat kan ik wel regelen", zei ze en ze knikte naar hen.

"Vergeet het maar", zei Tobbe. Hij schudde zijn hoofd en nam een paar flinke slokken uit het flesje bier dat hij bij zich had gehad.

"Hoe dan?" vroeg Patrik twijfelend.

"Een ex van mij werkt bij een platenmaatschappij", loog Jeanette. "Hij kon altijd aan kaartjes komen."

Krassner zelf was een veel groter probleem. Toen ze op een dag in de gemeenschappelijke keuken zat te lezen, was Krassner plotseling binnengekomen en tegenover haar gaan zitten. En hoewel hij naar haar glimlachte, begreep ze meteen dat het niet echt gezellig zou worden.

"Wat lees je?" vroeg hij en hij pakte het kaft van haar boek beet.

"Een boek over misdaad", zei Jeanette in haar beste schoolengels, terwijl ze probeerde beledigd genoeg te lijken over zijn opdringerigheid.

"Criminologie is een verplicht vak op de Zweedse politieacademie", zei Krassner en dat was eerder een bewering dan een vraag.

Pas maar op, klootzak, dacht rechercheur Eriksson, terwijl ze haar best deed eruit te zien als een 17-jarige.

"Ik weet het niet", zei ze. "Volgens mij is dat niet zo, maar je kunt het volgen aan de universiteit van Stockholm. Ik zit in het tweede jaar."

Krassner grijnsde honend als iemand die zich niet om de tuin liet leiden door een meisje als zij.

"Je zit meestal hier in de keuken", zei hij.

"Dan kunnen Daniel en ik beter studeren", zei Jeanette onschuldig. "Ik hoop dat je het niet erg vindt."

Krassner schudde zijn hoofd, stond op, bleef in de deuropening staan en keek haar aan met zijn onbehaaglijke, insinuerende glimlach. *"Take care, officer"*, zei hij, draaide haar de rug toe en verdween naar zijn kamer.

Jeanette had niet geantwoord. Had hem alleen maar verbaasd aangekeken alsof ze hem niet begreep. Wat wil hij, dacht ze. Weet hij iets? Dat was nauwelijks waarschijnlijk, eerder hoogst onwaarschijnlijk. Vermoedt hij iets? Vast, want zo'n type was hij. Wat wil hij? Hij wil me testen, dacht ze.

"Hij lijkt compleet geschift. Geloof me, die man is niet fris, dat kun je aan zijn ogen zien", zei Eriksson toen ze Waltin diezelfde avond sprak.

"Hij kan niets weten", zei Waltin.

"Nee", zei Jeanette, "maar dat is volgens mij volstrekt oninteressant voor hem."

"Je lijkt nou niet direct op een politieagent", zei Waltin met een vaderlijke glimlach. "Hij probeert je te testen."

"Zeker. Hij probeert me te testen hoewel ik eruitzie zoals ik eruitzie", benadrukte Eriksson. "Dat zegt toch het een en ander over hem."

"Moet je in de keuken zitten? Is er geen andere mogelijkheid?"

"Nee." Jeanette schudde haar hoofd. "Anders kan ik niet langs zijn deur lopen om te horen wat hij doet."

"Het is binnenkort allemaal voorbij", zei Waltin en hij glimlachte troostend met al zijn witte tanden. "En niemand zou het beter kunnen doen dan jij."

En er is nog een reden om in de keuken te zitten, dacht rechercheur Eriksson, maar die wil je vast niet horen en omdat het binnenkort toch allemaal voorbij is, moet ik daar maar mee leven.

De belangrijkste reden waarom ze meestal in de keuken zat was Daniel, of M'Boye zoals ze hem noemde als ze met Waltin en de andere collega's sprak. Los van het feit dat het binnenkort voorbij zou zijn, gingen Daniel en zij nu al bijna zes weken met elkaar om. Hij was een volstrekt normale jonge man, maar zij gaf hem op zijn hoogst een licht kusje of een voorzichtige knuffel, hoewel ze elkaar meer dan twintig keer hadden ontmoet en uren op zijn kamer hadden doorgebracht waar ze van alles hadden gedaan, behalve wat ze eigenlijk hadden moeten doen.

Hij moet denken dat ik helemaal gestoord ben, dacht Eriksson. Gelukkig is hij zoals hij is.

Daniel was niet alleen groot, sterk, mooi en begaafd. Hij was bovendien aardig en welopgevoed en zodra hij had begrepen dat Jeanette geen gewoon 'Zweeds meisje' was, had hij ook een kant van zijn persoonlijkheid gemobiliseerd die zowel attent als volhardend was. Maar rechercheur Eriksson had zich toch enorm moeten inspannen om geen gebruik te hoeven maken van het lichaamsdeel dat Daniel – tijdens een Freudiaans moment waarop ook hij zijn houvast had verloren – haar 'kleine bever' had genoemd. Jeanette vond het helemaal niet leuk wat ze deed. Ze maakte misbruik van een aardige man die haar leuk vond. Als de lucht in Daniels kamer dik werd als mayonaise, vluchtte ze meestal naar de gemeenschappelijke keuken en haar voorwendsels om dat te doen waren niet eens vergezocht meer, ze waren zelfs erger, maar gelukkig zou het binnenkort allemaal voorbij zijn. Dan zou zij uit zijn leven verdwijnen, hij zou terugkeren naar Zuid-Afrika en daar verder leven en hopelijk zou ze geen al te diepe sporen hebben achtergelaten.

Forselius had Waltin pas laat op donderdagavond gebeld en toen hij dat eenmaal deed, was Waltin al geruime tijd bezig om zijn alternatieve plan tot in de details voor te bereiden. Berg had hem 's middags gebeld en toen had Waltin gezegd dat het waarschijnlijk toch een narcotica-actie zou worden omdat Forselius niets van zich had laten horen. Berg leek zich met dat idee te hebben verzoend. "Ja, ja", had hij alleen maar gezegd, "dat is misschien wel zo goed."

Maar toen belde Forselius en hij klonk zowel opgewekt als samenzweerderig.

"Met mij", zei Forselius op Waltins lijn die beveiligd was tegen afluisteren.

Hallo, oude klootzak, dacht Waltin. Midden in de nacht bellen en doen alsof je *the third man* bent.

"Fijn dat je belt", zei Waltin beleefd.

"Ik belde alleen maar om te zeggen dat het allemaal gaat zoals we hadden gepland", zei Forselius. "We hebben elkaar net door de telefoon gesproken."

"Wat gezellig", zei Waltin hartelijk. "Ik laat nog van me horen."

Zal ik Berg bellen om hem te vertellen dat we weer terug zijn bij plan A, dacht Waltin. Dat kan wachten, besloot hij en in plaats daarvan besloot hij Hedberg te bellen om hem het groene licht te geven. Hedberg was tenslotte degene die de zwaarste last moest dragen en hij wilde hem niet onnodig op bericht laten wachten.

Mijn beste medewerker, dacht Waltin met warmte. Hedberg die

nooit iets zei, maar altijd precies deed wat hij moest doen. Soms had hij bijna het gevoel alsof ze broers waren. Alsof Hedberg de broer was die hij nooit had gehad. Wat hebben de collega's toch veel onzin over die man verteld, dacht Waltin.

XI

Tussen het verlangen van de zomer en de kou van de winter

Albany, New York State, maandag 9 december

Het plaatselijke weerbericht had na het weekend zachter weer beloofd, maar ze waren vergeten de sneeuw te vermelden. Toen Johansson op maandagochtend wakker werd, viel de sneeuw in grote hoeveelheden voor het raam van de slaapkamer van de professor en omdat hij uit Noord-Zweden kwam, besefte hij direct dat zich problemen met het vervoer konden voordoen. Zijn gastvrouw Sarah leek dezelfde conclusie te hebben getrokken, hoewel ze op Manhattan in New York was geboren.

"Jezus", zei ze. "Heb je gezien wat voor weer we hebben? We moeten opschieten zodat je je trein niet mist."

Johansson had gedoucht, zich aangekleed en zijn weinige spullen in de handige schoudertas gestopt die hij voor weinig geld in de souvenirwinkel van de FBI had gekocht. Dat duurde een kwartier en toen hij beneden in de keuken kwam, werd hij begroet door zijn gastvrouw die druk bezig was met het ontbijt. Ze had net gedoucht, zag er fris en opgewekt uit, en kennelijk had ze zich sneller aangekleed dan Johansson, want toen ze hem was komen wekken had ze haar ochtendjas nog aangehad.

Een hoogst merkwaardige vrouw, dacht Johansson, wat hij als een groot eerbetoon bedoelde.

"Hoe wil je je eieren?" vroeg Sarah.

Roereieren, gebakken ham, geroosterd brood, vers geperste sinaasappelen en een grote kop koffie, terwijl een vrolijk pratende Sarah hem vermaakte met verhalen over sneeuwstormen en ander vervelend plaatselijk weer in Albany en omgeving dat zij in haar nog niet zo lange leven had meegemaakt. En tot dat moment was alles perfect geweest, maar toen was het pas goed gaan sneeuwen en was de ellende begonnen.

Het was slechts een paar kilometer naar de bank; Sarah was klant bij het plaatselijke kantoor van de Citybank vlak bij de universiteit, maar omdat de Volvo geen winterbanden had en de wereld buiten de ruiten wit van de sneeuw was, had het nogal lang geduurd voordat ze al slippend en slingerend de bank hadden bereikt. Maar toen ze eenmaal binnen waren, was het rustig en stil en er waren bijna geen klanten.

"Wat een weer", zei Sarah opgewekt terwijl ze de capuchon van haar lange rode wollen jas afdeed.

"Het ziet ernaar uit dat we een witte kerst krijgen", stemde de lokettiste met een vriendelijke glimlach in. "Blijf je hier of ga je naar New York?"

Die kennen elkaar, dacht Johansson onwillekeurig. Als ze nu maar niet beginnen te kletsen, dacht hij met een bezorgde blik op zijn horloge.

Het geklets had zich beperkt tot een beleefd minimum. Daarna had Sarah op een formulier haar naam en het nummer van haar bankkluis ingevuld en met een verklarend knikje naar Johansson had ze een brede glimlach afgevuurd naar een oudere bewaker in uniform die een paar meter verderop bij de ingang geposteerd stond.

"Hij hoort bij mij", zei Sarah. "Hij is mijn nieuwe assistent."

De bewaker had vaderlijk naar Sarah geglimlacht en wat neutraler naar Johansson, en twee minuten later stonden ze beneden in de ruimte met de kluizen waar Sarah de sleutel in het slot van een van de grootste bankkluizen stak.

Ik vraag me af of dat de sleutel is die in de schoen zat, dacht Johansson.

"Ik ben benieuwd", zei Sarah.

Ze knipoogde samenzweerderig naar Johansson terwijl ze samen de box uit de kluis trokken en die op een tafel die vlakbij stond neerzetten.

"Wil jij kijken of doe ik het?" vroeg Sarah giechelend.

"Het is jouw box", zei Johansson. "Kijk jij maar."

Sarah schudde haar hoofd en glimlachte.

"Jij mag eerst kijken", zei ze. "Dat is mijn kerstcadeau voor jou."

Papieren, alleen maar papieren, en veel minder dan hij had verwacht, maar toch een stapel van ongeveer twintig centimeter hoog. De papieren zaten in plastic mappen en in dunne kartonnen archiefmappen, waarvan er in elk geval ééntje behoorlijk oud leek.

"Dit is kennelijk het manuscript van zijn boek", zei Sarah, die al in de stapel was gaan wroeten. "Het is dikker dan ik had verwacht", giechelde ze en ze reikte hem een bundel van ruim honderd vellen typemachinepapier aan die in een plastic map zaten.

Johansson pakte de bundel aan en bladerde die snel door. De titel en naam van de schrijver in grote letters op het voorblad. *The Spy that went East* door John P. Krassner, las hij. Voorwoord, inhoudsopgave en volgeschreven bladzijden in het begin. Aan het eind titels van hoofdstukken, getypte trefwoorden en moeilijk leesbare, met de hand geschreven aantekeningen op bladzijden die verder leeg waren.

Hij schrijft zoals hij zijn kamer opruimt, dacht Johansson terwijl hij de dunne stapel papieren in zijn hand woog.

"Een typisch John-manuscript", zei Sarah met een glimlach. "Bestaat voornamelijk in het hoofd van de schrijver. Ik heb een voorstel", ging ze verder met een knikje naar de stapel op de tafel. "Stop alles in je handige kleine tas met het mooie embleem en lees het allemaal rustig door als je daar de tijd voor hebt. Maar ik geloof niet dat je er al te veel van moet verwachten. John was geen echte Hemingway, om het maar voorzichtig te zeggen."

"Hij wilde dat jij kopieën zou hebben", wierp Johansson tegen. De trein van elf uur kan ik dus wel vergeten, dacht hij.

"Vergeet het maar", snoof Sarah en voor het eerst sinds hij haar had ontmoet leek ze plotseling verontwaardigd. "Nooit van mijn leven. Ik hoef zijn rotkopieën niet."

Oeps, dacht Johansson. Ze heeft echt rood haar.

Onderweg naar het station had ze in de auto uitgelegd hoe zij tegen de zaak aankeek.

"Je vindt me misschien stuurs", zei ze hoofdschuddend, "maar ik wil al tien jaar niets meer met John te maken hebben. Toen ik het uitmaakte was hij voor mij een afgesloten hoofdstuk en zoals ik al eerder zei, gebeurde dat allemaal tien jaar geleden, maar omdat hij geen nee kon accepteren, heb ik toch nog contact met hem gehouden. Hoewel ik doodmoe was van hem en al zijn fantasieën en hij en zijn oude nazioom me tot hier zaten." Ze hield haar hand een paar decimeter boven haar bos rode haar.

"En toch mocht je van hem erven", zei Johansson met een scheve glimlach.

"Ja", zei Sarah. "Zo was hij. Weigerde te begrijpen dat nee ook een antwoord is. Maar ik heb nooit gewenst dat hij dood zou zijn en ik vind het echt erg dat hij dood is, want dat gun ik niemand. Weet je wat ik van plan ben te doen?" ging ze verder.

Johansson schudde zijn hoofd.

"Ik ga alles aan een goed doel geven."

"Je hebt niet overwogen het als een persoonlijke schadevergoeding te beschouwen?" stelde Johansson voor. Als het erop aankwam was hij altijd uit op voordeeltjes. Dat oude huis moet heel wat waard zijn als er tenminste niet te veel hypotheek op zit, dacht hij.

"Geen sprake van", zei Sarah. "Bovendien heb ik zelf genoeg om van te leven. Ik wil niet langer iets met John te maken hebben, en nog minder met zijn belachelijke papieren en zijn domme fantasieën. John is dood, oké. Ik wil hem in vrede laten rusten en ik ben absoluut niet van plan eraan mee te werken dat hij herrie kan blijven schoppen vanaf de plaats waar hij zich nu bevindt. Hij is trouwens vast in de hemel. Als God voor de Ieren moet je waarschijnlijk behoorlijk vergevingsgezind zijn."

Nu is ze zichzelf weer, dacht Johansson.

"Ik stel het volgende voor", zei Johansson. "Ik ga deze papieren in alle rust lezen en als ik iets vind waarvan ik denk dat jij het absoluut wilt horen, neem ik contact met je op."

Sarah haalde haar schouders op.

"Goed", zei ze. "Al kan ik me moeilijk voorstellen wat dat zou kunnen zijn."

Toen ze eindelijk bij het station aankwamen had Johanssons trein eigenlijk al weg moeten zijn, maar omdat de trein een halfuur vertraging had, hadden ze nog alle tijd. Ze hadden haar auto op de parkeerplaats gezet en toen Johansson haar de sleutels teruggaf, voelde hij zich enigszins bezwaard.

"Red je het hiervandaan?" vroeg hij.

"Ik neem een taxi", zei Sarah en ze glimlachte. "Ik haal de auto op als het weer is opgeklaard. Ze zeggen dat het beter wordt."

Ze haalde haar schouders op en glimlachte weer.

"Pas goed op jezelf", zei ze. "Jouw reis is een stuk zwaarder dan de mijne."

Daarna had ze de capuchon van haar rode jas afgedaan, was op haar tenen gaan staan, had hem omhelsd en hem een dikke zoen op zijn mond gegeven.

"*Take care, detective*", zei ze. "En vergeet niet te bellen als je toevallig in de buurt bent."

Het was bomvol geweest in de trein. Geen enkele kans om Krassners papieren te lezen. De reis naar New York had bijna vijf uur geduurd in plaats van drie en toen hij aankwam, had hij niet veel tijd meer over als hij zijn vliegtuig wilde halen. Maar toen hij eenmaal voor Grand Central Station stond, was het opgehouden met sneeuwen en hij begreep dat zijn aardse problemen voorlopig even voorbij waren.

Om halfacht was het SAS-vliegtuig uit New York met bestemming Stockholm geheel volgens de dienstregeling op kruishoogte. De waarschuwingslampjes in de cabine waren uit, achter het gordijn naar de pantry hoorde hij het gerammel van het drankwagentje en rook hij een zwakke etenslucht. De papieren had hij in zijn koffer gestopt. Hij zou ze lezen als hij weer thuis was.

Zij moet de meest pientere vrouw zijn die ik ooit heb ontmoet, dacht Johansson. Ze was ook best leuk, hoewel ze een relatie had gehad met die warrige Krassner.

Ik begrijp vrouwen niet, dacht hij met een zucht.

XII

Tussen het verlangen van de zomer
en de kou van de winter

Stockholm, 22 november - 10 december

Vrijdag 22 november

Hedberg was ruim op tijd op pad gegaan. Hij vond het prettig om op tijd te zijn, ook als het een eenvoudige opdracht betrof zoals deze. Waltin en hij hadden samen geluncht, de verdere gang van zaken en het doel van de opdracht besproken, doorgenomen wie wat zou doen en nog een aantal andere praktische details geregeld.

"Ik wil gewoon weten waar hij mee bezig is", vatte Waltin samen. "En als jij dat voor me hebt geregeld, wil ik niet dat hij erachter komt dat je dat hebt gedaan."

"Hij schrijft iets?" vroeg Hedberg. "Dat is alles wat we weten?"

"Waarschijnlijk iets aanstootgevends", stemde Waltin met een scheve glimlach in. "Wat volgens sommige politieke denkers mogelijk belangrijk kan zijn voor de veiligheid van het land, wat op zijn beurt jouw en mijn bescheiden medewerking aan dit kleine project vereist."

"Goed", zei Hedberg en hij stond op. "Ik bel zodra ik klaar ben."

Na de lunch was hij teruggekeerd naar het appartement dat Waltin voor hem had geregeld. Dat was een stuk beter dan een hotel, waar altijd zoveel mensen rondliepen die je op het verkeerde tijdstip en op de verkeerde plaats konden zien. Als je in een hotel logeerde, kreeg je ook een rekening en als je contant betaalde, wist je bijna zeker dat iemand dat vreemd zou vinden, verdenkingen ging koesteren en zich zou herinneren hoe je eruitzag. Bijna net zo erg als creditcards, dat waren je reinste markeringslinten die de tegenstander bovendien elektronisch en zelfs jaren later terug kon vinden. Maar als je bij Waltin bivakkeerde, kreeg je nooit een rekening en als je toevallig een buurman tegenkwam als je naar buiten of naar binnen ging, was dat haast een sensatie. Waltin beschikte over flink wat vrije appartementen. Hedberg had slechts zelden twee keer op dezelfde plek hoeven logeren en de koelkast was altijd goedgevuld met allerlei dingen die hij lekker vond.

Hedberg had een paar uur geslapen. Hij vond het prettig om uitgerust naar zijn werk te gaan.

Dan was je minder slordig. Zeven uur was de afgesproken tijd. Dan zou de gang leeg zijn en kon hij aan het werk gaan, en hopelijk zou het allemaal vlotjes verlopen. Hij was al om zes uur ter plekke geweest om de omgeving te verkennen en het eerste wat hij zag, was de blauwe bestelwagen die geparkeerd stond op een plek waar je de ingang van de studentenflat goed kon zien.

Stomme amateurs, dacht Hedberg geïrriteerd en hij keerde terug naar zijn eigen auto die hij een eind verderop had geparkeerd. Waarom hadden ze geen uitkijkpost gekozen waar ze niet het gevaar liepen ontdekt te worden? Zelf was hij absoluut niet van plan gefotografeerd te worden, zelfs niet als zijn ex-collega's de camera vasthielden. Dan al helemaal niet.

***

"Daar heb je hem. Jezus, wat is hij vroeg", constateerde rechercheur Martinsson een seconde nadat Krassner met rasse schreden door de ingang van de studentenflat naar buiten was gestapt.

"Achttien uur tweeëndertig", zei Göransson en hij maakte een aantekening in het notitieboekje dat op het dashboard lag. "Hij wil waarschijnlijk gewoon op tijd zijn."

***

Elk nadeel heeft zijn voordeel, dacht Hedberg. Eerst had hij Krassners rug gezien, maar omdat de verlichting op straat slecht was, wist hij niet zeker of hij het goed had gezien. Maar toen was de blauwe bestelwagen plotseling opgedoken en had een nieuwe positie ingenomen, op iets minder dan honderd meter afstand van de man die de straat uit liep. Goed, dacht Hedberg. Aan het werk dan maar.

***

Krassner had kennelijk besloten naar de Sturegatan te lopen. Bovendien was hij zo vriendelijk geweest het goede trottoir te kiezen. Hij liep ook snel, dus het was geen kunst om voldoende afstand te houden hoewel ze hem vanuit een auto schaduwden.

"Stomme amateur", snoof Martinsson. "Als ik hem was geweest had ik de andere kant van de straat genomen. Dat ze nooit leren dat ze tegen het verkeer in moeten lopen."

"Als ik jou was, zou ik dankbaar zijn", zei Göransson. "Het vriest bijna tien graden. Wees blij dat je in een warme auto zit."

Met jou als chauffeur, dacht Martinsson, want het kon geen toeval zijn dat Göransson uitgerekend deze keer op de bestuurdersplaats zat. Je zou echt eens wat meer moeten bewegen, luiwammes, dacht Martinsson, maar dat zei hij niet.

***

Het ziet er goed uit, constateerde Hedberg terwijl hij zijn eigen spiegelbeeld inspecteerde in de lift naar de zestiende verdieping. Een echte werkman in een overall met een gereedschapsriem en een kleine ijzeren gereedschapskist waarin hij zijn camera en walkie-talkie had gestopt die hij nodig had voor het geval die twee amateurs in de blauwe bestelwagen hem wilden waarschuwen als Krassner plotseling iets raars zou uithalen.

***

"Hij is twintig minuten te vroeg", constateerde Martinsson toen Krassners rug door de portiekdeur naar Forselius' woning aan de Sturegatan verdween. "Zullen we doorgeven dat hij is aangekomen?"

"Ja", zei Göransson. "Laten we een eindje doorrijden, dan stoppen we verderop. We kunnen maar beter aan de kant van de portiek gaan staan."

"Goed", zei Martinsson en hij drukte drie keer op de zendknop van zijn draagbare radio.

***

Ja, ja, dacht Hedberg toen de radio in zijn gereedschapskist begon te kraken. Het object is op veilige afstand en we liggen bijna twintig minuten voor op het schema. Wat doe ik nu, dacht hij.

"Een hamburger zou er best ingaan", zei Martinsson.

"Geen sprake van", wierp Göransson tegen.

"Er is een kiosk bij het Tessinpark", zei Martinsson onschuldig. "Dat kost hoogstens vijf minuten."

"Goed dan", zei Göransson met een zucht. "Ik lust er ook wel een. Met kaas en rauwe ui en veel mosterd en ketchup. Ik wil ook koffie. Koffie met melk."

***

Ik waag het erop, besloot Hedberg. Hij had bijna vijf minuten op de trap tussen de vijftiende en zestiende verdieping naar de glazen deur staan kijken die naar de gang leidde waar Krassner woonde. Het licht was weliswaar aan, maar dat hoorde zo en het zag er leeg uit. Een waterlek, dacht Hedberg met een scheve glimlach terwijl hij de sleutels uit zijn zak haalde. Bij een lekkage moet je nooit te lang wachten.

Hier niets, daar niets, maar hier, dacht Hedberg terwijl zijn gevoelige vingers de spleet tussen de deurlijst en de deur naar Krassners kamer afzochten. Hij bevochtigde het kleine stukje papier met zijn tong, draaide het slot van de deur voorzichtig open, drukte het stukje papier terug op zijn plaats, sloop het kleine halletje in en trok de deur zachtjes achter zich dicht terwijl hij de deurkruk omlaag gedrukt hield. Leeg, dacht Hedberg en hij liet de deurkruk zachtjes los. Hoog tijd om wat werk te verrichten.

***

"Lekkere hamburger", zei Martinsson tevreden en hij liet een boer om zijn mening nog eens te benadrukken.

"Gaat wel", zei Göransson.

Hij klonk nog steeds chagrijnig, dacht Martinsson.

"Het is toch niet zo erg", zei Martinsson. "Het is verdomme nog maar een paar minuten over zeven. Vijf minuten meer of minder maken toch niet zoveel uit. Liever dat dan een rauwe hamburger."

"Oké, oké", zei Göransson. We staan in elk geval goed, dacht hij. Nog geen honderd meter verderop in de straat, met goed zicht op de portiek en dat we Krassner vijf minuten niet hebben geschaduwd is ook niet zo erg, tien trouwens ook niet.

"Ik houd het eerste uur wel de wacht, als jij even wilt tukken", stelde Martinsson voor. Dan hoef ik tenminste geen vredespijp met jou te roken, stuk chagrijn, dacht hij.

"Goed", zei Göransson. "Jij neemt het eerste uur."

***

Waarom heb ik niet op zijn kamer afgesproken, dacht rechercheur Jeanette Eriksson terwijl ze nerveus op haar horloge keek. Zeven minuten te laat, en de collega die het werk moet doen is natuurlijk al boos op me. Houd op, Jeanette, dacht ze. Je weet heel goed waarom je hem niet op zijn kamer wilt zien. Geniet nu maar van je pilsje dat je met overheidsgeld hebt betaald en probeer er normaal uit te zien. Kwart over, besloot ze. Als hij er dan nog niet is, moet ik contact opnemen via de radio.

***

Hedberg was in de douche begonnen. Douche, toilet, wastafel, badkamerkastje met spiegel, tegels op de muren en plastic vloerbedekking die er bijna nieuw uitzag en stevig aan de vloer leek te zijn vastgelijmd. Plastic handschoenen aan zijn handen, plastic hoezen om zijn schoenen en om te beginnen had hij zijn draagbare radio op het bureau neergezet zodat hij zeker wist dat hij die zou horen als iemand hem wilde waarschuwen. Tussen het badkamerkastje en de muur vond hij een plastic zak met een paar slordig gedraaide sigaretten. Marihuana, dacht Hedberg terwijl hij in de zak rook. Hij stopte de zak voorzichtig terug op de plek waar die verborgen had gezeten. Nu het halletje, dacht Hedberg. Hoedenplank, drie kledingkasten met bovenkastjes. Dit gaat gesmeerd, dacht hij.

***

Kom dan toch, dacht Jeanette terwijl ze op haar horloge keek en precies op dat moment kwam hij. Veertien minuten te laat en met een beschaamde glimlach.

"Sorry dat ik zo laat ben", zei Daniel terwijl hij zich vooroverboog, haar omhelsde en op de wang kuste.

"Het geeft niet", zei Jeanette en ze probeerde net geïrriteerd genoeg te klinken.

"Ik heb een voorstel", zei Daniel en hij ging op de stoel naast haar zitten. "Er is een goed Mexicaans restaurant in de Birger Jarlsgatan. Hoe lijkt je dat?"

Vijf, misschien tien minuten lopen, dacht Jeanette. Zelf zou ze liever in de buurt zijn gebleven voor het geval er iets gebeurde, maar aan de andere kant had Waltin niets gezegd dat haar daartoe dwong. Alleen dat ze ervoor moest zorgen dat M'Boye minstens een uur van zijn kamer wegbleef en dat zij zich moest melden zodra alles voorbij was. Goed, dacht ze. Wat beweging zal me goed doen, dan kan ik de spanning eruit lopen.

"Goed", zei ze met een glimlach. "Dat is goed."

***

De kledingkasten waren vrijwel leeg en zaten dicht tegen de muur geschroefd. Maar een van de vloerlijsten zat los. Hedberg ging op zijn knieën zitten, pakte een mes en friemelde voorzichtig met het snijvlak tussen de vloerlijst en het linoleum. Ha, dacht hij tevreden, en hij haalde de lijst weg en stak zijn hand naar binnen. Papieren, dacht hij. Een vrij dikke stapel in een plastic map.

Hedberg trok zijn vondst voorzichtig naar buiten. Stond op en las de tekst op de eerste bladzij. *The Spy that went East* door John P. Krassner. Schrijft hij een detective, dacht Hedberg verbluft terwijl hij in het manuscript bladerde. Het was niet bijzonder dik en aan de vele met de hand geschreven toevoegingen en correcties te zien, ook nog lang niet klaar. Hoe moet ik dit allemaal fotograferen, dacht hij en op hetzelfde moment hoorde hij voetstappen in de gang voor de deur.

***

Waltin zat thuis in zijn grote appartement op Norr Mälarstrand naar een pornofilm te kijken. Het was een van zijn favoriete films, die oorspronkelijk deel had uitgemaakt van een grote partij die Bergs medewerkers bij een gestoorde Joegoslaaf in beslag hadden genomen, maar omdat de film veel te goed was om vertoond te worden op de personeelsfeestjes van het bureau had hij hem zelf ingepikt. Een Amerikaanse privé-opname waarin de in leer geklede held een echte teef aan een paar plafondhaken in zijn hobbykamer had opgehangen. Een goed verteld en heel leerzaam verhaal, hoewel het voor Waltin toch vooral om de vrouwelijke hoofdpersoon van het stuk ging. Precies het type dat hij zo haatte, met grote, vette, witte borsten die op en neer gingen zodra ze bewoog, en nu kreeg ze precies de behandeling die wijven als zij verdienden.

De voetstappen in de gang waren weggegaan. Daarna had hij gehoord dat de deur van de gang naar de liften dichtsloeg. Hier zouden helemaal geen mensen zijn, dacht Hedberg terwijl hij uitademde. Hij sloop de kamer in, liep naar het bureau en legde snel de bladzijden van het manuscript op het lege bureauoppervlak. Zal ik de bureaulamp of de flits gebruiken, dacht hij terwijl hij de camera uit zijn gereedschapstas pakte. De bureaulamp, besloot hij. Dat gaat sneller en is minder goed te zien. Hij regelde het licht zodat het goed op de bladzijden viel en begon te fotograferen. Het zijn vast meer dan honderd bladzijden, dacht hij geïrriteerd. Zou ik genoeg filmpjes hebben? Maar het ging in elk geval snel. Het eerste rolletje was in een paar minuten klaar, en net op het moment dat hij bezig was een nieuw rolletje in de camera te stoppen, hoorde hij het weer: de deur naar de gang sloeg dicht. Iemand die binnenkomt, dacht Hedberg. Hij deed de bureaulamp uit en sloop snel naar het halletje.

***

Wat vreemd dat hij het met mij uithoudt, dacht Jeanette en ze glimlachte haar verlegen glimlach naar haar tafelheer. Ze gingen nu al bijna zes weken met elkaar om en het enige wat hij had bereikt waren wat onschuldige zoentjes en knuffels en hij had niet eens gezeurd, laat staan dat hij serieuze toenaderingspogingen had gedaan. Waar ze de afgelopen dagen het meest over had nagedacht, want als ze Waltin mocht geloven zou haar opdracht vanavond al voorbij zijn, was hoe ze zich uit deze situatie moest terugtrekken zonder hem onnodig te kwetsen.

"Volgens mij vind je mij een ontzettende trut", zei Jeanette.

"Nee hoor", zei Daniel en hij schudde ernstig zijn hoofd terwijl hij zijn grote hand op de hare legde. "Je bent niet zoals andere meisjes die ik ben tegengekomen, maar ik respecteer je houding met betrekking tot ... ja, je weet wel wat ik bedoel."

Daniel glimlachte scheef en haalde zijn brede schouders op.

"Bovendien vind ik je leuk. Heel leuk", voegde hij eraan toe terwijl hij haar hand streelde en knikte.

Verdomme, dacht rechercheur Eriksson, maar dat zei ze niet. In plaats daarvan knikte ze alleen maar met een verlegen glimlach waarbij ze haar blik op het tafelkleed gericht hield. Ongeveer zoals kleine Jeanette zou hebben gedaan.

Waltin kreunde zachtjes van genot en nam een slokje van zijn malt-whisky terwijl de zweepslagen uit zijn zwarte Bang & Olufsen-luid-sprekers echoden en de vrouwelijke hoofdrolspeelster schreeuwde als een varken dat op het punt stond geslacht te worden.

"Er komt meer, er komt meer", neuriede Waltin verrukt want hij was vrolijk en een tikje aangeschoten, en net op dat moment begon zijn rode telefoon natuurlijk te rinkelen. Zijn beveiligde lijn.

Typisch, dacht hij met een zucht en hij zette de band stil. Kwart over acht, zag hij op zijn horloge toen hij de hoorn opnam. Het moest Hedberg zijn en dat kon alleen maar betekenen dat alles volgens plan was verlopen.

"Ja", zei Waltin. "Ik luister."

***

"Ik ga over drie weken terug naar huis", zei Daniel. "Heb je zin om mee te gaan?"

Hij glimlachte naar haar, die brede, witte, charmante glimlach, maar dat was waarschijnlijk vooral om de ernst van zijn vraag te ver-hullen, dacht ze.

"Ik weet het niet, misschien later. Ik zit nog met dat tentamen en daarna ga ik kerst vieren bij mijn ouders."

Dat laatste was in elk geval waar, dacht ze.

"Je moet naar Zuid-Afrika komen", zei Daniel en hij glimlachte. "Het is fantastisch."

Vast, dacht rechercheur Eriksson. Hoe red ik me hieruit, dacht ze, maar dat zei ze ook niet.

***

"Is alles goed gegaan?"

"Ja", zei Hedberg.

"Iets interessants gevonden?" vroeg Waltin.

"Nada", zei Hedberg.

"Nada? Niks?"

"Een rommelige studentenkamer, wat papieren en de meeste waar iets op stond lagen op zijn bureau. Wat met de hand geschreven aan-tekeningen."

"En dat was alles?"

"Ja", zei Hedberg. "Ik heb een paar rolletjes vol geschoten van wat er op het bureau lag. Ik kreeg de indruk dat hij bezig is een detective te schrijven."

"Een detective? Waarom denk je dat?" vroeg Waltin.

"Ik zag een bladzijde", zei Hedberg. "Die staat op de foto. Getypt. Leek op de omslag van een detective of zoiets. *The Spy that went East* door John P. Krassner."

"*The Spy that went East?*"

"Ja, de spion die naar het oosten ging. Dat zullen wel de Russen zijn."

De spion die overliep naar het oosten? Rare titel, dacht Waltin. Vanwaar liep hij over?

"En meer was er niet? Ik bedoel het boek zelf of zo?"

"Er waren nog wat bladzijden, op sommige meer en op andere minder tekst en die heb ik gefotografeerd. Maar het meeste wat ik daar heb gevonden, lag op het bureau en dat was niet bijzonder veel. Ik heb drie rolletjes vol geschoten, dus zo'n grote schrijver lijkt hij niet te zijn."

"Kon je het inktlint in de typemachine controleren? Hoeveel hij heeft geschreven?"

"Ja. Het leek nauwelijks gebruikt."

Een oude kerel en zijn dwaze fantasieën, dacht Waltin.

"We spreken elkaar morgen", stelde Waltin voor.

"Klinkt uitstekend", zei Hedberg. "Ik ga op tijd naar bed, dus je kunt me al vroeg bellen."

Eerst was Waltin van plan geweest de verbindingscentrale van de veiligheidsdienst te bellen zodat ze Göransson en Martinsson konden laten weten dat hun werk erop zat. Maar toen hij aan die gek van een Martinsson had gedacht, had hij besloten dat ze best nog een tijdje konden blijven waar ze waren, in elk geval tot ze zelf belden. Het vroor bijna tien graden en redelijkerwijs zou het in die oude bestelwagen die hij hun had geleend al vrij snel even koud moeten worden. Hopelijk zou de oude Forselius zich de halve nacht bezighouden met die warrige Krassner, terwijl Martinssons pik er buiten op straat afvroor, dacht Waltin tevreden. Bovendien wilde hij graag het eind van zijn film zien. Hij had hem weliswaar al zo vaak gezien dat hij de tel was kwijtgeraakt, maar hij werd elke keer beter. Zo doen we het, dacht hij. Hij schonk nog een maltwhisky in en strekte zijn hand uit naar de afstandsbediening.

Ze hadden bijna twee uur in het restaurant gezeten en toen ze weer op straat stonden, was ze van plan geweest afscheid te nemen. Ze had willen zeggen dat ze elkaar morgen konden bellen en dat ze nu naar huis zou gaan, maar om de een of andere reden was dat niet gebeurd. In plaats daarvan waren ze naar Daniels flat gelopen, een snelle wandeling, ze hadden zelfs een eindje achter elkaar aan gerend en toen ze door de ingang van de studentenflat waren gestapt, had hij haar met zijn grote ogen aangekeken en gevraagd of ze zin had in een kopje thee. En zij had geknikt en was met hem de lift ingestapt. Waar ben je mee bezig, dacht rechercheur Jeanette Eriksson.

***

Hoezo het eerste uur, dacht Martinsson en hij keek steels naar de in een deken gehulde snurkende bult achter in de bestelwagen. Al bijna drie uur en de laatste twee had hij het koud gehad als een hond, al had hij een deken om zijn benen geslagen en zelfs een paar oude kranten onder zijn achterste gestopt in een wanhopige poging de kou te verdrijven die door de stoel naar boven drong.

Ik lijk wel een zwerver, dacht hij. En die klootzak van een Göransson moet geconstrueerd zijn als een eskimo, hoewel hij bijna alle dekens had gepakt die ze in de auto hadden liggen. En die vervloekte drugsgebruiker zat lekker te smikkelen in een grote sjieke woning. Zodra die vent zijn neus buiten de deur steekt, zal ik zijn armen en benen eraf rukken en daarna ...

"Shit!" Martinsson vloekte luid en hartgrondig terwijl hij tegelijkertijd het contactsleuteltje omdraaide.

***

Zodra ze de gang instapte, zag ze hen en alle alarmbellen in haar hoofd begonnen te rinkelen. Wat is er gaande, dacht ze. Maar gelukkig had Daniel het overgenomen zodat ze zelf tijd kreeg om na te denken. Een andere Daniel dan die ze kende. Groot, zwart en dreigend, iemand die niet wegliep en die absoluut niet had begrepen dat de mensen die hij in de weg liep politiemannen waren. Verdomme, dacht rechercheur Jeanette Eriksson, hoewel ze vrijwel nooit vloekte, wat is er gaande en wat doe ik hier?

De film was afgelopen. De whisky was nog niet op en er was meer als hij daar zin in had. Een glas goede rode wijn is beter, dacht Waltin. Zachter, verfijnder en je raakte je scherpte niet op dezelfde manier kwijt als je er te veel van dronk, maar op dit moment had hij ook geen zin in wijn. Het enige wat hij voelde was een lichte irritatie. Verspilling van middelen, dacht Waltin. Wat hij moest doen, was kleine Jeanette hier thuis zien te krijgen zodat er belangrijkere dingen konden worden gedaan. En precies op dat moment ging de telefoon. Na tienen, dacht Waltin verbaasd, en om de een of andere reden zag hij de oude Forselius voor zich. Maar hoe is hij aan dit nummer gekomen, dacht Waltin terwijl hij de telefoon opnam.

"Ja", zei Waltin. "Ik luister."

***

"Verdomme, Martinsson, doe de motor uit", zei Göransson en hij stak zijn verfomfaaide hoofd tussen de stoelen. "Je snapt toch wel dat we hier niet met draaiende motor kunnen staan."

Ik hoop dat je lekker hebt geslapen, dacht Martinsson, maar voordat hij iets vernietigends over dat onderwerp had kunnen zeggen, werden ze via de radio opgeroepen.

"Ja", zei Martinsson terwijl hij de motor uitzette. "We luisteren."

"Jullie kunnen naar huis, jongens", zei de collega via de radio. "Ik heb de Alfaman net gesproken."

"Naar huis", zei Martinsson. Dit is verdomme niet waar, dacht hij.

"Ja. Hij zei dat jullie konden vertrekken. Hij wil jullie morgen spreken, hij belt morgenvroeg nog over de tijd."

Göransson had zijn hand al uitgestoken en het contactsleuteltje omgedraaid, hoewel hij nog niet eens voorin zat.

"Vind jij het erg om te rijden?" vroeg hij.

***

"Waarvandaan bel je?" vroeg Waltin. Rustig nou maar, dacht hij.

"Uit een cel beneden in de grote hal van · ... ja, je weet wel", antwoordde rechercheur Eriksson.

"Goed", zei Waltin. "We doen het volgende. Wandel een eindje richting centrum en neem dan een taxi naar mijn huis, dan praten we rustig verder."

Wat is er in godsnaam gaande, dacht Waltin.

Terwijl Waltin op kleine Jeanette wachtte, had hij zich wat opgefrist. Hij had zich gewassen, zijn handen, gezicht en oksels, zijn tanden gepoetst en een geurtje opgespoten om de eventuele whiskylucht te laten verdwijnen. Daarna had hij een schoon overhemd aangetrokken, een luchtig crèmekleurig linnen geval met zijn monogram in blauwe zijde op de borstzak geborduurd. En terwijl hij zich mooi maakte, had hij de hele tijd geconcentreerd nagedacht.

De kans dat alles faliekant fout was gegaan, was aanzienlijk, dacht hij. Bovendien waren er verschillende dingen die niet klopten. Volgens het gesprek met Hedberg om ongeveer kwart over acht, toen hij vanuit de flat belde die Waltin voor hem had geregeld, zou hij zijn opdracht zonder enige complicaties hebben uitgevoerd en wel tussen zeven en ongeveer kwart voor acht. Ach, het zal allemaal wel goed komen, dacht Waltin.

Volgens Göransson en Martinsson, die twee stukken ongeluk waar hij zo snel mogelijk iets aan moest doen, zou Krassner al om twintig minuten voor zeven door Forselius' portiekdeur aan de Sturegatan naar binnen zijn gestapt en toen ze drieënhalf uur later naar huis mochten, zou hij daar nog steeds zijn geweest.

Echt heel merkwaardig, dacht Waltin, omdat Krassner volgens de centrale meldkamer van de Stockholmse politie uit een raam op de vijftiende verdieping van de studentenflat Nyponet aan de Körsbärsvägen zou zijn gevallen, om vijf voor acht 's avonds en op ongeveer een kilometer afstand van de plek waar hij geacht werd met een oude verwarde man uit de dagen van de koude oorlog te zitten kletsen. De informatie over tijd en plaats was bovendien volstrekt juist aangezien hij dat zelf had gecontroleerd, uiteraard via een veilige omweg. Was Krassner überhaupt bij Forselius geweest? Het zou natuurlijk het makkelijkst zijn om dat rechtstreeks te vragen, dacht Waltin, maar aan de andere kant kon het ook wel wachten, en toen hij zover was gekomen met zijn gedachten, werd hij onderbroken door het discrete belletje van de intercom van zijn portiek. Kleine Jeanette, dacht Waltin en hij voelde zich zowel opgeruimd als daadkrachtig.

***

Lieve hemel, dacht Jeanette verward toen ze om zich heen keek in Waltins woonkamer. Hoe kan een politieman zich een dergelijke woning permitteren? Zelfs als hij hoofdcommissaris is?

"Hoe is het met je?" vroeg Waltin. Hij keek haar aan, met een lichte

251

glimlach maar toch een beetje ernstig en met een meelevende frons op zijn voorhoofd.

"Het is wel goed", zei Jeanette en ze knikte. "Ik wist wel dat hij gek was. Dat heb ik ook gezegd, maar ik had nooit gedacht dat hij zo gek was dat hij uit het raam zou springen."

"Daar hebben we het straks over", zei Waltin geruststellend. "Wil je iets eten?"

"Nee. Ik heb nog niet zo lang geleden gegeten."

"Kan ik je dan misschien iets te drinken aanbieden? Een glas wijn?" Waltin keek haar met diezelfde lichtelijk bezorgde glimlach aan.

"Een glas wijn zou lekker zijn. Als je zelf ook neemt."

"Dat hebben we allebei misschien wel nodig", zei Waltin geruststellend. Dan kunnen jij en ik eindelijk ter zake komen, dacht hij.

Een kwartier later begonnen de stukjes op hun plaats te vallen. Kleine Jeanette zat in een hoekje op zijn grote bank, ze was al aan haar tweede glas rode wijn bezig. Ze leek beheerst, maar tegelijkertijd kwetsbaar en een beetje gelaten op een manier die zowel aantrekkelijk als opwindend was.

"Als ik het goed begrijp, komt M'Boye dus om iets na zevenen het studentencafé binnen. Daarna lopen jullie naar een restaurant aan de Birger Jarlsgatan. Zitten daar twee uur te eten en gaan terug naar zijn kamer in de studentenflat. Daar zijn jullie om ongeveer halftien."

Waltin keek haar met mild vragende ogen aan. Al vraag ik me af wat je daar te doen had, kleine slet, dacht hij.

"Ja", zei Jeanette en ze knikte. "En toen stuitten we op de collega's van de Stockholmse politie. Ze waren klaar met Krassners kamer en zouden net weggaan, maar Dan ... M'Boye wond zich op en vroeg wie ze waren en wat ze daar deden. Hij had waarschijnlijk niet door dat het politiemensen waren. Ik was even bang dat hij ze aan zou vliegen." Jeanette knikte, vooral bij zichzelf leek het wel, en ze nam een slok uit haar wijnglas.

"Wat zeiden ze?" vroeg Waltin. "De collega's", verduidelijkte hij.

"Tja, er ontstond een vrij heftige discussie tussen hen en M'Boye. Ze zeiden dat het zelfmoord was, dat ze dat heel zeker wisten, maar ze wilden niet zeggen waarom en dat weigerde M'Boye te geloven."

"Weet jij waarom?" vroeg Waltin. "Waarom geloofde hij ze niet?"

"Waarschijnlijk omdat het politieagenten waren en omdat hij niet van politieagenten houdt", zei Jeanette terwijl ze haar schouders ophaalde. "Ja, en omdat het in het begin al misliep. De ene collega was niet bijster vriendelijk. De andere leek normaler. Hij was technicus. Hij stelde zich zelfs voor."

"En jij?" vroeg Waltin.

"Nee." Jeanette schudde haar hoofd. "Ik probeerde op de achtergrond te blijven. Ik hoefde niet eens te zeggen hoe ik heette. Ze leken enorm veel haast te hebben om daar weg te komen."

"En ze herkenden jou niet?" vroeg Waltin.

"Nee", zei Jeanette en om de een of andere reden glimlachte ze.

"Dat weet je heel zeker?"

"Ja, dat weet ik heel zeker. Toen ze vertrokken hoorde ik dat de ene collega, een kleine dikzak die echt heel vreselijk was, mij een typische studentenhoer noemde."

"Triest", zei Waltin zonder te glimlachen. "Triest met zulke collega's. Weet je hoe ze heten?"

"Die kleine dikzak heeft zich niet voorgesteld, maar de ander legitimeerde zich."

"Weet je nog hoe hij heet?"

"Ja, hij heet Wiijnbladh. Inspecteur bij de recherche."

Het is niet waar, dacht Waltin verrukt. Wiijnbladh, die zielige klootzak.

"Ken je hem?" vroeg Jeanette.

"Nee", zei Waltin en hij schudde zijn hoofd. "Er gaat geen belletje rinkelen. Volgens mij heb ik de naam ook nog nooit gehoord."

Het is in elk geval niet iets wat ik jou aan je neus ga hangen, dacht Waltin.

"Weet je", zei hij. "We zijn in een dieptrieste geschiedenis beland vanwege een zielig persoon die inderdaad ernstig psychisch ziek lijkt te zijn geweest en als ik mezelf iets verwijt, dan is het wel dat ik niet goed genoeg naar jou heb geluisterd toen je vertelde hoe slecht Krassner eraantoe was ..."

"Dat moet je niet doen", protesteerde Jeanette. "Helaas ben ik niet al te duidelijk geweest, maar ..."

Waltin schudde afwerend zijn hoofd.

"Jeanette", zei Waltin. "Wij zijn allebei politiemensen. Het is onze taak de veiligheid van het land te beschermen, en helaas is het zo dat de meeste mensen die wij in ons beroep tegenkomen in meer of mindere mate gek zijn. Maar we zijn geen maatschappelijk werkers, we zijn geen artsen en we zijn absoluut geen zielenherders. Hoor je wat ik zeg?"

Kennelijk, dacht hij, want ze knikte instemmend en keek ernstig en beheerst.

"Wij bemoeien ons niet met de zelfmoord van Krassner", ging Waltin verder. "Dat mogen de collega's van de Stockholmse politie doen. En dat kunnen ze ook, al zal ik er natuurlijk wel voor zorgen dat we op de hoogte worden gehouden, maar wat ons betreft heb ik toch echt het gevoel dat deze hele trieste geschiedenis is afgelopen. En helaas, helaas werd het een droevig eind, maar daar kunnen wij niets aan doen. Wij doen het volgende."

Ze keek hem aan en knikte. Aandachtig luisterend, bereid te doen wat hij zei. Uitstekend, dacht Waltin.

"Wij doen maar één ding", zei Waltin. "We houden ons gedekt." En zelf ga ik jou dekken, dacht hij, maar hij hield zijn mond, want daar had zij niets mee te maken.

Zaterdag 23 november

Toen Waltin op zaterdagochtend vroeg wakker werd, lag kleine Jeanette naast hem in zijn bed en als verleider had hij wel voor veel hetere vuren gestaan. Ze had bijna meegaand geleken toen hij haar naar zijn slaapkamer had geleid en omdat het de eerste keer was, had hij zich ingehouden en er genoegen mee genomen een paar keer op een vrij normale manier gemeenschap met haar te hebben. Hij was precies voldoende resoluut geweest, maar ook niet meer dan dat, en nu sliep ze in de foetushouding met haar hoofd diep in het kussen gedrukt en met een tweede kussen dat ze tegen haar buik hield. Waltin had een tijdje naar haar liggen kijken en hij was nog steeds heel tevreden met wat hij zag. Zij kan echt volmaakt worden, dacht hij. Waar het nu op aankwam, was precisie, scherpte en grondig uitgevoerde gewenning, en omdat de voorwaarden gunstig waren en het allemaal de moeite waard leek, mocht dat best zo lang duren als nodig was.

Daarna was hij naar de keuken gegaan en had hij het ontbijt klaargemaakt, hij had de tafel bij het raam met zorg gedekt en goed nagedacht over wat hij voor hen neerzette. Toen hij klaar was, had hij haar met een lichte kus op haar voorhoofd gewekt en nu zat ze tegenover hem. In een van zijn veel te grote ochtendjassen, net wakker, haar haar in de war en met een onopgemaakt naakt gezicht. Ze keek zowel verbaasd als enthousiast toen ze begreep dat de kop voor haar geen koffie of thee bevatte.

"Chocola met slagroom", giechelde kleine Jeanette. "O, wat heerlijk! Dat heb ik niet gedronken sinds ik een klein meisje was."

Dat is ook precies het idee, dacht Waltin en hij streelde luchtig haar hals.

"Ik wilde je uitnodigen om vanavond bij me te komen eten", zei Waltin terwijl zijn duim bij haar nekholte stopte. "Ik zou het liefst de hele dag met je doorbrengen", vervolgde hij met de exact juiste charmante, spijtige glimlach, "maar helaas is er een aantal praktische zaken die ik eerst moet regelen voordat we ons kunnen ontspannen."

Kleine Jeanette had met een ernstig gezicht geknikt. Als een kind dat begrijpt dat het deelgenoot is geworden van iets belangrijks.

"We doen het als volgt", zei Waltin en hij vlocht zijn stevige door de zon gebruinde vingers in die van haar, die de helft zo groot waren. "Ik wil niet dat je teruggaat naar de studentenflat. Maar ik wil wel dat je die M'Boye in de gaten houdt, zodat hij jou niet ergens bij betrekt. Kun je hem bellen?"

"Hij zou mij vanmorgen bellen", zei Jeanette. "Hij heeft geen eigen telefoon. "Alleen die in de gang."

"Gebruik die maar niet", zei Waltin. "Houd je gedeisd. Houd M'Boye in de gaten. Zorg ervoor dat hij geen gekke dingen doet. Kun je dat?" Waltin glimlachte warm en omklemde haar hand.

Jeanette knikte.

"Goed", zei Waltin. "Dan ga ik uitzoeken waar deze droevige geschiedenis eigenlijk over gaat."

Eerst had hij met Hedberg afgesproken in het kleine logeerappartement op Gärdet dat hij aan hem had uitgeleend. Hedberg maakte een frisse en uitgeruste indruk en had verse koffie klaar staan. Zelf had hij besloten voorlopig nog niets te zeggen over Krassners zelfmoord.

"Vertel", zei Waltin en hij nam een slokje van de hete koffie.

Volgens Hedberg viel er niet veel te vertellen. Hij had Krassner om ongeveer halfzeven de studentenflat zien verlaten en toen hij tien minuten later over de radio het groene licht had gekregen, was hij aan het werk gegaan. Een uur later was hij klaar en toen had hij zijn spullen meegenomen, was daar weggegaan, naar huis gereden, had Waltin gebeld en verslag uitgebracht.

"Een kleine rommelige studentenkamer, hij had niet bijster veel spullen. Wat papieren en daar heb je foto's van."

Hedberg knikte naar de drie filmrolletjes die op de tafel lagen.

"Tja, wat was er verder nog", zei Hedberg en hij keek alsof hij diep nadacht. "Hij had een paar marihuanasigaretten achter het badkamerkastje verstopt. Die heb ik hem laten houden." Hedberg glimlachte scheef.

"Wat voor indruk kreeg je van hem?" vroeg Waltin. "Als mens bedoel ik."

"Indruk", zei Hedberg. "Tja, ik kreeg toch eigenlijk de indruk dat de persoon die daar woonde een beetje gek was. Het leek een gewone junkkamer. Overal rondslingerende spullen, het laken in elkaar ge-frommeld aan het voeteneind van het bed. Geen plek die jij gewaar-deerd zou hebben", zei Hedberg en hij glimlachte zwak.

Zo, zo, dacht Waltin die moeite had met intimiteiten, zelfs als ze van zo'n hoog gewaardeerde medewerker kwamen als Hedberg.

"Een beetje gek, zeg je?"

"Zo'n volslagen geschifte junk", zei Hedberg met een knikje. "Die waarschuwing op de deur, dat stukje papier, vond ik bijvoorbeeld meteen."

"En dat heb je teruggeplaatst toen je weer wegging", zei Waltin.

"Alles volgens opdracht en de gebruikelijke routine", zei Hedberg en hij glimlachte zwak.

"Geen complicaties?" vroeg Waltin, met luchtige stem en redelijk ongeïnteresseerd.

"Gaat wel", zei Hedberg. "Als ik ergens over moet klagen is het wel dat er na zeven uur nog iemand in de gang was. Vlak na zevenen hoorde ik iemand door de gangdeur weggaan. Vlak daarna kwam er iemand binnen die ook weer snel wegging. Ik kreeg de indruk dat het dezelfde persoon was die iets was vergeten en dat kwam opha-len."

M'Boye, dacht Waltin, want Jeanettes verhaal zat nog vers in zijn geheugen. Dat negers ook nooit kunnen leren zich aan de afgesproken tijd te houden.

"Wat vervelend", zei Waltin spijtig. "Een van die mensen die zich niet aan de afgesproken tijd kon houden."

"Zo erg is het nu ook weer niet", zei Hedberg. "Ik hoorde hem en hij heeft mij niet gezien, dus geeft het allemaal niet."

Ja, ja, dacht Waltin. Dan is er nog maar één probleem.

"Er is een klein probleem ontstaan", zei Waltin.

Hedberg knikte alleen maar.

"Krassner heeft zich van het leven beroofd."

"Nee?!" zei Hedberg verbaasd. "Wanneer?"

"Gisteravond om vijf voor acht", zei Waltin. "Hij maakte een dub-bele salto vanuit het raam van de studentenflat waar hij woonde."

Het was niet makkelijk geweest Hedberg te overtuigen en Hedbergs bezwaren waren zowel logisch als volstrekt begrijpelijk geweest.

"Ik vind het heel vreemd klinken", zei Hedberg. "Het was bijna twintig voor acht toen ik de gang verliet waar hij woonde. Dat was dus maar een kwartier voordat hij uit het raam zou zijn gesprongen."

"Ja", zei Waltin. "Dan blijft er dus niet echt veel tijd over."

"En hij zou ook een afscheidsbrief hebben geschreven? Dat kan geen lang epistel zijn geweest, want dan hadden we elkaar tegen moeten komen."

"Op zich kan hij de brief natuurlijk al eerder hebben geschreven en die hebben meegenomen", zei Waltin, die hardop nadacht.

Hedberg schudde zijn hoofd en leek nog steeds vervuld van twijfels.

"Toch vind ik het vreemd klinken", zei hij en hij klonk ook als iemand die hardop nadacht. "Hij moet toch minstens een kwartier voordat hij uit het raam sprong, zijn weggegaan van die afspraak aan de Sturegatan. In dat geval is hij daar alleen maar even binnen geweest en meteen weer weggegaan. Bij die afspraak, bedoel ik. Wat was dat voor een vreemde afspraak?"

"Ja", zei Waltin. "Deze zaak heeft veel vreemde aspecten."

"Zeker", zei Hedberg nadrukkelijk. "En als hij terug is gegaan, hoe komt het dan dat de collega's die hem schaduwden mij niet hebben gewaarschuwd?"

Interessante vraag, dacht Waltin.

"We komen er wel uit", zei Waltin en hij stopte de filmrolletjes in zijn zak. "Ik neem contact op zodra ik meer weet."

Wat vergeet ik nu, dacht hij terwijl hij opstond. Ik vergeet iets.

"Er was nog iets", zei Waltin. "Help me."

"Je bedoelt die brief?" vroeg Hedberg. "De brief over de afspraak."

"Precies", zei Waltin. "De uitnodiging aan Krassner om bij Forselius op bezoek te komen. Heb je die gevonden?"

"Nee", zei Hedberg. "Hij lag in elk geval niet op zijn kamer. Dat weet ik heel zeker. Geen brief en geen envelop."

Verdomme, dacht Waltin hoewel hij bijna nooit vloekte.

"Laten we maar hopen dat hij hem niet bij zich had toen hij sprong", zei Hedberg met een scheve glimlach.

Waltin was niet iemand die onnodige risico's nam. Als Krassner de brief van Forselius in zijn zak had gehad toen hij uit het raam sprong, was het nu te laat om daar nog iets aan te doen. Er was hoogstwaarschijnlijk nog wel voldoende tijd om Forselius te waarschuwen, zodat hij zijn mond hield als de rechercheurs van de Stockholmse politie eventueel langskwamen. Bovendien waren er natuurlijk nog verschillende andere zwaarwegende redenen om erachter te komen wat hij en Krassner eigenlijk hadden gedaan tijdens de afspraak die in elk geval beduidend korter had geduurd dan oorspronkelijk was gepland.

Forselius had nog minder zin om Waltin te spreken dan gewoonlijk. Na het gebruikelijke gezeur, zaterdagochtend en 'belangrijke zaken', had hij uiteindelijk ingestemd en hem in zijn onverlichte woning toegelaten, alles was net als anders en ondanks het tijdstip was hij gekleed in een ochtendjas en had hij een cognacglas in zijn hand. Waltin had net gedaan alsof er niets aan de hand was, hij had zich van zijn charmante kant laten zien en zijn kaarten niet meteen getoond.

"Hoe is de afspraak met Krassner verlopen?" vroeg Waltin met een verzoenende glimlach.

"De afspraak met Krassner", zei Forselius terwijl hij Waltin berekenend aankeek. "Je vraagt hoe de afspraak met Krassner is verlopen?"

"Ja", zei Waltin en hij glimlachte vriendelijk. "Vertel me hoe het ging."

"Attent dat je het vraagt", bromde Forselius. "Het is uitstekend gegaan."

"Wat leuk", zei Waltin. "Waarover hebben jullie ..."

"Die etter is nooit komen opdagen", onderbrak Forselius hem en hij nam een verkwikkende slok uit zijn glas.

"Hij is niet komen opdagen?"

"Fijn om te merken dat er niets aan je gehoor mankeert", zei Forselius vriendelijk. "Zoals ik al zei. Hij is niet komen opdagen."

"Wat heb je toen gedaan?" vroeg Waltin geïnteresseerd. Idioot, dacht hij. De man is een volslagen idioot.

"Ik heb een poosje gewacht. Daarna heb ik een goed boek gelezen, echt een uitstekend boek, over stochastische processen en harmonische functies. Het ligt hier ergens als je geïnteresseerd bent." Forselius maakte een weids gebaar in de richting van de boekenplanken achter zijn rug.

"Het kwam niet bij je op om me te bellen?" vroeg Waltin. Zoals we hadden afgesproken, zielige oude lul, dacht hij.

"Nee", zei Forselius met een gezicht alsof die gedachte nooit bij hem was opgekomen. "Maar ik heb je chef wel gebeld."

Dat ontbreekt er nog maar aan, dacht Waltin.

"En wat zei hij?"

"Niet veel", zei Forselius. "Of hij was niet thuis, of hij had geen zin om de telefoon op te nemen."

"Heb je een boodschap achtergelaten?" vroeg Waltin.

"Ik laat nooit een boodschap op een antwoordapparaat achter", antwoordde Forselius hautain. "Dat is strijdig met de aard van de werkzaamheden."

Toen Waltin Forselius vertelde dat Krassner dood was, had de oude man goedkeurend geknikt, een uitstekende gelegenheid om in alle rust uit te zoeken waar 'die kleine etter' eigenlijk mee bezig was, en de informatie dat Krassner zelfmoord zou hebben gepleegd werd met een geamuseerde blik ontvangen.

"Zelfmoord, ja, natuurlijk", zei Forselius en hij knipperde met zijn ogen. "Dus nu wil je dat ik tegenover de collega's van de open werkzaamheden ga verklaren dat hij zwaar gedeprimeerd leek toen wij elkaar zagen."

"Als ze al langskomen, wil ik alleen maar dat je zegt wat er is gebeurd", zei Waltin met geforceerde beleefdheid. "Dat hij jou wilde ontmoeten voor een interview, maar dat hij nooit is komen opdagen." En ik hoop dat je nuchter genoeg bent zodat je niets over ons zegt, dacht hij.

"Dus dat was het moment waarop hij ...", Foselius gromde enthousiast terwijl hij met zijn wijsvinger langs zijn gerimpelde hals wreef, "... zelfmoord pleegde."

Zucht, dacht Waltin en vijf minuten later had hij afscheid genomen, correct en beleefd.

Na het bezoek aan Forselius was Waltin naar de garage van de firma gegaan. De blauwe bestelwagen stond op de gebruikelijke plek geparkeerd en was haastig schoongemaakt. Maar bij de vuilnisbak vijf meter verderop naast de garagedeur was iemand minder zorgvuldig geweest. De zwarte vuilniszak was bijna leeg, maar bovenop lag een papieren zak met daarin een leeg blikje, een verfrommelde koffiebeker en diverse papiertjes die getuigden van een hamburgersouper voor twee, plus een bonnetje van het hele feest van de worstkraam bij het Tessinpark op Gärdet.

In wat voor wereld leven we eigenlijk als een hoofdcommissaris zijn weekend moet gebruiken om in vuilnisbakken te wroeten, dacht Waltin duister, terwijl hij met afkeer en met behulp van zijn pen in de achtergelaten resten prikte. Wat moet ik nu doen en hoe raak ik die twee halve zolen kwijt?

Eerst was hij teruggegaan naar zijn kantoor en had hij met een kennis gesproken die verantwoordelijk was voor bepaalde veiligheidskwesties bij het ministerie van Buitenlandse Zaken. Geen enkel probleem, omdat Waltin beloofde de kosten te betalen, en het gemeenschappelijke besluit over een haastig ingelaste extra oefening onder realistische omstandigheden kon snel worden genomen. Een uur later had hij Göransson en Martinsson op zijn kamer gesproken. Ze leken allebei goed te hebben geslapen en vanaf het begin was één ding duidelijk: geen van beiden had ook maar enig idee van Krassners overlijden.

"Vertel", zei Waltin, hij knikte en glimlachte vriendelijk terwijl hij achteroverleunde in zijn grote bureaustoel en zijn vingers tot een kerkdak van klassiek Gotisch model vormde.

"Ja", zei Göransson, hij schraapte zijn keel en bladerde in zijn zwarte notitieboekje. "Ja", vervolgde hij na nog een keer zijn keel te hebben geschraapt. "Het object verliet zijn adres aan de Körsbärsvägen dus om 18.32 uur. Daarna liep hij in snel tempo over het linkertrottoir de Körsbärsvägen en de Valhallavägen af. Hij arriveerde om 18.42 uur op de afgesproken plek aan de Sturegatan 60 en verdween direct door de portiekdeur. Tien minuten later dus", zei Göransson, terwijl hij onopvallend kuchte en een lichtelijk nerveuze blik op zijn jongere collega wierp.

"Ja, ja", zei Waltin met milde stem. "En wat deden jullie toen?"

"We plaatsten ons voertuig ongeveer honderd meter verderop in de Sturegatan", zei Göransson waarbij hij Martinsson opnieuw aankeek. "Dat was volgens onze gezamenlijke beoordeling de beste positie."

"Natuurlijk", stemde Waltin hartelijk in. "Reed jij, Martinsson?"

Martinsson maakte zich tegen zijn zin los van zijn beeld in de grote spiegel achter Waltins rug en schudde zijn hoofd.

"Nee", zei Martinsson. "Göransson zat achter het stuur."

Göransson keek zuur naar zijn jongere collega, wat niet makkelijk was omdat hij het stiekem probeerde te doen.

"En hoe laat hadden jullie je positie ingenomen?" vroeg Waltin onschuldig.

"Om ongeveer 18.43 uur", zei Göransson. "Om en nabij 18.43 uur dus."

Het wordt alsmaar beter, dacht Waltin, maar dat zei hij niet.

"En wat gebeurde er daarna?" vroeg Waltin nieuwsgierig, terwijl hij vooroverboog over zijn bureau om zijn diepe belangstelling extra te benadrukken.

Helemaal niets, volgens de twee samenzweerders. Ze hadden daar alleen maar gezeten – weliswaar op de voorbank van een Dodge-bestelwagen, maar alert als twee arenden – tot de radio zich had gemeld en hun had gezegd dat ze konden vertrekken en toen was het na tienen.

"22.08 uur", verduidelijkte Göransson met nog een kuchje en na een nieuwe blik in zijn zwarte boekje.

"Het staat allemaal in ons verslag", assisteerde Martinsson gedienstig. "Dat zit in de gebruikelijke map."

"Dat is uitstekend", zei Waltin, hij knikte en leunde achterover. Ze logen met alle routine die hun beroep hun had gegeven, dacht hij, en nu moest hij ze alleen maar zien kwijt te raken voordat de natuurlijke onnozelheid die hen voor datzelfde beroep had gekwalificeerd, het voor hem in de war schopte.

"Ik heb een speciale opdracht voor de heren", zei Waltin. "Een zeer dringende opdracht, in het buitenland, het kan een week duren, misschien twee. Buitenlandse Zaken heeft hulp nodig bij de discrete bewaking van een delegatie politici, mensen van BZ en de krijgsmacht, en ik heb een paar mannen nodig die ik echt kan vertrouwen. Door dik en dun", voegde hij er ernstig aan toe.

"Ja", zei Göransson. "We luisteren, baas." De gedachte aan een vette onkostenvergoeding had zijn vermoeide ogen leven ingeblazen.

"Het buitenland", knikte Martinsson die jonger was en voor wie het moeilijker was zijn enthousiasme te verbergen; hij was zelfs al bezig zijn zwembroek in te pakken.

"We kunnen binnen twee uur op Arlanda zijn, bepakt en bezakt", stemde Göransson gedienstig in.

"Dat is niet nodig", zei Waltin droog. "Als jullie maar voor zes uur op het centraal station zijn." Voor verder transport naar een plek waar geen hamburgers zijn en waar jullie gegarandeerd zullen sterven van de kou, dacht Waltin, maar dat zei hij niet.

"De trein!" barstte Göransson uit en het licht in zijn ogen was gedoofd.

"De trein", assisteerde Martinsson die zo aangedaan leek, dat hij vergat zijn reactie in Waltins spiegel af te stemmen.

"Volgens mij gaat het een heel interessante reis worden", zei Waltin en hij knikte met overtuiging, "jullie krijgen te zijner tijd verdere informatie op een *need-to-know*-basis."

Dat gaat een fantastische reis worden, dacht hij. Midden in de ijskoude winter in een van die oude, mooie, Russische treinen en met alle service die de gastheren zo beroemd heeft gemaakt bij hun westerse bezoekers.

"Wie verre reizen maakt kan veel verhalen", zei Waltin met een vriendelijke glimlach. "Bovendien heeft BZ een paspoort voor jullie geregeld, dus jullie hoeven je niet druk te maken om een visum", voegde hij er troostend aan toe.

's Middags had Waltin discreet navraag gedaan naar het onderzoek van Krassners dood door de Stockholmse politie. Volgens zijn contactpersoon, die met het hoofd van de dienstdoende afdeling had gepraat, was het onderzoek al afgerond. Er waren alleen nog een paar kleine praktische details die het bureau op Östermalm zou regelen.

"Het lijkt een typisch geval van zelfmoord te zijn. Al kun je je natuurlijk afvragen hoe iemand van de vijftiende verdieping kan springen, maar hij was kennelijk een soort student dus waarschijnlijk was hij high", zei Waltins contactpersoon samenvattend.

Prettig om te horen, dacht Waltin meelevend en hij besloot dat de films die Hedberg had geschoten tot na het weekend konden wachten. Evenals het telefoontje naar Berg, die in het buitenland was en belangrijke mensen ontmoette en alleen maar gestoord mocht worden als er iets gebeurde wat nog belangrijker was, en in Waltins ogen was de zaak Krassner dat niet. Eindelijk, dacht Waltin, die belangrijkere zaken op het programma had staan.

Ook rechercheur Jeanette Eriksson had haar werk gedaan. Daniel had haar vlak voor de lunch gebeld en zoals altijd was hij vriendelijk en beleefd geweest en deze keer maakte hij zich bovendien zorgen om haar. Jeanette had gezegd wat van haar werd verwacht. Dat ze het naar vond, hoewel ze Krassner nauwelijks had gekend en hem voornamelijk een heel wonderlijke figuur had gevonden die niet eens bijzonder aardig was geweest. Maar het was hoe dan ook een raar gevoel omdat ze hem nog maar een paar dagen geleden had gesproken. Eén ding was duidelijk; ze wilde absoluut niets met de politie te maken hebben. Daar had ze het weliswaar nooit met Daniel over gehad, maar haar ervaringen met de Zweedse politie waren verre van goed. Hoewel ze nooit iets misdadigs had gedaan.

"Ze behandelen alle mensen als criminelen, zelfs als ze volstrekt onschuldig zijn", zei rechercheur Eriksson.

Volgens Daniel hoefde ze zich nergens zorgen om te maken. Ze kon onvoorwaardelijk op hem vertrouwen. Hij zou haar echt niet ergens bij betrekken als de politie weer langs zou komen. Die Krassner was werkelijk een rare snijboon en Daniel was er vrij zeker van dat Krassner ook een racist was geweest. En wat de Zweedse politie betrof, had hij helaas opgemerkt dat ze opvallend veel op de Zuid-Afrikaanse politie leek. Maar hij had geen puf om in te gaan op zijn ervaringen met de Zuid-Afrikaanse politie.

"Mensen die politieagent worden, zijn een speciaal soort mensen", stelde Daniel vast. "Het lijkt geen rol te spelen waar ze vandaan komen en ik heb er nog nooit een ontmoet die normaal en menselijk leek."

Omdat Jeanette zoals gewoonlijk in het weekend haar zieke moeder zou bezoeken, een van haar al vroeg uitgewerkte leugens en de nooduitgang waar ze het vaakst gebruik van maakte, besloten ze elkaar na het weekend te bellen, misschien konden ze iets in de stad afspreken en samen gaan lunchen.

Dat was dat, dacht rechercheur Jeanette Eriksson toen ze had opgehangen. Nu kon ze eindelijk haar avond gaan plannen.

Dat was dat, dacht Waltin toen hij zijn woning op Norr Mälarstrand binnenstapte. De hoogste tijd om de avond te plannen.

Maandag 25 november

Toen Waltin 's maandags op zijn werk kwam voelde zijn hoofd helder en zijn lichaam sterk, met een aangename zwaarte in zijn kruis. De afgelopen zesendertig uur had hij samen met Jeanette Eriksson doorgebracht en ze waren de deur zelfs niet uit geweest. Met uitzondering van enkele korte maaltijden en een paar uur slaap had hij ook vrijwel de hele tijd op haar gezeten, en alles was volgens plan verlopen. Vrouwen waren van nature onderdanig, dat wist Waltin op grond van zijn ruime persoonlijke ervaring al lange tijd, maar velen van hen, en dat betrof gek genoeg vaak de iets jongere vrouwen, konden toch problemen opleveren doordat ze zich de heersende waanideeën hadden eigen gemaakt die via sommige linkse media en groeperingen werden verspreid. Iets wat vervolgens mentale blokkades kon creëren, die hen beletten om op de voor een vrouw vanzelfsprekende manier volledig te genieten.

Kleine Jeanette had echter op een natuurlijke manier gereageerd op de signalen die hij haar had gegeven, zij het dat het nog hoofdzakelijk om een intellectuele invloed ging, en haar fysieke voorwaarden waren uitstekend. Haar tengere, jongensachtige lichaam, haar gesloten ogen als hij haar erogene zones afwerkte, haar pathetische kleine pogingen om haar reacties tegen te houden voordat ze een orgasme kreeg, Het enige wat hem nu stoorde, was de zwarte driehoek met dicht krullend haar die haar kleine schoot bedekte, maar dat was een detail, en hij keek ernaar uit daar het komende weekend iets aan te doen.

Hoog tijd om de duimschroeven aan te draaien, dacht Waltin tevreden en net op dat moment ging zijn rode telefoon.

***

Berg had het weekend samen met een paar collega's van Staatsveiligheid doorgebracht. De bijeenkomst had plaatsgevonden in een zeer comfortabel kuurhotel op enkele tientallen kilometers buiten Wiesbaden, en voor de verandering was het mogelijk geweest zijn vrouw mee te nemen. De Duitsers hadden een charmant damesprogramma bedacht, zodat zijn collega's en hij totaal ongestoord hadden kunnen werken terwijl hun echtgenotes allerlei bezienswaardigheden langs de Rijn bezochten, en 's avonds hadden ze gezamenlijk gegeten. Zonder meer gezellige avonden, waarbij de gastheer zijn vrouw bij het wat eenvoudigere en informelere welkomstbuffet op vrijdagavond naar de tafel had geleid en hijzelf de ereplek had gekregen tijdens het feestelijke diner op zaterdag.

Je kunt de Duitsers echt vertrouwen, dacht Berg. Het waren mensen die zich in hun relaties met hun medemensen zowel om de inhoud als om de vorm bekommerden.

Op zondagavond waren zijn vrouw en hij naar Kopenhagen gevlogen. Zijn vrouw was met een aansluitende vlucht verder gereisd naar Stockholm omdat zij op maandagochtend moest lesgeven op de school waar ze werkte. Zelf was hij met de vleugelboot naar Malmö gegaan. Hij had ingecheckt in het Savoy, in het hotel een eenvoudige maaltijd gegeten en vroeg zijn bed opgezocht.

Op maandagochtend stond een vergadering met zijn collega's van de afdeling in Malmö gepland, maar voordat ze aan de vergadertafel hadden plaatsgenomen, had hij zijn secretaresse in Stockholm gebeld. Het was toch tweeënhalve dag geleden dat hij voor het laatst over een beveiligde telefoonlijn had kunnen beschikken.

"Waltin wil dat je belt", zei zijn secretaresse. "Het ging over Citizen Kane", voegde ze eraan toe. Waar had ze die naam eerder gehoord, dacht ze.

Krassner, dacht Berg en toen hij veel later aan juist deze gebeurtenis terugdacht, herinnerde hij zich dat hij toen al een onaangenaam voorgevoel had gehad. Onduidelijk waarom, maar wel aanwezig. Dat kon hij zich lange tijd later nog goed herinneren.

De stem van Waltin had heel onbezorgd geklonken. Bijna alsof hij er niets mee te maken had.

Berg had daar trouwens ook over nagedacht. Toen, en ook later.

"Hoe is het gegaan?" vroeg Berg.

"Uitstekend", zei Waltin. "Het lijkt erop dat we ons helemaal voor niets zorgen hebben gemaakt." Ik niet, maar jij, dacht hij, maar dat zei hij niet.

"Hoe bedoel je?" vroeg Berg.

"Ik heb net de resultaten van zijn zogenaamde intellectuele inspanningen doorgelezen en het lijkt volstrekte onzin."

Hoewel hij anderhalve maand meerdere uren per dag achter zijn typemachine heeft gezeten, dacht Berg, maar dat zei hij niet.

"Vertel op", zei Berg.

"Een vijftigtal pagina's met uitermate verwarde aantekeningen. Enigszins gemengde teksten, enkele concepten van iets wat mogelijk een detective kan zijn, eventueel een documentair verhaal, maar vermoedelijk iets ertussenin."

"Waar gaat het over?" vroeg Berg.

"Ik stel voor dat we dat bespreken als we elkaar zien", zei Waltin en zijn stem klonk nogal vrolijk. "Laat ik het zo zeggen. Zowel jij als ik en veel anderen hier in dit pand hebben dezelfde gedachte wel eens gehad."

Ja, ja, dacht Berg. Op die manier, en dat had hij eigenlijk ook al vermoed.

"Is er verder nog wat gebeurd?" vroeg hij.

"Hij heeft zich vrijdag van het leven beroofd", zei Waltin en aan zijn toon te horen maakte hij geen deel uit van de nauwe kring van rouwenden.

"Ik kom terug", zei Berg. "Regel even dat iemand me van het vliegveld haalt."

Nog een warhoofd erbij, dacht Waltin.

∗∗∗

Berg en Waltin hadden de hele middag samen doorgebracht en toen ze afscheid namen, was geen van beiden bijzonder tevreden over de ander, hoewel ze het allebei goed verborgen.

Hij heeft iets nonchalants, dacht Berg. Iets kinderlijks, onvolwassens in zijn karakter, dacht hij.

"We houden ons gedeisd", zei hij. "Ik neem dit vanaf nu over. Ik zal je natuurlijk op de hoogte houden."

Waltin haalde zijn coutureschouders op. Berg kan binnenkort aan de slag bij de Koerdensectie, dacht Waltin. Samen met die twee andere glimwormen.

"*Fine with me*", zei hij. "Maar je maakt je onnodig zorgen."

Eerst had Waltin over de actie verteld. Die was in feite volledig volgens plan verlopen als je Waltin mocht geloven. De operator was naar binnen gegaan, had gedaan wat hij moest doen en was vertrokken, door niemand gezien, en daar ging het nu net om. Göransson en Martinsson hadden het weliswaar verprutst en waren Krassner uit het oog verloren, maar het geluk was toch aan hun kant geweest. Op zich had

Krassner wel het leven gelaten, maar hij had dat op eigen kracht gedaan. Of hij high was geweest en alleen zijn nieuwe vleugels had willen testen, of dat hij door een plotseling inzicht was getroffen over zijn teloorgegane leven, kon Waltin niet beoordelen. Ongeacht de reden lag die vraag niet op hun bord. Krassner was niet langer een veiligheidszaak en dat was hij eigenlijk ook nooit geweest. Dat was de pertinente opvatting van Waltin.

"Als we onszelf moeten bekritiseren, is het wel op dat punt. Dat we niet echt hebben beseft hoe gek hij was", zei Waltin en hij haalde zijn schouders op. "Die vent lijkt gewoon knettergek te zijn geweest. Ik stel voor dat jij de papieren bekijkt die hij heeft nagelaten." Waltin schoof de stapel foto's naar Berg.

Je kunt er zeker van zijn dat ik dat zal doen, dacht Berg.

"Waar zijn Göransson en Martinsson?" vroeg hij.

"Op een educatieve reis", zei Waltin met een scheef glimlachje. "Ik vond het wel zo rustig om ze weg te sturen."

"Hoeveel weten ze?" vroeg Berg.

"Ze weten niet dat Krassner zelfmoord heeft gepleegd", antwoordde Waltin. "Daar komen ze vroeg of laat natuurlijk wel achter. Ze weten zelfs niet dat ze hem zijn kwijtgeraakt. En uiteraard hebben ze geen flauw idee dat ik weet wat ze hebben uitgespookt terwijl ze hun werk moesten doen."

Berg knikte alleen maar.

"Eriksson?" vroeg hij.

"Houdt de situatie in de gaten. Ik ben van plan haar terug te roepen zodra Stockholm Krassner heeft afgeschreven. Ik heb haar gezegd dat ze zich buiten het milieu moest houden." Over haar hoef je je geen zorgen te maken, dacht Waltin.

Berg knikte weer.

Waltin en ik, dacht hij. Dat zijn er twee. Plus Göransson, Martinsson en Eriksson, dat zijn er vijf. En de operator van Waltin, wie dat ook maar was, wat echter een vraag was die in elk geval kon wachten tot hij zelf het antwoord had achterhaald, waardoor het totaal op zes personen kwam. En Forselius, dacht hij, en plotseling waren het er veel te veel geworden. Hoe zeggen die motorlui dat ook al weer, dacht hij. Dat drie mensen een geheim kunnen bewaren als twee van hen dood zijn?

Zodra Waltin was vertrokken, was hij naar zijn secretaresse gegaan en had haar gevraagd een taxi te bellen. De gedachte om in zijn kantoor te blijven zitten, had hij al verworpen. Het was beter om naar huis te gaan, naar zijn vrouw en het huis in Bromma, en de situatie in alle rust

266

te overdenken. Er misschien een nachtje over te slapen en er in het gunstigste geval positief over te dromen dat Waltin misschien toch gelijk had, ondanks die nonchalante houding, die waarschijnlijk het belangrijkste bestanddeel van zijn jongensachtige charme was.

"Heeft er nog iemand gebeld?" vroeg Berg en hij spande zich in om vriendelijk tegen haar te glimlachen. Een rots, dacht hij. Een echte rots.

"De bijzondere deskundige van de minister-president wil dat je zo snel mogelijk contact met hem opneemt", zei ze.

Acht, dacht Berg duister.

Dinsdag 26 november

Nachtelijke muizenissen, weinig slaap, maar toen hij 's ochtends vroeg op zijn werk kwam, had hij toch een paar dagen respijt gekregen. De bijzondere deskundige belde, hij had een ontmoeting in gedachten, maar was verhinderd en zat in een politiek overleg dat waarschijnlijk wel kon uitlopen. Daarom had hij met de minister van Justitie gesproken, die overigens in de loop van de dag rechtstreeks contact zou opnemen met Berg, en ze waren overeengekomen het wekelijkse overleg naar vrijdag te verschuiven. Op zich een slechte dag, maar als hij en Berg een uurtje vóór de bijeenkomst wat konden afspreken, dan zou dat geweldig zijn.

"Ik heb van het weekend een telefoontje gekregen van een oude vriend en die vertelde het me", zei de bijzondere deskundige.

Heet hij misschien Forselius, dacht Berg. Wat ben jij opeens mededeelzaam geworden.

"Dat komt perfect uit", zei Berg. "Ik kan vrijdagochtend om negen uur."

"*Excellent*", constateerde de bijzondere deskundige. "Mocht er iets gebeuren dan kun je me in Harpsund bereiken."

Berg had beloofd meteen iets van zich te laten horen als dat het geval mocht zijn. Zij daar en wij hier, had hij gedacht toen hij de hoorn oplegde.

Berg was de hele dag met Krassner bezig geweest. Aanvankelijk had hij weliswaar overwogen om alles aan een van zijn betrouwbaardere medewerkers over te laten, maar na ampele overwegingen – iets in die geschiedenis voelde toch niet helemaal goed – had hij besloten het zelf te doen. In elk geval voorlopig en zolang kon hij er volstrekt zeker van zijn dat het niet de verkeerde kant opging.

Hij had eerst de foto's van de geheime huiszoeking in de studenten-flat van Krassner bekeken. In totaal waren het een kleine honderd fo-to's, vergroot tot A4-formaat en uitstekend van kwaliteit. Een twaalf-tal beschreef het interieur in verschillende delen en vanuit verschillende hoeken. Onopgeruimd en zo rommelig als het maar kon, net als die drugspanden die hij in het veld had gezien toen hij als jonge agent bij de ordepolitie zat, en het wanordelijke bureau ge-tuigde niet direct van eenvoudige en ononderbroken werkzaamheden onder harmonische omstandigheden.

Het restant van de foto's toonde papieren, witte vellen schrijfma-chinepapier met een wisselende hoeveelheid tekst, afwisselend getypt en met de hand geschreven. Verscheidene papieren verkreukeld, glad-gestreken voor het fotograferen, en hopelijk weer verkreukeld en te-ruggelegd op de plek waar ze oorspronkelijk hadden gelegen. Nu be-gon Berg problemen te krijgen. Het handschrift van Krassner, want je mocht er toch van uitgaan dat hijzelf de pen had vastgehouden, was lastig te lezen en wat er daadwerkelijk stond was cryptisch, vaak afge-kort en uiteraard steeds in het Engels. Hetzelfde gold voor de getypte teksten, korte stukjes en regels zonder eenvoudig verband, eerder con-cepten en aanwijzingen voor een opzet dan stukken uit een verhaal. Dit is geen manuscript, dacht Berg. Op één uitzondering na – als je het positief wilde interpreteren – was dit mogelijk materiaal dat een boek had moeten worden.

De enige uitzondering leek namelijk verdacht veel op het titelblad van een boek, en zonder enige nadere kennis van zaken nam Berg aan dat het waarschijnlijk een niet geheel ongebruikelijke uiting was van de kwellingen van het auteurschap. *The Spy that went East by John P. Krassner*, las Berg, waarna hij met potlood een keurig eentje in de rechter bovenhoek van zijn kopie zette. Makkelijker om te zien als je zit te bladeren, dacht Berg, die het plan had opgevat om te proberen het materiaal eerst in een soort logische volgorde te leggen. Waar het allemaal eigenlijk over ging, moest maar tot later wachten.

In totaal vijfentachtig pagina's met een wisselende hoeveelheid tekst, dacht Berg na alles een tweede keer met een bevochtigde wijs-vinger te hebben geteld. Eenenzestig daarvan, gevouwen, kreukelig, verkreukeld, leken afkomstig te zijn van de stapel op zijn bureau en de vloer eromheen, terwijl de resterende vierentwintig volgens een van de interieurfoto's min of meer gesorteerd op Krassners verder niet bijzonder opgeruimde bureau moesten hebben gelegen.

Berg had de papieren eerst in twee stapels gesorteerd – verkreukeld en min of meer gesorteerd – om op die manier proberen te achterha-len of dat wat er in elke stapel te lezen viel mogelijk een soort inhoudelijk of intellectueel niveau had, maar veel wijzer was hij niet geworden. Na ruim een uur lezen was zijn enige conclusie dat het enerzijds kennelijk om dingen ging die de schrijver al af had of had afgewezen en weggegooid, en anderzijds om dingen die hij nog niet had kunnen weggooien; de reden voor de ene keuze of de andere bleek echter niet simpelweg uit de geschreven tekst. De man leek uitermate verward, dacht Berg, en om de een of andere reden had hij ook aan Waltin moeten denken. Goed in het pak, met een kleine glimlach en op zijn eloquente manier er volledig van overtuigd dat Krassner een totaal oninteressant warhoofd was, dat hun alleen maar tijd kostte.

's Middags had hij diverse keren nagedacht over zijn slechte Engels. In absolute zin, en zonder meer in relatieve, sprak hij weliswaar beter Engels dan het merendeel van zijn collega's op overeenkomstig hiërarchisch niveau binnen het politiewezen. Uiteraard niet vergeleken met Waltin, want die had een heel andere achtergrond, maar als hij zich nu mat met echte politiemannen. In gewone sociale situaties redde hij zich prima, maar hier voelde hij zich hopeloos gehandicapt. Engels was niet zijn taal, punt uit. Hij had zich er dikwijls over verbaasd dat sommige collega's zo'n slecht beoordelingsvermogen hadden dat ze durfden te beweren vloeiend Engels te spreken. En kennelijk ook dachten dat ze dat deden, hoewel hun Engels nog slechter was dan het zijne.

Al voordat hij begonnen was met lezen, had zijn secretaresse hem voorzien van een dik Engels-Zweeds vakwoordenboek dat eerder in een soortgelijk verband ook al eens nuttig was gebleken. Na de lunch had ze nog een paar boeken moeten halen met Amerikaanse vaktaal, Amerikaanse spreektaal en Amerikaans slang, en na nog een paar uren van vruchteloze linguïstische inspanningen had hij het ten slotte opgegeven. Hij had de woorden, uitdrukkingen en passages aangekruist die hij niet begreep, ze door zijn secretaresse laten kopiëren en een van zijn taalkundigen van de analysegroep laten komen.

Ze doet me een beetje aan Marja denken toen die jonger was, dacht Berg, die vaak aan zijn vrouw dacht, en hij glimlachte vriendelijk naar zijn vlug opgeroepen hulp.

"Kun je me misschien een beetje helpen met vertalen?" vroeg Berg en hij reikte haar de lijst met lastige woorden en uitdrukkingen aan. "Van het Engels in het Zweeds", voegde hij eraan toe, en om de een of andere reden had hij bijna verontschuldigend geklonken toen hij het zei.

De vrouwelijke taalkundige had de kopie die hij haar had gegeven snel doorgekeken, geknikt en even geglimlacht.

"Dat lukt me vast wel", zei ze. "Wanneer wil je het hebben?"

"Zo snel mogelijk", zei Berg en een uur later zat ze weer in zijn kamer.

"En", zei Berg glimlachend, "hoe is het gegaan?"

"Ik denk dat het meeste wel is gelukt. In een paar gevallen heb ik wat alternatieven gegeven. Het meest waarschijnlijke staat bovenaan." Ze gaf hem een paar keurig getypte pagina's in een rood plastic hoesje.

"Vertel", zei Berg. "Wie heeft dit geschreven? Wat is het voor soort mens?" verduidelijkte hij.

"Oeps", zei ze glimlachend. "Taalkundige psychologie is misschien niet mijn sterkste kant."

"Probeer het gewoon", stelde Berg haar gerust.

"Amerikaan", zei ze, "beslist Amerikaan. Niet jong en niet oud, tussen de dertig en de veertig zou ik gokken. Academicus, hij lijkt het een en ander te hebben geschreven, kan zelfs journalist zijn en in dat geval geloof ik dat ik weet wie zijn idool is."

"O", zei Berg. "Wie dan?"

"Hunter S. Thompson", zei zijn nieuwe medewerkster. "Zijn manier van schrijven vertoont duidelijke trekken van gonzo-journalistiek, al vind ik dit niet het juiste verband om het te gebruiken."

"Gonzo-journalistiek?"

"Hoe zal ik het uitleggen?" zei ze vriendelijk glimlachend. "Laat ik het zo zeggen. Als je een gebeurtenis of een persoon moet beschrijven, dan is het journalistiek belangrijke niet de gebeurtenis of de persoon zelf, maar de gevoelens en gedachten van de journalist over die gebeurtenis of persoon. Anders gezegd, wat interessant is, is dat wat er in het hoofd van de journalist gebeurt."

Dat klinkt buitengewoon praktisch, dacht Berg.

"Dat klinkt buitengewoon praktisch. Het moet enorm veel tijd besparen", zei hij.

"Zeker", zei zijn nieuwe medewerkster glimlachend. "En als het een goed hoofd is, kan het interessant en onderhoudend worden. Zoals bij Hunter S. Thomson als hij op zijn best is. Als hij slecht is, is hij alleen maar onbegrijpelijk."

"Dat klinkt nogal dubieus als je op zoek bent naar de waarheid", bracht Berg in.

"Het beste Zweedse voorbeeld is waarschijnlijk Göran Skytte. Van een gonzo-journalist, bedoel ik."

Skytte, dacht Berg. Was dat niet die lange afschuwelijk egoïstische en zeurderige vent uit Skåne die had samengewerkt met die verschrikkelijke Guillou?

"Dus Skytte is een Zweedse Hunter S. Thompson?"

"Nou ..." wierp zijn nieuwe medewerkster nuchter tegen. "Mijn vriend ijshockeyt in de vierde divisie, maar hij is niet direct een Gretzky. Al zou hij dat wel heel graag willen."

"En hij dan?" vroeg Berg en hij wees naar de papieren in het rode plastic hoesje.

"Onder voorbehoud, omdat mijn materiaal misschien een beetje magertjes is, zou ik toch willen stellen dat Skytte beter is."

"Skytte is beter", zei Berg. Dan Krassner, dacht hij.

"Zonder meer", zei zijn nieuwe medewerkster. "Als we het over gonzo-journalistiek hebben, dan speelt Thomson in de National Hockey League, Skytte in de Zweedse vierde divisie, terwijl deze persoon nog grote problemen met het schaatsen heeft."

"Ondanks de gonzo-journalistiek?" vroeg Berg. En de praktische relatie die die tot de waarheid heeft, dacht hij.

"Misschien juist op grond daarvan. Mag ik iets vragen?" Ze keek Berg met een zekere aarzeling aan, zo leek het.

"Ja", zei Berg. "Al kan ik niet beloven dat je een antwoord krijgt."

"Die dingen waarvan je wilde dat ik ze vertaalde. Zoals ik het heb begrepen, is het materiaal of een concept of teksten voor een soort boek."

"Ja", zei Berg. "Dat klopt."

"Wat ik mij afvraag", ging ze verder, "is of het om een documentair boek gaat. Om de beschrijving van feiten."

"Ja", zei Berg. "Dat is waarschijnlijk wel de bedoeling van de schrijver." En een heel irritante ook, dacht hij.

"De rest van het materiaal ziet er net zo uit?"

"Ja", zei Berg. "Dat zou ik wel zeggen." In essentie, dacht hij.

"In dat geval denk ik dat de schrijver grote problemen krijgt met zijn geloofwaardigheid", zei de nieuwe medewerkster van Berg. "Bovendien vind ik niet dat hij erg goed schrijft."

Gonzo-journalistiek, dacht Berg toen ze de deur achter zich dichtdeed. En voor het eerst op die treurige dag voelde hij zich echt opgeruimd.

Toen Berg eindelijk klaar was en naar huis kon gaan, liep het tegen tienen. Met de antwoorden in zijn hand leek het ook alsof hij zijn tijd voor een andere en aanzienlijk belangrijkere taak had kunnen gebruiken, maar gezien het resultaat mocht hij toch tevreden zijn. Hij had zijn waarnemingen en conclusies samengevat in een speciale memo van een paar bladzijden, precies genoeg materiaal voor het mondelinge verslag dat hij vrijdagochtend wilde uitbrengen als hij de bijzondere deskundige van de minister-president zag, en omdat de inhoud van de nagelaten beschouwingen van Krassner nu eenmaal was zoals die was, keek hij daar naar uit. Los van de zakelijke kant van het materiaal, dat ondanks alles kennelijk als documentaire beschrijving was bedoeld.

The Spy that went East, dacht Berg. Al voordat hij het materiaal dat Krassner had geschreven was gaan lezen, had hij uitgedokterd wie diens spion was, want dat had hij alle jaren dat hij in het grote gebouw aan de Polhemsgatan werkte tot vervelens toe moeten horen; en alle jaren dat de huidige regeringspartij in de oppositie zat, waren er zelfs sterke krachten binnen de gesloten werkzaamheden geweest die hadden geprobeerd om een vooronderzoek naar de zaak te openen. Iets wat Berg met de welwillende hulp van het toenmalige hoofd van de Rijkspolitie gelukkig had weten te verhinderen. Hoewel de titel van het geplande boek van Krassner hem nog niet helemaal duidelijk was. De spion die overliep naar het oosten, dacht Berg. Waarvandaan, dacht hij. Vanuit het noorden, vanuit het zuiden, vanuit het westen? Logischerwijs vanuit het westen, hoewel Krassner op dat punt in zijn papieren geen enkel houvast had geboden, terwijl hij toch een oom had gehad die vele jaren voor de Amerikaanse inlichtingendienst had gewerkt. Hopelijk zalig heengegaan conform de regels die golden voor de zaak die hij had gediend, dacht Berg en hij besloot dat hij zich waarschijnlijk toch voor niks zorgen had gemaakt. De man leek ze gewoon niet allemaal op een rijtje te hebben gehad, dacht Berg terwijl hij achteroverleunde en zijn ogen sloot.

"Sorry, chef", zei zijn chauffeur met een voorzichtig kuchje. "Maar we zijn nu thuis."

"Ik moet ingedommeld zijn, dus eigenlijk zou ik sorry moeten zeggen", zei Berg.

Woensdag 27 november

Eindelijk een nacht van ononderbroken rust en al bij het ontbijt had Berg besloten dat hij zich onnodig zorgen had gemaakt, dat hij belangrijker dingen te doen had en dat het uitzoeken van de nadere omstandigheden rond de zelfmoord van Krassner goed aan een discrete en betrouwbare medewerker kon worden overgelaten. Persson, dacht Berg en net op dat moment had de zon door het keukenraam naar binnen geschenen.

"Goedemorgen", zei Berg, die in een uitstekend humeur was, tegen zijn secretaresse zodra hij door de deur van zijn kantoor stapte. "Kun je Persson vragen even langs te komen?"

Berg kende Persson al ruim dertig jaar. Ze hadden op de politieschool bij elkaar in de klas gezeten en een paar jaar later hadden ze tijdens een niet bijzonder spannende zomer de voorbank gedeeld van een van de surveillancewagens van de Stockholmse politie, terwijl hun oudere en andere collega's met hun gezinnen op het platteland vakantie vierden. Daarna was Berg de top van de politiepiramide gaan beklimmen, terwijl Persson het zekere voor het onzekere had genomen en ervoor had gekozen beneden te blijven. Twintig jaar later, en in Perssons geval evenveel kilo's rond zijn middel zwaarder, waren ze elkaar toevallig tegengekomen in de stad. Persson werkte als rechercheur bij de afdeling Inbraak en er waren zeker betere baantjes, maar omdat het leven nu eenmaal was zoals het was ... Een week later was hij bij Berg begonnen en dat was een besluit waar geen van beiden spijt van had gehad.

"Ik luister", zei Persson en hij ging voor het grote bureau van Berg in de bezoekersstoel zitten zonder eerst om toestemming te vragen. Omdat hij en Berg oude dienders waren die vroeger samen hard hadden gezwoegd, gold dergelijke flauwekul niet voor hem.

"Ik wil dat je discreet navraag doet naar een waarschijnlijke zelfmoord die vrijdagavond heeft plaatsgevonden", legde Berg uit.

"Hm", zei Persson met een knikje.

Vijf minuten later had Berg zijn voormalige klasgenoot alle details verteld en was hij in principe klaar om verder te gaan met belangrijker zaken dan die idioot van een Krassner.

"Heb je nog ergens vragen over?" vroeg Berg vriendelijk.

"Nee", zei Persson. Hij schudde zijn hoofd, stond op en vertrok.

Een echte ouderwetse diender, dacht Berg liefdevol toen hij het dikke achterwerk van Persson door de deur zag verdwijnen. Even nauwkeurig, stil, genadeloos en beminnelijk als zijn vader de veldwachter in diens tijd in het korps was geweest.

Twee uur later was alles weer bij het oude en zijn goede humeur als sneeuw voor de zon verdwenen. Kudo en Bülling hadden een onmiddellijke afspraak gewenst omdat hun 'analyses van bepaald telecommunicatieverkeer er duidelijk op wezen dat er een aanslag op een hooggeplaatste maar niet nader genoemde Zweedse politicus op stapel stond'.

"Ik heb wel een vraagje", zei Berg op de meest zakelijke toon die hij in deze situatie maar kon opbrengen. "Dit staat er", Berg ritselde met de papieren die hij zopas had gekregen, "ik citeer 'een niet nadere genoemde' einde citaat."

"Precies", zei Kudo energiek.

"Inderdaad", viel Bülling bij terwijl hij zijn blik star op de franje van het vloerkleed gericht hield.

"Niet nader genoemd, wat betekent dat? Hebben we zijn voornaam?" Of de hare? Of zijn of haar initialen, dacht Berg enigszins verward, terwijl een snel toenemende hoofdpijn zich een weg naar zijn slapen zocht.

"Antwoord nee", zei Kudo vlug.

"We hebben dus geen voornaam van de desbetreffende politicus", mompelde Bülling.

"Hebben we zijn achternaam?" vroeg Berg. Fälldin, dacht hij hoopvol. Dat zou een eventuele bewakingsopdracht ontegenzeggelijk vergemakkelijken.

"Antwoord nee", reageerde Kudo snel. "Achternaam negatief."

"Dus we hebben geen voor- of achternaam van deze ... niet nader genoemde ... politicus."

"Precies", zei Kudo en hij knikte nadrukkelijk.

"Hij is in elk geval hooggeplaatst", verduidelijkte Bülling binnensmonds.

Dan mogen we van harte hopen dat het pa kabouter zelf niet is, dacht Berg, maar in plaats daarvan zei hij: "Ik geloof dat we het als volgt aanpakken."

Vijf minuten later was hij terug op zijn kantoor, waar hij zijn secretaresse vertelde dat hij van plan was de rest van de dag thuis te werken en alleen gestoord mocht worden als er een gevecht, oorlog of staatsgreep plaatsvond. Alhoewel hij het natuurlijk niet zo had gezegd.

"Ik bel voor de auto", zei zijn secretaresse. Arme stakker, dacht ze. Hij lijkt helemaal afgepeigerd. Waarom neemt hij nooit vakantie?

Donderdag 28 november

In de loop van donderdag 28 november beëindigde hoofdinspecteur Persson van het kantoor van chef de bureau Berg het discrete speurwerk waarmee hij de dag tevoren was begonnen naar de nadere details van het onderzoek dat de Stockholmse politie naar de zelfmoord van de nu overleden Amerikaanse staatsburger John P. Krassner had ingesteld; de 'waarschijnlijke' zelfmoord, zoals er in het proces-verbaal stond. En omdat zijn oude vriend en collega die hem de opdracht had gegeven, op bezoek was bij de afdeling van de Säpo in Luleå, moest de rapportage maar tot de volgende ochtend wachten.

Maakt ook niets uit, dacht Persson en hij besloot er die dag vroeg een punt achter te zetten.

Vrijdag 29 november

Eerst had hij Persson gesproken. Hij had een uur uitgetrokken voor hun gesprek, maar omdat Persson was zoals hij was, waren ze in twintig minuten klaar. Krassner had zich van het leven beroofd, er was gewoon geen ruimte voor een andere mogelijkheid. Zelfmoord was ook de conclusie die de rechercheurs van de Stockholmse politie hadden getrokken. In feite was de zaak gesloten, al zou het formele besluit nog een paar dagen op zich laten wachten.

"Ik dacht aan zijn bewegingen vlak voor... ja, voordat hij uit het raam sprong", wierp Berg tegen, terwijl hij in zijn hoofd een voortdurende onrust voelde knagen. "Hij lijkt zijn besluit erg laat te hebben genomen."

Allerminst vreemd, aldus Persson, juist eerder klassiek zelfmoordgedrag. Gaat naar een van tevoren afgesproken bijeenkomst en precies op het moment dat hij daar aankomt, bedenkt hij zich en vertrekt. Dwaalt door de stad, gaat naar huis terug en voert de daad uit.

Ja, dacht Berg. Erg rationeel leek hij niet te zijn geweest.

Er was nog wel een pijnlijk detail, aldus Persson. Als je daar al in moest gaan spitten. Maar Göransson en Martinsson hadden het behoorlijk verknald en het was niet echt hun verdienste dat de operator van Waltin al klaar en vertrokken was toen Krassner in zijn eigen woning opdook.

"Blinde paarden", vatte Persson het samen en als het aan hem lag, zouden ze onmiddellijk naar de open werkzaamheden worden teruggestuurd en in dat geval zou hij hun persoonlijk de stuipen op het lijf jagen voor ze vertrokken.

"Ja", zei Berg, "ik wilde alleen wel wachten tot het wat rustiger is."

Hij wordt slap, dacht Persson, maar dat zei hij niet.

Vervolgens was Persson opgestaan om te vertrekken, maar voordat hij dat deed, had hij iets totaal onverwachts gedaan.

"Er was nog iets", zei hij terwijl hij Berg aankeek.

"Ik luister", zei Berg en tegelijkertijd hoorde hij hoe de alarmbellen in zijn hoofd begonnen te rinkelen.

"Waltin", zei Persson.

"Wat is er met hem?" vroeg Berg.

"Zorg dat je die gek kwijtraakt", zei Persson.

"Dacht je aan iets in het bijzonder?" De bellen rinkelden nu luider.

"Nee, zomaar", zei Persson en hij haalde zijn brede schouders op. "Ik vertrouw hem gewoon niet."

"Heb je iets gehoord?" hield Berg aan.

"Nee, maar hij heeft ze niet allemaal op een rijtje", zei Persson en hij verdween naar buiten.

Wat doe ik nu, dacht Berg en de bellen in zijn hoofd rinkelden zeer luid.

Vervolgens was hij naar Rosenbad gegaan en had de bijzondere deskundige van de minister-president gesproken, die er moe en afgetakeld uitzag en bedenkelijke rode randen om zijn ogen had. Het lijkt alsof het niet goed met hem gaat, dacht Berg en er moest iets met hun relatie zijn gebeurd, want de gedachte dat het niet goed ging met zijn oude kwelgeest, maakte hem op een moeilijk te verklaren wijze neerslachtig. Berg was behoedzaam begonnen en had de nadere omstandigheden rond de zelfmoord van Krassner uit de doeken gedaan. Het technische onderzoek van de plek, de nagelaten zelfmoordbrief, de uitspraken van de patholoog-anatoom, verhoren met getuigen en de waarnemingen van zijn eigen rechercheurs in de periode dat ze Krassner in de gaten hadden gehouden. Alles, echt alles, leek eenduidig op hetzelfde te wijzen: zelfmoord.

De bijzondere deskundige had alleen maar geknikt en scheef geglimlacht, terwijl hij zijn zware oogleden dichtkneep.

"We moeten het verdriet zien te dragen", zei hij half lachend.

Nu ken ik je weer, dacht Berg.

"Ja, ja", ging de bijzondere deskundige verder en het klonk alsof hij hardop dacht. "Een gezamenlijke kennis beweert dat jullie hem hebben omgebracht."

Ik moet iets aan Forselius doen, dacht Berg. Hij lijkt compleet seniel te zijn geworden.

En vervolgens waren ze eindelijk ter zake gekomen.

"Vertel op", zei de bijzondere deskundige van de minister-president. "Waar was hij mee bezig?"

Het resultaat van de huiszoeking die de medewerker van Berg had uitgevoerd – Berg onderstreepte duidelijk dat het om een huiszoeking ging die geheel legaal was volgens de gedeeltelijk geheime wetgeving die de werkzaamheden van zijn dienst regelde – toonde aan dat Krassner een boek aan het schrijven was, dat hij niet erg ver leek te zijn gekomen met zijn werk en dat het weinige waar ze kennis van hadden kunnen nemen onsamenhangend was, om niet te zeggen onbegrijpelijk. Met zijn zelfmoord was de hele zaak bovendien afgesloten.

"Waar gaat het over?" De bijzondere deskundige van de minister-president leek opeens iets monterder en keek Berg nieuwsgierig aan.

"Het gaat over je baas", zei Berg. "Of liever gezegd", voegde hij er zakelijk aan toe, "ik geloof dat het de bedoeling was dat het over je baas zou gaan."

"Leg uit", zei de bijzondere deskundige.

Het materiaal waarvan Berg kennis had genomen, bestond voornamelijk uit concepten voor achtergrondbeschrijvingen. Het ging over de huiveringwekkende geschiedenis van de sociaal-democratische partij met hun eeuwige gezwenk tussen kapitalisme en communisme; er stond in dat men tijdens de oorlog nauw gelieerd was geweest met de nazi's en dat de partij sinds haar oprichting door geile bokken en corrupte lui was geleid. Hjalmar Branting hield er maîtresses op na en was eigenlijk niets meer dan een vermomde kapitalist die zijn eigen hachje wilde beschermen voor het geval dat. Per-Albin Hansson had ook minnaressen en bovendien nam hij steekpenningen aan van de directeuren met wie hij pokerde en dronk. Dat had Krassner van een betrouwbare Zweedse bron, wiens grootvader zelf een van de omkopers was geweest, die het in vertrouwen aan de moeder van de bron had verteld. Bovendien was hij multimiljonair geworden doordat hij op zijn vijftigste verjaardag een nationale inzamelingsactie had georganiseerd, waarvan de opbrengst rechtstreeks in zijn eigen zak was verdwenen.

"Stel je toch voor", zei de bijzondere deskundige verrukt. "Ik heb Per-Albin altijd al een verstandige man gevonden. Maar Tage? Wat heeft hij voor streken uitgehaald?"

"Tage Erlander wordt helemaal niet genoemd in het materiaal dat we hebben onderzocht", constateerde Berg.

"Verdacht", zei de bijzondere deskundige. "Mensen uit Värmland zijn altijd listig geweest. Bovendien zuipen ze en zijn ze verdomd lui, net als de negers in *De negerhut van oom Tom*. Dansen op de straat en dat soort dingen."

Zeg dat in de verkiezingstijd, dacht Berg, maar hij zei het niet.

"En", zei de bijzondere deskundige terwijl hij Berg dringend aankeek, "ik begrijp dat je het beste tot het laatst hebt bewaard. Mijn ho- gelijk gewaardeerde baas, wat heeft die voor strafbare feiten ge- pleegd?"

"Afgezien van het feit dat hij sinds het midden van de jaren zestig een Russische spion is, lijkt hij zich over het algemeen goed te hebben gedragen", zei Berg droog.

"En wat voor bewijs wordt hiervoor geleverd?" vroeg de bijzondere deskundige.

"Niets wat je niet ook tussen de regels in het *Svenska Dagbladet* hebt kunnen lezen", zei Berg. Of wat ik op het werk heb gehoord, dacht hij, maar dat zei hij natuurlijk niet.

"En dat is alles?" vroeg de bijzondere deskundige. Hij klonk haast een beetje teleurgesteld.

"Dat is alles", zei Berg, "en de enige logische conclusie is toch dat we ons onnodig zorgen hebben gemaakt."

Maar toen waren de tegenwerpingen gekomen en plotseling had Berg hem weer herkend.

"Er zijn vier dingen die ik niet goed begrijp", zei de bijzondere des- kundige. "Er is op zich veel wat ik niet begrijp, maar in dit geval zijn het vier dingen."

"Ik luister", zei Berg en nu hoorde hij de bellen weer. Weliswaar zwak en achter in zijn hoofd, maar duidelijk aanwezig.

"De reden waarom we ons zorgen maakten was niet Krassner, maar zijn oom. Waar is hij in dit alles?"

Nergens, volgens Berg.

"Ik herinner me dat je in het begin vertelde dat hij alle dagen achter zijn typemachine zat. Dus hoewel hij al zes weken bezig zou zijn, heb- ben jullie slechts honderd pagina's met ongesorteerde en voorname- lijk weggegooide aantekeningen kunnen vinden? Heeft hij iets verbor- gen en in dat geval, waar?"

Volgens Berg was er niets wat erop wees dat Krassner documentatie of materiaal dat hijzelf had geschreven, zou hebben verborgen. In elk geval niet hier in Zweden.

"Het materiaal dat je hebt bekeken, lijkt voornamelijk over de par- tij en de partijleiding te gaan. In mijn oren klinkt dat als een typische achtergrondbeschrijving voor wat anders. Bovendien een volstrekt lo- gische reden om hier te komen werken."

"Je bedoelt dat hij thuis in de VS ander materiaal zou hebben?" vroeg Berg. Dat over je baas gaat, dacht hij.

"Ja."

"Dat onttrekt zich aan mijn beoordeling", zei Berg, "maar als het van dezelfde kwaliteit is als wat we hebben gevonden, vind ik nog steeds dat er geen reden is om ons zorgen te maken."

Want je wilt toch niet dat ik de Duitsers ga vragen of ze het de collega's ginds gaan vragen, dacht hij.

"Vervolgens snap ik de titel van zijn boek niet", zei de bijzondere deskundige. "De spion die overliep naar het oosten?"

"Ik ook niet", zei Berg.

Prettig om te horen, dacht de bijzondere deskundige, want dat was precies het antwoord dat hij wilde horen.

Het volgende wekelijkse overleg was zonder wrijving verlopen en de minister leek vooral aan het komende weekend te denken. Berg had het merendeel van de tijd uitleg gegeven over twee lopende onderzoeken naar buitenlandse ambassades. In het ene geval betrof het een verdenking van vluchtelingenspionage en in het andere een helaas reeds gerealiseerd geval van industriële spionage, waarbij BZ tegenstribbelde in de uitwijzingskwestie. Geen van de aanwezigen had iets te vragen. De bellen in Bergs hoofd rinkelden echter nog steeds.

Het is zoals het is, dacht Berg toen hij voor Rosenbad in de auto ging zitten. Ik ben blij dat het gauw weekend is.

De eerste week van december

Wat is hier eigenlijk gaande, dacht rechercheur Jeanette Eriksson toen ze op maandagmorgen op haar gewone stoel op haar werk plaatsnam, nadat ze het weekend samen met haar nieuwe en geheime vriendje hoofdcommissaris Waltin had doorgebracht. Want zo moest ze hem ondanks het leeftijdsverschil toch zien? Haar billen deden zeer, wat extra lastig was omdat de afzondering van een eigen projectkamer tegenwoordig niets meer dan een herinnering was. Het hele Krassner-project was overigens al verleden tijd, een geschiedenis van het soort waarover nooit zou worden gesproken en waar de hoogste chef zelf het deksel al nauwkeurig op had geschroefd. En dat terwijl alles een week geleden zo goed was begonnen, of tien dagen om precies te zijn, dacht rechercheur Eriksson, die nog steeds precies was als het om tijden ging, of het nu haar werk betrof of haar privé-leven. Of, zoals in dit geval, iets wat als het een was begonnen en verder was gegaan als het ander.

Krassner was definitief verleden tijd en Daniel zou dat weldra zijn. De laatste keer dat ze elkaar hadden gesproken, had ze hem wijsgemaakt dat haar altijd zieke moeder plotseling heel erg achteruit was gegaan, waardoor ze nu genoodzaakt was naar Noord-Zweden af te reizen om haar vader te helpen bij de verzorging van haar moeder en haar jongere broers en zussen. Daniels medeleven kende zoals gewoonlijk geen grenzen en zelf had ze zich nog rotter gevoeld dan anders. Wat restte was eigenlijk alleen Waltin, want hij was degene die tegenwoordig tot in de details besliste hoe ze zich in de Krassner-opdracht moest gedragen, en hij was degene die haar privé-leven had bezet en kennelijk van plan was dat op dusdanige wijze te doen dat ze allerminst zin had het aan iemand te vertellen. Zoals die zak met snoep die hij haar eerst had gegeven en die hij vervolgens weer had teruggenomen om redenen die zelfs niet in een klein hoekje van de seksrubriek in de grote avondkrant gepubliceerd hadden kunnen worden.

Wat is hier eigenlijk gaande, dacht rechercheur Eriksson, terwijl ze voorzichtig ging verzitten om de minst pijnlijke houding te vinden voordat ze met de dagelijkse routineklussen aan de slag ging.

***

Op dinsdag 3 december had de Stockholmse politie haar onderzoek naar de plotselinge dood van John P. Krassner afgerond. Zijn zelfmoord was nu opgehelderd, verheven boven alle logische twijfel, het stond zelfs op papier, en nog voordat de dag ten einde was had inspecteur Persson op zijn discrete manier een kopie van het hele onderzoek bemachtigd.

Krassners bezittingen, de weinige dingen die hij had nagelaten, had hij echter gemist want die had de ambassade al naar de VS gestuurd. Dat laatste had Berg kennelijk verontrust en hij had onder andere naar een uitnodiging gevraagd die niet in het proces-verbaal van inbeslagneming voorkwam, noch op de lijst met teruggestuurde bezittingen stond, maar Persson had zich er allerminst druk om gemaakt. Dat soort rommel gooi je toch weg zodra je het hebt ontvangen, had hij gedacht en dat had hij ook gezegd.

"Dat soort rommel gooi je toch weg zodra je het hebt ontvangen", zei Persson.

Berg had alleen instemmend geknikt, maar om toch volledige zekerheid te krijgen had hij ook opdracht gegeven tot een deskundig onderzoek door een van de psychiatrische adviseurs van het bureau. Een buitengewoon bekwaam arts van de oude stempel, die hem wel vaker had geholpen en hem deze keer ook niet teleurstelde. Kennelijk bleek uit de nagelaten brief van Krassner dat hij onder andere een 'sterk depressieve aard' had gehad en dat de 'zelfmoordgedachten die hem al lange tijd hadden gekweld', ten slotte een 'welhaast dwangmatig en gedeeltelijk hallucinatoir karakter' hadden gekregen.

Eindelijk, dacht Berg, en hoog tijd om deze treurige geschiedenis bij de overige geheime stukken te voegen.

***

Tijdens het wekelijkse overleg hadden ze een gemengde agenda besproken waar het enigszins excentrieke veiligheidsbewustzijn van de minister-president wederom onderwerp van gesprek was.

"Zoals beloofd heb ik de zaak na onze laatste kabinetsvergadering met hem opgenomen", deelde de minister van Justitie mee terwijl hij met slecht verhulde trots knikte.

"En wat zei hij?" vroeg de bijzondere deskundige met een wellustige blik vanachter halfgesloten oogleden.

"Hij beloofde erover na te denken", antwoordde de minister.

"Dat is een prachtige stap vooruit, een felicitatie waard", zei de bijzondere deskundige grinnikend. "Dan zal ik de dag voor de heren niet verpesten door te vertellen wat hij tegen mij zei toen ik dezelfde kwestie aan hem voorlegde."

En verder dan dat waren ze niet gekomen.

Na het overleg had de bijzondere deskundige Berg terzijde genomen om een eenvoudige, op zichzelf staande vraag te stellen.

"Die Waltin," vroeg hij, "is dat iemand die je onvoorwaardelijk vertrouwt?"

Ik moet iets aan Forselius doen, had Berg met een plotse irritatie gedacht. Zo kan het niet langer.

"Ik begrijp dat je met Forselius hebt gesproken", zei hij.

De bijzondere deskundige maakte een moeilijk te interpreteren gebaar, dat kennelijk moest aangeven dat hij zonder hier boe of bah over te zeggen, verder wilde gaan.

"Laat ik het zo zeggen", zei Berg voorzichtig. "Ik geloof dat het vooral om een gebrekkige persoonlijke chemie gaat en als ik je vraag direct moet beantwoorden, kan ik alleen maar zeggen dat ik tot nu toe geen enkele concrete reden heb gehad om hoofdcommissaris Waltin te wantrouwen." Afgezien van het kinderachtige gedoe in zijn privéleven, maar er is geen reden daar nu op in te gaan, dacht Berg.

Deze keer maakte de bijzondere deskundige slechts een licht afwijzend gebaar. "En je bent je natuurlijk bewust van het structurele probleem?"

"Ik weet niet helemaal zeker of ik wel begrijp wat je bedoelt", zei Berg, nog steeds voorzichtig.

De rest van het gesprek was op een zogenaamd principieel vlak gevoerd. Zo heette het als mensen zoals de bijzondere deskundige mensen zoals Berg de les wilden lezen. Volgens de bijzondere deskundige was Bergs structurele probleem een logisch gevolg van de wijze waarop hij de controle op zijn dienst had opgebouwd. Wie moest de laatste controleur van de keten controleren? Vooral als hij zo goed verborgen was als Waltin en diens externe functies?

"Het is een onoplosbaar probleem", zei Berg. En mensen zoals jij zijn dol op discussies daarover, dacht hij.

Helemaal niet onoplosbaar, aldus de bijzondere deskundige vanuit zijn hogere positie. In feite hoefde er slechts een dialectische strategie in de visie op de organisatie en de werkzaamheden te worden toegepast. In de structuur moesten concurrentie en tegenstellingen worden ingebouwd, wat tevens een uitstekende manier was om te controleren waar de verschillende onderdelen zich eigenlijk mee bezighielden.

"En hoe gaat het dan met de werkrust?" bracht Berg hiertegen in. Dialectisch, dacht hij. Ik vraag me af of hij communist is. Er stond weliswaar niets in zijn dossier, maar zijn manier van redeneren was zonder meer verdacht.

"Denk er eens over na", zei de bijzondere deskundige met een afwerend schouderophalen. En plotseling waren de innerlijke bellen van Berg weer gaan rinkelen.

∗∗∗

Vrijdags had Berg Waltin ervan op de hoogte gesteld dat de zaak Krassner nu was afgesloten en hoewel het om een in de grond van de zaak ernstige geschiedenis ging die veel erger had kunnen aflopen, was Waltin in zijn gebruikelijke lichtzinnige doen geweest. Hij haalt alleen maar zijn coutureschouders op, dacht Berg en als ik er niets aan doe, krijg ik waarschijnlijk een nieuw parlementair onderzoek op mijn dak.

"Wat ga je aan die seniele cognacdrinker doen?" vroeg Waltin, die niet iemand was die onafgehandelde zaken liet liggen.

"Daar zit ik nog mee in mijn maag", zei Berg die al had besloten de prioritering van Forselius te veranderen en allerminst van plan was dat iemand aan de neus te hangen. En Waltin al helemaal niet.

"Als je wil, kan ik hem een rekening sturen", zei Waltin, glimlachend als een verzadigde wolf. "Hij heeft me zo'n duizend manuren gekost."

"Och", zei Berg afleidend, "het komt wel goed." In het ergste geval moet je je horloge maar belenen, dacht hij, maar dat had hij natuurlijk niet gezegd.

In plaats daarvan had hij alleen een paar algemene richtlijnen gegeven voor het verdere werk: het in kaart brengen van anti-democratische elementen binnen de politie en de krijgsmacht, van de Koerden en andere terroristische organisaties, van de vijandbeelden die er met betrekking tot de minister-president en andere dragers van de samenleving waren, om nu slechts de hoofdlijnen te noemen.

Onszelf, kabouters en trollen, Krassner en andere glimwormen een mes in de rug steken; dat klinkt als een uitstekende indeling van het werk, dacht Waltin, maar dat had hij natuurlijk niet gezegd.

"*Fine with me*", zei Waltin. Zelf had hij belangrijker dingen te doen.

***

Op zaterdag had de bijzondere deskundige van de minister-president zijn oude leraar en mentor professor Forselius ontmoet bij het jaarlijkse kerstdiner van het Turing-genootschap in de sociëteit. Een informeel samenzijn weliswaar, maar in rokkostuum en groot academisch tenue ter nagedachtenis aan een van de grootste mensen die zijn leven ook tussen het verlangen van de zomer en de kou van de winter had geleid, en die ervoor had gekozen het eigenhandig te beëindigen toen de kou om hem heen te onmiskenbaar was geworden.

Het jaarlijkse kerstdiner werd altijd op de eerste zaterdag van december genuttigd omdat ze er de voorkeur aan gaven op tijd te zijn. De vormen, de gangen en de meeste leden waren sinds de dagen van de koude oorlog dezelfde geweest. Eerst een simpel brandewijnbuffet en een paar staand genuttigde drankjes, waarbij ook de jichtige professoren op ongedwongen wijze met elkaar konden mengen. Daarna een traditioneel, burgerlijk diner dat altijd werd afgesloten door een karaf port met de wijzers van de klok mee de tafel rond te laten gaan voordat in een van de achterste kamers koffie met cognac werd gedronken.

Forselius had zijn oud-leerling terzijde genomen en hen elk in een fauteuil laten plaatsnemen in de hoek die hem het meest geschikt leek voor informele gesprekken over onderwerpen die onder de geheimhoudingswetgeving van het rijk vielen.

"Heb je je professoraat nog, of betalen de sociaal-democraten zo verdomd weinig dat je geen geld hebt om een nieuw pak te kopen?"

bromde Forselius en hij knikte naar de eikenbladranken op de zwarte fluwelen kraag van de bijzondere deskundige.

"De volmacht heb ik nog en het loon ontvang ik om paarden te kunnen houden, fijn dat je het vraagt", zei de bijzondere deskundige. Jij bent geen steek veranderd, ouwe, dacht hij met de warmte die een natuurlijk gevolg was van een beter diner.

"Pas maar op voor die klootzakken", waarschuwde Forselius. "Volgende keer ben jij misschien wel degene die door het raam naar buiten vliegt."

"De mensen met wie ik heb gepraat beweren dat hij zelfmoord heeft gepleegd", zei de bijzondere deskundige. En ik beloof je dat ik zal oppassen wanneer de verkiezingstijd begint, dacht hij.

"Uiteraard", snoof Forselius. "Zegt de man met het gouden horloge dat?"

"Als ik het mis heb moet je het zeggen", zei de bijzondere deskundige, "maar was jij niet degene die contact met hem heeft opgenomen?"

"Met Berg, ja", zei Forselius. "Berg is een beste vent, een beetje onnozel weliswaar, zoals alle politiemensen, maar eenvoudig en fatsoenlijk. Met hem kun je prima contact hebben. Doet altijd wat hem wordt opgedragen."

Ja, dat zal best, dacht de bijzondere deskundige die tot een andere generatie behoorde dan zijn mentor.

"Wat vind jij dan dat ik had moeten doen?" vroeg hij.

"Je had het door de staf moeten laten afhandelen. Zo deden we het in mijn tijd altijd. Je weet toch wat de Säpo van mensen zoals jij en je baas vindt? Als iemand dat zou moeten weten, is hij het trouwens wel."

Soms ben je echt een ouwe zeur, dacht de bijzondere deskundige, maar dat zei hij niet.

"Waarom zou de Säpo in vredesnaam iemand als Krassner om zeep helpen?"

"Soms maak ik me echt zorgen om je", zei Forselius en hij keek zijn oud-leerling streng aan. "Om de hand te kunnen leggen op zijn papieren natuurlijk."

"Zijn zogenaamde papieren bevatten voornamelijk onzin, enkel onzin feitelijk."

"Dat zeggen zij, ja", zei Forselius. "Wat zou je zelf zeggen als je nadacht?"

Dat het enkel onzin was, dacht de bijzondere deskundige, maar hij was niet van plan dat tegen Forselius te zeggen.

Waltin had ervoor gekozen ook dit weekend op het ouderlijk landgoed in Sörmland door te brengen. Zijn appartement op Norr Mälarstrand was weliswaar uitstekend geschikt om in zijn normale
behoeften te voorzien – hij had ook flink wat geld gestoken in de ge-
luidsisolatie en de technische apparatuur die hij nodig had voor zijn
privé-documentatie – maar voor de gevoelige beginfase had hij meer
afzondering nodig.

Comfortabel en vlak bij de hoofdweg. Landbouwgronden en bossen waren al sinds lange tijd verpacht en voor een behoorlijke prijs,
gezien de tijden. De werknemers die er altijd waren geweest, waren
ontslagen en verhuisd, en tegenwoordig waren er geen menselijke
ogen of oren in de buurt die dingen konden zien of horen waarmee
ze niets te maken hadden. Kortom, geen hulp in de buurt en zijn training van kleine Jeanette verliep geheel volgens plan. Omdat zij geen
flauw idee had van de werkelijkheid waarin hij leefde, en die binnenkort de hare zou worden, leek ze alles als een soort seksueel rollenspel
te beschouwen dat haar eerder lokte dan afschrok.

Al het weekend ervoor had hij een doorbraak in hun relatie bereikt
en hij prees zichzelf vanwege zijn geniale zet met het zakje snoep, haar
veel te gulzige trek in zoute drop en schuimpjes, de daaropvolgende
straf en de toevallige gelegenheid die zich daardoor vervolgens had
voorgedaan om met behulp van een scheermesje de haargroei tussen
haar benen te verwijderen. Nu zag ze er uitermate aantrekkelijk uit;
klein en broos met haar dunne, bijna jongensachtige lichaam en
haar geheel naakte schoot. Als het haar op haar hoofd nog iets groeide,
zou ze bijna perfect zijn met twee kleine vlechtjes. Kleine Jeanette 13,
dacht Waltin met alle liefde en alle hoop voor de toekomst die hij
maar kon voelen. Ook de documentatie van hun ontluikende relatie
was boven verwachting gelukt. Hij had al beeld- en geluidsfragmenten
genoeg, zowel om tijdens eenzame momenten zijn eigen fantasieën te
bevredigen als om eventuele pogingen tot oproer in de kiem te smo-
ren. Alles wees erop dat Jeanette een van zijn meest succesvolle pro-
jecten ooit zou worden.

Waarom neukt hij niet meer zoals andere mensen, dacht rechercheur Jeanette Eriksson die dit weekend lang voorovergebogen over
zijn knieën had gelegen met haar steeds roder wordende achterwerk
in de lucht stekend; langer dan dat haar minnaar, hoofdcommissaris
Claes Waltin, tussen haar benen bezig was geweest. Ze voelde zich ont-
moedigd en verward, en zelfs Krassner, die toch al veertien dagen
dood was, had haar niet met rust gelaten. Er was iets wat niet klopte

en uiteindelijk had ze moed gevat en het hem gevraagd, al was het maar om wat rustiger te worden. In het gunstigste geval om hem aan wat anders te doen denken dan aan alle manieren waarop hij haar billen kon bewerken.

"Er is iets wat ik niet begrijp", begon ze aarzelend en met de verlegen neergeslagen blik waarvan ze meende dat haar situatie die nu vereiste.

"Er is veel wat jij niet begrijpt", zei Waltin met warmte en malt-whisky in zijn stem.

"Dani... M'Boye vertelde iets op de avond toen we terugkwamen en ontdekten dat Krassner zelfmoord had gepleegd", ging ze verder.

"Ja", zei Waltin met een geïrriteerde frons op zijn verder gladde en gebruinde voorhoofd. Ik vraag me af of ze met die stomme neger heeft geneukt, dacht hij, maar omdat de gedachte alleen al zo gruwelijk was, schoof hij die snel van zich af.

"Toen hij met de collega's praatte", voegde ze er snel aan toe. "Wijnbladh van de technische afdeling en die enge dikzak van Geweldsdelicten."

Om redenen die ze niet snapte, was de frons verdwenen en leek Waltin opeens verrukt en nieuwsgierig.

"Ik luister", zei hij.

Daniel was aan de late kant geweest. Ze hadden om zeven uur afgesproken, maar hij was pas een kwartier later verschenen. Bij de entree van de studentenflat was hij onderweg naar zijn afspraak met Jeanette Krassner tegengekomen, die op weg naar binnen was. Het moest ongeveer tien of twaalf minuten over zeven zijn geweest. Om een lang verhaal kort te maken: ze kon die tijden niet rijmen met de tijden die de collega's hadden gepland om hun controle van Krassners woning uit te voeren.

"Goed gedacht, Jeanette", zei Waltin waarderend. "We hebben meer geluk dan we verdienen."

Vervolgens had hij haar verteld hoe hun operator tegen de instructies in had gehandeld en al om twintig voor zeven met de operatie was gestart, terwijl M'Boye nog op zijn kamer was. De woonruimte van Krassner was klein en bevatte geen interessant materiaal en het onderzoek waarvoor een uur was uitgetrokken, was in minder dan de helft van de tijd uitgevoerd.

"Wat een geluk dat ze elkaar niet zijn tegengekomen", zei Jeanette en ze voelde zich echt opgelucht.

"Er moeten maar een paar minuten tussen hebben gezeten", stemde Waltin in en hij keek haar hitsig aan.

Leuk geprobeerd, Hedberg, maar mij leid je niet om de tuin, dacht Waltin en plotseling had hij zich net zo opgeruimd gevoeld als die keer dat hij moedertje totaal onverhoeds op het perron van het metrostation Östermalmstorg was tegengekomen.

Vijf minuten later was alles weer bij het oude.

Foei, Hedberg, dacht Waltin tevreden terwijl hij van achteren energiek bij kleine Jeanette naar binnen drong, aangemoedigd door de gesmoorde geluiden die zij door zijn professioneel aangebrachte mondknevel maakte.

Wat is er eigenlijk gaande, dacht Jeanette, want ze kon immers niets zeggen.

XIII

En alles wat restte was de kou van de winter

Stockholm in december

Dinsdag 10 december

Eindelijk thuis, dacht Johansson toen hij het vliegtuig uitstapte en na tien dagen echte grond onder zijn voeten voelde. Collega Wiklander had zijn politiekaart gebruikt en kwam hem al bij de bagageband tegemoet om hem met zijn koffers te helpen. De rest was puur een formaliteit geweest, zoals altijd wanneer politiemensen en douaniers elkaar onder collegiale omstandigheden tegenkwamen, en vijftien minuten later zaten ze in Johanssons dienstauto en waren ze op weg naar de stad.

"Heb je een goede reis gehad?" vroeg Wiklander, terwijl hij als een autodief tussen de rijstroken laveerde.

"Prima", zei Johansson. "Het eten was oké en ik heb een aantal dingen geleerd waarvan ik geen flauw benul had." En een aantal die ik zal proberen te vergeten, dacht hij.

"Ik had dit weekend dienst", zei Wiklander met een onschuldige blik. "Er belde een vrouwelijke Amerikaanse collega die je tot elke prijs wilde spreken."

"O? Hoe heette ze?" vroeg Johansson, hoewel hij het antwoord al wist.

"*Detective Lieutenant* Jane Hollander, ze werkt kennelijk bij de staatspolitie in New York", zei Wiklander. "Het leek erg dringend."

"O, die", zei Johansson. "Ik heb met haar gesproken voordat ik wegging. Per telefoon", voegde hij er volledig onnodig aan toe. Je begint je scherpte te verliezen, Lars, dacht hij.

"Ze klonk aardig", zei Wiklander neutraal. Per telefoon, allicht, dacht Wiklander, die al een tijdje meeging.

"Ze zat op die cursus bij de FBI", loog Johansson.

"Ze klonk mooi", hield Wiklander aan, die veel goede eigenschappen had, maar soms ook echt mannen-onder-elkaar-gedrag vertoonde.

"Ging wel", zei Johansson. "Ze was aardig, zonder meer, maar thuis is het beter", constateerde hij met een iets zwaarder Noord-Zweeds accent in zijn stem. "Wat dat betreft", ging hij afleidend verder, "is er nog iets bijzonders gebeurd in ons eigen Zweden terwijl ik afwezig was?"

Niet zoveel, aldus Wiklander. Färjestad stond ruim bovenaan in de ijshockeycompetitie en had onlangs Brynäs van het ijs geveegd, wat bijzonder vreugdevol was voor iemand uit de provincie Värmland zoals hij, maar verder was er niets van belang gebeurd.

"Dat is in grote lijnen alles", stelde Wiklander vast. "O, en Edberg heeft Wilander ingemaakt tijdens de finale van de Australian Open, maar dat heb je vast al gehoord?"

Nee, dacht Johansson, en nu dat wel het geval is, zal ik het zo snel mogelijk proberen te vergeten.

"Hoe was het weer?"

"Koud", zei Wiklander en hij schudde zijn schouders in een alleszeggend gebaar. "Echt koud. De deskundigen zeggen dat het een zeer strenge winter gaat worden. Op de tv zeiden ze onlangs dat het weer ons niet genadig zou zijn."

"Ik wilde je om een gunst vragen", zei Johansson, die met zijn gedachten elders was.

"Ik luister."

"Het ligt wat gevoelig", ging Johansson verder. "Het is een zaak van Stockholm", verklaarde hij, om nogmaals aan te geven hoe gevoelig het lag als je je ergens mee bemoeide terwijl je bij de Rijksrecherche werkte, zoals hij en Wiklander.

"Dan begrijp ik het", zei Wiklander en hij glimlachte scheef. "Wat hebben ze nu weer uitgespookt?"

"Het is al afgedaan en afgeschreven als zelfmoord", zei Johansson.

"Je vermoedt vals spel", zei Wiklander en hij glimlachte iets breder.

"Ik vermoed niets", zei Johansson. "Het is eerder zo dat ik een gevoel heb."

"Ik begrijp het precies", zei Wiklander knikkend.

Hij vermoedt dat het een moord is en dat is niet goed omdat Johansson nu eenmaal Johansson is. Interessant, dacht Wiklander, die zijn chef als zijn geestelijke en beroepsmatige voorbeeld beschouwde.

Afgaand op de stapel op zijn bureau leek de beschrijving van Wiklander grotendeels correct en was de wereld van Johansson echt niet ingestort, ondanks zijn afwezigheid. In de zaak van de kwijtgeraakte Turkse lijken, die de portier in de liftschacht had teruggevonden, had de procureur-generaal met ongewone snelheid gehandeld en een reprimande met een enerzijds-anderzijds thema uitgedeeld waarmee de betrokkenen ongetwijfeld konden leven, dus tot zo ver was er niets aan de hand. Maar er was een nieuw drama losgebarsten en deze keer ging het helaas om zijn eigen Rijksrecherche.

Bij een ongewoon uitbundig personeelsfeestje op een van de afdelingen zou een van zijn hoofdinspecteurs zich aan een vrouwelijk lid van het burgerpersoneel hebben opgedrongen. Degene die aangifte had gedaan was anoniem – zoals gewoonlijk, dacht Johansson met een berustende zucht – maar bevond zich duidelijk in de eigen gelederen. De vermeende dader had zich op aanraden van zijn chef ziek gemeld en het vermeende slachtoffer wilde er überhaupt niet over praten. De zaak lag nu bij de regionale officier van justitie in Göteborg – de in situaties als deze gebruikelijke geografische afstand ter handhaving van de objectiviteit – en was in elk geval niet uitgelekt naar de media. En als dat toch gebeurde, zat zijn opvolger hopelijk achter het bureau van de verantwoordelijke chef.

Tien dagen, dacht Johansson hoopvol. Daarna zou hij vanaf Kerstmis tot en met Driekoningen vakantie hebben en als hij weer terug was, zou hij alleen maar zijn kamer opruimen voordat hij naar een rustiger bestaan bij de afdeling Personeelszaken van de directie Rijkspolitie vertrok. En af en toe een gezellig dineetje met de oude kameraden bij de vakbond, dacht Johansson, die in gedachten al met zijn wederpartij in zijn eigen buurtrestaurant zat en met de kristallen snapsglazen van tante Jenny toastte.

Na de lunch die, omdat hij niet echt trek had gehad, uit een kop koffie en een broodje had bestaan, had de jetlag hem ingehaald en met volle kracht toegeslagen. Hij had in het vliegtuig weliswaar een paar uur geslapen en waar hij nu was, was het nog maar twee uur, maar in zijn hoofd was het plotseling bedtijd geworden na een lange, drukke dag.

"Nu ga ik naar bed voordat ik omval," zei Johansson tegen zijn secretaresse. "Kun je een taxi voor me regelen, dan zie ik je morgen weer."

Thuis aan de Wollmar Yxkullsgatan was alles zoals anders. De buurvrouw had de planten water gegeven, zijn twee aquariumvissen gevoerd en zijn post gesorteerd. De stapel kranten was verreweg het grootst, maar die kon nu best wachten. Hij had zijn koffers in de gang gezet, was direct naar de slaapkamer gelopen, had zijn kleren uit-getrokken, was tussen de lakens gekropen en onmiddellijk in slaap ge-vallen. Toen hij wakker werd, was het acht uur 's avonds en hij voelde zich zo fris als een hoentje. Hij had ook een flinke trek, al bood de in-houd van zijn koelkast een man met zijn honger weinig hoop. Bier, mineraalwater en veel te veel brandewijn, dacht Johansson duister. Wat doe ik nu?

Eerst was hij van plan geweest zijn kleren aan te trekken en even naar zijn geliefde buurtrestaurant te gaan, maar in plaats daarvan was hij onder de douche gaan staan en had hij het water laten stromen om beter te kunnen denken en een uur later was alles naar tevreden-heid opgelost. Het enige wat nodig was geweest, was een grondige huiszoeking in de koelkast, vriezer en voorraadkast, creatief denken en diverse praktische maatregelen als was hij een echte kok, dacht Johansson tevreden terwijl hij het koffiezetapparaat vulde en als belo-ning een flink glas cognac inschonk.

Eerst knäckebröd met ansjovis en ei, daarna enkele plakken eland-filet die hij in de magnetron had ontdooid en alleen even in een giet-ijzeren pan had aangebraden zodat ze vanbinnen nog goed rood en sappig waren, daarbij rauwgebakken aardappelen en zelfgemaakte knoflookboter; al met al een klassieke Zweedse maaltijd, die een echte noordeling die na doorstane beproevingen in het buitenland naar het vaderland was teruggekeerd, waardig was.

Daarna had hij de stekker uit de telefoon getrokken zodat hij met rust werd gelaten, had de koffie, de cognac en de dikke stapel kranten meegenomen naar de woonkamer, waar hij op de bank was gaan lig-gen om in alle rust de samenvatting van collega Wiklander van de ge-beurtenissen in het land te beoordelen.

De ijshockeyclub Färjestad had zich van een koppositie in de hoogste divisie verzekerd en het was ongewoon koud voor de tijd van het jaar geweest. Sommige dagen had de temperatuur in Stock-holm tussen de min tien en min twintig gelegen, maar verder leek alles net als anders rond deze tijd van het jaar te zijn verlopen.

De kerstverkoop zou nieuwe records vestigen, daar waren de win-keliers en hun consumenten het roerend over eens, hoewel de tijden natuurlijk beter hadden kunnen zijn. Desondanks was de minister van Financiën ongewoon optimistisch en in een groot interview beweerde hij dat Zweden nu eindelijk bezig was zich uit het schuldendal te wer-ken waarin het door het eerdere rechtse wanbestuur was beland.

De minister van Financiën was een populaire man en mogelijker-wijs was hij de belangrijkste reden waarom het zo goed ging met de regeringspartij. In de decemberpeiling van het Zweeds Instituut voor Opinieonderzoek hadden de sociaal-democraten vierenveertig procent van de kiezers voor zich gewonnen, een toename van één procent in vergelijking met de maand ervoor. Desondanks had een overweldigende meerderheid van de aanhangers van de partij tegelijkertijd 'geheel geen of weinig vertrouwen' in de leider van dezelfde partij, die tevens minister-president van het land was.

Arme stakker, hij moet het zwaar hebben, dacht Johansson met een medeleven dat in elk geval niet typerend was voor de overige politiemensen in het land. Nieuwsreportages, politieke analyses, hoofdartikelen, cultuurartikelen, columns en gewoon simpel geroddel; bladzijde na bladzijde stonden alle kranten bol van de gebreken in het karakter van de minister-president en al zijn menselijke tekortkomingen.

In de korte tijd dat Johansson weg was geweest, had de minister-president een naheffing opgelegd gekregen en was hem 'een belastingaanslag van voelbare omvang' toegezegd; hij had 'door zijn arrogantie de Noordse samenwerking ernstige schade berokkend', 'meningen verkondigd die totaal niet pasten bij de grondbeginselen van een democratische vakorganisatie' en 'bedenkelijk zweverig gereageerd' toen zijn mening werd gevraagd over de schandelijke Russische behandeling van hun politieke dissidenten.

Bovendien had hij 'opgeroepen tot strijd tegen het geweld van de belastingdienst' toen hij tijdens een lunch met een aantal journalisten de laatste ontwikkelingen van zijn eigen belastingkwestie had besproken. Zouden alle anderen staande ovaties hebben gekregen, hij was de volgende dag al door de avondkranten tot een volledige chaotische terugtocht gedwongen. 'Een ongelukkig grapje tijdens een informele privé-bijeenkomst', legde de minister-president uit.

Hoe houdt hij het vol, dacht Johansson uit de diepte van zijn politie-ervaring; de enige troost in deze ellende was waarschijnlijk dat er anderen in dezelfde arena waren die het ook niet makkelijk leken te hebben. Een commissie van de Middenpartij had haar partijwoordvoerder zes maanden voor de partijraad de laan uitgestuurd, wat Johansson om twee redenen extra ontstemde. Ten eerste omdat ze beiden uit de provincie Ångermanland kwamen en er volgens de gedecideerde mening van Johansson veel te weinig Ångermanlanders in de landelijke politiek zaten, ten tweede omdat het een goede vent leek te zijn.

Johansson had hem weliswaar nooit ontmoet, maar hij had hem op de tv gezien en je hoefde geen agent te zijn om te begrijpen dat hij fatsoenlijk, eerzaam en doodnormaal was. In tegenstelling tot de meeste anderen in dezelfde branche, dacht Johansson, die duidelijk geïrriteerd was, hoewel hij er niet over peinsde om op de Middenpartij te stemmen, want hij had al meer dan genoeg familieleden die dat wel deden. Dit land gaat helemaal naar de verdommenis, dacht Johansson duister en hij troostte zich door nog wat cognac in zijn vrijwel lege glas te schenken.

Binnen de zogenaamde cultuursector was het beeld wat meer verdeeld en bij de eerste aanblik niet echt makkelijk te begrijpen. De film *Rambo: First Blood Part II* was kennelijk vooral populair bij de echte liefhebbers. De geplande uitvoering van *Het zwanenmeer* in de Stockholmse Opera was op de lange baan geschoven door een simpele beenbreuk. Sidney Sheldon en de gezusters Collins stonden op nummer één bij de kerstverkoop van de boekhandels en er gingen meer boeken van hen over de toonbank dan van 'vrijwel alle serieuze auteurs samen'.

In een lange recensie van een nieuwe biografie over Hjalmar Branting concludeerde de recensent dat Hjalmar Branting weliswaar een 'solide en echt mens' en 'een waar humanist' was geweest, maar dat 'zijn drankgewoonten, zijn neiging tot nachtbraken en zijn affaires met vrouwen hem in deze tijd als politicus onmogelijk gemaakt zouden hebben'. Die hoogculturele types lijken hun eigen kranten niet eens te lezen, dacht Johansson ongeïnteresseerd en hij bladerde gauw verder naar het economiekatern.

Daar was alles als anders en kreeg je snel waar voor je geld. De gebruikelijke directeuren hadden zichzelf op de gebruikelijke wijze met de gebruikelijke opties beloond, terwijl degenen die niet mee hadden mogen doen er op de gebruikelijke manier afstand van namen. De koersraket van het jaar, Fermenta, was blijven stijgen. De echt gedegen financieel deskundigen hadden ook van zich laten horen en de resultaten van hun rekeninspanningen kenbaar gemaakt. Weliswaar was 'de koers door het technisch gevoelige niveau van tweehonderd kronen heen gegaan' en kon een 'kleine terugslag niet worden uitgesloten', maar omdat Fermenta geen 'gewone financiële eendagsvlieg' was maar 'binnen afzienbare tijd een wereldwijd toonaangevende geneesmiddelenfabrikant', restte slechts één logische conclusie voor wie wist waarover hij sprak: 'nog steeds een sterke en onbelemmerde aanbeveling tot aankoop, ondanks de bijna spectaculaire koerswinst van de afgelopen tijd'.

De hoogste tijd om de boel te verkopen, dacht Johansson die slechts een paar maanden tevoren voor maar een tientje per aandeel had gekocht. De hoogste tijd ook om naar bed te gaan, dacht hij op hetzelfde moment dat zijn jetlag zich weer kenbaar maakte en hij diep moest gapen.

Krassner moet maar even wachten, dacht Johansson terwijl hij zijn tanden poetste. De koffers kon hij morgen uitpakken, want afgezien van de nagelaten papieren van Krassner bevatten ze vooral kleren die gewassen moesten worden. Hij had al wel een donkerbruin vermoeden van wat er in de papieren van Krassner stond, en het enige wat hij ten opzichte van die zaak voelde, was een toenemende weerzin.

We moeten maar zien wat Wiklander ontdekt, besloot Johansson en hij duwde tegen zijn kussen tot het goed onder zijn hoofd lag en een minuut later was hij in een diepe slaap verzonken. Op zijn rechterzij met zijn rechterarm onder zijn kussen, zoals altijd.

Woensdag 11 december

Johanssons innerlijke klok was van slag. Normaal gesproken werd hij altijd om zes uur 's ochtends wakker, maar nu was het nog maar vier uur en hij was klaarwakker en had behoefte aan een flink ontbijt. Eerst had hij gedoucht en zich aangekleed, maar toen was er meer nodig geweest dan creativiteit. Het enige ei dat hij in huis had gehad, was opgegaan aan het feestmaal de avond tevoren en de overgebleven filets in het ansjovisblikje lokten hem op dit uur van de dag niet. Daarom had hij het met een kopje zwarte koffie en een paar sneetjes knäckebröd met boter moeten doen terwijl hij zijn ochtendkrant las.

Shit, dacht Johansson terwijl hij chagrijnig op zijn horloge keek. Nog maar halfzes hoewel hij de *Dagens Nyheter* al bijna uit zijn hoofd kende en zijn tijd zelfs had verspild aan de sportpagina's.

In eerste instantie had hij bedacht dat hij zijn koffers moest uitpakken, de was moest sorteren en in elk geval de papieren van Krassner op het bureau in zijn werkkamer moest leggen, maar om redenen die hijzelf niet echt begreep, was hij er nog niet toe gekomen. In plaats daarvan was hij met gezwinde pas naar zijn werk gewandeld, over de kaden, door de scherpe kou en het gure vocht die in zijn wangen en de punt van zijn neus beten, en toen hij even na zessen de receptie aan de Polhemsgatan binnenstapte, had de portier hem met rode ogen ongerust aangekeken.

"Is er iets gebeurd?" vroeg hij.

"De morgenstond heeft goud in de mond", zei Johansson met gespeelde hartelijkheid, hoewel zijn maag schreeuwde en het nog een uur zou duren voordat hij zijn honger in de cafetaria bij het zwembad kon stillen.

Toen zijn secretaresse zoals altijd even na achten arriveerde, had hij zijn bureau opgeruimd; de openliggende pagina van de agenda was maagdelijk wit en voor hem lag een volledige werkdag waarop hij door zijn eigen gangen kon dwalen en met de collega's kon kletsen. Als er tenminste niet iets acuuts en dringends gebeurde wat zijn hoge medewerking vereiste. Maar waarom zou dat gebeuren, dat deed het anders ook nooit, dacht Johansson, en hij knikte vriendelijk tegen zijn naaste medewerkster.

"Je hebt zeker niet toevallig een paar minuten?" vroeg ze en door haar schuldbewuste blik wist hij meteen waar het om ging.

Ze heeft zich bedacht, dacht hij.

"Natuurlijk", zei Johansson. "Laten we even op mijn kamer gaan zitten."

Ze had zich inderdaad bedacht en ze wrong zich vijf minuten in allerlei bochten voordat ze het kon zeggen.

"Natuurlijk blijf jij hier", zei Johansson vriendelijk. "Wie weet hoe lang ik bij Personeelszaken blijf. Dat weet ik zelf nauwelijks."

Vrouwen, dacht hij.

"Zeg het me even als je iemand anders weet", zei Johansson. "Ik vraag niet om wonderen, als ze half zo goed is als jij, is het goed genoeg", voegde hij eraan toe met een extra zwaar Noord-Zweeds accent.

Het zij zo, dacht hij toen ze door de deur naar buiten was gegaan.

Daarna had hij ruim een uur met zijn oude collega's gekletst over van alles en nog wat en vooral over Oud en Nieuw gajes. Toen het tegen tienen liep, had hij zich verontschuldigd, was teruggekeerd naar zijn kamer en had zijn beleggingsadviseur bij de bank gebeld.

"Ik wil dat je mijn Fermenta-aandelen verkoopt", zei Johansson.

De beleggingsadviseur was met allerlei tegenwerpingen gekomen, maar Johansson, die zelfzuchtig was als het over dingen ging die van hem waren, was onwrikbaar geweest.

"Je wilt dat ik ze hou?" vroeg Johansson.

"Ik heb hier net het laatste rapport van onze analytici en ze zien een voortgezet en zeer sterk groeipotentieel. Ze raden verkoop beslist af en bevelen sterk aan te kopen, ook op het huidige niveau."

Ik vraag me af of het dezelfde rekenwonders zijn die mij drie maanden geleden met stelligheid afraadden om te kopen. Maar natuurlijk is het ook zo dat je ze toen vrijwel voor niks kreeg, dacht Johansson.

"Oké", zei Johansson moeizaam. "Nu doen we het zo. Ik wil dat je al mijn Fermenta-aandelen verkoopt en ik blijf hangen tot je ermee klaar bent."

"Nu ben ik klaar", zei de beleggingsadviseur chagrijnig na ongeveer een halve minuut lang naast de hoorn te hebben gemompeld.

"Uitstekend", zei Johansson. "Je weet toch wat die ouwe Ford altijd zei? Die man van de T-Fordjes?"

"Nee", zei de beleggingsadviseur. Hij klonk nog steeds gekwetst.

"Winst is winst", zei Johansson en hij hing op.

Ja, ja, dacht Johansson. En wat zal ik nu eens gaan doen? Hij keek op zijn horloge en leunde achterover in zijn bureaustoel. Even na tienen en niets te doen. Eerst had hij de onbezonnen gedachte gehad Wiklander te laten komen en hem zijn diensten aan te bieden, maar toen was de commissaris in hem onmiddellijk actief geworden: daar moest hij zelfs niet aan denken, dat lag veel te gevoelig voor een man in zijn functie, en gezien het waarschijnlijke gewicht van de zaak was het ook niet nodig.

Johansson trommelde ontevreden met zijn vingers op het bureau. De agent in zijn ziel was plotseling wakker geworden, weigerde te buigen, en hij voelde zijn vingers jeuken bij de gedachte aan ouderwets fatsoenlijk recherchewerk. Wat schreef die gek ook al weer in die brief die ik eigenlijk nooit had moeten zien, dacht Johansson. Dat hij mijn thuisadres van een zeer bekende Zweedse journalist had gekregen? Hij kon zelf maar één iemand bedenken en bij gebrek aan iets beters kon hij dat net zo goed meteen uitzoeken.

Redacteur Wendell van de grote avondkrant klonk zowel gevleid als geïnteresseerd toen Johansson belde en voorstelde om dezelfde dag nog samen te lunchen.

"Is er iets interessants gaande?" vroeg Wendell nieuwsgierig, omdat hij uit ervaring wist dat Johansson zich meestal met zware zaken bezighield.

"Nee," zei Johansson. "Het leek me gewoon leuk je te spreken. Het is alweer een tijdje geleden."

"Ik begrijp het", zei Wendell cryptisch. "We hebben het er straks wel over."

Niks daarvan, dacht Johansson, maar dat zei hij niet.

Alle echte politiemannen hielden niet van journalisten en in dat opzicht was Johansson geen uitzondering. Wendell was juist de uitzondering die Johansson al jaren eerder had gemaakt toen hij zijn eerste schreden op de carrièreladder binnen het politiewezen had gezet en behoefte had gehad aan iemand als Wendell. Ze waren onderling appels voor peren gaan ruilen en tot nu toe hadden beiden aan de zaken verdiend. Wendell was ook de enige journalist die Johanssons thuisadres had gekregen, maar alleen voor eigen gebruik en gevoelige leveringen. Waarschijnlijk had hij het vertrouwen beschaamd en het adres doorgegeven aan Krassner en omdat Johansson toch moeilijk kon gaan verhuizen vanwege Wendells loslippigheid, kon hij hem net zo goed duidelijk maken waar de grenzen liepen.

Verder had hij niets op hem tegen. Het was een beste man, net als Johansson dol op de goede dingen des levens zoals eten, drank en vrouwen, en net als Johansson had hij een favoriete Italiaan, waar ze net een grote schaal met diverse Italiaanse vleeswaren hadden gekregen als opwarmertje voor het serieuze werk.

Eerst de zaken maar, dacht Johansson en hij boog zich voorover en knikte vriendelijk naar Wendell.

"Ken jij een Amerikaanse journalist die Krassner heet, John Krassner?" vroeg Johansson.

Wendell leek plotseling alert. Toen knikte hij.

"Ik heb hem een paar keer in de persclub aan de Vasagatan ontmoet. Hij was hier voor een klus, schreef een boek, allemaal heel geheim, maar nu heb ik hem al een hele tijd niet gezien, dus hij is vast terug naar de VS. We hebben het wel eens over je gehad."

Johansson knikte naar hem zodat hij verder zou gaan.

"Ik weet niet hoe we op je kwamen. Ik geloof dat hij vroeg of er ook fatsoenlijke smerissen in dit land woonden."

Wendell glimlachte zwakjes en maakte een gebaar met zijn bierglas voordat hij een slok nam.

"En wat zei jij toen?"

"Ik meen me te herinneren dat ik zei dat ik er in elk geval een kende", zei Wendell. "Ik heb je naam ook genoemd, weet ik nog. Het was in de tijd dat jij in de media als de belangrijkste voorvechter van rechtvaardigheid werd geroemd."

"Waarom wilde hij iemand als mij spreken?" vroeg Johansson. "Wilde hij iets weten?"

Wendell schudde aarzelend zijn hoofd.

"Ik geloof van niet. Tussen jou en mij gezegd is het een mysterieus type. Het is mij nooit helemaal duidelijk geworden wat hij deed, behalve dat het de onthulling van de eeuw zou zijn."

Wendell schudde medelijdend zijn hoofd.

"Heeft hij iets van zich laten horen? Als ik jou was, zou ik voorzichtig zijn met de beste man."

"Hij heeft een wonderlijke brief gestuurd", zei Johansson. "Ik begreep er geen jota van, maar omdat hij hem naar mijn huis heeft gestuurd, wilde ik het je even vragen."

Wendell schudde afwerend zijn hoofd.

"Vergeet het maar", zei hij. "Geen haar op mijn hoofd die eraan denkt om jouw privé-adres te geven. Het enige wat hij heeft gekregen is het adres van je werk. De Rijksrecherche bij de directie Rijkspolitie. Ik meen dat ik heb gezegd dat het in het telefoonboek stond."

Hm, dacht Johansson.

Vervolgens hadden ze over andere dingen dan Krassner gesproken, pasta met gekookt kalfsvlees gegeten en tiramisu toe.

Bovendien hadden ze bier en wijn gedronken en bij de koffie had Wendell zich zoals altijd verontschuldigd.

"Een kleine blaas", zei Wendell en hij glimlachte scheef. "Zullen we nog een glaasje grappa nemen?"

Zoals altijd had hij ook zijn colbertje over de rugleuning van zijn stoel gehangen en zodra hij naar de wc was gegaan, had Johansson zijn hand in de linker binnenzak gestoken en het adresboekje eruit gevist. Keurig geordend en in een net handschrift, en onder de J stond hijzelf met zijn thuisadres, het adres van zijn werk en zijn drie telefoonnummers.

De details vallen op hun plek, dacht Johansson. Hij stopte het adresboekje terug en zocht oogcontact met een ober.

"Twee grappa graag", zei Johansson net op het moment dat Wendell terugkwam en vervolgens hadden ze doorgepraat over van alles en nog wat, behalve over Krassner.

Het was echt gezellig geweest. Johansson had erop gestaan de rekening te betalen en daarna had hij laten merken dat hij dat uit zijn eigen zak deed door hem op tafel te laten liggen. Voordat ze weggingen had hij zich verontschuldigd om nog even naar de wc te gaan en toen had Wendell natuurlijk zoals altijd beslag op de rekening gelegd. Die kon de krant best op zich nemen en Johansson moest het Wendell nageven: hij schreef de naam van zijn informanten nooit op de achterzijde. Wendell was slechts met mate zelfzuchtig, bovendien was het binnenkort Kerstmis en in dit geval trof het niemand die het niet kon missen.

Toen ze elk huns weegs gingen, was Wendell teruggereden naar de redactie terwijl Johansson met een taxi naar huis was gegaan. Geheel los van het feit dat het binnenkort Kerstmis was, was hij niet van plan terug te keren naar zijn werkplek om bier, wijn en grappa over zijn medewerkers uit te ademen. Dat moesten anderen maar doen, op andere plekken met andere regels dan die welke voor hem golden.

Eindelijk had hij zijn koffers uitgepakt. Hij had de vuile was gesorteerd en die over de twee wasmanden in de badkamer verdeeld, dat wat niet gewassen hoefde te worden in de kledingkast gehangen en de kerstcadeaus die hij had gekocht op het bureau in zijn werkkamer gelegd. Wat nog resteerde, waren de papieren van Krassner die hij had gekregen, en de weerzin die hij eerder had gevoeld was er na de ontmoeting met Wendell niet minder op geworden. Toen hij in het hotel in New York zijn koffer had gepakt, had hij de papieren in de plastic tas gestopt die hij had gekregen toen hij zijn nieuwe schoenen had gekocht, en daar zaten ze nog steeds in.

Wat doe ik nu, dacht Johansson en hij woog de zak in zijn hand: hoogstens een paar kilo. Hij had nog steeds hetzelfde onaangename voorgevoel over wat hij erin zou aantreffen als hij zich er eenmaal toe zou zetten ze door te lezen. Hij wilde ze niet meenemen naar zijn werk, want daar hoorden ze niet thuis en bovendien waren ze van hemzelf. Hij had ze van iemand gekregen die alle aardse bezittingen van Krassner had geërfd en dat was toch bij uitstek als een legale verkrijging te beschouwen.

Problemen, dacht Johansson, en omdat ze niet om hem gingen, konden ze best wachten. Ik neem ze mee naar mijn broer, besloot hij. Dan kan ik ze in alle rust lezen, want als hij dat toch zou doen, kon hij het net zo goed grondig doen. Zo moet het maar, besloot hij. Hij vouwde de tas dicht en legde die in de boekenkast op zijn werkkamer, naast de boeken die hij ook mee wilde nemen om tijdens de kerstdagen te lezen. Hij had gevonden wat hij had gezocht, hij had daar geluk mee gehad en dat geluk zou hem niet meer in de steek laten, dus het werk dat restte kon best wachten tot hij zich er klaar voor voelde.

Geluk hebben om te vinden wat je zoekt, en onder archiefonderzoekers – een beroep dat je het best als roeping kon uitoefenen – is het zo groots en zeldzaam dat er een speciaal woord voor is: *Finderglück*. Een Duits begrip dat zich niet heel makkelijk laat vertalen, maar waarvan de oorspronkelijke betekenis juist is dat je het geluk hebt dat nodig is om je inspanningen met succes bekroond te zien worden. Het betekent echter niet dat je gelukkig wordt als dat je eenmaal overkomt, want dat gebeurt lang niet altijd.

Voor een professioneel archiefonderzoeker was Johanssons reactie dus niet bijzonder. Die zijn zich er goed van bewust welke gevoelens meestal bovenkomen als iemand de zeldzame genade ten deel valt; de ambivalentie, de aarzeling, de geestelijke kater en in moeilijke gevallen zelfs de vrees en wroeging die kunnen bovenkomen als je eenmaal met je vondst in je magere handen zit. En natuurlijk de mogelijkheid dat je vondst helaas zal aantonen dat je er compleet naast zat met je theorieën of hypothesen.

Johansson was weliswaar geen archiefonderzoeker, maar in de jaren dat hij rechercheur was, had hij honderden uren besteed aan wat in jargon 'dossiers lichten' werd genoemd en hij was heel vertrouwd met de gevoelens die op zowel de spaarzame successen als de voortdurende mislukkingen volgden. Ooit had hij op die manier een moordenaar gevonden en omdat het slachtoffer een verschrikkelijke klootzak was en de dader een gewone, fatsoenlijke vent, had hij naderhand in stilte de combinatie van intuïtie en zakelijke precisie vervloekt die hem naar de oplossing had geleid waar al zijn collega's het spoor bijster waren geraakt. Zonder dat hij zijn kamer maar had hoeven verlaten en terwijl zijn collega's zoals altijd buiten rondrenden.

Die papieren lopen niet weg, zei Johansson weer voor zich uit en hij knikte bevestigend in zijn eenzaamheid. Bovendien had hij een tukje nodig na de tijdomschakeling en de zware Italiaanse lunch, die hij bovendien uit eigen zak had betaald. Onderweg naar de Wollmar Yxkullsgatan had hij de noodzakelijke dingen om te overleven al aangeschaft.

Toen hij wakker werd, was het nog maar zeven uur 's avonds, maar hij was fris en helder en dacht geen moment aan Krassner en diens papieren. Bovendien belde Jarnebring toen hij onder de douche stond en omdat het binnenkort Kerstmis was, was hij voortgegaan op de reeds ingeslagen representatieve weg en had hij hem uitgenodigd om samen in zijn eigen, zeer goede buurtrestaurant te gaan eten. Jarnebring had hier niets op tegen gehad en alleen voorgesteld om hetzelfde menu als de vorige keer te nemen om onnodige risico's te vermijden. En zo zaten ze ruim een uur later tegenover elkaar en hieven de snapsglazen van tante Jenny boven een uitstekende gegratineerde toast met sardientjes, tomaat, basilicum en mozzarella.

"Schitterend", zei Jarnebring en hij zuchtte luid na de drank. "Die spaghettivreters zijn geen gewone buitenlanders."

Nee, dacht Johansson. Ze zouden er waarschijnlijk niet over peinzen gekookte worst met zoet wit brood en een garnalensalade te serveren.

"Vertel", zei Jarnebring terwijl hij nog een toastje met sardientjes naar binnen werkte en betekenisvol naar zijn lege glas knikte. "*Spare me no details*, zoals Bogart altijd zei."

Dus Johansson had over zijn bezoek aan de FBI verteld en over de ontmoeting met de collega's in New York, maar verder had hij er met geen woord over gerept dat hij de vroegere vriendin van Krassner, Sarah Weissman, had ontmoet en dat hij de nagelaten papieren van Krassner had meegekregen.

"Je hebt die idiote Amerikaan maar laten zitten?" vroeg Jarnebring.

"Ja", zei Johansson. "Dat heb ik terzijde gelegd, hoewel ik er gisteren achter ben gekomen hoe hij mijn thuisadres heeft weten te bemachtigen en daar zat je wel in de goede richting. Hij had het van een van onze Zweedse grootheden. Ik heb hem vandaag gesproken. Krassner wilde kennelijk contact met iemand van de Zweedse politie. Niet dat ik snap waarom, maar hij wilde het kennelijk."

"Dat willen ze altijd, de hufters", snoof Jarnebring, die journalisten haatte. "Je had de man die je thuisadres heeft gegeven mores moeten leren."

"Ik heb genade voor recht laten gaan", zei Johansson, zwak glimlachend. "Ik heb hem laten leven. Hoe is het jou trouwens vergaan?"

Aan het thuisfront scheen het zonnetje voor Jarnebring. De collega met de achillespees vertoonde tekenen van genezing en zou na de feestdagen voor vijftig procent terugkeren. De andere helft van de tijd kon iemand anders dan Jarnebring voor zijn rekening nemen, dus hij kon terug naar de afdeling Onderzoek en het echte werk. Bovendien was de vrouw met wie hij samenwoonde – want zo moest je het toch zien, omdat hij het merendeel van de tijd bij haar was al stond zij als enige in het contract van haar flat – de afgelopen tijd ongewoon mild en lief geweest.

Hultman was ook met een blijde verrassing gekomen. Hij was niet alleen opgedoken met de beloofde doos met diverse drank, maar had ook de goede smaak gehad om alle likeuren en ander spul waar de vrouwtjes zo dol op zijn, aan te vullen met een hele doos met de favoriete whisky van Jarnebring. Maar dat had hij natuurlijk niet aan Johansson verteld. Johansson was weliswaar zijn beste vriend, maar in de dunne luchtlagen waar zijn vriend tegenwoordig verkeerde, was er een aantal zaken die hij maar beter niet kon weten. Jarnebring had daarom voor een andere oplossing gekozen en hem voor een kerstdineetje uitgenodigd.

"Wat dacht je van volgende week donderdag, want dan ben ik vrij en mijn vriendin ook. Ik heb zowel Ålborg-aquavit als Löjtens-aquavit in huis gehaald", verzekerde Jarnebring, want zo kon je de zaak toch ook zien.

"Komt uitstekend uit", zei Johansson, want dat deed het.

"Ze heeft ook een ontzettend mooie vriendin." Om de een of andere reden had Jarnebring zijn stem laten zakken en zich over de tafel gebogen. "Een collega, werkt tijdelijk op Norrmalm. Wat dacht je?"

"Ja", zei Johansson. "Dat klinkt wel gezellig. Ken ik haar?" Wat moest hij zeggen, dacht hij.

"Ik denk het niet", zei Jarnebring. "Ze is voor een paar maanden toegevoegd. Werkt in Skövde bij de ordepolitie, frisse meid, geen kids, geen vaste relatie."

"Hoe oud is ze?" vroeg Johansson.

"Tja", zei Jarnebring en hij haalde zijn schouders op. "Net zo oud als de mijne, een en al leven."

Op die manier, dacht Johansson en om onduidelijke redenen was hij plotseling een beetje neerslachtig geworden. Misschien kwam het door de strakke band van zijn broek en zijn nog maar half opgegeten en op zich zeer goed smakende varkenslapje met marsala-saus en polenta. Iets moest het toch zijn geweest.

"Dat klinkt gezellig", herhaalde Johansson.

Morgenvroeg maar gaan zwemmen, besloot hij en hij schoof zijn bord opzij.

"Als je niet meer wil, lust ik het wel", zei Jarnebring begerig.

Ze waren blijven natafelen tot het restaurant sloot en vervolgens had Johansson de traditionele nazit afgezegd onder het mom van een jetlag in combinatie met vroege dienstzaken. Jarnebrings protesten waren verbazingwekkend mild geweest.

"Je werkt te veel, Lars", zei hij. "En traint te weinig. Ga een keer mee trainen, joh."

Daarna had hij iets hoogst ongebruikelijks gedaan. Hij had zich naar voren gebogen en zijn grove arm om Johanssons schouders gelegd en hem omhelsd.

"Zorg goed voor jezelf, Lars, dan zien we elkaar volgende week."

Het moet dat Italiaanse eten zijn, dacht Johansson verbaasd.

Toen hij was thuisgekomen en naar bed was gegaan, kon hij voor de verandering de slaap maar moeilijk vatten. Een gevoel van neerslachtigheid dat niet wilde wijken. Een vrouw, dacht Johansson. Ik moet een vrouw vinden. Daarna was hij zoals gewoonlijk in slaap gevallen.

Donderdag 12 december

Johansson was zijn werkdag begonnen met een uur in het zwembad, maar toen hij nog een halfuur later de sauna uit stapte, leek zijn taillemaat helaas dezelfde als daarvoor. Hij had echter wel een enorme honger gekregen, waar hij meteen wat aan had moeten doen. Hij had in de cafetaria twee koppen koffie gedronken en een flink stuk roggebrood met gehakt en rodebietenmayonaise gegeten om de ergste honger te stillen voordat hij achter zijn bureau plaatsnam.

Spiervorming, dacht Johansson, de vrouwenkwestie zou hij zeker in de loop van de dag kunnen oplossen. Eerst had hij de juffrouw van de posterijen overwogen die hij had ontmoet toen hij in de periferie van de Krassner-zaak werkte. Een knappe vrouw – verstandig leek ze ook – die hij al een paar keer in zijn fantasieën had gebruikt waarbij hij de raad van zijn grote broer had opgevolgd, maar de praktische problemen waren groot.

Je kunt niet gewoon opbellen en vragen of ze in is voor een wip, dacht Johansson. Hoe graag je dat zelf ook zou willen. Bovendien was het ook om andere redenen ongepast. Stel bijvoorbeeld dat de Krassner-zaak een ongelukkige wending zou nemen en er nieuw leven werd ingeblazen en zij als getuige werd opgeroepen in een nieuw onderzoek, en hijzelf ... iets zou worden waar hij liever niet aan dacht. Je hebt het verkeerde beroep gekozen, dacht Johansson en hij voelde de mistroostigheid met hernieuwde kracht terugkeren. En waar hield dat ongeluk van een Wiklander zich eigenlijk mee bezig? Bijna twee dagen geleden had hij tegen hem gezegd dat hij moest controleren of de stukjes van het onderzoek van Jarnebring daadwerkelijk op hun plek lagen en sindsdien had hij niets meer van hem vernomen.

Zes weken zonder naakte huid, dacht Johansson. Dat zijn eigen vel jeukte, was niet zo gek. Over een week zou hij de door Jarnebring aangekondigde vriendin uit Skövde ontmoeten, maar geheel los van het feit dat dat nog een eeuwigheid duurde, had hij op z'n zachtst gezegd gemengde gevoelens over die ontmoeting. Je kon van zijn beste vriend zeggen wat je wilde, maar zijn kijk op vrouwen verschilde van die van Johansson.

Na de lunch was hij stiekem van zijn werk weggegaan om kerstcadeaus te kopen en toen hij thuiskwam, was het al avond en was hij behoorlijk afgepeigerd. Eerst had hij in zijn eentje een eenvoudig maal gegeten en een uurtje voor de buis gehangen. Daarna was hij naar bed gegaan en was zonder al te grote problemen in slaap gevallen en 's nachts had de juffrouw van de posterijen hem in zijn dromen opgezocht, en dat ze niet bij de politie werkte was maar al te duidelijk.

Vrijdag 13 december

Toen Johansson wakker werd, was hij in een uitstekend humeur en onder de douche had hij het advies van zijn grote broer al opgevolgd. Gezien het feit dat het vrijdag de dertiende was, en je je kin of een ander lichaamsdeel niet onnodig moest laten uitsteken, was het bovendien een risicoloze en aantrekkelijke beoefening van erotiek. Terwijl hij koffie zette, had hij een oud liedje van Sven-Ingvars lopen neuriën, als de echte politieman en liefhebber van dansmuziek die hij was, in tegenstelling tot de fictieve operaliefhebbers die elk verzonnen politiebureau van Ystad tot Haparanda leken te bevolken. Ondanks de onheilspellende combinatie van datum en weekdag voelde hij instinctief dat dit een goede dag zou worden.

Toen hij op zijn werk kwam, zat zijn trouwe medewerker Wiklander al in de gang voor zijn kamer op hem te wachten, maar voordat hij hem had binnengelaten, had hij hem koffie voor hen beiden laten halen. Enig rangverschil moest er toch zijn, zelf had hij vele kopjes voor oudere collega's gehaald toen hij even oud was als Wiklander.

"Laat maar horen", zei Johansson en hij leunde achterover in de bureaustoel en nipte aan de tweede kop koffie van die dag. Vers gezet, dacht Johansson tevreden en hij nam een hap uit een saffraanbolletje met rozijnen. Lekker, dacht hij hoewel hij eigenlijk niet van saffraanbolletjes met rozijnen hield.

"Het is een zelfmoord", zei Wiklander. "Op dat punt ben ik het volledig met onze collega's eens."

"Ik luister", zei Johansson knikkend.

De eerste maatregelen die de collega's in Stockholm hadden genomen, lieten weliswaar van alles te wensen over – vrijwel alles, als je de zaak op die manier wilde bekijken – maar vervolgens had collega Jarnebring die als hoofd van de plaatselijke recherche op Östermalm werkte, zich ermee bemoeid en de zaak op orde gebracht. De redenering en conclusies van Wiklander klonken verder precies zoals Johansson ze veertien dagen eerder van zijn beste vriend had gehoord.

"Jarnebring is echt goed, dus hem passeer je niet zomaar", constateerde Wiklander. "Maar dat weet jij trouwens beter dan ik."

"Was er helemaal niets vreemds?"

"Tja", zei Wiklander vaag glimlachend. "De vilten pantoffels in het buurpand hebben de zaak ook gecheckt."

De afdeling Veiligheid, dacht Johansson. Krassner.

"Dat weet je honderd procent zeker?"

"Ja", zei Wiklander. "Herinner je je Persson? Die jaren geleden met ernstige diefstallen werkte in Stockholm. Hij werkt nu bij Veiligheid, grote, dikke collega, chagrijnig type, maar goed, een zeer goede politieman. Ik ken een van de meiden van het archief en zij vertelde dat Persson vorige week was langs geweest en akten had gekopieerd en tegen haar had gezegd dat ze haar bek moest houden, want anders zwaaide er wat."

"Maar dat deed ze niet", zei Johansson.

"Nee", zei Wiklander grijnzend. "Ze mag Persson niet. Vindt het een buitengewoon ouwe zuurpruim."

Maar jou mag ze kennelijk wel, dacht Johansson.

"Waren ze Krassner aan het checken?"

"Dat dacht ik in eerste instantie, ja", zei Wiklander. "Maar nu weet ik het niet zo zeker meer. Ik neig ernaar te denken dat ze in iemand anders geïnteresseerd waren. Een uitwisselingsstudent uit Zuid-Afrika, een zwarte die een beurs van de vakbond heeft gekregen. Behoort daarginds in Zuid-Afrika tot een radicale groep van voorvechters van de burgerrechten. Daarom hebben ze hem vast ook hierheen gehaald. De vakbond dus."

"Wat heeft hij met Krassner te maken?" vroeg Johansson.

"Niets", zei Wiklander. "Ze woonden alleen in dezelfde gang. Leken elkaar niet te hebben gekend."

"En waarom denk je dat ze in hem geïnteresseerd waren? De collega's van Veiligheid, dus."

"Ze lijken een undercover agente op hem te hebben gezet", zei Wiklander.

"Hè?" zei Johansson.

Wiklander had naast veel andere dingen ook wat discrete vragen aan de studenten gesteld die in dezelfde gang woonden als Krassner. Zo was hij erachter gekomen dat een van hen een vriendinnetje had dat vaak was langsgekomen. Louise Eriksson, mooie meid, ergens in de twintig die zei dat ze criminologie of een ander dergelijk lichtverteerbaar populair vak studeerde, als ze niet samen was met Daniel M'Boye.

Kennelijk waren zij en M'Boye elkaar midden oktober toevallig tegen het lijf gelopen. Daarna hadden ze elkaar regelmatig gezien en op die manier hadden ze het in elk geval tot eind november volgehouden. Maar daarna leek de relatie in het slop te zijn geraakt en de laatste tijd had hij alleen telefonisch contact met haar gehad. De jonge juffrouw Eriksson zelf was naar de periferie verdwenen, naar eigen zeggen naar haar ouderlijk huis om voor haar zieke moeder te zorgen.

"Heb je die M'Boye gesproken?" vroeg Johansson.

"Ja", zei Wiklander. "Hoewel hem dat niet makkelijk viel. Vooral toen het over dat meisje Eriksson ging. Teleurgesteld in de liefde, misschien", zei Wiklander scheef glimlachend.

"Is er reden om hem op te halen?" vroeg Johansson. Wat dat ook maar voor reden zou kunnen zijn, dacht hij.

"Dat wordt moeilijk, vrees ik", zei Wiklander. "Hij is gisterochtend teruggegaan naar zijn geboorteland, Zuid-Afrika."

Zucht, dacht Johansson.

"Dat vriendinnetje", zei hij. "Louise Eriksson, is dat een collega, werkt ze bij Veiligheid of freelancet ze alleen maar wat?"

"Het is een collega", zei Wiklander. "Jeanette Louise Eriksson, zevenentwintig. Heeft zes jaar geleden de academie afgerond en is toen vrij snel naar Veiligheid verdwenen. Ik gok dat ze bij hun afdeling Onderzoek zit. Een zeer geschikt type, ziet eruit alsof ze zo van de kleuterschool komt. Roepnaam Jeanette, behalve wanneer ze parttime aan de universiteit criminologie studeert, want daar noemt ze zichzelf Louise."

"Dat weet je zeker?" hield Johansson aan.

"Ja", zei Wiklander en zijn stem klonk allerminst gekwetst. "Je kunt gerust zijn. Ze werkt bij Veiligheid, woont in een appartement in Solna, leeft alleen, studeert parttime criminologie. Het telefoonnummer dat ze aan M'Boye gaf, is een paar uur nadat hij vanaf het vliegveld is opgestegen opgeheven. Het was al een geheim nummer en nu schudden ze bij het telefoonbedrijf alleen maar hun hoofd. Typisch een abonnement van Veiligheid en een duidelijk teken dat haar taak erop zit. Ik heb haar moeder ook gecheckt. Ze is zo gezond als een vis en als de pasfoto klopt, ziet ze eruit alsof ze van haar dochters leeftijd is."

"Heb je foto's van collega Eriksson?" vroeg Johansson.

"Ja", zei Wiklander met een iets bredere glimlach. "Heel recente. Ik heb ze zelf onlangs genomen."

Wiklander reikte hem een stapel foto's aan die vanaf veilige afstand met een telelens waren genomen.

Mooie meid, dacht Johansson, en ze lijkt geen dag ouder dan zeventien.

Jeanette Louise Eriksson, die uit de portiek stapte van de flat in Solna waar ze woonde. Dezelfde Jeanette Eriksson die uit een auto stapte in de keldergarage van het politiebureau in de wijk Kronoberg. Kleine Jeanette op de binnenplaats van het politiebureau, met haar gezicht naar restaurant Bylingen op de binnenplaats gericht, hoewel ze op weg naar school leek te zijn toen de camera haar schuin van boven had gevangen.

"En jij denkt dat ze haar op M'Boye hebben gezet", zei Johansson. "Als vriendin met alles wat daarbij hoort in de tijd waarin we nu leven."

Dat is toch wel heel sterk, ook voor die idioten, dacht Johansson, die een verleden binnen de politievakbond had en nog steeds waarde hechtte aan het sociale werkklimaat van de collega's.

"Ja", zei Wiklander breed glimlachend. "Ik heb M'Boye zelfs gevraagd of ze goed was in bed, maar toen werd zijn blik helemaal zwart. Het is een forse vent, dus heb ik het maar één keer gevraagd."

"En het is niet mogelijk dat M'Boye iets met de dood van Krassner te maken heeft gehad?" hield Johansson aan, die net aan de brief had moeten denken die hij eigenlijk niet had moeten lezen.

Wat had die gek ook al weer geschreven? Dat hij als hij stierf, of door de Zweedse binnenlandse veiligheidsdienst Säpo was vermoord, of door de Zweedse militaire inlichtingendienst, of door de Sovjetrussische militaire inlichtingendienst GRU. Gebruikten de Russen trouwens geen operators van de Zuid-Afrikaanse verzetsbeweging als ze echt gemeen wilden zijn in West-Europa? In zijn achterhoofd herinnerde hij zich vaag dat hij zoiets had gelezen in een geheime memo waarvan de vilten pantoffels in het buurpand hadden gemeend dat ze die naar de collega's van de open werkzaamheden hadden moeten sturen.

"Nee", zei Wiklander en hij schudde zijn hoofd.

"Want?" vroeg Johansson. Ze kunnen toch niet alles mis hebben. Altijd, dacht hij.

"Hij heeft een alibi", zei Wiklander grinnikend. "Toen Krassner uit het raam sprong, zaten M'Boye en collega Eriksson van Veiligheid in een Mexicaans restaurant aan de Birger Jarlsgatan."

"Dat weet je helemaal zeker?"

"Ik heb met de eigenaar gesproken. Hij is Spanjool en lijkt een hekel te hebben aan negers om het zo maar te zeggen. Hij wist zich hen te herinneren, beweerde dat hij zelfs van plan was geweest de politie te bellen en haar te tippen over een grote, flinke neger en een klein Zweeds meisje dat eruitzag alsof ze nog op de middelbare school zat. In het land waar hij vandaan kwam, stond kennelijk de doodstraf op dat soort dingen. Toen ik met hem sprak, duurde het even voor hij begreep dat ze niet was vermoord."

Dit is te veel, dacht Johansson. De Säpo? Nauwelijks denkbaar, zelfs niet in zijn meest duistere momenten toen hij nog jong radicaal was en te veel rode wijn had gedronken. Voor een politieman dus. De Russen? Mogelijk, want alles wat hij had gehoord en gelezen kon toch niet alleen maar onzin zijn? Veiligheid en de GRU. Onmogelijk, dacht Johansson. Zelfs op een afdeling Documentatie bij de tv zouden ze zoiets belachelijks niet verzinnen.

"Hoe denk jij dan dat het zit?" vroeg Johansson en hij keek zijn jongere collega doordringend aan.

Krassners zelfmoord en de belangstelling van Veiligheid voor M'Boye hadden niets met elkaar te maken. Dat was puur een samenloop van omstandigheden. Krassner had zich van het leven beroofd. Hij was er gek genoeg voor, dronk en gebruikte bovendien drugs. Daarnaast waren er andere objectieve politionele omstandigheden die uit het technische onderzoek en het verslag van de patholoog-anatoom bleken. Niet in de laatste plaats zijn nagelaten afscheidsbrief.

"Een volkomen duidelijke zelfmoord", constateerde Wiklander. "Je kunt van onze collega's van Veiligheid vinden wat je wil, maar dit soort dingen doen ze niet. Bovendien zouden ze het nooit zo goed hebben weten te regelen als een van hen het toch in zijn hoofd had gehaald."

"Heb je enig idee waarom Veiligheid zo geïnteresseerd was in M'Boye?" vroeg Johansson.

"Tja, neger, Zuid-Afrika, student, jong, radicaal, lid van een plaatselijke verzetsbeweging, heeft geld van de vakbond, redenen genoeg."

Ja, dacht Johansson. Dat is ook wel zo. Typisch vrijdag de dertiende en nu was het ook gaan sneeuwen. Alsof de sneeuw die ze al hadden gehad terwijl het nog niet eens Kerstmis was, niet genoeg was.

Voordat Johansson zijn werkplek verliet, had hij naar een vrouwelijke collega gebeld die bij de afdeling Vreemdelingen in Stockholm werkte. Zij was net zo oud al hij, ook gescheiden, met kinderen die binnenkort volwassen waren, net als de zijne. Bovendien had hij haar een maand tevoren voor een soortgelijke zaak gebeld.

"Wat denk je ervan?" vroeg Johansson terwijl hij zijn Noord-Zweedse accent een tikkeltje aandikte.

"Leuk", zei ze en ze klonk enthousiast, zij het met een Stockholms accent.

"Zullen we dan om zeven uur in het buurtrestaurant afspreken?" vroeg Johansson.

"Wat dacht je van over een uurtje bij jou thuis?" vroeg ze giechelend. "Dan kunnen we naderhand eten. Ik vind dat je zo moe wordt van al dat Italiaanse eten."

Makkelijk zat, dacht Johansson en hij voelde zich plotseling net zo jong als toen hij nog altijd op die manier dacht.

Zaterdag 14 december – zondag 15 december

Johansson had het weekend samen met zijn twee kinderen doorgebracht. Ze zouden Kerstmis en Oud en Nieuw in het buitenland vieren, samen met hun moeder en haar nieuwe man, die al tien jaar 'nieuw' was. Dit weekend bood hun de laatste kans om van de laatste tradities te genieten die in hun huidige omstandigheden mogelijk waren. Los daarvan hadden ze een leuk weekend gehad. Op zaterdag hadden ze een wandeling naar het centrum gemaakt, koud weliswaar, maar met een stralende zon aan de heldere, bleekblauwe lucht, en zijn kinderen hadden het meer gewaardeerd dan hij had verwacht. Zo gaat dat kennelijk als je in een vrijstaand huis in Vallentuna woont, dacht Johansson.

Daarna hadden ze boodschappen gedaan in de Östermalmshal, geluncht bij McDonalds aan de Nybrogatan en een kerstboom gekocht op het Mariatorget. Die hadden ze naar de Wollmar Yxkullsgatan gedragen, waar ze hem met rode glazen ballen en zilveren slingers hadden opgetuigd. Weliswaar een kleine en vrij droevige kerstboom die al bedenkelijk veel naalden verloor, maar het rook in elk geval naar Kerstmis en de kinderen waren tevreden en blij. Ze hadden samen gekookt en zijn zoon had blijk gegeven van onvermoede huishoudelijke talenten, terwijl zijn dochter de tafel dekte en versierde. Geen kersteten, want daar waren Johansson en zijn kinderen niet erg dol op. Gewoon lekker Zweeds eten dat hij en zijn kinderen samen hadden uitgekozen en klaargemaakt. Favorieten op herhaling, dacht Johansson tevreden terwijl hij voorzichtig de gehaktballen in de koekenpan omdraaide en zijn zoon zich met de stamper op de aardappelpuree stortte.

Eerst een klein Zweeds smörgåsbord met een selectie van binnenlandse klassiekers: gerookte paling, gezoute zalm, kuit van de kleine marene en een paar goedgekozen soorten ingemaakte haring. Omdat je op één been niet kunt lopen had Johansson twee borrels uit een glas van tante Jenny gedronken en toen hij zag dat zijn zoon schuin naar hem keek toen hij zijn glas hief, begreep hij dat hij vroeg of laat de vraag moest stellen. De knul werd binnenkort toch zeventien.

"Wil je ook een halfje?" vroeg Johansson. Het is tenslotte Kerstmis, dacht hij.

"Nee, gadverdamme", zei zijn zoon met afkeer.

"Niet zo vloeken, joh", zei Johansson joviaal. "Maar het is mooi als je de brandewijn zo lang mogelijk kunt laten staan", voegde hij er vaderlijk aan toe.

Na het eten hadden ze bij de kerstboom hun kerstcadeautjes uitgepakt en zowel zijn dochter als zijn zoon had glinsterende ogen gehad. Vooral de truien met logo die hij bij de FBI had gekocht, veroorzaakten veel opwinding. Aanzienlijk meer dan de leren jacks met spijkers die hij voor veel geld had meegebracht uit de aangewezen winkel op Fifth Avenue in New York. Zelf had hij een verzamelelpee met oude liedjes van Vikingarna gekregen en een boek dat, afgaand op de achterflap, in elk geval heel leesbaar zou moeten zijn. En een gewatteerd schietvest met grote zakken, dat met leer was afgezet en een cadeau van hen samen was, waarvoor ze ongetwijfeld diep in hun zak hadden moeten tasten.

"Zodat paps alle dieren van het bos kan blijven uitroeien", had zijn dochter mild glimlachend gezegd.

Op zondag hadden de kinderen de hele ochtend geslapen terwijl Johansson wat had rondgelummeld in de ochtendjas die hij vorig jaar met Kerstmis had gekregen. Hij had gedoucht, koffie gedronken, de krant gelezen en een tijdlang nagedacht over Krassner en de merkwaardige samenloop van omstandigheden tussen diens zelfmoord en de belangstelling van Veiligheid voor de Zuid-Afrikaanse jongen op dezelfde gang. Maar ondanks zijn eigen gekoesterde regel dat je het toeval onder dergelijke omstandigheden moest haten, lukte hem dat niet. We leven toch in Zweden, dus het moet puur toeval zijn. De uitzondering die de regel bevestigt, besloot hij om eindelijk rust in zijn hoofd te krijgen, en omdat de kinderen ondertussen levenstekenen vertoonden, had hij een flink Amerikaans ontbijt klaargemaakt.

Pannenkoeken met esdoornstroop en op jeneverbessenhout gerookt spek. Zijn zoon was net zo verrukt geweest als hijzelf en had dubbele porties verorberd, ondanks de luide waarschuwingen van zijn zus over cholesterol, overgewicht, een hoge bloeddruk en een vlugge, voortijdige dood.

"Ik snap niet dat jullie dat soort dingen kunnen eten", zei ze terwijl ze in haar fruityoghurt roerde. "Niet alleen smaakt het vies, het ruikt ook nog eens vies en het is puur vergif. Snappen jullie niet dat jullie kunnen sterven?"

"Maar het is erg lekker", zei Johansson mild en hij streek haar over haar wang.

's Middags had hij hen per taxi naar hun huis in Vallentuna gestuurd en omdat hij de dag ervoor de afrekening van de bank van zijn aandelenverkoop had gekregen, had hij er zelfs niet bij stilgestaan wat het kostte om twee tieners op die manier naar huis te laten gaan.

Uiteraard moeten zij het goed hebben, dacht Johansson. Ik heb het zelf ook goed en alles wordt uiteindelijk toch van hen. Daarna had hij het bad laten vollopen, een grog gemixt van weinig gin, veel ijs en grapefruitlimonade, die hij binnen handbereik neerzette voordat hij zelf het hete water instapte om te ontspannen en in alle rust te kunnen nadenken. Een bad nam je om te ontspannen, niet om je te wassen, en het was het lekkerst als je heet water had, een ijskoude grog en alle tijd van de wereld.

Wat een heerlijk weekend, dacht Johansson tevreden. Het was ook goed begonnen. Weliswaar niet met de grote, eeuwige liefde, maar het delen van driften was kennelijk ruim voldoende om de tijdelijke eenzaamheid op de vlucht te jagen. Ze waren na afloop niet eens uit eten geweest. Een simpele boterham en een glas wijn aan de keukentafel was geheel in de stijl geweest van een Italiaans driegangenmenu.

Ik vraag me af of je op die manier kunt leven, dacht Johansson en hij vulde nog wat warm water bij om zijn filosofische gemoedsstemming te behouden. Het leven als een draaglijke verdeling van lust en verveling, met losse tijdelijke acties zodra de eenzaamheid te voelbaar werd? Hoewel dat op de lange duur waarschijnlijk niet zou werken, dacht Johansson, van zijn grog nippend. Je moest iets duurzamers hebben. Hoe had hij het ook al weer gezegd, Vennberg? 'Een duikers schreeuw en mes met open oog, wat dan ook, maar niet opnieuw dezelfde eenzaamheid.'

Hij was een goed dichter, die Vennberg, dacht Johansson. Hij was ook vast niet de enige die dat vond. Hij was ook de favoriete dichter van de minister-president, want dat had hij gelezen in een boek waarvan hij de auteur en de titel was vergeten. Een politieke journalist van het *Aftonbladet*, en daarvan gingen er dertien in een dozijn, dacht Johansson. Vennberg was wel bijzonder. Maar een duiker had hij waarschijnlijk nog nooit geschoten, dacht Johansson glimlachend. Zelf had hij er als kind verschillende geschoten en hij kon nog altijd de verwensingen van papa Evert horen als hij weer eens met de beschermde vogel was thuisgekomen als bijdrage in de kost.

Ik vraag me af of de minister-president ooit een duiker heeft geschoten, dacht Johansson en op hetzelfde moment begreep hij precies wat er was gebeurd toen Krassner stierf.

Toen Johansson uit het bad was gestapt, had hij zich extra grondig afgedroogd, want dit was niet het moment om weg te stuiven. Vervolgens had hij zijn ochtendjas aangetrokken, was naar zijn werkkamer gegaan en had de plastic tas met de papieren van Krassner gepakt. Ze op het bureau gelegd en besloten om met de stapel te beginnen die het manuscript bevatte van Krassners boek, *The Spy that went East.*

Hij had het vrijwel meteen gevonden. Eerst de titelpagina met de naam van de auteur. Vervolgens een inhoudsopgave met hoofdstuktitels die zich over twee bladzijden uitstrekte, nog onvolledig en met handgeschreven correcties en aanvullingen. Vervolgens had hij gevonden wat hij zocht. Op een eigen pagina, een citaat dat als inleiding diende op de tekst die in het eerste hoofdstuk volgde.

Johansson vertaalde terwijl hij las, wat geen grote kunst was omdat hij het korte stukje zowel in het Engelse origineel als in de Zweedse vertaling vrijwel uit zijn hoofd kende.

Ik heb mijn leven geleid tussen het verlangen van de zomer en de kou van de winter. Toen ik jonger was, dacht ik, als het zomer wordt zal ik verliefd worden op iemand van wie ik veel kan houden en dan pas zal ik echt gaan leven. Maar toen ik alles had gedaan wat ik eerst moest doen, was de zomer al voorbij en alles wat restte was de kou van de winter. En dat was niet het leven dat ik mij had voorgesteld.

Nu was er bovendien een verwijzing. Op een afzonderlijke pagina met voetnoten, die achter het hoofdstuk was toegevoegd: *Uittreksel uit brief van Pilgrim aan Fionn, april 1955.*

Johansson legde het manuscript terzijde en pakte pen en papier. Hoe had ze het ook al weer gezegd, Sarah Weissman, die buitengewoon begaafde vrouw, toen ze elkaar nog maar een week geleden hadden ontmoet, hoewel er al een eeuwigheid leek te zijn verstreken? Dit was niet iets wat Krassner zelf had geschreven; het kon echter heel goed iets zijn wat hij van iemand anders had gepikt. Op dat punt had ze kennelijk volledig gelijk gehad en nu Johansson het resultaat in handen had – of in elk geval het begin van het resultaat – leek het er ook niet op dat Krassner die omstandigheid wilde verhullen. De auteur was kennelijk iemand die ervoor had gekozen zich Pilgrim te noemen en die ruim dertig jaar geleden een brief had geschreven aan een ander pseudoniem, Fionn.

Wat had ze nog meer over de schrijver gezegd? Dat hij een man was, uiteraard, want vrouwen schreven niet zo; een man die Amerikaan noch Engelsman was, maar die de taal vrijwel vloeiend sprak, een geschoolde, begaafde man met een poëtische instelling, of misschien eerder een poëtische ambitie. Johansson had een uitstekend geheugen; deze herinnering was nog vers en zonder dat hij aantekeningen had gemaakt, herinnerde hij zich dat ze zich exact zo had uitgedrukt.

Ik heb mijn leven geleid tussen het verlangen van de zomer en de kou van de winter ... Een duikers schreeuw en mes met open oog, wat dan ook, maar niet opnieuw dezelfde eenzaamheid. Het gedicht van Vennberg moest van aanzienlijk latere datum zijn, dacht Johansson, maar het was eigenlijk totaal niet interessant, want hier ging het om iets anders, een poëtische instelling, een poëtische ambitie, om een manier van kijken, beleven en verwoorden, en een favoriete dichter koos je niet bij toeval.

De minister-president, dacht Johansson. Dat had hij al begrepen en die overtuiging was zo sterk dat die geen ruimte voor alternatieven liet. De minister-president was Pilgrim, of liever gezegd ... dat was hij dertig jaar geleden geweest.

En wie is Fionn, dacht Johansson. Wie was degene aan wie Pilgrim schreef? Makkelijk zat, dacht Johansson, want dat had hij ook al uitgedokterd. En toen hij het desbetreffende deel van de encyclopedie uit de boekenkast pakte, was dat voornamelijk om het zwart op wit bevestigd te zien. Finn, dacht hij. Fionn, moest Finn in het Engels zijn.

Finn, verengelste vorm van de Gaelische naam Fionn, held in de Oud-Ierse sprookjesliteratuur, zie de Finn-cyclus, las Johansson.

John C. Buchanan, de oom van Krassner, dacht hij, die als CIA-agent in Europa en Zweden zijn handen vol moest hebben gehad in het voorjaar van 1955, toen de koude oorlog op zijn koudst was. Hoe had Sarah hem ook al weer beschreven? Zo'n sluwe, leugenachtige, echt dorstige en van nature bevooroordeelde Ier. Maar hij moest toch iets meer hebben gehad, dacht Johansson, want hij had toch zeker geen slechte agent weten te rekruteren?

Het is de enige logische verklaring, dacht hij, want het was weliswaar een afscheidsbrief, maar zeker geen afscheidsbrief van het leven. Het was een brief van een voormalige externe medewerker van de op drie na grootste veiligheidsorganisatie ter wereld, die op een geschoolde, begaafde en gezien de omstandigheden ongewoon poëtische wijze vertelde dat hij niet langer mee wilde doen. Een nog jonge man die andere plannen had voor de rest van zijn leven.

Wat ik er ook maar mee te maken heb, dacht Johansson geïrriteerd en hij zocht met zijn ogen naar zijn grog, die hij kennelijk in de badkamer had laten staan. Geen mallemoer, want nog los van wat Pilgrim en Fionn ruim dertig jaar geleden hadden uitgespookt, was het toch ruim vijf jaar te laat voor iemand als Johansson om er ook maar een pink naar uit te steken. Verjaringstermijnen zijn geen domme uitvinding, dacht Johansson. Ze besparen veel onnodig gehol. Dus wat moest hij nu doen? Voor een politieman als hijzelf restte eigenlijk nog maar één probleem en dat was Krassner zelf. Hoe had Sarah het ook al weer gezegd? Dat hij liever stierf dan dat hij zich van het leven beroofde, en ook op dat punt had ze vermoedelijk helemaal gelijk gehad, dacht Johansson. Het enige wat nog restte, was te achterhalen wat er precies was gebeurd.

Uiteraard waren de collega's van Veiligheid aldoor in Krassner geïnteresseerd geweest en het waren zonder twijfel toevalligheden geweest die ertoe hadden geleid dat M'Boy als kapstok voor de jas van Krassner had gefungeerd. Zelfs bij de Säpo waren ze niet zo achterlijk dat ze niet begrepen dat het blanke regiem in Zuid-Afrika een zeer kort leven was beschoren en dat iemand als M'Boye zeer binnenkort in de nieuwe regering zou kunnen zitten. De vakbond had dat klaarblijkelijk ook ingezien, want waarom zouden ze hem anders hierheen hebben gehaald? Vermoedelijk heeft Veiligheid zelfs niet eens over hem nagedacht, dacht Johansson, en uit Wiklanders woorden bleek dat hij het evenmin had begrepen.

Regel nummer één, dacht Johansson en hij leunde achterover in zijn bureaustoel. De situatie leuk vinden, dacht hij, en in de ruim twintig jaar die hij nu bij de politie zat, kon hij zich geen enkele situatie herinneren die hem zozeer had tegengestaan als de situatie waarin hij nu was beland.

Regel nummer twee, dacht Johansson. Maak het niet onnodig ingewikkeld. Iets zo ingewikkelds als de zogenaamde zelfmoord van Krassner was hij ook nog nooit eerder tegengekomen. En wat moet ik verdomme tegen Jarnebring zeggen, dacht hij met een diepe zucht. Hij is dan wel mijn beste vriend, maar hij zal denken dat ik geschift ben.

Regel nummer drie, dacht Johansson. Haat het toeval. Daar lijk ik tenminste helemaal gelijk in te hebben gehad, dacht hij met een scheve glimlach naar de stapel papieren van Krassner op zijn anders zo geordende bureau. En omdat de stapel nu van hemzelf was, kon hij gaan uitzoeken waar die eigenlijk over ging. Hoe had Krassner het ook al weer gezegd in die brief waarvan hij waarschijnlijk nooit echt serieus had gedacht dat Johansson die zou ontvangen? Zodat ik ervoor kan zorgen dat er in mijn eigen land recht geschiedt, dacht Johansson.

Maandag 16 december

Op maandagochtend belde Johansson even voor achten naar zijn secretaresse en vertelde dat hij die dag thuis wilde werken en dat hij liever niet werd gestoord.

Tenzij de hel uitbreekt, maar waarom zou dat gebeuren, dacht Johansson.

"Ja, tenzij er iets heel bijzonders gebeurt", zei Johansson.

"Maar je komt morgen?" vroeg zijn secretaresse.

"Ja, hoor", zei Johansson. "Ik kom dinsdagmorgen net als anders." Niet zeuren, dacht hij.

"En je bent niet vergeten dat je dinsdag en woensdag naar een conferentie over de totale defensie moet?" ging ze verder.

"Nee", zei Johansson en eindelijk kon hij ophangen.

Het kostte hem een paar uur om het manuscript van Krassner door te nemen. Als slechts een deel van wat daarin stond waar was en gestaafd kon worden, zou het lastig genoeg worden voor degene over wie het ging, maar op dit moment ging zijn belangstelling niet uit naar de inhoud van de papieren. Wat de politionele alarmbel in zijn hoofd deed rinkelen was de omvang, de hoeveelheid en vooral de structuur van dat wat Krassner had geschreven, samen met de beoogde inhoud van dat wat hij nog niet had kunnen schrijven.

Wat er wel was, bestond uit een kleine honderdvijftig getypte pagina's die over de hoofdpersoon van het boek gingen, de minister-president, en of dat wat er stond nu waar of onwaar was – want dat was van later en ondergeschikt belang – het was hoe dan ook een manuscript waarvan een professionele redacteur bij een uitgeverij een boek zou kunnen maken. Een boek van zo'n tweehonderdvijftig tot driehonderd gedrukte pagina's, op voorwaarde dat de schrijver de ambities had kunnen verwezenlijken die hij in de inhoudsopgave had opgetekend en de nog resterende arbeid in geschreven tekst had weten te veranderen.

Interessanter was dat wat er niet was, dat wat nog niet geschreven was. Waarover het zou gaan, bleek onder andere uit een vrij uitvoerig concept voor een indeling, uit de inhoudsopgave die alle hoofdstukken leek te bevatten met kopjes en korte beschrijvingen van de tekst, en niet in de laatste plaats uit de frequent voorkomende aantekeningen die Krassner met de hand in zijn manuscript had gemaakt. Wat onder andere ontbrak was een hoofdstuk over de Zweedse sociaaldemocratie en de geschiedenis van de sociaal-democratie, de eerdere sociaal-democratische leiders en hun handel en wandel, de rol van Zweden tijdens de Tweede Wereldoorlog, de Zweedse neutraliteitpolitiek, de Noord-Europese veiligheidspolitiek en de dreiging van de grote buurman in het oosten.

Gewoon een achtergrondbeschrijving, dacht Johansson, en uit de handgeschreven aantekeningen onder de nog niet geschreven hoofdstukken maakte hij ook op dat Krassner dit deel van het werk ter plekke had willen uitvoeren, in Zweden. Het stond op verschillende plekken duidelijk genoteerd in Krassners eigen, amper leesbare handschrift: *Sweden!, to be written in Sweden, write in S.* Er stonden ook handgeschreven instructies ten aanzien van de plek waar hij zijn materiaal moest zoeken: *archief arbeidersbeweging, archief sociaal-democraten, verslagen Rijksdag, Koninklijke Bibliotheek* (*Royal Library, Humlegården*), enzovoort.

Het interessantst was de conclusie die voortvloeide uit het feit dat het manuscript op zijn bureau (met uitzondering van een twintigtal pagina's) uit fotokopieën bestond. Er was dus ergens een origineel en er waren een of meerdere kopieën. De pagina's die geen kopieën waren, zaten min of meer toevallig tussen de lopende tekst; mogelijk was het zo simpel dat ze gewoon in de verkeerde stapel waren beland toen Krassner ze na het kopiëren had gesorteerd.

Johansson was weliswaar geen schrijver, maar als hij dat wel was geweest en zesduizend kilometer ver was gevlogen om een van tevoren vastgestelde achtergrond te schrijven voor een boek waarvan hij vond dat hij er in mentale en inhoudelijke zin al grotendeels mee klaar was ... als dat het geval was geweest, dacht Johansson, dan had ik de hele reutemeteut toch meegenomen. Om een uitgangspunt te hebben bij het schrijven van die laatste vanzelfsprekendheden die er bij moesten om het op een bepaalde manier en niet anders te laten uitkomen als je nu eenmaal van plan was een boek te schrijven.

Vandaar ook de bel die in zijn hoofd rinkelde. Toen zijn collega's vlak nadat Krassner uit zijn raam zou zijn gesprongen bij hem thuis een huiszoeking hadden gedaan, was er domweg niets te vinden geweest van iets wat er wel had moeten zijn, namelijk het verzamelde arbeidsmateriaal van Krassner. Wat hij had meegebracht uit de VS en wat hij tijdens de zes weken in Zweden had geschreven. Hoewel hij van Bäckström en Wiijnbladh geen wonderen verwachtte – hij kende hen beiden goed en als hij het voor het zeggen had gehad, had geen van beiden bij de politie gezeten – wist hij ook dat ze niet stekeblind waren. Bovendien was Jarnebring er geweest en de enige logische conclusie die te trekken viel op grond van het feit dat ook hij geen papieren had gevonden, was dat die er niet waren geweest. Maar wie had ze in dat geval opgeruimd? Want dat ze er aanvankelijk wel waren geweest, stond voor Johansson als een paal boven water.

De collega's bij Veiligheid, dacht Johansson en gezien de latere gebeurtenissen, waren er twee alternatieven die waarschijnlijker leken dan alle overige. In het eerste geval hadden ze terwijl Krassner door de stad rende – op eigen kracht of omdat ze hem hadden weggelokt – van de gelegenheid gebruikgemaakt om een zogenaamde geheime huiszoeking te doen, en zijn papieren verzameld en meegenomen toen ze weggingen. Tot zover was alles goed en wel en waarschijnlijk zelfs legaal. Johansson had weliswaar geen speciaal inzicht in de geheime wetgeving die de meer gevoelige delen van het werk van de Säpo regelde, maar het weinige wat hij wist, duidde erop dat het zo was gegaan.

Vervolgens komt Krassner even na zevenen thuis, want dat had Jarnebring hem zelf verteld en alles wees erop dat dat klopte. En als hij in zijn kamer komt en ontdekt dat al zijn papieren weg zijn, raakt hij zo gedeprimeerd dat hij ten afscheid een paar regels steelt, geschreven door de hoofdpersoon in zijn komende boek, en uit het raam springt. De minister-president, van wie Krassner zelf op meerdere plaatsen in zijn manuscript letterlijk 'kotsmisselijk' wordt – *he makes me wanna puke* – krijgt de eer om zijn laatste woorden in het leven te formuleren?

Vergeet het maar, dacht Johansson. Niet Krassner, die stapels kopieën van alle wezenlijke stukken in zijn kluis in Albany heeft en waarschijnlijk ook een origineel dat hij ergens anders heeft verstopt. Niet Krassner, die een geladen en ontgrendeld hagelgeweer in zijn slaapkamer in Albany heeft staan. Niet Krassner, die al op jonge leeftijd in staat was de vrouw in zijn leven een aframmeling te geven. Wat dat betreft ook Veiligheid niet, want wat had het voor zin een geheime huiszoeking te doen als het object het meteen in de gaten had als hij thuiskwam? Dan waren er andere, aanzienlijk makkelijker oplossingen. Een gepaste verdenking verzinnen, de hufter oppakken en opsluiten, en ondertussen in alle rust zijn bezittingen doorzoeken. Dat had

Johansson zelf bij meerdere gelegenheden gedaan, dus hoe dat ging wist hij wel.

Maar ... stel dat er ondanks alles geen papieren waren geweest? Misschien verborg hij ze ergens anders? Wat als de collega's van de Säpo nooit een geheime huiszoeking hadden gedaan? Als Krassner zich gewoon van het leven had beroofd? Als, als, als, dacht Johansson geïrriteerd, en een noodzakelijke voorwaarde voor een logische ordening van al deze vermoedens, was dat hij er zelf heen ging en met de voormalige buren sprak. Vergeet dat ook maar, dacht Johansson, want nog afgezien van al het andere, had hij domweg geen tijd.

In plaats daarvan had hij Wiklander gebeld, die er al was geweest en niet helemaal ongeschikt was als politieman.

"Ik ben thuis", zei Johansson. "Ik wil met je praten. Je krijgt een kopje koffie."

Een kwartier later zaten Wiklander en hij elk met een mok vers gezette koffie in de woonkamer van Johansson. De deur van de werkkamer had hij dichtgedaan.

"Ik zit me wat af te vragen", zei Johansson en hij snoof de koffiedampen die uit de mok opstegen op.

Wiklander had alleen maar geknikt. Wat weet hij wat ik niet weet, dacht hij.

"Die avond dat Krassner uit het raam sprong", ging Johansson verder. "Hoeveel mensen woonden er op die gang?"

"Zeven, inclusief Krassner", zei Wiklander. "Normaalgesproken zouden ze met z'n achten zijn geweest, maar er was kennelijk iemand teruggegaan naar huis. Een familielid dat een ongeluk had gehad. Zijn pa, geloof ik. Of misschien dat het zijn ma was?"

"Hoeveel daarvan waren er thuis?" vroeg Johansson. "Toen hij sprong, bedoel ik?"

"Thuis", zei Wiklander en hij leek scherp na te denken. "Krassner zelf was eerst de stad in. Hij kwam rond zeven uur thuis. Die zwarte was hem tegengekomen toen hij zelf onderweg was naar buiten. Ik geloof dat er wat over in het onderzoek staat. Ja, over hem, die zwarte dus, M'Boye, die onderweg was naar een restaurant waar hij had afgesproken met zijn vriendin, collega Eriksson dus." Wiklander glimlachte scheef.

"En de andere vijf?" vroeg Johansson.

"Drie van hen waren kennelijk het weekend naar huis, er wonen vooral mensen van het platteland", zei Wiklander, die zelf uit de provincie Värmland kwam en zodra hij de kans kreeg naar zijn moeder in Karlstad ging.

"Dan blijven er nog twee over", zei Johansson. "Waren die thuis?" "Nee", zei Wiklander. "Dat waren ze wel van plan geweest ... wacht even, zó zat het. Eerst zouden ze naar een concert, maar vervolgens waren er geen kaartjes meer en toen waren ze kennelijk van plan geweest thuis wat te feesten voordat ze later die avond gingen stappen ... maar toen hadden ze toch kaartjes gekregen ..."

"Het was niet toevallig collega Eriksson die dat detail voor ze had geregeld?"

"Nu je het zegt", zei Wiklander. "Ik weet nog dat ik dacht dat ze flink haar best had gedaan om ertussen te komen. Maar ze heeft ze ongetwijfeld niet zelf betaald, dat heeft de firma vast gedaan."

Dus het was leeg op de gang toen Krassner stierf, dacht Johansson. En collega Eriksson had dat geregeld. Moeilijker dan zo was het niet.

"Wat is het probleem?" vroeg Wiklander en hij keek zijn chef aarzelend aan. Waar zit hij nou stiekem op te broeden, dacht hij.

"Er is geen probleem", zei Johansson glimlachend. "Nu liggen alle stukjes op zijn plaats. Hartstikke bedankt trouwens."

Resteert alternatief twee, dacht Johansson toen hij Wiklander had uitgelaten na het verwachte kwartiertje koffiedrinken en politiegekeuvel over van alles en nog wat. Alternatief twee was geen leuk alternatief. Lunch, dacht Johansson, maar eerst een versterkende wandeling zodat ik al het stof uit mijn hoofd kan laten waaien.

De hoogten van Söder, het water en de stad beneden, koud en winderig, sneeuw in de lucht – mooier dan zo werd het in een mensenleven niet, dacht Johansson. Krassner had zijn papieren thuis gehad, de collega's van de Säpo hadden een geheime huiszoeking gedaan. Om redenen die Johansson niet begreep hadden ze zijn papieren meegenomen. Vervolgens zou Krassner een afscheidsbrief hebben geschreven, met woorden die hij van iemand anders had geleend, met een volledig nieuw en ongebruikt inktlint hoewel hij dezelfde tekst logischerwijs in zijn manuscript moest hebben zitten, getypt en wel, en hoewel hij logischerwijs duizenden aanslagen op dat inktlint had moeten maken in de periode dat hij hier was geweest. En er lag ook geen gebruikt inktlint in de prullenbak, hoewel schoonmaken niet echt zijn sterkste kant was geweest.

Er moest iets helemaal mis zijn gelopen, dacht Johansson terwijl een koude hand zijn hart beroerde. Dat de binnenlandse veiligheidsdienst Krassner met voorbedachten rade vermoord zou hebben en een zelfmoord in scène zou hebben gezet, achtte hij uitgesloten. Zo gaan die dingen niet, dacht Johansson. We hebben het verdomme over

Zweden. Gezien de man op wie Krassner het in zijn boek had voorzien, was het, als het nu de collega's van Veiligheid waren die zijn materiaal hadden ingepikt, toch één groot mysterie dat het manuscript niet reeds als het best verkopende nieuws door alle media werd gebracht, dacht Johansson enigszins verhit. Er moet een andere verklaring zijn en de enige die hij kon verzinnen was dat de collega of collega's die de operatie hadden uitgevoerd, er zo'n zooitje van hadden gemaakt dat een gefingeerde zelfmoord de enige oplossing was.

Dat zou de stilte in de media verklaren. Het was niet uit zorg voor degene op wie Krassner het in zijn boek had voorzien, maar het ging om het eigen hachje. Dat zou ook de aanzienlijke vingervaardigheid verklaren die nodig was geweest om de moord op Krassner in zijn eigen zelfmoord te veranderen. Ik vraag me af wie hun hoofdoperator was, dacht Johansson. Jeanette Eriksson was uitgesloten. Dat begreep hij uit de foto's die hij had gezien en bovendien had ze een alibi. M'Boye, ja, zo gek kan het lopen, dacht Johansson met een scheve glimlach. Bovendien was ze het verkeerde type.

Wat doe ik nu, dacht Johansson zuchtend. Als ik vertel wat ik denk, zal iedereen, met inbegrip van mijn beste vriend, denken dat ik gek ben geworden. Er is niemand aan wie ik het kan vragen en als ik naar Veiligheid ga en dat toch doe, zit ik de dag erop al bij de parkeerpolitie ergens in een uithoek van de wereld. En zelf heb ik helemaal geen juridische grondslag om ook maar een piepklein onderzoekje in te stellen, hoewel ik nog steeds hoofd ben van de meeste potente rechercheorganisatie van dit land. In elk geval op papier.

Het enige wat ik heb zijn mijn eigen papieren, dacht Johansson. Want die zijn van mij en alleen van mij.

En ik heb ook honger, dacht hij. Echte honger zoals wanneer je 's ochtends al het werk van een hele dag hebt gedaan en nog niks hebt gegeten. Daar kan ik in elk geval wat aan doen, dacht Johansson en hij zette koers richting zijn geliefde buurtrestaurant, waar uitstekende lunchen werden geserveerd, ook op een gewone maandag een week voor Kerstmis.

Na de lunch was Johansson teruggekeerd naar zijn werkkamer, hij had het manuscript van Krassner en andere aantekeningen terzijde gelegd en was de overige documenten gaan lezen. Daartussen vond hij de brief die Pilgrim in april 1955 aan Fionn had geschreven, of liever gezegd, een kopie van de brief.

Het was een heel oude kopie, ongetwijfeld nauwelijks jonger dan de brief zelf, op dun, glimmend en vergeeld fotopapier. Hij was uit de tijd dat ze kopieën maakten met behulp van een gewone camera die op een kopieertafel was gemonteerd, en na het ontwikkelen van de film de kopie in de gewenste afmetingen afdrukten.

De brief lag samen met een aantal soortgelijke kopieën in een rode, kartonnen map, omwikkeld met een dubbelgeslagen koord in dezelfde kleur en in de rechter bovenhoek voorzien van een wit etiket. Op het etiket stonden drie regels, op de eerste had iemand met een keurig ouderwets handschrift, inkt en kroontjespen de naam van de eigenaar geschreven: *Col. John C. Buchanan*, en op de regel eronder in hetzelfde handschrift wat er in bewaard moest worden: *private notes, letters, etc.* Met vlekken, vocht van verschillende momenten dat was opgedroogd, kringen van glazen, waarschijnlijk whisky, dacht Johansson grijnzend, terwijl hij in gedachten de flessenpiramide in de kelder van de kolonel voor zich zag.

De brief van Pilgrim aan Fionn was met de hand met inkt en een vulpen geschreven, het handschrift was expressief en helde agressief naar voren, maar was toch volledig leesbaar. Geen plaats en geen datum. Het papier was ongelinieerd en op twee plekken horizontaal gevouwen met dezelfde afstand tussen de vouwen, de papierkwaliteit onbekend, maar afgaand op de vouwen waarschijnlijk hoog. Op de kopie stond in een keurig handschrift met inkt een aantekening genoteerd, ook met kroontjespen: *April 1955, exact date unknown, arrived during my visit in G.* De kolonel, dacht Johansson, en zonder te weten waarom en ondanks het feit dat de ontbrekende envelop hem stoorde, had hij toch het idee dat Pilgrim zijn brief naar het privé-adres van Fionn had gestuurd.

De tekst had een directe aanspreekvorm en tegelijk een literair tintje met een poëtische toon, en als hij een dichter was geweest toen hij de pen had vastgehouden, had hij in elk geval niet vergeten wat hij gezegd wilde hebben. Het was een korte brief. Amper een stuk of tien regels langer dan het afsluitende deel dat Krassner had geciteerd in het boek dat hij aan het schrijven was geweest, en dat iemand anders – naar alle waarschijnlijkheid, al was het onduidelijk wie – als zijn afscheidswoorden had gebruikt.

Johansson had de hele tekst in het Zweeds vertaald en de vertaling op een vel papier geschreven. Vervolgens had hij die gelezen en grondig nagedacht over wat er stond, voordat hij zijn conclusie had getrokken. Hij wilde niet langer meedoen, dacht Johansson. Want hij had kennelijk toch een aantal jaren meegedaan en het leek ook een rijk leven te zijn geweest, als je hem op zijn woord moest geloven.

Fionn,

Ik zou een schelm zijn als ik iets anders beweerde dan dat jouw genereuze aanbod mij heeft verheugd en geraakt, en een leugenaar als ik zelfs maar iets anders suggereerde dan dat de jaren die ik met jou heb samengewerkt – voor een grote en edele zaak – ook de jaren zijn geweest die voor mij en mijn persoonlijke ontwikkeling het meest hebben betekend. Een paar keer is het zelfs zo spannend en zo kritiek geweest dat toen het allemaal achter de rug was en ik er aan de andere kant uitkwam, ik een ander mens was dan toen ik eraan begon. En ten minste één keer is mij de genade ten deel gevallen om al jong vrij als in een droom te mogen vallen.

Maar alles heeft zijn tijd. Mijn besluit is onherroepelijk en het komt gewoon doordat mijn opdracht ook mijn leven heeft overgenomen en niets anders heeft overgelaten. Want zo is het geworden. Ik heb mijn leven geleid tussen het verlangen van de zomer en de kou van de winter.

Toen ik jonger was, dacht ik, als het zomer wordt zal ik verliefd worden op iemand van wie ik veel kan houden en dan pas zal ik echt gaan leven. Maar toen ik alles had gedaan wat ik eerst moest doen, was de zomer al voorbij en alles wat restte was de kou van de winter. En dat was niet het leven dat ik mij had voorgesteld.

Pilgrim

Wat kun je toch veel tot stand brengen met kleine middelen, dacht Johansson. Concreet was het de andere alinea-indeling in het citaat die hem irriteerde, ook al was het poëtische gehalte er hoger door geworden.

De spion die ontslag nam, dacht Johansson met een scheef glimlachje. Voor iemand van zevenentwintig – Johansson had het geboortejaar van de minister-president opgezocht in een van zijn vele naslagwerken – leek hij groen toen hij dat deed. Buchanan had zijn lachen waarschijnlijk wel kunnen inhouden en als hij zo was geweest als Sarah hem had beschreven, was de welsprekendheid van Pilgrim waarschijnlijk vergeefse moeite geweest.

Daarna had hij de papieren van Krassner bij elkaar gezocht en teruggelegd in de plastic tas. Wat er verder nog in zat, kon best wachten. Hij was tenslotte politieman en geen historicus. Maar misschien moet ik de papieren aan het archief van de arbeidersbeweging schenken, dacht Johansson. Of de bliksemse boel de boel laten, een groot glas grog nemen en een leuke vrouw bellen, want dit is toch niet het leven dat ik mij had voorgesteld. Ik vraag me af of ze bij de afdeling Vreemdelingen al naar huis zijn, dacht hij en hij keek op zijn horloge.

Dinsdag 17 december - woensdag 18 december

De Hogeschool voor Defensie was gastheer van de conferentie waar vanaf de lunch op dag één tot en met de lunch op dag twee vraagstukken betreffende de totale defensie zouden worden besproken. Een exclusief gebeuren met slechts een dozijn zorgvuldig geselecteerde deelnemers, die in het dagelijks leven zeer hoge functies bekleedden in de media, industrie en openbare bestuurslichamen.

De eerste bijeenkomsten waren al aan het eind van de jaren veertig gehouden en volgens de officiële geschiedschrijving was het de toenmalige minister-president Tage Erlander zelf geweest die het idee had uitgebroed om onder bescherming van de defensiemacht vertegenwoordigers van zowel het particuliere bedrijfsleven als de publieke sector bijeen te brengen om de verdediging van het land te versterken. Daarom ook het gekozen tijdstip en het nieuwe begrip totale defensie: een Europa doorkruist door nieuwe grenzen, nieuwe allianties en machtsconstellaties, een koude oorlog tussen oost en west, een sterk in twijfel getrokken Zweedse neutraliteitspolitiek. Dat de minister-president van het land in die situatie had besloten om in elk geval te proberen vrede in zijn eigen achtertuin te scheppen, leek zowel logisch als vanzelfsprekend.

Deze keer zouden ze in een comfortabel en goedgesitueerd conferentieoord aan de scherenkust van de provincie Sörmland bijeenkomen, en om de een of andere reden was Wiklander kennelijk degene die Johansson erheen zou rijden.

Hij wil over Krassner praten, dacht Johansson, maar omdat hij zelf niet van plan was die discussie te beginnen, was hij achterin gaan zitten en had hij het conferentiemateriaal doorgelezen. Pas toen ze bij Järna in oostelijke richting waren afgeslagen en er niet zoveel tijd meer was, had Wiklander het woord genomen.

"Er is iets waar ik niet helemaal uitkom", zei Wiklander. "Als je even tijd hebt?"

"Natuurlijk", zei Johansson en hij deed zijn best om zo te klinken alsof hij dat ook echt meende.

"Ik realiseerde het me toen ik gisteren bij je wegging. Misschien draaf ik wel een beetje door, maar door je vragen ben ik gaan nadenken. Ik bedacht plotseling dat onze collega's van Veiligheid misschien een discrete huiszoeking bij M'Boye hadden gedaan, en dat collega Eriksson hem daarom had meegenomen naar een restaurant."

"Ik had hetzelfde bedacht", zei Johansson. "Daarom vroeg ik het je ook." Maar een halve leugen, dacht hij.

"En terwijl zij daarmee bezig zijn, springt die gek net uit het raam", zei Wiklander en zijn stem klonk nogal duister.

"Daar heb ik ook over nagedacht", zei Johansson en in dienst van de leugen en de geloofwaardigheid probeerde hij zijn stem wat extra autoriteit te geven. "Zij waren met hun ding bezig en Krassner met het zijne, en vervolgens gingen ze weg zonder ook maar in de verste verte te vermoeden dat Krasser al uit het raam was gesprongen of dat bijna zou doen."

"Zou het echt zo akelig zijn?" vroeg Wiklander twijfelend. "Ik bedoel, ze moeten toch mensen hebben gehad die de boel op straat in de gaten hielden?"

"Die stonden dan ongetwijfeld bij de achteringang, terwijl Krassner aan de voorkant is gesprongen", zei Johansson, die had besloten Wiklanders misvatting te koesteren.

"Ja, ja", zei Wiklander, maar hij klonk niet erg overtuigd. "Echt professioneel lijkt het niet te zijn geweest."

"Op dat punt zijn we het helemaal met elkaar eens", zei Johansson direct, "maar persoonlijk denk ik dat ze nooit een huiszoeking hebben gedaan."

"Je bedoelt ..." vroeg Wiklander.

"Dat Eriksson en M'Boye uit eten gingen en dat dat alles is", zei Johansson.

"Hm", zei Wiklander knikkend. "Dat heb ik zelf ook aldoor gedacht. Dat het gewoon een samenloop van omstandigheden was."

"En ik geloof ook dat ze daarom het onderzoek naar de dood van Krassner wilden checken", zei Johansson. "Om zich ervan te vergewissen dat M'Boye niet op de een of andere mysterieuze wijze iets met Krassner te maken had gehad."

"Ja", zei Wiklander en hij klonk aanzienlijk blijer. "Dat hij zich van het leven heeft beroofd, lijdt geen twijfel. Er is gewoon geen andere mogelijkheid."

"Nee", zei Johansson. Prettig om te horen dat je tot dat inzicht bent gekomen, dacht hij.

Johansson was de enige politieman op de conferentie en toen hij een paar dagen eerder de deelnemerslijst had bekeken, had hij gedacht dat het geen kattenpis was wat ze daar bij elkaar hadden geschraapt – met een zeker voorbehoud voor hemzelf – want op de lijst stonden twee directeuren-generaal, een raadsheer van de Hoge Raad, zes directeuren en vice-directeuren uit het bedrijfsleven, twee hoofdredacteuren en een commissaris van politie die men voor de zekerheid de toevoeging 'en hoofd van de Rijksrecherche' had gegeven. Iedereen in pak natuurlijk, omdat alleen Schotten in een rok oorlog voerden.

Maar verder was het een heel civiel gebeuren geweest. Het was weliswaar ingeleid met een oorlogsspel waarbij de deelnemers met behulp van lootjes met elkaar van werk hadden moeten wisselen, echter niet om naar het front te gaan, maar om ervoor te zorgen dat de communicatiemiddelen, de levensmiddelenvoorziening, de gezondheidszorg en de rechtvaardigheid functioneerden. Ook verder was de conferentie vooral daarover gegaan: hoe ze wegen en telefoons, elektriciteit en water toegankelijk konden houden, ervoor konden zorgen dat de mensen niet verhongerden en dat ze kleren aan hun lijf hadden. En hoe ze hen zover zouden krijgen dat ze zich als 'mensen' gedroegen, ook al gebeurde het allerergste.

Tijdens de afsluitende ochtend hadden ze zich beziggehouden met een workshop onder leiding van een 'bijzondere deskundige die ter beschikking van de minister-president stond', de grijze eminentie in hoogsteigen persoon, die ook de hoogste verantwoordelijkheid droeg voor veiligheidsvraagstukken die de regering en het centrale overheidsbestuur betroffen. In dat licht was hij ongewoon concreet geweest toen hij de opdracht uitdeelde. Hij wilde dat de cursusdeelnemers de namen van drie op dit moment levende Zweden opschreven, op volgorde van risico, die de meeste kans liepen dat er een persoonlijke aanslag op hen werd gepleegd. Niet willekeurig wie, maar uiteraard mensen die een hoge positie bekleedden in de politiek, het bedrijfsleven of de bureaucratie. Of die om andere redenen bekend waren, zoals de koningin, Astrid Lindgren of Björn Borg.

In totaal hadden de deelnemers een twintigtal namen opgeschreven en op een vernietigende eerste plaats belandde de minister-president, die ruim twee keer zoveel risicopunten had gekregen als de overige genoemde namen samen. Alle deelnemers hadden hem bovenaan geplaatst en een directeur van een groot modeconcern, zelf allerminst onbekend, had de naam van de minister-president voor de zekerheid drie keer opgeschreven. Ondanks de titel van de man die de workshop leidde.

"Het resultaat lijkt dus redelijk eenduidig", zei de laatste toen hij de afsluitende discussie inleidde. "Het zou interessant zijn jullie motivaties te horen", ging hij verder, terwijl hij de deelnemers vanachter zijn halfgesloten oogleden aankeek en sardonisch glimlachte.

Merkwaardig type, dacht Johansson. Als hij niet zo dik was geweest, had je hem zo kunnen aanzien voor een adder die in de zon lag en deed alsof hij sliep.

"Politici worden vaak enigszins controversieel", begon de ene hoofdredacteur vergoelijkend omdat iemand toch moest beginnen.

"Grote goden", steunde een van de directeuren, die afgaand op de kleur van zijn gezicht iets aan zijn bloeddruk moest doen. "Als mensen als jij lazen wat jullie zelf schreven, dan moesten jullie toch snappen dat hij allerminst controversieel lijkt. Je hoeft alleen maar te begrijpen wat er staat."

"Hoe bedoel je?" vroeg de hoofdredacteur met een bleek glimlachje.

"Jullie lijken het er allemaal roerend over eens te zijn dat de man een echte hufter is. Zelf heb ik er geen flauw idee van, want ik heb hem nooit ontmoet", voegde hij eraan toe, terwijl hij chagrijnig naar de hoofdredacteur keek.

"En ik wel dus", verduidelijkte de hoofdredacteur en hij zag er om de een of andere reden nogal verwaand uit.

"Dus, het is een echte hufter", zei de directeur en de monterheid die daarop volgde, was ruim voldoende om de vage protesten van zijn opponent te overstemmen.

Daarna was het pas goed losgebarsten: 'arrogant', 'typisch *upper class*', 'unfair', 'gemeen', 'rancuneus' en 'zeer on-Zweeds als mens gezien'. Bovendien was hij 'te intelligent', 'te beschaafd', 'te verbaal', 'te begaafd' en alles bij elkaar 'te onbetrouwbaar'.

"En laten we niet vergeten dat hij kennelijk ook voor de Russen spioneert. Hoe hij daar ook maar tijd voor heeft tussen al het geknoei met de belastingen door", zei de directeur met de bloeddruk en hij keek om de een of andere reden streng naar de andere hoofdredacteur.

De enige die niets had gezegd was Johansson. Hij had zelfs geen spier vertrokken en alleen stiekem de leider van de workshop bestudeerd. Diens lichaamstaal, afgezien van de scheve glimlach en de gesloten oogleden, was niet geheel afwijkend van de zijne. Maar nu had Johansson een kans.

"Volgens mij is dat dikke kul", zei hij plotseling en omdat hij was wie hij was en eruitzag zoals hij eruitzag, was het plotseling helemaal stil geworden in de kamer.

"Hoe bedoel je?" vroeg de bijzondere deskundige terwijl hij even zijn oogleden bewoog.

Mooi, dacht Johansson. Nu heb ik je. Net als een grote kabeljauw die om een spierinkje zwemt.

"Nou", zei Johansson traag met een zwaar Noord-Zweeds accent. "Nog afgezien van alle logische en rationele redenen die het tegenspreken ... en die kennen jullie ongetwijfeld veel beter dan iemand zoals ik", voegde hij er goedmoedig aan toe terwijl hij naar de overige deelnemers knikte.

"*Speak up, man*", riep een van de jongere directeuren, die in het buitenland een survival training had gedaan. "Als je A zegt, moet je ook B zeggen."

"Vanuit politioneel standpunt", zei Johansson talmend opdat ze het aas goed roken. "Vanuit politioneel standpunt ... is hij domweg het verkeerde type, zoals wij dat noemen. Iemand als hij zou nooit voor de Russen spioneren. Hij niet." Johansson schudde zijn hoofd zwaar heen en weer en iedereen die hem zag, begreep dat de gedachte alleen al onmogelijk was.

"Het is prettig die opvatting te horen van een zo hoge vertegenwoordiger van de politie", zei hun voorzitter. "Het is niet wat ik jouw collega's altijd heb horen fluisteren."

"Wat bedoel je?" vroeg Johansson.

"Dat de minister-president géén spion zou zijn", zei de bijzondere deskundige met duidelijke nadruk.

"Dat heb ik niet gezegd", zei Johansson met goed gespeelde verbazing, terwijl hij het vissnoer voorzichtig tussen duim en wijsvinger ronddraaide.

"Ik meende dat je zei dat hij het verkeerde type was?" Nu had de workshopleider en bijzondere deskundige van de minister-president zijn oogleden ten minste half opgetild.

"Nee, dan heb je me verkeerd begrepen", zei Johansson bot en hij schudde zijn hoofd. "Voor spionage is hij wel een vrij geschikt type, in elk geval toen hij jonger was. Tegenwoordig heeft hij waarschijnlijk te veel te doen en bovendien wordt er vrij goed op hem gelet. Als hij voor iemand zou hebben gespioneerd, dan was dat ver voor de tijd dat hij minister-president werd. En voor de Russen zou hij het nooit doen."

"Dat is prettig om te horen. Je hebt toevallig geen tips voor wie hij in dat geval gespioneerd zou hebben?'" vroeg de bijzondere deskundige.

"Vast en zeker voor de Amerikanen", zei Johansson. "Voor de CIA, als ik erover zou moeten speculeren."

Beet, dacht Johansson toen hij de verandering in de blik van de deskundige zag.

"Ik heb begrepen dat er binnen de politie andere politieke voorkeuren heersen dan die welke mijn baas en ik vertegenwoordigen", zei de bijzondere deskundige en hij klonk iets te beledigd voor iemand zoals hij.

"Ja", zei Johansson knikkend. "Dat klopt waarschijnlijk wel. Hoewel ik zelf vind dat hij beschaafd en ... ja, intelligent lijkt."

"Maar een spion? Voor de CIA?" zei de deskundige en hij hoorde gesnuif ter beloning.

"Voor je het weet zit je ergens middenin", zei Johansson en hij liet de deskundige zijn zwaarste politieblik proeven. "En de intelligentie waaraan ik denk heeft daar niets mee te maken. Integendeel. Wat iemand het meest lokt, zijn dingen waarvoor iemand aanleg heeft, anders was het geen kunst je in te houden. Voor je het weet zit je ergens middenin, maar het kan een stuk lastiger zijn om eruit te stappen." Johansson knikte weer en vooral tegen zichzelf leek het, en in de kamer waar hij zat was het muisstil.

"Ik geloof niet dat we veel verder komen", zei de bijzondere deskundige met een licht handgebaar en een beleefde blik. "Bovendien komen er allerlei aangename geuren uit de keuken, waaruit ik concludeer dat het bijna tijd is voor de lunch. Ik geloof dat het de hoogste tijd is dat we stoppen. Mijne heren ... zelf heb ik het buitengewoon gezellig gevonden, interessant en zelfs spannend als ik het mag ..."

Als ik nu eens de groeten van Fionn deed, dacht Johansson terwijl hij zijn aantekeningen verzamelde. Maar dat was waarschijnlijk niet nodig, want de deskundige was nu toch al een open boek voor hem. Ondanks zijn zware, onbeweeglijke gezicht, zijn achteroverleunende houding, zijn halfgesloten oogleden, ondanks zijn duidelijke lichaamstaal, zijn flegmatische zelfverzekerdheid en goed geformuleerde woorden, kon Johansson zien dat hij flink was geschrokken. Ik vraag me af hoeveel hij weet, dacht hij.

Donderdag 19 december

Toen Johansson donderdagochtend op zijn werk kwam, leek de kerstvrede te zijn weggevaagd en heerste er een complete oorlog tussen zijn eigen afdeling Narcotica en hun collega's bij de regiopolitie in de provincie Dalarna. Ze werkten sinds een paar weken samen aan een grote zaak. De opdrachtgever zat in de plaatsen Borlänge en Falun in Dalarna en daar was de zaak ook begonnen, maar die was al snel gegroeid en bleek vertakkingen in de rest van het land en in het buitenland te hebben. Ten slotte had de hoofdcommissaris van politie in Dalarna met zijn vuist op tafel geslagen en gezegd waar het op stond. Nu waren ze uitgereisd en uitgerechercheerd buiten het eigen revier en was het hoog tijd er een medebelanghebbende bij te betrekken, wilde hij de revisor niet op zijn dak krijgen.

Na een heftige bijeenkomst, waarop het hoofd van de regionale afdeling Narcotica zijn eigen chef – de hoofdcommissaris – een 'stomme accountant' had genoemd, had de bevelsrangorde toch het laatste woord gehad en sinds drie weken werd de zaak gedeeld tussen de politieautoriteiten in Dalarna en Johanssons eigen Rijksrecherche. En niemand was blij.

Voor de politie in Dalarna was dit de grootste drugszaak sinds de goudzoekerstijd in de jaren zeventig en niemand wilde de opbrengst van de eigen moeite en inspanningen delen met een paar Stockholmse collega's, verwaande kwasten die altijd in andermans water visten. Dus de samenwerking had beter kunnen zijn.

Bij de Rijksrecherche vormden de reiskosten noch het overige budget een remmende factor, dus daar zagen ze voortdurend nieuwe invalshoeken. Aan creativiteit ontbrak het evenmin en omdat de 'boerenkinkels uit de provincie' nooit 'dieper gingen dan het oppervlak', had de gemeenschappelijke zaak zich als een schimmelcultuur uitgebreid nadat die eindelijk 'in de competente handen van echte politiemensen' was beland.

"Dit kon nog wel eens heel groot worden", legde Johanssons reisgenoot van het bezoek aan de VS uit.

"Maar de collega's in de regio willen nu toch al een inval doen?" vroeg Johansson.

"Ja zeker, zodat ze in alle rust Kerstmis kunnen vieren, die luie donders", zei het hoofd van de afdeling Narcotica van de Rijksrecherche enigszins verhit.

"Ze moeten toch ook een ander argument hebben", zei Johansson, die al een tijdje meeging en ook het een en ander had gehoord.

"Een paar van hun plaatselijke criminelen gaan met Kerstmis naar Thailand. De politie in Dalarna heeft bedacht dat ze voorgoed vertrekken; maar dat is klinkklare onzin en bovendien gaat het niet om hen. Hier zitten onze vaste jongens achter, de Turken en die Polen over wie ik vertelde, en die zitten hier al jaren. Die stomme boerenprovincialen hebben alleen oog voor details", snoof het hoofd van de afdeling Narcotica van de Rijksrecherche die uit Stockholm kwam en niet beter wist.

"Laat Dalarna ze dan oppakken als ze niet interessant voor ons zijn", zei Johansson.

Omwille van de huiselijke vrede. Onze eigen criminelen lijken ons toch niet te ontsnappen, dacht hij. Bovendien is het provincialen en niet boerenprovincialen. Maar dat had hij niet gezegd.

"Het verstoort ons eigen werk met de echte opdrachtgevers",

bracht zijn voormalige reisgenoot hiertegen in en hij klonk helemaal niet zoals de vorige keer toen ze elkaar hadden ontmoet.

"Ik hoor wat je zegt", zei Johansson.

En dat heb ik tot vervelens toe gehoord, dacht hij.

"Het is vanaf het begin hun zaak geweest", besliste Johansson, "dus ik zie niet hoe we ze kunnen tegenhouden." Waarom we dat ook maar zouden doen, dacht hij.

"Ja, jij bent hier de baas", zei het hoofd van de afdeling Narcotica chagrijnig en hij stond op.

"Ja", zei Johansson en hij glimlachte alleen maar even. Ik ben de baas. En soms is dat enorm praktisch, dacht hij.

Kinderachtig gedoe, dacht Johansson, die de hele ochtend andere dingen had gedaan dan hij eigenlijk had moeten doen. Zoals stiekem naar de stad gaan en wat steunproviand voor Jarnebring kopen, die ongetwijfeld op nat en droog gebied wat extra's voor het eten kon gebruiken, ondanks zijn veelvuldige verzekeringen van het tegendeel. Bovendien had hij zelf nadere informatie nodig over tijdstip en plaats.

Nu was het toch goed gekomen. Jarnebring had na de lunch gebeld en het adres van zijn nieuwste vriendin achtergelaten.

"Dat leek mij het meest praktisch", zei Jarnebring. "Je weet het, meiden zijn dol op verzorgen. Bovendien heb ik mijn eigen stek uitgeleend. Aan Rusth, als je je die nog herinnert?"

"Kan ik nog iets meebrengen?" vroeg Johansson. Aan Rusth, dacht hij verbaasd. Was dat niet dat type met die lange vingers en die slechte adem die de koffiekas bij de afdeling Onderzoek had beheerd? Dat was toch wat overdreven, al was het een collega.

"Nee", zei Jarnebring. "Ik heb alles al geregeld. Zijn vrouw heeft hem eruit gezet", verduidelijkte hij, "en ik kan die gek toch moeilijk Kerstmis bij het Leger des Heils laten vieren. Bovendien heb ik het zilveren bestek in mijn tandenborstelkoker verstopt, dus dat vindt hij nooit."

"En je hebt geen drank nodig?" vroeg Johansson die niet graag risico's nam en met name niet zo vlak voor Kerstmis.

Dus collega Rusth had een vrouw gehad, hoewel hij een uur in de wind stonk en aan elke hand zes vingers had, dacht hij.

"Nee", zei Jarnebring met nadruk. "Ik heb massa's drank in huis. Nou ja, bij mijn meissie dan, ik ben niet dom, hoor, en kennelijk heeft hij tussen Kerstmis en Oud en Nieuw iets permanenters. Rusth dus", verduidelijkte hij.

"Tof van je", zei Johansson, die Rusth altijd een hufter had gevonden, ongeacht de tijd van het jaar.

"Dus je hoeft geen brandewijn mee te nemen", besloot Jarnebring. Merkwaardig, dacht Johansson toen hij ophing. Ik vraag me af of hij wat heeft gewonnen met een van die paarden waarop hij wedt.

Dat Jarnebring een nieuwe vriendin had was niet vreemd. Dat had hij bijna altijd, voor de zekerheid rekruteerde hij hen meestal uit de eigen gelederen. Collega's die aanzienlijk jonger waren dan hij, stroblond haar en een stevige boezem hadden, en meestal bij de ordepolitie werkten als ze niet voor Jarnebring zorgden. En tot zover klopte het ook deze keer, dacht Johansson toen ze na twee keer bellen opendeed en breed naar hem glimlachte. Interessanter was dat dit exemplaar kennelijk lente, zomer en herfst had overleefd en dat Jarnebring deze keer een kussensloop en een deken leek te hebben meegenomen en in elk geval tijdelijk zijn vrijgezellenflat in Vasastan had opgegeven. Vermoedelijk is ze zowel moederlijk als geduldig, ondanks haar uiterlijk, dacht Johansson.

Haar vriendin uit Skövde, die tijdelijk in Stockholm werkte, was er ook al en qua uiterlijk kon ze heel goed een zus van de gastvrouw zijn. Toen ze elkaar begroetten had hij ook de belangstelling in haar ogen gelezen. Ik vraag me af of ze iets heeft gehoord, dacht hij, of dat het vanwege mijn blauwe ogen is. Het kan toch moeilijk komen doordat ik te weinig train en te veel eet. Vanwege mijn blauwe ogen, besloot Johansson en daarna was het een heel gezellige avond geworden.

Dat hij zich ook geen zorgen had hoeven maken over de foerage die hij niet bij zich had, bleek overduidelijk toen ze in haar kleine keuken aan tafel plaatsnamen. Uitstekende haring, gemarineerde zalm en gerookte paling, een perfecte 'Janssons verleiding' met precies de juiste smeuïgheid, goudbruine gehaktballetjes en worsten die sisten toen de gastvrouw ze uit de oven haalde. Bier en brandewijn was er bovendien in overvloed. Ze moest ook rijk zijn, dacht Johansson en hij nam een extra lepel van het eigerecht met verse bieslook. Leuk om naar te kijken en leuk om mee te praten. Kookte als tante Jenny, net zo moederlijk, geduldig en ... waarschijnlijk vermogend.

"Ik dacht dat vrouwen als jij niet bestonden", zei Johansson en hij toastte met zijn gastvrouw. "Zeg het me als je een echte man zoekt." Ik vraag me af of ze ook boeken leest, dacht hij.

"Ik dacht dat je mij alleen maar kende", zei Jarnebring goedmoedig. "Wat dacht je ervan als we alles eens lekker wegspoelden met een echt oude jenever?" vroeg hij en hij haalde een bolle aardewerken fles tevoorschijn uit de rij gewone flessen.

Ik vraag me af waar hij al die drank vandaan heeft, dacht Johansson. Of ze nu geld had of niet, ze leek niet het type dat drank voor hen kocht. Niet in zulke hoeveelheden in elk geval en los van de vraag hoe echt de man was die ze aan de haak had geslagen.

"Klinkt goed", zei Johansson, die nog maar drie borrels op had en die allerminst voelde. Hij moet bij de paardenraces hebben gewonnen, dacht hij.

Koffie en cognac stonden klaar in de woonkamer, samen met allerlei likeurtjes en andere wonderlijkheden. Toen Johansson alle heerlijkheden zag, had hij zijn theorie dat zijn beste vriend met de paardenraces had gewonnen, onmiddellijk laten varen.

"Koffie en cognac graag", zei Johansson afwerend toen zijn gastheer tussen alle flessen begon te rommelen. Nu merkte hij de borrels bij het eten wel en hij wilde geen suiker op het vuur gooien.

Jarnebrings vriendin en haar vriendin hadden met duidelijke verrukking een crème gedronken – ze lezen vast geen boeken, dacht Johansson – en toen had hij ook een antwoord op zijn overpeinzingen gekregen.

"O, wat lekker", zei de vriendin uit Skövde terwijl ze het puntje van haar tong over haar bovenlip liet gaan. "Kun je je contact niet vragen of hij voor mij ook een paar flessen kan regelen?"

"Ik zal het hem eens vragen", zei Jarnebring en hij glimlachte en hief zijn glas.

Hultman, dacht Johansson, ik vraag me af waar Jarnis hem mee heeft geholpen. En als Jarnebring niet zijn beste vriend was geweest, was hij ongetwijfeld een beetje ongerust geworden.

Het was al na middernacht toen Johansson eindelijk besloot dat het de hoogste tijd was om naar huis te gaan. Niet dat hij zich direct uitgeteld voelde, het laatste uur had hij met mineraalwater genoegen genomen, maar over twaalf uur moest hij achter het stuur zitten. Het was maar beter om te gaan nu het op z'n leukst was.

"Tijd om te gaan", zei Johansson. "Dit hebben jullie niet tevergeefs gedaan en als je me op tijd voor de bruiloft een seintje geeft, kan ik wat voor jullie terugdoen."

Jarnebring had geen spier vertrokken, maar wel even zijn ogen ten hemel geslagen toen niemand keek. De gastvrouw was giechelig en opgewonden geweest en had hem midden op zijn mond gekust en haar vriendin had kennelijk ook besloten om op te stappen.

"Ik heb gehoord dat je ook op Söder woont", zei ze en ze schonk Johansson een glimlach en een taxerende blik. "Als je er niets op tegen hebt, kunnen we misschien een taxi delen?"

"Prima", zei Johansson. Dat is dan ook weer geregeld, dacht hij.

Vrijdag 20 december

De koffers had hij de dag ervoor gepakt. Zijn kleren, kerstcadeautjes voor de hele familie, boeken om te lezen plus de nagelaten papieren van Krassner, voor het geval hij een dag overhield en niets beters te doen had, alles zat in zijn koffers. De auto die zijn broer voor hem had geregeld, had hij 's ochtends voordat hij naar zijn werk ging opgehaald en het enige wat hij toen nog moest doen, was op zijn werk bij de collega's langsgaan en hun gelukkige kerstdagen wensen en veel te veel koffie drinken. Hij had besloten onderweg te lunchen. Vlak voor twaalven gaf hij een kerstcadeautje aan zijn secretaresse, kreeg een verbaasde glimlach, niet meer of minder verbaasd dan hij had verwacht en een koele kus op zijn wang als dank.

Vervolgens was hij met de lift naar de garage gegaan en had plaatsgenomen in de grote geleende auto die hem geen cent kostte, want daar had zijn grote broer, die in de branche zat, voor gezorgd, een cassette met gezellige dansmuziek opgezet en koers naar het noorden gezet. Een kleine vierhonderd kilometer is een kleine vier uur, dacht Johansson terwijl hij de Essingeleden opreed, ruim op tijd, afgaand op het weinige verkeer dat noordwaarts ging.

XIV

En alles wat restte was de kou van de winter

Stockholm in december

Voor Bäckström en zijn collega's bij Geweldsdelicten was december ongewoon goed begonnen. In het begin van de tweede week waren ze met de boot naar Finland gegaan voor de traditionele kerstconferentie van de afdeling. Ze hadden al flink zitten hijsen voordat ze aan boord gingen en toen Bäckström en de anderen voor de lunch het ergste gingen lozen, had Fylking al dronken in het trappenhuis naar de plees gelegen, en dat terwijl ze nog langs de Zweedse scherenkust voeren.

Dit is verdomme te mooi om waar te zijn, dacht Bäckström. Wat een fenomenale start!

Eerst hadden de collega's en hij alleen maar zwijgend naar Fylking staan kijken zoals hij daar lag: onbeweeglijk en met zijn drankhoofd in een mysterieuze hoek tegen zijn borst. Maar vervolgens had Rundberg, die slijmbal, hem bij de schouder gepakt, hem door elkaar geschud en gezegd dat ze een dokter moesten halen, en toen was Koning Drank opeens rechtop gaan zitten en had hen met bloeddoorlopen ogen aangekeken.

"Lafbekken", siste hij. "Ik hoor geen applaus."

Daarna was alles weer net als anders geweest. Bij de lunch had Lindberg zitten zeuren dat ze niet meer dan één borrel moesten nemen vanwege de bijeenkomsten die middag, maar toen had de oude Koning Drank, die ook weer net als anders was, hem gezegd dat hij zijn bek moest houden en door moest eten. Daarna had hij met Bäckström getoast. Eerst had hij hem zoals altijd aan zitten kijken, maar plotseling was hij gaan grijnzen en had hij zijn glas geheven.

"Proost, Bäckström", zei Koning Drank. "Op meer geluk als we de volgende keer naar de plee moeten."

Je kon van de oude Koning Drank zeggen wat je wilde, maar het was wel een harde jongen, dacht Bäckström, die al aan zijn vierde glas bezig was en wat sentimenteel begon te worden.

"Proost, baas!" zei Bäckström. "Je hoort mij niet klagen."

Kennelijk was dat het juiste antwoord geweest, want Koning Drank had geglimlacht als een oude beer en hem een vijfde aangeboden.

Toen ze in Helsinki waren aangekomen, was Bäckström de rest van het gezelschap stiekem ontvlucht. Hij had een Finse collega gebeld die goede contacten had en uit het juiste hout was gesneden. Ze waren naar een nachtclub gegaan, waar ze twee Estische meiden hadden opgepikt die ze hadden meegenomen naar het huis van de collega. Bäckström had zijn exemplaar een flinke beurt gegeven. Het was een klein rond grietje met grote prammen dat er wat van kon. Zowel zij als haar vriendin was illegaal in Finland, dus geen van beiden deed moeilijk over de prijs, en de collega had verteld waar hij en Bäckström mee werkten. Voordat ze afscheid namen, had ze Bäckström zelfs gevraagd of ze elkaar niet nog eens konden zien. In Stockholm misschien?

In je dromen, jij jachtgat, grijnsde Bäckström toen hij ruim voor de afvaart waggelend aan boord ging. Uit pure nieuwsgierigheid was hij ook naar de vergaderzaal gegaan die ze hadden gehuurd en daar zat Lindberg het conferentiespel te spelen met Krusberg, ook zo'n slijmjurk, en een paar van de jongere talenten die niet zoveel keuze hadden. Bäckström was even gaan zitten om zijn vermoeide voeten een beetje rust te gunnen, terwijl Lindberg over een zinloze statistiek zeurde die een echte politieman niet kon invullen. Toen was hij weggegaan en had de anderen opgezocht, die zich allemaal in de bar hadden verzameld en zich opwarmden voor de afvaart. Daarna was alles weer net als anders geweest.

Toen ze op de dag voor het Lucia-feest terug waren op het bureau, had de oude Koning Drank Bäckström terzijde genomen en hem gevraagd of hij de praktische details van het feest op zich wilde nemen, zodat het niet zo verdomde duur zou worden. Bäckström begreep precies wat hij bedoelde en hoewel het op de valreep was, was hij erin geslaagd zijn contact bij de waterpolitie te bereiken, die een ontmoeting met zijn contact had geregeld, die op zijn beurt weer een hele doos met gemengd lekkers voor een schappelijk prijsje tevoorschijn had getoverd.

"Je hoeft toch zeker niet de hele ouderenzorg te financieren, alleen omdat je een borreltje wilt drinken", zei Koning Drank tevreden toen

Bäckström met zijn buit was teruggekeerd van zijn keurig uitgevoerde taak.

Vervolgens hadden ze het Lucia-feest volgens goede oude tradities gevierd en Bäckström had tijdens het weekend zelfs geen dienst hoeven draaien. Koning Drank, die toffe peer, had hem een speciale opdracht gegeven en alle overuren ingevuld die nodig waren, zodat hij zijn vermoeide hoofd kon laten rusten en met een goed geweten van het weekend kon genieten.

De maandag was ook niet slecht begonnen. Hij had zijn voet nog maar net op de afdeling gezet of een van de jongere talenten was buiten adem binnen komen stormen en had verteld dat ze zopas een dubbele moord in Bromma hadden gekregen, die de onmiddellijke en professionele medewerking van Bäckström vereiste.

Helaas was het niet zo goed als het had geklonken. Ondanks het adres was het een gewone buitenlandermoord. Een stomme Iraniër die zijn vrouw en zijn dochter had doodgeschoten. De vrouw was weliswaar Zweedse, maar wat wilde ze ook als ze zo iemand had getrouwd en bovendien tegen de klootzak had gezegd dat ze wilde scheiden? Hoe stom kan een mens zijn, dacht Bäckström.

Toen de kameeldrijver zijn vrouw en kind om zeep had gebracht, had hij kennelijk geprobeerd zichzelf van het leven te beroven, maar dat was niet echt gelukt. Zoals het zo vaak ging met die lui, was hem de moed in de schoenen gezonken zodra het om zijn eigen wel en wee ging. Eerst had hij geprobeerd zichzelf door het hoofd te schieten, maar natuurlijk had hij gemist en zichzelf alleen maar een middenscheiding bezorgd, en toen de collega's van de ordepolitie waren gekomen, zat hij in de keuken en was hij met een oud broodmes in zijn polsen aan het peuteren. Een doodgewone buitenlandermoord dus, en het meest schokkende was wel dat de klootzak een vergunning had voor twee wapens, een jachtgeweer en een hagelgeweer. Kennelijk had hij het jagersexamen afgelegd en die stomme collega's van de sectie Vergunningen hadden hem jachtwapens toegestaan. Hoe kon zo'n hufter in vredesnaam een vergunning krijgen om te jagen? In Zweden nog wel, dacht Bäckström.

De rest was enkel en alleen een transporttraject geweest. Gelukkig had hij die nichterige Wijnbladh van de technische afdeling te pakken weten te krijgen, dus het onderzoek op de plaats delict was snel afgehandeld. De buitenlander had hij met liefde aan de jongere collega overgelaten die nog wat oefening in eenvoudige zaken kon gebruiken voordat het ernst werd, en natuurlijk was de boel toen in het honderd gelopen. Zoals altijd als de echte profs er niet bij waren. De jongere collega had het gewoon verknald, en de dokter was natuurlijk zo slim geweest om daar gebruik van te maken en had zoveel medicijnen in de klootzak gestopt dat hij niet meer aanspreekbaar was. Hoe stom kan een mens zijn, dacht Bäckström. De collega had een wereldkans gehad om een goede bekentenis uit hem te persen toen hij op de intensive care lag en volledig van de kaart was en slangen in beide armen had.

"Je hebt niet overwogen om bij het Leger des Heils te gaan werken, knul?" zei Bäckström, terwijl hij zijn ogen in de kleine hufter boorde toen die terug was uit het ziekenhuis en zich er in Bäckströms kamer over beklaagde dat hij zijn taak niet aankon.

De dokter was kennelijk zo'n menselijk type dat zichzelf uiterst serieus nam en elke gelegenheid te baat nam om dat te tonen. Hij had de moordenaar op Psychiatrie laten opnemen en nu lag die daar gewoon zijn bek te houden. *Zwaar depressief, niet aanspreekbaar en met duidelijke kans om in een langdurige psychose te raken*, volgens de fax die zijne excellentie naar het bureau had laten sturen in antwoord op de vriendelijke vraag van Bäckström of hij niet met de klootzak kon praten. Die hufters willen die buitenlander van mij afpakken, en vervolgens laten ze hem zoals altijd met Pasen gaan en is hij plotseling zo vrij als een vogeltje en zo gezond als een vis, dacht Bäckström, die dit al eerder bij de klauwen had gehad. Maar dit doen we met z'n tweeën, dacht hij en hij ging naar Koning Drank om wat extra gewicht te regelen.

Helaas leek het erop dat hij een beter moment had kunnen kiezen. De kater had zijn geëerde baas ingehaald, wat maar weer eens bewees dat zelfs een koning als hij niet altijd kon feesten op de manier die hij voor Kerstmis gewend was. Koning Drank was helemaal door het lint gegaan en Bäckström had alle schuld gekregen, hoewel hij geheel en al onschuldig was. Meer speciale opdrachten voor Kerstmis? Geen denken aan! Wel allerlei andere dingen als Bäckström het goed had begrepen, nu hij geen bekentenis vanuit het ziekenhuis had.

"Hoe kun je nou zo stom zijn?" bulderde Koning Drank op zijn meelevende manier en hij sloeg met zijn vuist op tafel.

Dus had Bäckström eieren voor zijn geld gekozen, zijn spullen verzameld en zelf de auto naar het ziekenhuis gepakt om de buitenlander te verhoren. Laat op de avond, dus kon hij er zeker van zijn dat die klootzak van een arts thuis met andere linkse rodewijndrinkers de overwinning op de rechtvaardigheid zat te vieren. Dat had je gedacht, dacht Bäckström terwijl hij zijn cassetterecorder naast het bed installeerde. De buitenlander deed alsof hij gek was en lag met zijn handen op de deken naar het plafond te turen met lege, bruine, natte ogen alsof hij er eigenlijk niets mee te maken had en slechts een gewoon psychiatrisch geval was in een grote berg met onschuldigen.

Dit wordt leuk, dacht Bäckström genietend. Hij zette de cassetterecorder aan, begon met de gebruikelijke inleidende tirades en keek mild naar de buitenlander, terwijl hij hem de foto voorhield die hij had meegenomen.

"Ik begrijp dat je je niet lekker voelt", zei Bäckström vriendelijk en hij sloeg hem op de schouder. "Maar ik geloof dat je je veel beter zult voelen als je je hart lucht."

Het was geen slechte foto, uiteraard in kleur en met een goede scherpte in de details, en het had perfect gewerkt. De dochter was twee en had kennelijk liggen slapen toen haar kleine buitenlanderpapa voor eens en voor altijd welterusten was komen zeggen. Ze had een witte pyjama met Mickey Mouse-figuurtjes aangehad en volgens een andere foto die Bäckström in een album had gezien op de plaats delict, had ze er heel lief uitgezien, zoals al die kinderen van buitenlanders.

Nu zag ze er niet zo fraai uit. Haar lieve vader had kennelijk de loop van zijn jachtgeweer door de spijlen van haar bedje gestoken, hem tegen haar schedelbasis gezet en afgedrukt. De kogel was schuin door haar lichaam naar beneden gegaan en via haar buik naar buiten gekomen. Onderweg had hij de hele dunne darm met zich meegenomen, die als een keurige bleekroze kluwen op haar pyjama lag en ten minste een halve Mickey bedekte. Het was zoals gezegd geen slechte foto, en de buitenlander had er alleen maar een bruine snelle blik op hoeven werpen om zo aanspreekbaar te worden dat je die stomme arts eigenlijk zou moeten aangeven vanwege zijn achterlijke diagnose.

Zijn kaken waren net als de naald van een naaimachine op- en neergegaan, terwijl de tranen en het zweet naar buiten stroomden. Gebroken Zweeds natuurlijk, lange momenten was hij volledig onbegrijpelijk geweest en een tijdje had hij natuurlijk geprobeerd zijn vrouw de schuld te geven, maar het was Bäckström toch gelukt. Oké, op de momenten dat hij niet druk bezig was geweest om zijn verhoorobject in bed te houden – waar hij toch moest liggen, wilde hij beter worden – had hij als een galeislaaf moeten werken met de cassetterecorder. Maar het had hem toch slechts een uur gekost om alle puzzelstukjes op hun plaats te krijgen. Vervolgens had er een verpleegster moeten komen om de idioot ter beloning een flinke spuit te geven en voordat

Bäckström vertrok, had hij hem natuurlijk nog wat bemoedigende woorden toegesproken.

"Ik weet zeker dat je je veel beter zult voelen nu alles eruit is", zei Bäckström vriendelijk en hij streek hem over de arm en glimlachte droef naar de verpleegster. Ach, wat waren sommige mensen toch zielig.

Kennelijk had ze hem stevig spul gegeven want toen Bäckström vertrok, lag hij alweer naar het plafond te turen. Net zoals hij een uur eerder had gedaan.

Maar ondank is 's werelds loon. De volgende dag was Koning Drank woedend Bäckströms kamer binnen komen stormen en hij was allerminst dankbaar geweest. Na Bäckströms bezoekje had de buitenlander zich kennelijk 's nachts van het leven beroofd, hoewel hij alle kans van de wereld had gehad zijn hart te luchten. Dus had Bäckström toch diensten moeten draaien en gezien zijn financiële situatie na al het feesten van de afgelopen tijd, had hij geen andere keuze gehad dan zowel met Kerstmis als met Oud en Nieuw te werken. Wat een klotewereld, dacht Bäckström duister. Wat heb je toch veel klootzakken en wat leven ze een kloteleven.

∗∗∗

Als voorzitter van de feestcommissie had Wijnbladh veel om handen gehad en toen hij de details een beetje op orde begon te krijgen, had die dikke schreeuwlelijk van een Bäckström van Geweldsdelicten gebeld en zitten zeuren dat hij hulp nodig had bij een dubbele moordzaak. Goedaardig als hij was had hij natuurlijk geholpen, hoewel hij belangrijker dingen op zijn programma had staan. Het was een tragische familiegeschiedenis. Twee echtgenoten die ruzie hadden gemaakt, de man had kennelijk een nieuwe vrouw gevonden en wilde scheiden, en in haar verhitte en verwarde toestand had de echtgenote zijn jachtgeweer gepakt en was naar de bovenverdieping gegaan waar ze eerst hun dochtertje en toen zichzelf had doodgeschoten. Normaal gesproken was het meestal andersom, ja, dat de echtgenoot de vrouw en kinderen doodschoot, maar Wijnbladh vond dat de technische sporen klare taal spraken ook al had Bäckström geweigerd te luisteren. En omdat hij tijd noch zin had gehad om de hele dag met Bäckström over die kwestie te onderhandelen, had hij alleen zijn eigen taken afgehandeld en was hij vervolgens teruggekeerd naar zijn eigenlijke werk, het organiseren van een feest ter ere van de zestigste verjaardag van zijn chef.

De chef, die Holger Blenke heette, was een soort legende binnen de technische recherche. Aanvankelijk was hij kadercommandant geweest bij de cavalerie – dat was aan het eind van de Tweede Wereldoorlog geweest – maar zodra de oorlog voorbij was, had hij een baan gezocht bij de politie. Om net als zovele anderen al patrouillerend op te klimmen en uiteindelijk bij de technische afdeling te belanden omdat hij een handige vent was die niet alleen goed met paarden overweg kon, maar gewoon in het algemeen graag met dingen frutselde en fröbelde.

Blenke was er al toen de oude chef er ook nog was en de technische afdeling werd opgezet; onder hem had hij zijn sporen verdiend. Je zou kunnen zeggen dat de oude chef de grond had ontgonnen en dat Blenke vervolgens de forensische akkers had beheerd die de oude chef had ontwaterd, dacht Wijnbladh en hij haastte zich om die goed gevonden formulering op papier te zetten. Naast al het andere werk was hij immers ook degene die een speech ter ere van de chef moest houden. Helaas was het met de oude chef niet zo goed gegaan in de herfst van zijn leven. Alles wees erop dat hij tijdens een gewone huiselijke ruzie zijn oudste zoon met een bezopen kop had doodgeslagen, maar omdat Blenke het onderzoek op de plaats delict had geleid, had dat probleem zich uiteindelijk toch opgelost. De zaak werd afgeschreven als een ongeluk, en Blenkes inspanningen in deze zaak toonden beter dan wat dan ook aan dat hij de vanzelfsprekende opvolger was. Maar om op een verjaardag zulke onaangename details op te halen was natuurlijk geheel niet aan de orde en Wijnbladh had al op een eerder moment besloten om alleen de meer algemene en overkoepelende geschiedenis van de afdeling te memoreren als het eenmaal zover was. Die was feitelijk toch interessanter, terwijl de andere verhalen gewone bureauroddels waren, dacht Wijnbladh.

De planning van de grote dag was echter helaas niet geheel vlekkeloos gelopen. Uiteenlopende opvattingen en tegenstrijdige wensen hadden om compromissen op zowel hoog als laag niveau gevraagd en bij tijden had Wijnbladh al zijn diplomatieke talenten moeten aanwenden om iets van de grond te krijgen. Eerst hadden ze geruzied over het cadeau waarvoor geld werd ingezameld. Olsson, die elke gelegenheid aangreep om interessant te doen, had voorgesteld dat ze een reisbeurs ter ere van de chef zouden instellen, maar gezien de bedragen waar het om ging, was dat idee van meet af aan belachelijk geweest. Het geld zou amper voldoende zijn voor een retourtje inclusief korte stop naar Växjö of Hudiksvall; en dan was het ook nog maar de vraag welke recherchetechnische kennis daar te halen viel.

Wijnbladh had benadrukt dat het bij een gelegenheid als deze uiteraard om een persoonlijk geschenk moest gaan; het enige logische was dus om uit te gaan van de persoonlijke interesses en hobby's van de chef. Daarom hadden ze uiteindelijk ook besloten om een motorzaag te kopen. De chef had namelijk een zomerhuisje op Muskö ten zuiden van de stad en in zijn vrije tijd zaagde hij bomen op zijn eigen grondgebied.

Daarna waren ze het feest zelf gaan plannen en toen was er pas echt onenigheid ontstaan in de feestcommissie. Eerst had Olsson, die zijn ware aard nooit verloochende, een uitermate vreemd idee uiteengezet, dat erop neerkwam dat ze de hele dag zouden vullen met lezingen en seminars over verschillende recherchetechnische problemen en methoden. Een verder eensgezinde feestcommissie had dat plan gelukkig meteen weggestemd, al had een enkeling zich – gezien het verband – misschien minder gelukkig uitgedrukt. "De schoorsteenveger heeft schijt aan dat soort nieuwigheden", zoals een van de echte oude vossen op de afdeling de zaak had samengevat.

Schoorsteenveger was de koosnaam voor de chef – al noemden ze hem niet zo wanneer hij het kon horen – en de reden waarom hij die had gekregen was dat hij altijd een warm voorstander was geweest van de oude klassieke techniek om vingerafdrukken te zoeken met behulp van een kwastje en koolpoeder. Vingerafdrukken waren Blenkes grote professionele passie. Het enige moment waarop hij echt betrokken en verhit kon raken, was als hij het had over wat hij Het Grote Verraad noemde, toen, al aan het begin van de eeuw, en naar het leek in het hele Westen, de techniek met koolpoeder was verruild voor andere mysterieuze poeders, vloeistoffen, lichtstralen of zelfs gassen die een chemische reactie hadden met de afdrukken die ze zochten; technieken die voor normale mensen totaal onbegrijpelijk waren.

"Gasje hier, gasje daar, het enige gas dat wij als agenten nodig hebben is traangas", zoals Blenke zelf zo treffend had gezegd toen de kwestie ter tafel was gekomen tijdens een ochtendbespreking op de afdeling.

En zoals altijd was het uiteraard dat ongeluk van een Olsson – doctor Olsson zoals de collega's hem noemden, hoewel hij waarschijnlijk net zoals alle anderen alleen lagere school had – die ervoor had gepleit dat ze die nieuwe methoden misschien eens nader moesten bestuderen. Wie dat dan ook maar moest doen, want alle boeken waren in het buitenlands. Olsson leek in elk geval goede contacten te hebben, zoals onlangs toen de procureur-generaal hem had vrijgesproken, ondanks zijn bedroevende inspanningen bij de moorden op de drie Turkse drugsdealers, en ondanks het feit dat Wijnbladh alles had gedaan wat binnen zijn vermogen lag om de mensen van de justitiële dienst een volledig dossier voor hun onderzoek te geven.

Maar kennelijk had die streber van een Johansson die hoofd van de Rijksrecherche was, ervoor gekozen de zaak te bagatelliseren. Hij had een verbazingwekkend slap rapport geschreven dat de procureur-generaal kennelijk had gevolgd. Het geheel was onverklaarbaar, vond Wijnbladh. Wat kon zo'n bobo als Johansson, die erom bekend stond dat hij over lijken van collega's ging als dat nodig was, er voor belang bij hebben om een halve gare als Olsson de hand boven het hoofd te houden? Waarschijnlijk was het alleen maar een teken van de algemene arrogantie en luiheid die kenmerkend was voor types als Johansson, de Slager uit Ådalen zoals sommige collega's van de ordepolitie hem noemden. Zelf had Wijnbladh in het korps maar één leider van moreel formaat ontmoet die de kennis en het vermogen tot praktische daadkracht bezat die je van alle mensen op dat niveau zou moeten kunnen eisen. Hoofdcommissaris Claes Waltin van de Säpo, dacht Wijnbladh met warmte. Een man die hem bovendien persoonlijk had bezocht om hem om advies te vragen over diverse technische kwesties die van belang waren voor de gesloten werkzaamheden.

Als hij de mogelijkheid had gehad, zou hij hem een persoonlijke uitnodiging hebben gestuurd voor Blenkes diner, maar om financiële redenen was het aantal uitnodigingen voor personen buiten de afdeling beperkt tot een absoluut minimum. En gezien de ruimte en de overige arrangementen waar de meerderheid van de feestcommissie ondanks zijn uitdrukkelijke wens vóór had gestemd, was het misschien maar beter ook. Waltin op een veerboot naar Finland, dacht Wijnbladh huiverend.

Voor veel te veel collega's was het helaas zo dat de grens tussen een gewoon feest en een conferentie diffuus was. Een werkconferentie was een feest dat de werkgever betaalde, en de zonder meer populairste ruimten voor de conferenties van de Stockholmse politie waren de boten naar Finland, die jammer genoeg – naast de dronkenschap, koophandel en gewone zedeloosheid waar het eigenlijk om ging – ook conferentiezalen konden aanbieden. Als een soort alibi, dacht Wijnbladh en soms kon het verdriet dat hij altijd voelde, overgaan in pure onmacht en vertwijfeling.

Kennelijk hadden de collega's ook achter zijn rug gehandeld en al van tevoren contact gezocht met de touroperator. Omdat de technische afdeling sinds jaar en dag een van de vaste klanten van de rederij was, was het ook geen enkel probleem om allerlei voordelen te bedingen nu het om het feest van de chef ging. Vrouwen, verloofdes, partners en gewone vriendinnen zouden daarom gratis mee mogen, Blenke zelf zou de redershut krijgen, de prijs van de droogjes en de natjes was flink omlaaggegaan en de zaak was al rond. Met mijn vrouw op zo'n Finlandboot, dacht Wijnbladh en de hopeloosheid die hij voelde, kende geen grenzen.

De week voor Kerstmis waren ze vertrokken. De hele afdeling inclusief partners met een uitermate wisselende burgerlijke staat, en het feestvarken zelf, dat zijn echtgenote en een handvol intimi had meegenomen. In totaal waren ze met ruim zestig man en aanvankelijk was alles volgens plan verlopen. Eerst een ontvangst met champagne op kosten van de rederij, een paar korte speeches en het overhandigen van de cadeaus. Blenke was heel blij geweest met zijn motorzaag en tot zover was er geen vuiltje aan de lucht geweest.

Maar toen was alles net als anders gegaan. Voorafgaand aan het feestelijke diner waren er vrije activiteiten geweest en veel te veel deelnemers hadden die tijd helaas – net zoals hij had gevreesd – om de gebruikelijke redenen op de gebruikelijke wijze besteed. En toen het eenmaal tijd was voor Wijnbladhs maandenlang minutieus voorbereide speech, was de stemming zo luidruchtig dat alleen de mensen die vlakbij zaten, hadden kunnen horen wat hij zei. Na het diner was zijn vrouw verdwenen, zoals gebruikelijk en om de gebruikelijke redenen, en zoals gebruikelijk onduidelijk waarheen en met wie. En toen ze 's avonds laat terugkeerde naar hun kleine hut had hij – zoals gebruikelijk – gedaan alsof hij sliep.

Ik vermoord haar, dacht Wijnbladh terwijl ze zich giechelend en aangeschoten, dampend van alcohol, zweet en seks had uitgekleed, in haar kooi was gaan liggen, onmiddellijk in slaap was gevallen en meteen luid was gaan snurken. Maar vervolgens moest hij zelf ook in slaap zijn gevallen, want toen hij wakker werd, lag de boot al aan de kade. Dat maakte hij op uit de geluiden en de stemmen en het feit dat het water niet meer tegen hun hut klotste.

Ik moet kijken wat voor weer het is, dacht hij en zo stil als hij maar kon, had hij zijn kleren aangetrokken en was hij naar het dek geslopen. Het was grijs en erg koud, hoewel er sneeuw in de lucht zat. Hij voelde geen verdriet meer, alleen hopeloosheid en vertwijfeling. Onmacht natuurlijk, omdat hij zo'n man was die zijn eigen vrouw niet eens in elkaar zou kunnen slaan. Zelfs haar zou hij niet in elkaar kunnen slaan.

***

Hoe dichter Kerstmis was genaderd, des te meer hadden de wolken zich boven Bergs hoofd samengepakt. Tijdens het laatste wekelijkse overleg van het jaar – tussen Kerstmis en Oud en Nieuw hadden ze er geen omdat iedereen dan toch vrij was en er nooit wat bijzonders gebeurde – was hij wederom genoodzaakt geweest de kwestie van de persoonlijke veiligheid en het veiligheidsbewustzijn van de minister-president aan te roeren. Het niet-aanwezige veiligheidsbewustzijn, dacht Berg, maar dat had hij natuurlijk niet gezegd, en voor de hoeveelste keer hij daarover zijn mond had gehouden, was hij gelukkig vergeten.

De oude dreigingen tegen de minister-president bestonden nog steeds. Het enige wat er was gebeurd, was dat er nieuwe dreigingen en vijandbeelden bij waren gekomen. De in de media veelbesproken Harvard-affaire leek een ware sfeer van paraatheid onder de betweters in het land te hebben ontketend, en er ging geen dag voorbij of er kwamen wel rapporten over nieuwe idioten die zich hadden aangesloten.

"Ik zal het niet erger maken dan het is", zei Berg met onverwachte openhartigheid, "en ik wil allerminst beweren dat die types vergeleken kunnen worden met de Jakhals of andere beroepsterroristen en professionele moordenaars ..." Berg pauzeerde voordat hij verder ging " ... maar laten we tegelijkertijd niet vergeten dat de meest voorkomende aanslag op hooggeplaatste politici en soortgelijke personen door de zogenaamde eenzame gek wordt uitgevoerd. Een eenvoudige man die met eenvoudige middelen werkt en helaas gruwelijke resultaten kan bereiken."

"Ik heb begrepen dat mijn gewaardeerde baas alle bewaking tijdens de feestdagen heeft geweigerd", zei de bijzondere deskundige vanachter halfgesloten oogleden en met het gebruikelijke irritante glimlachje.

"Ja", zei Berg kortaf. "Hij wil met rust worden gelaten en Kerstmis en Oud en Nieuw met zijn gezin en een paar vrienden vieren."

"De gezegende kersttijd", knikte de bijzondere deskundige vanachter de bescherming van zijn halfgesloten oogleden en zijn scheve grijns.

"Wat mij het meeste zorgen baart", ging Berg verder, die niet van plan was zich te laten afschepen, "is dat hij kennelijk van plan is bijna een week naar Harpsund te gaan."

"Ik weet het, ik weet het, want in de vorm van een kleine uitnodiging is mij die genade ook ten deel gevallen", zuchtte de bijzondere deskundige.

344

"Harpsund is een nachtmerrie vanuit beveiligingsoogpunt", zei Berg en hij knikte nadrukkelijk naar allen die aan tafel zaten.

"Je denkt aan hun verdomde kokkin", zei de bijzondere deskundige. "Ja, zij is echt een nachtmerrie. Als ik ga, overweeg ik serieus mijn eigen eten mee te nemen."

"Ik denk niet aan de kokkin", zei Berg, die geen gevoel voor humor had. "Ik denk aan een of meerdere aanvallers, en gezien de situatie daarginds hoeven die niet bijzonder gekwalificeerd te zijn."

"Ik heb die kwestie al met mijn baas besproken", zei de bijzondere deskundige. "Dat hoofd Lijfwachten van jou kan buitengewoon zeuren en uiteindelijk heb ik het opgegeven. Dus heb ik met hem gesproken, maar hij wil gewoon met rust worden gelaten, de laatste tijd is het allemaal wat veel geweest om het zo maar te zeggen, en als ik indiscreet moet zijn en hemzelf mag citeren, dan is hij niet van mening dat de criminaliteit in de gemeente Flens de komende feestdagen het grote probleem in zijn bestaan zal vormen, niet op dit moment in elk geval. Hij wil gewoon een paar dagen vrij, samen met vrouw en kinderen, in alle rust, cadeautjes en kerstboom, vrede op aarde, geen lijfwachten, überhaupt geen agenten, zelfs geen bewakertje in kerstmantenue dat bij het hek op de loer ligt." De bijzondere deskundige grinnikte verrukt.

"Ik had ook op een rustig weekend gehoopt", zei Berg serieus.

"Ja, wie niet", zei de minister en hij klonk ongewoon betrokken. "Zelf ga ik Kerstmis vieren met mijn moeder en gezien het feit dat ze bijna honderd is, zijn wij werkelijk dankbaar ..."

"Kun je het zo regelen dat hij ze niet in huis heeft?" onderbrak de bijzondere deskundige hem.

"Ja", zei Berg. "Dat lukt wel. Ik kan het zo regelen dat hij ze niet eens hoeft te zien." Ook al vereist dat meer dan twee keer zoveel middelen, dacht hij.

"Dan doen we dat", besloot de bijzondere deskundige. "Ik zal de baas op de hoogte stellen, zodat hij niet zijn jachtgeweer uit de kast rukt en ze per ongeluk neerschiet terwijl ze door het park sluipen."

"Dat zou zonder meer praktisch zijn", zei Berg instemmend.

"Hoewel ik niet kan garanderen dat hij niet zal proberen ze warme wijn en peperkoekjes aan te bieden", zei de bijzondere deskundige. "Mijn baas wordt gauw sentimenteel rond deze tijd van het jaar, en we moeten zijn vermogen niet onderschatten ... hoe zeggen jullie agenten dat ook al weer ... zijn vermogen om zich aan de situatie aan te passen."

"Peperkoekjes en warme wijn, dat is vast geen probleem", zei Berg met een kleine glimlach.

"Geen grote hoeveelheden uiteraard", zei de bijzondere deskundige en hij maakte een afwerend gebaar.

Na het overleg hadden ze geluncht in Rosenbad, wat al jaren een traditie was. In de tijd dat ze een rechtse regering hadden gehad, was het vaak echt plezierig geweest met een rijkelijke dis en gesprekken die zowel openhartig als gezellig waren. En je hoefde je niet de hele tijd af te vragen wat de mensen eigenlijk bedoelden als ze iets zeiden, dacht Berg. Hoewel dit ook geen slechte lunch was geweest. Iedereen behalve Berg, die naderhand terug moest naar zijn werk, had een borrel gedronken bij het kleine kerstgerecht dat als voorgerecht was geserveerd. De minister had er twee genomen, de bijzondere deskundige waarschijnlijk drie door zijn glas stiekem bij te vullen toen hij dacht dat niemand keek, terwijl de directeur-generaal Juridische Zaken uit solidariteit genoegen had genomen met een halve.

Bij de koffie hadden de minister en de DG zich verontschuldigd, ze hadden andere dringende kwesties, maar de bijzondere deskundige wilde even met Berg praten.

"Goh, Erik", zei hij. "Kan ik je niet een cognacje bij de koffie aanbieden vanwege het feit dat het binnenkort Kerstmis is en zo?" Plotseling had hij er ook totaal anders uitgezien. Bijna als een jonge vent die ergens mee zat en hulp nodig had van een oudere volwassene.

"Oké, een kleintje dan", zei Berg met een glimlachje. "Als je er zelf ook een neemt."

"Natuurlijk neem ik er ook een", zei de bijzondere deskundige en hij klonk weer als anders. "Eventueel neem ik er twee, maar dat is een vraag voor later."

"Ik luister", zei Berg. Hij knikte vriendelijk en leunde achterover. Misschien wordt het dit jaar toch nog Kerstmis, dacht hij.

"Ken jij een commissaris van politie die Lars Johansson heet?" vroeg de bijzondere deskundige. "Grote, grof gebouwde man uit het noorden van het land, mijn leeftijd, werkt als hoofd van de Rijksrecherche. Ad interim, geloof ik, hij schijnt na Oud en Nieuw chef de bureau te worden."

Of ik Lars Martin Johansson uit Näsåker ken, dacht Berg. En wat zeg ik nu, dacht hij.

"Ja", zei Berg.

"Hoe is hij?" vroeg de bijzondere deskundige nieuwsgierig en hij boog zich naar voren.

Berg knikte nadenkend en nam een grotere slok van de cognac dan bedoeld om even te kunnen nadenken.

"Hoe hij is? Hoe bedoel je dat?"

"Hoe is hij als rechercheur, bedoel ik."

"Hij is de beste", zei Berg. Want dat is hij toch, dacht hij verbaasd op hetzelfde moment dat hij het had gezegd.

"Waar is hij goed in?" De bijzondere deskundige knikte dat hij verder moest gaan.

"Uitdokteren hoe dingen in elkaar steken", zei Berg. "Het is haast eng. Soms kun je de indruk krijgen dat hij om de hoek kan kijken", ging hij met een glimlachje verder.

En ik kan het weten, dacht hij. Hoewel het nu toch tien jaar geleden moest zijn.

"Het klinkt alsof hij over water kan lopen", zei de bijzondere deskundige.

"Ik ben er vrij zeker van dat hij dát niet kan", zei Berg. En hij zou er ook niet van dromen het wel te doen, dacht hij. Niet Lars Martin Johansson.

"Is er verder nog iets waar hij goed in is?"

"Hij kan zwijgen", zei Berg met meer emotie dat hij had willen tonen. En ik kan het weten, dacht hij, want meer dan eens had hij God gedankt dat Johansson klaarblijkelijk op die manier was geschapen.

"Niet echt een kletsmajoor, dus", verduidelijkte de bijzondere deskundige.

"Als hij heeft besloten dat hij niets zal zeggen, dan krijgt niemand wat te horen", zei Berg en hij knikte met nadruk. "Het probleem is eerder dat hij gewoon doet wat hij zich in zijn hoofd heeft gezet." Waar ben je op uit, dacht hij.

"Klinkt als een denkend mens", zei de bijzondere deskundige en hij zuchtte licht. "Heeft hij geen fouten en gebreken zoals wij gewone stervelingen?"

"Tja", zei Berg. "Soms heb ik het idee dat als hij eenmaal weet hoe de vork in de steel zit, de rest minder belangrijk voor hem is." Gelukkig maar, dacht hij.

"Dat het recht zijn loop moet hebben en zo?"

"Zo zou je het ongeveer kunnen zeggen", zei Berg. "Zoek je soms een opvolger voor mij?" ging hij met een vage glimlach verder.

"Absoluut niet", zei de bijzondere deskundige en hij klonk bijna een beetje geschrokken. "Heb ik dat trouwens niet gezegd? Zowel ikzelf als mijn hoge baas zijn buitengewoon tevreden over jouw inspanningen. Wat ons betreft mag je graag tot je dood blijven." En als die Johansson is zoals jij zegt, is hij de laatste die we in jouw plaats zouden nemen, dacht hij.

"Fijn om te horen", zei Berg glimlachend. "Maar als ik nu heel eerlijk ben, moet ik zeggen dat ik ook wel eens een andere indruk heb gehad."

"Ik weet het, ik weet het", zie de bijzondere deskundige en hij keek haast schuldbewust. "Daar heb ik altijd al problemen mee gehad. Je moest eens horen hoe mijn exen en mijn kinderen me beschrijven. Het is gewoon afschuwelijk. Maar we werken eraan. Het is bijna het enige waar Ulla-Karin en ik aan werken."

"Ulla-Karin is je laatste vrouw?" vroeg Berg met een zekere aarzeling omdat hij slechts vage herinneringen had aan deze nogal rommelige delen van het persoonsdossier van de bijzondere deskundige.

"Nee, verdorie", zei de bijzondere deskundige met nadruk. "Ulla-Karin is mijn psychiater, mijn therapeut dus, een uitstekend mens, docent bij het Karolinska-ziekenhuis, buitengewoon verstandig."

"Dat is prettig om te horen", zei Berg neutraal. Ik vraag me af of hij een loopje met me neemt, dacht hij.

"Mijn vrouwen waren allemaal van lotje getikt", sprak de bijzondere deskundige, vooral voor zich uit leek het. "Volkomen van lotje getikt."

"Dat was vast niet makkelijk", zei Berg medelevend.

"Makkelijk en makkelijk", zei de bijzondere deskundige dralend. "Wie heeft gezegd dat het makkelijk moet zijn?"

Ja, wie heeft dat gezegd, dacht Berg en hij keek discreet op zijn horloge.

"Nog even wat anders", ging de bijzondere deskundige verder. "Die Waltin, die baart mij zorgen."

En nu zag hij er weer uit als anders, zij het zonder ook maar enig spoor van een glimlach.

De redenen voor de bezorgdheid die de bijzondere deskundige van de minister-president had geuit, waren er met name vier. De eerste betrof de persoon Waltin. Kort samengevat was het zo dat de bijzondere deskundige Waltin, zonder de man te hebben ontmoet, zonder nader te kunnen vertellen waarom of met wie hij had gesproken, simpelweg niet vertrouwde.

"Ik begrijp wat je bedoelt", zei Berg en hij merkte dat hij inschikkelijker klonk dan hij zou moeten. Werd van iemand als hij niet verwacht dat hij zijn naaste medewerker verdedigde? "Waltin is niet zoals de meeste politiemannen, om het zo maar te zeggen", ging Berg verder.

"Prettig om te horen", gromde de bijzondere deskundige.

"Maar ik moet wel zeggen", eindigde Berg, en daarmee drukte hij toch de zorg uit die hij als chef moest tonen, "dat ik in alle jaren dat wij hebben samengewerkt, nooit reden heb gehad om hem te bekritiseren voor iets wat hij tijdens zijn werk heeft gedaan."

"Denk er eens over na", zei de bijzondere deskundige.

De tweede betrof de zogenoemde externe dienst. De bijzondere deskundige had over die zaak nagedacht en was tot de conclusie gekomen dat het geen goede oplossing was voor de op zich geheel legitieme eisen van de Säpo aan controle op de eigen werkzaamheden. En of het hoofd van de externe dienst als mens goed of slecht was, was in het grote geheel eigenlijk minder interessant, maar wanneer hij als Waltin was, kon het slecht aflopen.

"Je hebt geen zin dat nader toe te lichten?" vroeg Berg en hij deed zijn best om neutraal te klinken.

"Ik dacht dat we dat na Oud en Nieuw misschien konden doen", zei de bijzondere deskundige. "Ik denk er trouwens nog steeds over na."

O ja, dacht Berg, die plotseling een bekende vermoeidheid voelde opkomen.

De derde betrof de Krassner-zaak. Helemaal los van de vraag of hij zich van het leven had beroofd – als oud-wiskundige was de bijzondere deskundige zich er terdege van bewust dat het toeval soms de meest onverwachte resultaten kon opleveren – was het toch een geschiedenis die hem zowel met bevreemding als met gevoelens van onlust vervulde. Wat in de nagelaten papieren van Krassner stond, was weliswaar verwarde onzin, maar hoewel hij niet direct de Pulitzerprijs zou winnen, was er toch niets in zijn verhaal wat erop duidde dat hij zó verward en ongeschikt was geweest? Waar waren trouwens de sporen van zijn oom die jarenlang een centrale positie bij de Amerikaanse inlichtingendienst had gehad? Bij de ambassade in Stockholm nog wel. Want dat had hij toch gehad, terwijl hij in de nagelaten papieren van Krassner schitterde door afwezigheid. "Geen spoor van de ouwe. Nergens", zei de bijzondere deskundige emfatisch.

"Het risico bestaat helaas dat hij papieren die hij van zijn oom zou kunnen hebben gekregen, heeft verstopt", erkende Berg, die zelf over de kwestie had nagedacht. "In dat geval ben ik er vrij zeker van dat ze nog in de VS zijn."

"Er is geen kans dat ze onderweg verdwenen zijn?" De bijzondere deskundige keek hem ernstig aan.

"Dat geloof ik niet", zei Berg met een zekere nadruk. "Hoewel het over mijn eigen straatje gaat, geloof ik van niet. We zijn meestal behoorlijk nauwkeurig op dat punt."

"Hm", zei de bijzondere deskundige en hij leek diep na te denken.

De vierde reden betrof een zeer onverkwikkelijke geschiedenis en als die waar was, had Berg een slang aan zijn borst gekoesterd. Gelukkig was het verhaal tegelijk zo concreet dat het te controleren viel. En als het een kern van waarheid bevatte, waren Waltins dagen bij hem in elk geval geteld. De enige vraag die in dat geval restte, was wáár hij de rest van zijn dagen wel zou tellen.

"Je wilt niet zeggen waar je de informatie vandaan hebt?" vroeg Berg.

"Ik wil iemand met jouw intellectuele gaven niet beledigen", zei de bijzondere deskundige glimlachend.

"Dank je voor het compliment", zei Berg. De krijgsmacht, dacht hij. Wie anders?

"Een laatste vraag", zei de bijzondere deskundige en om dat te onderstrepen, schoof hij zijn koffiekopje opzij en maakte hij aanstalten om op te staan.

"Ik luister", zei Berg.

"Waltin en die Johansson", zei de bijzondere deskundige. "Er bestaat geen mogelijkheid dat er wat tussen die twee is?"

"Nee", zei Berg. "Dat acht ik absoluut uitgesloten." Wat zegt hij nu, dacht Berg verwonderd.

"Waarom? Waarom is dat uitgesloten?"

"Ik weet niet goed hoe ik het moet zeggen", zei Berg nadenkend. "Laat ik het zo zeggen. Als wat je over Waltin denkt waar is, dan is Johansson de laatste met wie hij iets zou hebben. Dan had Johansson er allang voor gezorgd dat hij in de bak was beland."

"En als het niet waar is? Zouden ze dan met elkaar omgaan?"

"Ik weet dat ze elkaar tijdens het werk wel eens hebben ontmoet", zei Berg. "En ik ben er zo zeker van als maar mogelijk is dat ze elkaar privé nog nooit hebben ontmoet, laat staan met elkaar gepraat. Nee", zei Berg en hij schudde zijn hoofd. "Dat kun je volgens mij wel vergeten."

"Waarom?" hield de bijzondere deskundige aan.

"Johansson is een echte politieman", zei Berg. "Het zou niet in hem opkomen privé met Waltin om te gaan." Net als Persson, dacht hij. Of ikzelf, wat dat betreft.

"En Waltin zelf? Ik heb begrepen dat de man buitengewoon charmant kan zijn als hij dat wil."

"Waltin houdt niet van echte politiemannen", zei Berg serieus. Want zo is het toch, dacht hij. Hij had dat zelf al in een vroeg stadium opgemerkt. "We zijn niet chic genoeg voor hem", zei Berg met een zwakke glimlach.

"Interessant", zei de bijzondere deskundige en hij zag er plotseling gelukkig uit. "Hij vindt eigenlijk dat jullie echte politiemensen schor-riemorrie zijn, een soort vuilnismannen van het rechtssysteem", ver-duidelijkte de bijzondere deskundige, duidelijk genietend.

"Zoiets", zei Berg. Wat ben jij opeens vrolijk, dacht hij.

Toen hij in de auto zat om terug te rijden naar zijn werk, was hij plot-seling van gedachten veranderd en had hij zijn chauffeur gevraagd om hem naar huis te rijden. Want om die geschiedenis met Waltin te chec-ken die de bijzondere deskundige hem had verteld, had hij meer rust nodig dan zijn werkplek hem kon bieden. Vervolgens moest hij na-denken over die merkwaardige afsluitende vraag die de bijzondere deskundige had gesteld. Dat Johansson en Waltin iets met elkaar zou-den hebben gehad, nog afgezien van wát dat dan zou zijn, was een on-mogelijke gedachte. Die was gewoon fout, want ze hadden samen niets, dat hadden ze ook nooit gehad en zouden ze ook nooit krijgen, dacht Berg.

Aan de andere kant was de bijzondere deskundige geen domme man. Als je de resultaten van de tests in zijn persoonsdossier mocht geloven, was hij net zo weinig dom als in puur statistische zin mense-lijk gezien maar mogelijk was. Toch had hij die vraag gesteld. Hij moest iets hebben gehoord en het verkeerd hebben begrepen, dacht Berg. Bovendien vrij recentelijk. Op die conferentie over de totale ver-dediging, dacht Berg. Want daar had hij Johansson waarschijnlijk ont-moet. Wat had Johansson gezegd dat de bijzondere deskundige zo had verontrust dat hij Berg om hulp had moeten vragen? Johansson moest iets over Krassner hebben gezegd, dacht Berg en toen hij dat dacht, werd zijn hele redenering onbegrijpelijk. Wat kon iemand als Johans-son in 's hemelsnaam weten over iemand als Krassner, dacht Berg.

Zodra Berg de deur van zijn gezellige villa in Bromma achter zich dicht had gedaan, was hij aan de telefoon gaan zitten en had hij zijn trouwe medewerker Persson gebeld. Berg had twee dingen waarvan hij wilde dat Persson ze uitzocht.

"Als je hierheen kunt komen, zal ik er zelf voor zorgen dat je wat te eten krijgt", zei Berg met de ruwe zorg die vanzelf ontstond als je samen langere tijd de voorbank van een surveillancewagen had ge-deeld.

"Dat is een aanbod dat ik niet kan afslaan", zei Persson en twintig minuten later stond hij voor de deur.

Nadat Berg Persson had voorzien van eten, hadden ze zich met koffie en een cognacje in Bergs werkkamer teruggetrokken om in alle rust te kunnen werken. Eerst had Berg het verhaal over Waltin verteld dat hij van de bijzondere deskundige had gehoord, die het zelf waarschijnlijk weer van de militaire inlichtingendienst had gekregen. Dat was in nog geen tien minuten gebeurd en Persson had geen enkele notitie in zijn zwarte boekje gemaakt.

"En", zei Berg. "Wat denk je?"

"Over Waltin geloof ik alles", zei Persson. "Maar dat wist je waarschijnlijk al."

"Ja", zei Berg met een vage glimlach. "Zoiets meende ik al te begrijpen."

"Ik zal het nagaan. Je had nog iets", zei Persson.

"Ja", zei Berg. "Dat gaat over dat stuk ongeluk van een Krassner. Ik heb in elk geval die indruk gekregen."

"De zelfmoordenaar", zei Persson.

"Precies", zei Berg.

"Ik luister", zei Persson.

Om de een of andere reden kostte het Berg bijna een halfuur om de conclusies die hij had getrokken naar aanleiding van de vraag van de bijzondere deskundige of Johansson en Waltin samen iets konden hebben, uit te leggen en te vertellen. Persson had de hele tijd gezwegen en dat bleef hij doen toen Berg klaar was.

"Nou", zei Berg. "Wat denk jij?"

"Ik denk na", zei Persson en hij hield zijn glas naar voren. "Zou ik nog een cognacje kunnen krijgen?"

Toen Persson zijn cognacje had gekregen, was hij nog een paar minuten blijven zwijgen zonder zelfs maar aan de kostbare drank te ruiken. Hij had er gewoon maar gezeten, in elkaar gezakt en met een naar binnen gekeerde blik. Ten slotte had hij zijn hoofd geschud, Berg aangekeken en zijn glas geheven.

"Nee", zei hij. "Dat hebben jij en die sociaal-democraat in het regeringsgebouw mis. Dus dat vergeten we maar."

"Hoe bedoel je?" vroeg Berg met een zwakke glimlach.

"Iemand als Johansson zou iemand als Waltin nog niet met een tang beetpakken", zei Persson. Johansson is een echte politieman, dacht Persson, maar dat zei hij niet. En een goede vent, dacht hij, maar dat had hij ook niet gezegd, want dat kon Berg ongetwijfeld zelf wel bedenken.

"Dus als Johansson nu iets over Krassner gezegd zou hebben, heeft hij dat in elk geval niet van Waltin", zei Berg.

"Dat kunnen we rustig aannemen", zei Persson. "Als hij al wat heeft gezegd ... want dat is puur gokwerk van jouw kant." Persson

glimlachte en knikte naar Berg. Je hebt vakantie nodig, dacht hij.
"Je denkt niet dat hij iets van Jarnebring heeft gehoord?" hield Berg
aan. "Die twee zijn toch nog steeds dikke maatjes."

"Wat zou hij nu van hem gehoord kunnen hebben?" zei Persson.
Een goede vent, die Jarnebring, precies zoals hijzelf en Johansson, of
zoals Berg toen hij jong was. Voordat hij hoofd werd en onder zijn
eigen bed naar spoken ging zoeken die er nooit waren.

"Dus je vindt dat we de zaak moeten neerleggen", zei Berg glimlachend. Merkwaardig, dacht hij. Hij voelde zich opeens rustig en
blij ondanks alle bijzondere deskundigen en wonderlijke collega's
met Rolex-horloges die zijn bestaan verduisterden.

"Ik geloof niet eens dat we een zaak hebben", zei Persson. "Als je
mij niet gelooft, stel ik voor dat je Johansson vraagt of hij iets tegen
die sociaal-democraat in het regeringsgebouw heeft gezegd over
Krassner. Misschien moet je ze alle drie vragen trouwens. Johansson,
Jarnebring en de sociaal-democraat. Veel succes", zei hij grinnikend.

"Ik geef me over", zei Berg. "Ik laat me meeslepen."

Persson haalde zijn dikke schouders op. "Hij kan wel iets hebben
gehoord", zei hij. "De collega's lullen zo veel. Hij kan ook wel iets
tegen de sociaal-democraat hebben gezegd. Al was het maar om hem
te testen", zei Persson, die een echte politieman was. "Of om hem een
beetje gek te maken. Ik heb gehoord dat hij net zo irritant kan zijn als
zijn baas."

"Proost", zei Berg en hij hief zijn glas. "En prettige kerstdagen trouwens." En vrede op aarde, dacht hij.

***

Berg en Johansson hadden een geschiedenis samen en hopelijk was
het zo dat Johansson, ondanks zijn soms enge vermogen om om de
hoek te kunnen kijken, daar geen flauw idee van had.

Bijna tien jaar geleden had Johansson, die toen bij de centrale afdeling Onderzoek van de Stockholmse politie werkte, verdenkingen gekoesterd tegen een collega die bij de afdeling Lijfwachten van de Säpo
werkte. Volgens Johansson, want zijn oude wapendrager en beste
vriend Bo Jarnebring had toch voornamelijk als reisgezelschap gefungeerd, zou een van Bergs medewerkers, zij het iemand in de basis van
Bergs hoge piramide, een postkantoor hebben beroofd tijdens een bewakingsopdracht. En alsof dat nog niet erg genoeg was, zou hij daarna
hebben geprobeerd zijn sporen te wissen door twee getuigen te vermoorden die hem hadden herkend.

Kort samengevat was het een huiveringwekkende geschiedenis en hoe Johansson, die de benaming 'een echte politieman' zeer zeker verdiende, überhaupt in zulke oncollegiale banen had kunnen denken, was één groot raadsel. Mogelijk was dit ook een voorbeeld van zijn vermogen om soms om de hoek te kunnen kijken. Hoe dan ook was er helaas nogal veel geweest wat erop wees dat hij op alle wezenlijke punten gelijk had gehad. Dat moest zelfs Berg erkennen, hoewel het nog steeds pijn deed als hij dat deed. Het onderzoek was al vrij gauw neergelegd en de collega die het betrof, was niet eens gehoord, laat staan op de hoogte gebracht van de verdenking. Hij was zelfs niet ontslagen – hoe ze dat dan ook voor elkaar hadden moeten krijgen – en een jaar later had hij er zelf voor gekozen te stoppen en in plaats van terug te keren naar de open werkzaamheden, was hij bij de politie vertrokken. Wat hij vervolgens was gaan doen, had Berg grondig vermeden te achterhalen.

Hij was niet trots op zijn eigen rol in deze treurige geschiedenis, al had hij het zo weten te draaien dat het gunstig uitpakte voor de dienst en niet de catastrofe werd die het zou zijn geworden als het aan Johansson had gelegen. Eigenlijk ging het ook om veel belangrijker vraagstukken dan een agent die nooit agent had moeten worden. Grote waarden die Berg moest beschermen en waarvan de prijs, ongeacht de uiteindelijke afloop, altijd te hoog was. Desalniettemin was Johansson de enige geweest die de kwestie eervol achter zich had kunnen laten, ondanks het feit dat hij, gemeten volgens objectieve juridische maatstaven, volledig had gefaald.

In de jaren die volgden had Berg zich er zorgen om gemaakt hoe het met Johansson zou gaan. Zou hij als een met hondsdolheid besmette hond gaan rondhollen en iedereen die wel en niet wilde luisteren, zijn verhaal vertellen? Zou hij, net als zovele collega's voor en na hem, ongeacht of ze gelijk hadden of niet, de media opzoeken om langs die weg hulp te krijgen?

Johansson had zich precies de man getoond die hij leek te zijn, een echte politieman. Hij had nooit met ook maar één woord over de zaak gerept. Hij had gewoon zijn mond gehouden en zijn hoofd geschud en hij was verdergegaan alsof er niets was gebeurd. Hij had carrière gemaakt binnen de organisatie die hem had laten vallen. Zeker geen slechte carrière bovendien, en de manier waarop hij het had gedaan, klopte met de naam die hij altijd had gehad. Je kon zeggen wat je wilde over Lars Martin Johansson uit Näsåker, en veel collega's deden dat ook, maar niemand zou ook maar durven denken dat hij iets anders was dan 'een echte politieman'. Velen waren op pijnlijke wijze tot dat inzicht gekomen.

Niet dat Berg zo dacht, want hij was zelf ook 'een echte politieman'. Of dat in elk geval geweest voordat de bureaucratie waaraan hij tegenwoordig leiding moest geven, vanbinnen aan hem was gaan vreten. Hij had met Johansson naar beste vermogen gehandeld en alles gedaan wat zich in het verborgene liet doen. Hij had geprobeerd zijn verborgen mentor te worden, zijn 'rabbi', zijn 'padre', zijn 'peetvader' zoals de buitenlandse collega's het vaak beschreven. Waarom had je er trouwens geen goed Zweeds woord voor, vroeg Berg zich af. Omdat zoiets on-Zweeds is natuurlijk, en in elk geval niet iets wat je hardop zegt. Vooral niet in tijden als deze.

Maar met Waltin lag het veel eenvoudiger, want ongeacht wat hij wel was, hij was in elk geval niet 'een echte politieman'. Berg en Waltin hadden ook een geschiedenis samen. Die ging zelfs nog verder terug dan zijn eenzijdige verborgen contacten met Johansson. De laatste tijd had die zich echter minder gunstig ontwikkeld en al op de dag na zijn ontmoeting met Persson besloot Berg dat het hoog tijd was daar verandering in te brengen. Hoewel het al bijna Kerstmis was.

"Ach, wat zitten we hier knus samen", zei Waltin en hij glimlachte verzoenend terwijl hij terloops een persvouw in zijn nieuwe broek van klassiek Engels tweed rechtte. En jij wordt steeds triester en grijzer, dacht hij en hij knikte naar zijn chef.

"Er zijn een paar dingen waar we het over moeten hebben", zei Berg.

Het was zeker geen gezellig gesprek geworden. De onderwerpen die Berg had gekozen, boden daar geen ruimte voor.

Eerst had Berg de zaak Krassner naar voren gebracht. Het was alsof hij niet om die zaak heen kon, hoewel Krassner zelfmoord had gepleegd. Hoewel hun eigen geheime huiszoeking qua timing slechts een ongelukkige samenloop van omstandigheden was geweest. Hoewel ze alleen precies hadden gedaan wat er van hen werd verwacht en wat hun opdrachtgever ook van hen mocht eisen. Wat hij ook had gedaan, al had de bijzondere deskundige dat niet op papier vastgelegd.

"Wat ik probeer te zeggen," zei Berg, "is dat we een hoop gedonder hadden kunnen voorkomen als je mijn advies had opgevolgd en gewoon had ingegrepen alsof het een drugszaak was geweest. Ik sluit niet uit dat hij misschien zelfmoord zou hebben gepleegd zodra hij uit de bak kwam, maar dan was het in elk geval niet zo dicht bij ons bord gekomen als nu."

Ik kan mijn oren niet geloven, dacht Waltin. Hij lijkt net zo gek te zijn geworden als die ouwe Forselius.

"Met alle respect, maar ik herinner me het wat anders", zei Waltin vriendelijk glimlachend. "Ik meen me te herinneren dat toen ik voorstelde het op die manier te doen, jij die gedachte volledig van de hand wees." En Joost mag weten waarom, dacht hij.

"Dan ben ik bang dat wij het ons beiden anders herinneren", zei Berg en hij haalde een papier uit de stapel op zijn bureau. "Ik heb hier een aantekening waaruit blijkt dat we de zaak de dag ervoor hebben besproken, dat was op donderdag 21 november om zestien uur nul nul, en ik belde jou ..."

Dit is niet waar, dacht Waltin, maar dat zei hij niet. Hij glimlachte en knikte alleen maar, want als het op deze manier ging, was het belangrijk geen spier te vertrekken.

"En volgens mijn aantekening," ging Berg verder, "vertelde je toen aan mij dat jullie een drugsactie hadden gepland voor de volgende dag. Ik heb ook genoteerd dat ik dat heb goedgekeurd."

"Zeker, zeker", zei Waltin. "Maar toen had Forselius nog niet van zich laten horen en toen hij dat laat die avond wel deed, zijn we teruggegaan naar het oorspronkelijke plan."

Berg maakte een spijtig gebaar.

"Daar heb ik geen aantekening van", zei hij. "Waarom heb je niet gebeld en gezegd dat je plannen veranderd waren?"

Dat mijn plannen veranderd waren, dacht Waltin. Dit is godverdomme niet waar.

"Het staat me bij dat je bij de Duitsers op bezoek was", zei Waltin.

"Dat was pas de dag daarop", zei Berg. "En als dat het geval was geweest, had je ook daarheen kunnen bellen. Toch?"

"Ja", zei Waltin met een glimlach, hoewel dat nu moeite begon te kosten. "Ergens lijkt onze communicatie verbroken te zijn."

"Ja, daar lijkt het helaas op", zei Berg. "Dan nog iets heel anders", voegde hij eraan toe.

Vervolgens had hij verteld welke visie het ministerie op de externe dienst had en gezegd dat hij zich niet tegen een onderzoek zou verzetten als dat gewenst werd. Er stond nu nog niemand te trappelen, maar in de loop van het voorjaar zou een onderzoek ongetwijfeld actueel worden.

"We moeten er maar een paar dagen voor uittrekken om alle papieren door te nemen", zei Berg. "Ergens in het begin van het nieuwe jaar."

"*Fine with me*", zei Waltin en hij stond op.

Hij glimlacht niet meer, dacht Berg.

Ik vraag me af hoe het met Persson gaat, dacht Berg en toen hij alleen was achtergebleven, leunde hij comfortabel achterover in zijn stoel. Het enige licht aan mijn hemel. Fout, dacht hij, er was er nog een, in de verte zwak glinsterend als de Ster van Hoop. De hoop dat hij eindelijk van Kudo en Bülling verlost zou raken.

***

De hoofdcommissaris van politie te Stockholm en Kudo en Bülling hadden elkaar gevonden. In de politionele context leek het bijna op een passieverhaal. Niet dat ze met elkaar sliepen of zelfs maar een beetje knuffelden; ze waren alle drie een volledig betrouwbare homofobicus, dus wat dat betreft was er niets wat een smet op hen wierp, ondanks de geheime literaire afwijking van de hoofdcommissaris, Kudo's terugkerende observaties van kabouters en Büllings algemene merkwaardigheden. Waar het wel om ging was een zeer sterke, bijna bovenzinnelijke geestelijke gemeenschap, van het soort dat alleen kan ontstaan wanneer hoogbegaafde mensen worden verenigd door een gemeenschappelijke belangstelling die zelfs groter is dan zijzelf.

"De Koerden", zei de hoofdcommissaris met een dramatische klemtoon op alle lettergrepen. "Mijne heren", ging hij plechtig verder en hij knikte tegen de twee bezoekers. "We hebben het over de gevaarlijkste terroristische organisatie van dit moment op het gehele westelijke halfrond. Geef mij dus verstandige adviezen. Wat doen we?"

Eindelijk, dacht Kudo. Eindelijk een leiderfiguur die de ernst van de situatie zag. Nood breekt wet, dacht Kudo, want dat had hij ergens gelezen. Heel concreet gold deze nood de onbegrijpelijke geheimhoudingsregels van de Säpo en vervolgens hadden hij en Bülling alles aan hun nieuwe bondgenoot verteld, maar eerst hadden ze hem natuurlijk de benodigde achtergrondinformatie gegeven.

Om te beginnen hadden ze over hun geheime taal verteld. Over bruiloften en andere voorliefdes, over dichters en over lammeren die zouden worden geslacht. Over taarten, gebakjes en bolletjes, en al hun problemen om uit te dokteren wat dat eigenlijk betekende.

"We gaan een bruiloft vieren, we gaan een lam slachten, we moeten twee dichters hebben, taarten, gebakjes en bolletjes ..." De hoofdcommissaris van politie te Stockholm knikte genietend terwijl hij elk woord proefde ... "Net als ikzelf hebben jullie vast gemerkt dat de codes die worden gebruikt, sterke etnische kenmerken hebben."

"Precies", zei Kudo. "Exact."

"Precies", zei Bülling en hij knikte naar de pasgeboende vloer van de hoofdcommissaris.

"Dus lijkt het geen toeval dat ze juist deze codes voor hun operaties in het Westen hebben gekozen", constateerde de hoofdcommissaris. "Vertel", zei hij terwijl hij verrukt zijn handen over elkaar wreef. "Vertel hoe jullie deze etnisch georiënteerde problematiek hebben opgelost."

Toen had Kudo verteld over hun nieuwe informant. Die was zelf Koerd. Politiek vluchteling zoals alle Koerden, maar in tegenstelling tot hun overige informanten had hij zich vrijwillig aangemeld. Bovendien was hij bakker en had hij een broer die slager was en samen hadden ze een klein cateringbedrijf waar vrijwel alle klanten ook Koerd waren. Ze leverden al jarenlang hun waren en diensten aan ontelbare Koerdische bruiloften, begrafenissen en feesten.

In een verband als dit was juist die achtergrond onovertrefbaar, had Bülling gedacht toen hij de voorbereidende analyse aan het maken was. Hun nieuwe informant wist dus alles over de leveringen en overige arrangementen die onderdeel waren van een echte bruiloft, een normale begrafenis of een gewoon feest. Vanwege zijn speciale kennis kon hij direct zien of er iets vreemds was als hun rechercheobjecten hun activiteiten planden, en daardoor zaten die natuurlijk ook in de val, dacht Bülling. Een politieke moord plannen op grond van de bestelling die voor een echte bruiloft gold, was uiteraard onmogelijk. Dan was de hele operatie gedoemd te mislukken.

Bovendien had de man nog een andere eigenschap en dat die was ontdekt door zijn beste vriend en naaste collega Kudo was niet zo vreemd gezien het feit dat hij dezelfde gave had: hun nieuwe informant was ook ziener. Hij kon samenhangen, verbanden en gebeurtenissen zien die voor gewone mensen verborgen waren, en dit ongeacht of ze al een feit waren of nog in de toekomst lagen. Was dat mogelijk? Eerst had Bülling de gedachte alleen al van de hand gewezen. Gezien de overige kwaliteiten van de informant was het bijna te mooi om waar te zijn, en Büllings kritische houding en analytische opdracht maakte dat hij over het algemeen sceptisch tegenover dat soort mogelijkheden stond. Daarom had Kudo een wetenschappelijke test voorgesteld, en Bülling zelf had die opgezet en uitgevoerd. Tot in het kleinste detail en om geen enkele mogelijke verklaring onbeproefd te laten.

Eerst had hij een aantal zaken tevoorschijn gehaald die hij en Kudo hadden weten op te lossen en waar hun nieuwe informant geen enkele weet van kon hebben. Op grond van deze gevallen had hij vervolgens een twintigtal concrete vragen geformuleerd, waarop Kudo en hij maandenlang hadden zitten zweten voordat ze uiteindelijk een oplossing hadden. Hun nieuwe informant had slechts een klein uur nodig gehad om alle vragen te beantwoorden en al zijn antwoorden waren juist geweest.

Voordat ze de hoofdcommissaris over hun nieuwe wapen in de strijd tegen het Koerdische terrorisme hadden verteld, hadden ze besproken of ze moesten onthullen dat hun informant eveneens ziener was, dat hij de gave had. Het was immers helaas zo dat veel mensen dergelijke mogelijkheden op grond van primitieve gevoelsredenen van de hand wezen, alsook omdat hun eigen wereldbeeld dan kon instorten. Het had zich op een heel natuurlijke wijze opgelost. Aan het eind van hun betoog had Kudo naar hun nieuwe bondgenoot geknikt en toen hij de blik in diens ogen zag, de milde, verstandige, grensoverschrijdende ogen, had hij het gezegd. Zonder omwegen.

"Bovendien heeft hij de gave", zei Kudo. "Hij kan dingen zien die anderen niet zien."

De hoofdcommissaris van politie te Stockholm had eerst alleen geknikt. Vooral voor zichzelf, leek het. Vervolgens had hij hen met grote ernst en grote oprechtheid aangekeken.

"Dat zijn de besten', zei hij. "En de allermoeilijksten."

Ten slotte hadden ze over hun laatste en meest dringende recherchezaak verteld. Over de geplande aanslag op een 'hooggeplaatste maar niet nader genoemde Zweeds politicus'.

"Hij heeft ons de naam gegeven", zei Kudo.

"Ik luister", zei de hoofdcommissaris.

"De minister-president", zei Kudo.

Toen Kudo en Bülling waren vertrokken, besloot de hoofdcommissaris dat hij de minister-president moest waarschuwen. De minister-president was tenslotte al jarenlang zijn persoonlijke vriend, bovendien was hijzelf de enige politieman die de minister-president kon vertrouwen. Hij had hem al eerder geholpen, zelfs in de tijd dat hij nog niet minister-president was. En het belangrijkste van alles: als de minister-president doelwit werd van een politieke aanslag, was het zijn persoonlijke verantwoordelijkheid om ervoor te zorgen dat die werd opgehelderd en dat de daders werden berecht.

Ik moet hem op tijd waarschuwen, dacht de hoofdcommissaris. Voor er iets gebeurt, verduidelijkte hij voor zichzelf en om elke mogelijkheid tot vergissing uit te sluiten.

***

Kudo en Bülling en de hoofdcommissaris van politie te Stockholm hadden misschien wel het licht gezien, maar in de wereld waarin Göransson en Martinsson tegenwoordig verbleven, was het des te donkerder. Eerst midden in een ijskoude Russische winter een mysterieuze dienstreis naar Petrozavodsk, waar hun kont er zowat afvroor. Toen ze weer thuis waren een aantal koude en zinloze bewakingsopdrachten die één lange reeks leken te vormen waar geen einde aan kwam.

Het bericht dat ze al na Oud en Nieuw weer naar de open werkzaamheden zouden worden overgeplaatst, kwam bijna als een bevrijding. De reden hiervan waren ze natuurlijk niet te weten gekomen, maar op de afdeling gonsde het van de geruchten over een nieuwe reorganisatie. De week voor Kerstmis waren ze om de beurt – Göransson als eerste omdat hij het langst in dienst was – bij het knechtje van de hoogste baas geroepen, hoofdinspecteur Persson, en zoals altijd in dergelijke situaties, was de jurist van het bureau erbij geweest. Daar hadden ze de gebruikelijke papieren moeten ondertekenen die een geheim proces, een gevangenisstraf van meerdere jaren, financiële ellende en persoonlijke smaad beloofden als ze ook maar met één woord repten over hun tijd bij de gesloten dienst. Angstaanjagender dan de documenten die ze hadden ondertekend, was hoofdsinspecteur Persson zelf en voordat Martinsson was weggegaan had Persson nog wat afscheidswoorden tot hem gericht.

"Je hebt verdomd veel geluk gehad, knul. Als het aan mij had gelegen, hadden we lijm van je gekookt."

Loop naar de maan, stomme vetzak, had Martinsson gedacht en 's avonds was hij naar een kroeg gegaan en had zich een stuk in de kraag gedronken.

Natuurlijk was het de oude vertrouwde tent aan de Kungsgatan geworden en zo vlak voor Kerstmis ontbraken de collega's niet. De rij voor de ingang kwam tot aan de Vasagatan en een paar jongens die bij de surveillancewagens werkten, hadden zoveel haast gehad om hier te komen dat ze hun uniformbroek nog aanhadden. Toen Martinsson eenmaal binnen was, was de druk er zo groot dat vloer, muren en plafond schudden. Maar hoewel hij had gezopen als een tempelier was hij niet echt in de juiste stemming gekomen. Na een tijdje had hij de jonge Oredsson in de gaten gekregen, die met een paar meiden in een hoek zat, en omdat ze ongewoon nuchter leken, was hij daar gaan zitten.

Hij had Oredsson afgelopen zomer ontmoet. Ze gingen naar dezelfde sportschool en waren elkaar bij de training tegengekomen. Gewichtheffen, saunaën en mannelijk contact. Van het een was het ander gekomen en algauw wisten ze van elkaar waar de ander stond. Omdat hij zelf bezig was geweest met het in kaart brengen van de collega's op Norrmalm, had hij zijn baas ook over Oredsson getipt. Hier zat een toekomstige collega die het waarschijnlijk geen moeite zou kosten om in de kringen te infiltreren die hun werkterrein vormden. Met Oredsson was niets mis, dacht Martinsson. Met zijn ideeën ook niet, want het meeste wat hij zei was juist en redelijk en in feite dagelijkse kost onder agenten. Als infiltrant zou hij perfect zijn, maar vlak voordat hij hem het aanbod zou doen, had de baas alles plotseling afgeblazen en zoals altijd had hij geen flauw benul gehad waarom. En gezien dat wat hemzelf nu was overkomen, was dat waarschijnlijk het beste wat er had kunnen gebeuren, dacht Martinsson.

Toen hij stond te pissen, was Oredsson de plee binnengekomen en naast hem gaan staan.

"Hoe gaat het, Piel?", vroeg Oredsson en hij klonk bezorgd. "Je lijkt wat depri?"

"Niets aan de hand", zei Martinsson en hij schudde de Kanonnenkoning af voordat hij hem in zijn broek tilde. Met maar één hand, dacht Martinsson, want dat dacht hij meestal.

"Hoe is het trouwens afgelopen met die baan waar je het van de zomer over had?" vroeg Oredsson. "Je hebt nooit meer wat van je laten horen."

"Het liep spaak", zei Martinsson. En daar mag je God op je blote knieën voor danken, dacht hij.

"Jammer", zei Oredsson. "Dat met Veiligheid klonk spannend."

"Ik ben gestopt", zei Martinsson.

"Is er iets gebeurd?" vroeg Oredsson en hij pakte hem bij zijn arm.

"Een stomme verrader", zei Martinsson en vervolgens had hij Oredsson mee de plee in getrokken, de deur op slot gedaan en alles verteld wat Berg en die andere klootzakken deden.

Naderhand had hij zich een stuk beter gevoeld. Oredsson had hem een paar pilsjes aangeboden en ze hadden in stille verstandhouding getoast. En die stomme papieren kon dat knechtje van een Persson in zijn vette reet stoppen, dacht Martinsson.

Bäckström had Kerstmis op het bureau gevierd. Dat was niet voor het eerst en ongetwijfeld ook niet voor het laatst, vooral niet nu de oude Koning Drank helemaal gek was geworden, maar over het algemeen was het niet zo erg geweest. De vakbond had kennelijk een overwinning geboekt, want sinds de vorige keer was er nog een rustruimte bij gekomen. Niet dat het Bäckström wat uitmaakte. Hij sloop meestal naar de afdeling Geweldsdelicten als hij moest maffen, want daar was het aanzienlijk rustiger, maar de vertegenwoordiger van de vakbond was zo trots als een pauw en omdat het een zeurkous was, had Bäckström hem bij de bespreking even gezegd waar het op stond.

"Ik dacht dat we hier waren om te werken, niet om te pitten", zei Bäckström. "Maar misschien heb ik het mis?"

De idioot had hem alleen maar nijdig aangestaard hoewel het Kerstmis was en iedereen blij moest zijn, en vervolgens had de arbodeskundige het overgenomen en een kwartier lang gezeurd over die nieuwe ziekte a-ie-dee-es. Geldt niet voor mij, dacht Bäckström want zelf neukte hij geen konten, negers of junks, en als hij er een moest beetpakken, kon hij altijd de loodgietershandschoenen aandoen.

Het werk was zoals gebruikelijk nogal stom geweest. Niets wat een echte prof zoals hij waardig was. Voornamelijk diefstallen en dronkenschappen en wie maakte zich daar druk om? Bäckström in elk geval niet, dus had hij van de gelegenheid gebruikgemaakt om even een paar uurtjes plat te gaan. Er was natuurlijk wel een enkel lichtpuntje geweest, al was het kersteten in de kantine vrij vroeg op. Drie Finnen waren een schoenenwinkel aan de Sveavägen binnengedrongen en hadden vijftig linkerschoenen uit de kerstetalage geroofd, echt slimme jongens uit Karelië, en toen de ordepolitie met zwaailichten en al arriveerde, had een van de Finnen bijna zijn strot doorgesneden toen hij door het raam naar buiten wilde klauteren. Toen ze op het bureau kwamen, waren het er dus nog maar twee en alle beetjes helpen, dacht Bäckström toen hij de twee resterende Finnen elk in een cel opsloot.

Toen kwam de patrouilledienst met een kleine zigeunerjongen die bij de Körsbergsvägen benzine uit een auto had gejat. Het was het politiebusje van gemene Adolf – lieve collega's hebben vele namen – en hij en zijn jongens waren pisnijdig, want de rest van de bende had weten te ontsnappen. Het was een leuk joch, vond Bäckström. Hij droeg een broek met pijpen die een halve meter te lang waren – waar hij die ook maar had gejat – en de pet van het stamhoofd op zijn krullenbol. Hij liep krom en piepte dat hij benzine in zijn maag had gekregen en naar het ziekenhuis moest, dus Bäckström had voor hem ook een cel geregeld. Voor de zekerheid helemaal achterin, zodat hij de anderen die vastzaten niet zou storen.

Maar vervolgens was de baas gaan zeuren over de leeftijd van de zigeuner en dat ze hem misschien beter naar een gewone kamer konden brengen tot de wijven van Maatschappelijk Werk het hadden overgenomen.

"Rustig maar", zei Bäckström. "Ik heb zijn vingers geteld en er zaten er zes aan elke hand."

Maar de baas, die lid was van de Pinkstergemeente en geen gevoel voor humor had, zei dat hij daar niets van wilde weten en even leek de situatie vrij kritiek. Maar toen was het stamhoofd met de helft van zijn dikke familie opgedoken om het joch vrij te lullen, want hij was nog maar dertien volgens vader Taikon, en toen werd het pas echt feest. Want kennelijk hadden ze gemist dat gemene Adolf en zijn jongens nog even waren gebleven om wat te bikken. En toen hadden ze plotseling zes volksdansers vastzitten in plaats van eentje. Het is net de uitverkoop tussen Kerstmis en Oud en Nieuw, dacht Bäckström.

Vervolgens waren er natuurlijk ook een hoop wijven gekomen, die een welverdiend pak slaag hadden gekregen voor Kerstmis. Een van hen was niet helemaal fout. Haar gezicht zag er weliswaar beroerd uit, maar ze had best aardige tieten en was maar half zo oud als de andere zuipschuiten die in elkaar waren gemept. Hoog tijd om me er zelf mee te bemoeien, besloot Bäckström en hij nam haar mee naar een verhoorkamer, deed het rode lampje boven de deur aan zodat ze niet gestoord zouden worden.

Eerst het gebruikelijke gesnotter, maar Bäckström had tissues bij de hand, dus dat was geen probleem.

"Ik begrijp dat dit ontzettend moeilijk voor je is", zei Bäckström op zijn meest medelevende toon. "Je moet geen druk voelen, dus neem alle tijd en begin bij het begin. Hier heb je mijn kaartje, als je met iemand wilt praten." En zodra je er weer fatsoenlijk uitziet, kunnen we je muis ook even een beurt geven, dacht Bäckström.

Een paar uur eerder had ze het lumineuze idee opgevat om naar haar ex-vriendje te gaan om hem een kerstcadeautje te geven. Het was weliswaar uit omdat hij te veel dronk, met andere vrouwen sliep en gewoon gestoord was, maar een klein kerstcadeautje zou hij wel krijgen en toen hij dat had gekregen, was hij kennelijk gaan meppen en had hij als bonus een wip met haar gemaakt. Hoe stom kun je zijn, dacht

Bäckström want in het proces-verbaal dat de collega's van de ordepolitie hadden opgemaakt, werd met geen woord over een verkrachting gerept.

"Heb je zijn naam en adres ook?" vroeg Bäckström terwijl hij naar voren boog en haar een troostend klopje op haar arm gaf. De kou in, dacht hij duister en van dichtbij waren die tieten niet echt bijzonder, wie werd er nou geil van de oren van een teckel? Ik vraag me af of ik mijn kaartje terug kan vragen, dacht Bäckström.

Eerst had hij met zijn baas gepraat en over de verkrachting verteld die de collega's hadden gemist, en omdat zijn baas zo'n type was, had hij zich zo opgewonden dat Bäckström bang was geweest dat hij de grote politiemedaille zou krijgen.

"Prettig om mensen te hebben die al wat langer meelopen", zei de baas met een knikje. "Goed zo Bäckström, goed zo", herhaalde hij. "Ik neem het slachtoffer onder mijn hoede en regel dat er een dokter komt, zorg jij er dan voor dat we de dader oppakken."

Hoe zit het verdomme met de rechtvaardigheid in de wereld, dacht Bäckström een kwartier later duister. Het slachtoffer had een beurt gehad en lag nu in een warme behandelkamer uit te rusten. De dader had een cadeau gekregen en een wip gemaakt en zat waarschijnlijk thuis in de knusse warmte te hijsen. Zelf zat hij op deze ijskoude kerstavond in een hotsende dienstauto, samen met dat stuk chagrijn van de vakbond, om een idioot op te pakken die ergens ver weg in een van de zuidelijke voorsteden woonde, en als hij nog steeds thuis was, zou Bäckström de rest van de feestdagen vast met een mes in zijn buik in het ziekenhuis liggen.

En dan zat die collega ook nog de hele reis te zeiken over assistentie van de ordepolitie voordat ze de woning binnengingen.

"We moeten misschien eerst controleren of hij thuis is", zei Bäckström moe. "Denk je niet?"

De collega had alleen maar geknikt. Chagrijnig weliswaar, maar hij had toch het fatsoen gehad zijn bek te houden. De man was thuis. Bäckström had door de brievenbus geluisterd en hij hoorde het geluid van een tv en iemand die naar de plee ging. En omdat hij er toch was, had hij aangebeld en de dader had opengedaan, hen binnengelaten en gevraagd of ze iets wilden drinken. Een kop koffie misschien? Drank kon hij helaas niet aanbieden, want daar was hij mee gestopt. Hier klopt toch iets niet, dacht Bäckström.

Een donkere, vrij stevige vent van midden dertig, volledig nuchter, voorzover Bäckström kon beoordelen. Zijn woning was klein, niet opgeruimd maar ook niet rommelig. Het bed in de enige kamer was bedekt met een sprei, maar dat leek niet gearrangeerd. De tv voor de bank stond aan, kennelijk had hij zitten kijken toen Bäckström aanbelde. Daar was ook niets opwindends aan, een gewone Amerikaanse film, Bäckström had hem zelf in de bioscoop gezien.

Het enige wat een beetje hoop bood, waren alle boeken die hij had en de posters op de muren die duidelijk politiek leken, al was het niet direct voorzitter Mao. Ik vraag me af of hij communist is, dacht Bäckström en terwijl zijn gastheer, de dader, koffiezette, had Bäckström de gelegenheid te baat genomen en even rondgesnuffeld. Dat was het moment waarop hij het dartsbord vond dat aan de badkamerdeur hing. Shit, dacht Bäckström. Dat is de kop van onze geliefde minister-president, met haakneus en al. Verdomd goed gedaan ook, die afbeelding op het bord. Het merendeel van de pijltjes leek op de juiste plek terecht te zijn gekomen, midden in het gezicht van de hufter.

Hier klopt iets niet, dacht Bäckström, want de dader kon toch geen communist zijn.

"Verdomd geinig dartsbord", zei Bäckström toen ze op de bank koffie zaten te drinken. "Waar koop je die?"

"Je bedoelt met de landverrader?" vroeg hun gastheer. Hier klopte beslist iets niet. "Je mag hem wel hebben als je wil. Ik kan wel een ander regelen."

"Nee, niet nodig", zei Bäckström want die stomme collega die hij had meegekregen, begon al een zuinig gezicht te trekken. "Er is iets anders waar we even met je over willen praten."

Dus dat hadden ze gedaan en zoals zo vaak bleek ook nu dat het loeder alles had verzonnen. Ze hadden een relatie gehad, maar verder had er niets geklopt van haar verhaal. Hij had het uitgemaakt en dat was bijna een halfjaar geleden, want hij was gek geworden van haar voortdurende gezuip en geschreeuw, zelf had hij geprobeerd met de drank te stoppen. Plotseling had ze op kerstavond bij hem aangebeld en het cadeau dat ze bij zich had gehad, was een fles whisky en twee glazen geweest.

Ze had op de bank zitten zuipen en had hem gepest omdat hij niet meedeed, en omdat hij wel zin had gehad in een borrel, was hij plotseling woedend geworden. Hij had de fles whisky gepakt en dat wat er nog in zat door de gootsteen gespoeld en tegen haar gezegd dat ze moest gaan. Toen was ze hem aangevlogen en had geprobeerd hem met een vaas te slaan. Vervolgens had hij haar beetgepakt en na een tijdje was hij erin geslaagd haar naar buiten te werken.

"En je hebt niet met haar geneukt?" vroeg Bäckström, die dat detail ook graag achter de rug wilde hebben. Dat was toch de reden waarom hij hier zijn jonge leven zat te verdoen.

Natuurlijk had hij met haar geneukt, maar dat was meer dan een half-jaar geleden. Ze hadden het niet meer gedaan sinds hij bij haar weg was, maar voor die tijd deed hij het wel vijf, zes keer per dag met haar. Misschien wat vaker als het weekend was en ze er flink op los feestten.

Zo, zo, dacht Bäckström, die niets meer had gehad sinds hij dat Est-landse loeder met die grote prammen had genaaid, en hij voelde het even trekken in zijn kruis.

"Waarom gaf je haar dan een mep?" vroeg Bäckström, die graag recht op de man af vroeg wat hij wilde weten als hij daar tijd mee kon besparen.

"Ik heb haar verdomme niet geslagen", zei hun gastheer en hij keek hen met eerlijke blauwe ogen aan.

"Hou nou toch op", zei Bäckström. "Ik heb een halfuur geleden met haar gesproken en toen zag haar gezicht er beroerd uit."

"Dat was al zo toen ze hier kwam", zei hun gastheer, "maar toen ik ernaar vroeg wilde ze er niet over praten. Je kunt het mijn buurman trouwens vragen. Hij heeft me geholpen haar naar buiten te werken."

Toen hadden ze met de buurman gepraat en daarna hadden ze hem bedankt dat ze even binnen hadden mogen komen. Vervolgens waren ze in de auto gaan zitten en teruggereden naar het bureau.

"Jezus, wat heb je toch een loeders", zei Bäckström vol overtuiging. "Ik zou haar graag eens een beurt geven."

"Denk eraan wat je zegt", zei de collega ontzet. "Dat soort dingen hoor je als agent niet te zeggen."

"Zeik niet zo, jij stomme amateur-politicus", zei Bäckström want dat wilde hij al een hele tijd zeggen en toen hij op zijn horloge keek, was het al kwart over twaalf 's nachts en zat zijn kerstfeest er weer op voor vandaag.

***

Op de ochtend voor eerste kerstdag had Berg al vroeg met een taxi naar Rosenbad moeten gaan om de bijzondere deskundige te infor-meren over een ambassadekwestie die een onverwachte wending had genomen. De bijzondere deskundige leek ondanks het vroege uur in een uitstekend humeur. Hij had een kopje koffie aangeboden en de kwestie was snel en pijnloos afgehandeld.

"Ja, ja", zei Berg en hij maakte aanstalten om te gaan staan. "Dan wens ik je prettige kerstdagen en hoop ik dat ik je dit jaar niet meer hoef te storen."

"Insgelijks", zei de bijzondere deskundige. "En succes met de reorganisatie. Dat moet toch het beste kerstcadeau zijn dat je in tijden hebt gekregen", zei hij en hij keek ongewoon opgewekt.

Wat bedoelt hij, dacht Berg en hij zeeg weer op de bank.

"Nu begrijp ik het even niet", zei Berg.

"Dan weet je dus niet dat de Koerden van plan zijn de minister-president te vermoorden", zei de bijzondere deskundige en hij schonk hun beiden nog een kopje koffie in.

De hoofdcommissaris van politie te Stockholm had een paar dagen eerder gebeld en tot iedere prijs met de minister-president willen spreken. Omdat dat niet de eerste keer was en de minister-president belangrijker zaken te doen had, had hij genoegen moeten nemen met de bijzondere deskundige. Het verhaal dat de hoofdcommissaris had verteld, kwam er in het kort op neer dat hij 'van een volledig betrouwbare bron in de nabije omgeving de zekere informatie had verkregen dat de PKK van plan was de minister-president te vermoorden'.

"Dus heb ik bedankt voor de tip", zei de bijzondere deskundige, "en in gedachten heb ik jou gefeliciteerd met het feit dat je die twee eindelijk kwijt bent."

"Ik ben bang dat ze er nog zijn", zei Berg met een zucht. En dit was misschien niet wat ik mij had voorgesteld, dacht hij.

"Het komt allemaal in orde", zei de bijzondere deskundige en hij hief zijn koffiekopje.

Vervolgens was Berg met een taxi teruggegaan naar zijn vrouw en de villa in Bromma. Ze hadden samen met zijn zus en zwager geluncht en daarna waren ze met zijn vieren naar Roslagen gegaan om kerstavond samen met zijn oude ouders door te brengen. Een rustige, gezellige kerst in familiekring, dacht Berg toen hij weer terug was in Bromma en hij en zijn vrouw elk met een boek dat ze elkaar voor Kerstmis hadden gegeven, naar bed waren gegaan. Vervolgens was hij ingeslapen en om de een of andere reden had hij over het kind gedroomd dat ze nooit hadden gekregen en rond een uur of drie 's nachts had hij er zoals altijd uit gemoeten om naar de wc te gaan.

Oredsson en zijn vrienden hadden Kerstmis gevierd op het platteland. Een echt midwinteroffer volgens oeroud Zweeds gebruik. Ze hadden een vakantieoord met alles erop en eraan in Hälsingland kunnen huren, en hoewel ze met een kleine twintig man waren, voornamelijk collega's uiteraard, hadden ze voldoende plek gehad. Eerst had Berg, die hun leider was, een gezamenlijke sessie bijeengeroepen en daar had Oredsson hun mogen vertellen wat collega Martinsson tegen hem had gezegd.

"Zoals jullie ongetwijfeld weten", zei Berg en hij keek hen ernstig aan, "is die verrader van Veiligheid mijn eigen oom en als iemand daar een probleem mee heeft, dan wil ik dat hij dat nu zegt. Zelf kan ik het alleen maar betreuren dat we familie zijn."

Niemand gaf te kennen een probleem te hebben. Integendeel, ze hadden allemaal van de gelegenheid gebruikgemaakt om uitdrukking te geven aan hun sympathie en loyaliteit.

"Mooi", zei Berg. "Wat doen we nu? Heeft iemand een goed voorstel? Dankzij Oredsson hier zijn we nu gewaarschuwd en dus bewapend."

Ze waren het erover eens geworden dat ze zich voorlopig gedeisd zouden houden.

"We houden ons gedeisd, we sluiten de gelederen en houden onze ogen en oren open", vatte Berg het samen en vervolgens hadden ze gebraden varken gegeten en een aantal biertjes gedronken. In een enkel geval misschien een paar te veel met het oog op de gemeenschappelijke oefeningen die ze op eerste en tweede kerstdag hadden gepland.

In de kleine uurtjes had Berg Oredsson terzijde genomen en hem voor zijn goede inzet bedankt. Vervolgens had hij over zijn vader verteld, die ook politieman was geweest en tijdens het werk was verongelukt toen Berg zelf nog maar een kind was geweest. Bij een achtervolging van een auto had hij de controle over het voertuig dat hij bestuurde verloren, was te water geraakt en verdronken. Een dienstauto met slechte remmen, twee kwajongens in een gestolen auto die ontkwamen en nooit werden gepakt, een politieman die tijdens zijn werk omkwam. Zo verschillend kan het gaan, dacht Oredsson en hij voelde zich geraakt door wat Berg had verteld. Twee broers, een die een heldendood was gestorven en een die een verrader was geworden.

***

Oredssons collega Stridh had tijdens de feestdagen flink wat overuren gecompenseerd. Kerstavond had hij doorgebracht met zijn zus, die zijn enige familie was en een prima mens. Ze was ook alleen, deed de boekhouding bij een klein reclamebureau en was belezen en dol op koken.

Eigenlijk is het jammer dat ze mijn zus is, dacht Stridh toen hij nog een portie van haar zelfingemaakte haring nam. Anders hadden we kunnen trouwen.

***

Bo Jarnebring had Kerstmis gevierd met zijn nieuwe vriendin. Nou ja, nieuw en nieuw. Ze waren al sinds de zomer samen en het was er steeds maar beter op geworden. Een paar weken eerder hadden ze besloten zich op oudejaarsavond te verloven, maar om redenen die hij zelf niet helemaal begreep, had hij het niet tegen Johansson gezegd, hoewel hij al meerdere keren de gelegenheid had gehad.

Waarom, dacht Jarnebring. Omdat je een schijterd bent, dacht hij.

"Schatje", zei Jarnebring en hij liep naar de keuken waar ze met rode wangen stond te koken. "Ik heb nagedacht."

"Je hebt honger", zei ze met een glimlach. "Het is bijna klaar."

"Nee", zei Jarnebring en hij schudde zijn hoofd. "Ik heb nagedacht over onze verloving."

"Je bent van gedachten veranderd", zei ze en ze haalde een pan van het vuur.

Keek ze niet een beetje ongerust, dacht Jarnebring en hij grijnsde breed.

"Nee", zei Jarnebring. "Maar wat dacht je ervan om het nu te doen?"

"Nu", zei ze giechelend. "Je bedoelt ... nu?"

"Yes", zei Jarnebring en hij legde zijn linkerarm om haar middel en trok haar naar zich toe terwijl hij met zijn rechterhand het gas uitzette.

"Wat doe je? Zouden we niet gaan eten?"

"Nu doen we het zo", zei Jarnebring. "Eerst trekken we alle kleren uit zodat het nieuwe goud goed tot zijn recht komt, daarna wisselen we de ringen uit, daarna worden we een paar en dáárna kunnen we eten. Dan krijg je ook een kerstcadeautje, maar dat is een verrassing."

"Oké", zei ze en ze knikte en trok haar bloes over haar hoofd.

En daarna bel ik Johansson en vertel het hem, dacht Jarnebring. Hoezo schijterd.

De dag voor kerstavond stond er in het *Svenska Dagbladet* een grote advertentie met een speciale aanbieding van het warenhuis Åhléns: KNALPRIJS VOOR SEXY SETJE! TANGA, TEDDY EN NETPANTY VOOR SLECHTS 99 KRONEN.

Het *Svenska Dagbladet* wordt echt minder, dacht Waltin met een lichte afkeer, terwijl hij zijn eitje met een goed gemikte tik met zijn rechterhand onthoofde.

Verkrijgbaar in rood, zwart en wit, las Waltin. Hij zuchtte en proefde van zijn ontbijtthee. Zwart voor normale mensen, rood voor de lagere klasse en parvenu's, wit voor de mensen die niet durven, je moet het allemaal ook maar op je nuchtere maag kunnen verdragen, dacht Waltin en hij zuchtte nog een keer.

De ochtend daarop was hij even langs Åhléns gewipt toen hij toch naar de stad moest. Hij had zes setjes in verschillende maten gekocht, allemaal zwart uiteraard, en de verkoopster had hem een glimlach geschonken die nog net geen onprofessionele uitnodiging inhield.

"Moet ik er verschillende pakjes van maken?" vroeg ze met een flirtende glimlach.

"Nee", zei Waltin en hij glimlachte licht. "Doe ze maar in een tasje." En als je je niet normaal kunt gedragen, leg ik je over de knie, dacht hij.

Met de noodzakelijke spullen in een plastic tas onder zijn arm, afgeleid door de verkoopster en met zijn gedachten elders, had hij een vergissing begaan die iemand als hij zich niet kon veroorloven. Toen hij de winkel uit kwam, was hij recht in de armen van Wiijnbladh gelopen en die vette roodharige teef die zijn vrouw was.

"Hoofdcommissaris, wat een eer", zei de kleine idioot en hij boog zo ver dat zijn neus bijna zijn knieën raakte. "Mag ik u aan mijn vrouw voorstellen?"

"Aangenaam", zei Waltin en al zijn witte tanden waren te zien toen hij glimlachte. Tegelijkertijd nam hij de snelle verandering in haar ogen en de geheime verstandhouding in haar afwachtende glimlach waar.

Ze zal niets zeggen, dacht hij en hij stak zijn pezige gebruinde hand uit.

"Claes", zei hij en hij schitterde met zijn tanden. "Aangenaam kennis te maken en prettige kerstdagen trouwens."

"Lisa Wiijnbladh", zei ze toen ze hem een hand gaf. En vervolgens had het loeder het lef gehad om haar rode pinknagel over de palm van zijn hand te trekken.

"Het zou leuk zijn elkaar nog eens te ontmoeten", zei ze en die kleine idioot met wie ze was getrouwd, had er natuurlijk geen snars van begrepen. Hoe had dat ook gekund, dacht Waltin terwijl hij nog steeds breed glimlachend zijn hand terugtrok en voelde hoe het in zijn kruis strakker ging zitten.

Het moet ergens in het voorjaar zijn geweest, dacht Waltin terwijl hij met redelijk gezwinde pas over de Hamngatan verdween, in een veilige richting. Grote vette witte borsten met sproeten en vrij kleine tepels? Ik moet het in mijn aantekeningen opzoeken, besloot hij.

"Dat was een collega van je", zei Wiijnbladhs vrouw op neutrale toon, ergens tussen een vraag en een mededeling in.

"Een zeer hooggeplaatste man bij de Säpo", knikte Wiijnbladh op een toon alsof het hem onberoerd liet. "We kennen elkaar van vroeger", voegde hij er met een belangrijk gezicht aan toe.

Wat leuk voor je, ventje, dacht Lisa Wiijnbladh terwijl ze de gebruikelijke verachting in zich voelde opborrelen. Zelf ben ik alleen maar met hem naar bed geweest, dacht ze.

"Hoe zei je ook al weer dat hij heette?" vroeg ze.

***

Als zijn innerlijke druk te groot werd en hij die moest verlichten, probeerde hij altijd zo ver mogelijk weg te gaan. Dat lukte niet altijd, vanwege het zware juk van zijn strakke werkschema. Een paar keer was hij genoodzaakt geweest risico's te nemen. Zo'n moment was er afgelopen voorjaar geweest en toen was hij Wiijnbladhs vrouw tegengekomen, zonder dat hij wist dat zij een man had, laat staan dat die bij de politie werkte, en zonder dat hij überhaupt van hem had gehoord.

***

"Maar jij hebt toch nooit bij de Säpo gewerkt", zei zijn vrouw plotseling toen ze even later in de metro zaten en op weg waren naar haar zus. Want wat zouden ze met iemand als jij aan moeten, dacht ze.

"Nee", zei Wiijnbladh en hij probeerde zo mysterieus te klinken als de omstandigheden maar toelieten. "Niet in formele zin, nee."

Dus je bent geheim agent, dacht ze. In dat geval zijn ze niet goed snik.

***

Hij was naar een eenvoudig café in de binnenstad gegaan. Eenvoudig publiek, zeer eenzame vrouwen, van middelbare leeftijd of een flink eind in die richting, er al overheen of aan het afzakken. Verlaten, kwetsbaar, zoekend, wanhopig in hun jacht naar iets beters of in elk geval een paar uur gezelschap. Hij had haar gevonden aan de bar, waar ze haar gulle decolleté zat te showen aan iedereen die maar wilde kijken. Gezien de concurrentie was ze daar dé schoonheid, met rood haar, een witte huid, stevige borsten, tien kilo overgewicht, een dikke laag make-up en een paar borrels op, en Waltin had een totaal onweerstaanbare lust gevoeld om haar te verwonden.

***

Ben je daarom zo zenuwachtig dat je hem nooit omhoog krijgt, dacht Lisa Wiijnbladh terwijl ze door het schudden van de wagon haar dijen tegen elkaar voelde schuren.

"Wat ben je toch een stiekemerd", zei ze. Ze glimlachte, boog zich naar voren en streek hem over zijn wang.

"Tja", zei Wiijnbladh en hij voelde zich plotseling gelukkig en tegelijk in verlegenheid gebracht. "Over sommige dingen van mijn werk kan ik moeilijk praten." Ze heeft me aangeraakt, dacht hij.

"Jullie hebben elkaar privé ontmoet", zei zijn vrouw en ze wierp hem een ondeugend lachje toe. Praten is jouw grote probleem niet, dacht ze.

"Zo zou je het misschien kunnen zeggen", knikte Wiijnbladh. "We hebben elkaar privé ontmoet."

"Waar woont hij dan?" vroeg zijn vrouw.

***

Waltin had haar meegenomen naar een van de geheime adressen waarover hij voor de dienst beschikte en dat hij juist dit adres had uitgekozen, kwam doordat er geen buren waren en het bed in de slaapkamer stevige hoekstijlen had. Wat hij verder nog nodig had, had hij bij zich gehad.

***

"Wat ben je toch nieuwsgierig", zei Wiijnbladh ontwijkend. Wat had hij ook al weer gezegd toen hij op zijn werk naar hem toe was gekomen, dacht hij nerveus. Hij had het terloops genoemd.

"Geef toe dat je geen flauw idee hebt", zei zijn vrouw en ze zag er precies zo uit als anders.

"Norr Mälarstrand", zei Wiijnbladh, want plotseling wist hij het weer.

***

Eerst had hij haar handen en voeten aan de vier stijlen van het bed vastgebonden en zoals altijd had hij zijn leren riemen gebruikt. Hij had extra hard aangetrokken omdat zij nogal dronken was en het nodig had, maar bovenal omdat hij er zin in had gehad. Hij had haar topje en haar bh over haar hoofd getrokken, haar rok opgetrokken tot haar middel en haar slipje kapot gerukt. Dat was de makkelijkste manier, hij vond het plezierig om het zo te doen, hij hield van het geluid als hij het deed en zelf had hij het gevoel gehad dat hij van-binnenuit zou barsten toen hij bij haar naar binnen was gedrongen.

***

"Norr Mälarstrand", herhaalde zijn vrouw. En waarom zou iemand als hij zo'n klein klootzakje als jou uitnodigen, dacht ze.

"Prachtige woning", zei Wiijnbladh met een knikje. "Hij had een fantastische kunstverzameling", voegde hij eraan toe en hij knikte weer. Wat had Waltin ook al weer gezegd toen hij hem die Matisse-vervalsing had laten zien?

***

Het was niet dat ze niet had meegespeeld. Ze had meegedaan, er deel van uitgemaakt. De vette teef had er gewoon van genoten, en hoewel ze flink dronken was geweest, had ze opeens een orgasme gehad, luid-keels geschreeuwd en krom in bed gestaan hoewel hij haar had vast-gebonden. En zelf was hij meteen dubbelgeklapt. Alle kracht was opeens uit hem weggestroomd.

***

"Ik had geen flauw idee dat jij van kunst hield", zei Lisa Wiijnbladh chagrijnig.

"Kunst is toch best mooi", zei Wiijnbladh ontwijkend. Nu is ze weer als anders, dacht hij.

Hij had haar een mondknevel en een oogmasker omgedaan en haar nog wat strakker vastgebonden. Maar dat had ook niet geholpen. Toen had hij haar tussen haar benen geschoren want dat hielp bijna altijd, maar het enige wat er was gebeurd, was dat ze nog een keer was klaargekomen terwijl hij met haar bezig was.

En toen had hij het opgegeven.

***

"Misschien zou je zelf ook moeten gaan schilderen", zei Lisa Wiijn-bladh. "Zoals die Zorn." Heette hij niet zo, dacht ze.

"Nee-ee", zei Wiijnbladh en hij keek met een schuin oog naar zijn horloge. "Wanneer zou ik daar nou tijd voor hebben?" Zijn we er nu nog niet, dacht hij.

***

Toen ze naderhand op de bank hadden gezeten, had hij een flinke borrel voor haar ingeschonken. Dat had ze nodig gehad, want ze had er verschrikkelijk uitgezien zoals ze daar had gezeten. De make-up die over haar hele gezicht was uitgelopen, de grote, witte, hangende borsten, de rok die opgerold rond haar middel zat en de gespreide benen toen ze naar haar geschoren schaamstreek keek. Plotseling waren de tranen gaan stromen.

"Wat heb je gedaan?" jammerde ze. "Wat moet ik tegen mijn man zeggen?"

"Het is toch een leuke verrassing voor hem", zei Waltin luchtig en plotseling was het welbekende gevoel teruggekomen. Je hebt een man, dacht hij.

***

"Of naakte vrouwen tekenen", hield zijn vrouw vol. "Hoe heet dat ook al weer als ze naakte vrouwen tekenen?" Hoewel je dat ook niet zou kunnen, dacht ze.

"Croquis", zei Wiijnbladh chagrijnig, want dat had hij op zijn werk geleerd. "Het heet croquis."

***

"Grote goden", had ze gesnotterd. "Wat moet ik tegen mijn man zeggen?"

De tranen bleven over haar wangen stromen en ze had plotseling volledig ontroostbaar geleken.

"Je verzint vast wel iets", had Waltin behulpzaam gezegd. Anders help ik je wel, had hij gedacht, want nu was het gevoel weer terug en net zo sterk als de vorige keer. Toen ze zich niet had gedragen zoals ze moest.

"Hij gelooft me nooit", had ze gesnuft. "Hij werkt bij de politie."

Politie, had Waltin gedacht, dat is te mooi om waar te zijn. Hij had het gevoel gehad dat hij vanbinnenuit zou ontploffen toen hij haar overeind trok en dwong om over de armleuning van de bank te gaan liggen. Vervolgens was hij vanachter bij haar naar binnen gedrongen en zij had de hele tijd als een speenvarken gegild. Voordat hij haar naar huis had gebracht, had hij haar op haar buik op bed vastgebonden en een flink pak slaag met zijn riem gegeven.

***

"Misschien vind je dat wel hartstikke leuk", plaagde zijn vrouw. "Allemaal naakte vrouwen. Hen tekenen is vast niet moeilijk."

"We zijn er", zei Wijnbladh afwijzend en hij stond op. "Hier moeten we overstappen", zei hij. Eigenlijk zou ik je moeten vermoorden, dacht hij.

***

Omdat hij in haar handtas had gesnuffeld toen ze naar de wc was, en omdat ze heette zoals ze heette, was één blik in het personeelsregister van de Stockholmse politie voldoende geweest om hem te vinden.

Inspecteur Göran Wijnbladh van de technische afdeling, had Waltin gedacht, ik moet hem ontmoeten. Hij had zich bijna net zo opgewekt gevoeld als die keer toen hij moedertje op de roltrap van het metrostation Östermalmstorg had gezien.

***

De bijzondere deskundige van de minister-president had samen met zijn oude vriend, leraar en mentor, professor Forselius kerst gevierd. Beiden hadden weliswaar meerdere exen, nog meer kinderen en in het

375

geval van Forselius een bijna onwaarschijnlijk groot en snel groeiend aantal kleinkinderen en achterkleinkinderen, maar als het om de kerstdagen ging, hadden ze om verschillende redenen alleen elkaar en dat was al jaren zo.

Dat ze altijd bij de bijzondere deskundige waren, was ook niet zo vreemd. Forselius at alleen blikvoer of op de sociëteit, terwijl de bijzondere deskundige over alle middelen beschikte die zijn geheime leven kon bieden. Als je in het telefoonboek keek, dan stond hij er met naam en voornaam in, zij het zonder titel, en had hij een doodordinair adres op Söder, waar hij nooit een voet binnen zette behalve om zijn post te halen, en de telefoonlijn daar was vanaf de allereerste dag van het abonnement doorgeschakeld geweest naar de grote villa op Djursholm, waar hij echt woonde. Bovendien had hij een huishoudster, een wijnkelder, een partijboek en flink wat miljoenen die hij met alle zorg waarover alleen mensen als hij en Forselius beschikten, in het buitenland had begraven. Het vreemdste was dat hij al zijn geld al voor zijn vijfendertigste en op eigen houtje had verdiend.

Forselius hield meer van hem dan van zijn eigen kinderen, terwijl de gevoelens van de bijzondere deskundige voor Forselius wat gemengder waren. Hij hield waarschijnlijk toch meer van zijn kinderen, dacht hij vaak, want Forselius was eigenlijk maar een oude brombeer die verdomd egocentrisch kon zijn. Hoewel hij ook over een eigenschap beschikte die moeilijk te evenaren was. Forselius was de enige met wie hij over dingen kon praten die niemand anders begreep, en omdat dergelijke vraagstukken het wezenlijke argument voor zijn voortgezette bestaan vormden, lag het antwoord ook voor de hand.

En wie wilde er nou op kerstavond in een scheerspiegel met zichzelf toasten, dacht de bijzondere deskundige en hij hief zijn glas naar zijn enige en terugkerende gast.

"Proost, professor", zei de bijzondere deskundige. "Gelukkig kerstfeest."

"Proost, jongeman", zei Forselius en hij proefde van de wijn in zijn glas. "Jij ook een gelukkig kerstfeest."

"En", zei de bijzondere deskundige en hij keek hem nieuwsgierig aan.

"Petrus", zei Forselius. "1945."

"Mijn geboortejaar", zei de bijzondere deskundige.

"Een groot jaar in Bordeaux", zei Forselius.

"Overal eigenlijk wel een groot jaar", zei de bijzondere deskundige royaal en hij dacht aan zijn eigen geboorte.

"Heb ik je verteld van die Pool?" zei Forselius. "Dat was hetzelfde jaar."

"De man die jullie hebben gemold?" vroeg de bijzondere deskundige en hij moest zo lachen dat zijn dikke buik op en neer bewoog. "Nou ja", zei Forselius. "Wat hadden we ook voor keuze?"

Voorgerecht, hoofdgerecht, kaas en dessert, maar in de verste verte geen haring, ham of kerstpudding te zien. Een magere vrouw van middelbare leeftijd in zwarte kleding, die via de dienstbodegang heen en weer vloog van de keuken naar de enorme eettafel en geen boe of bah zei. Nu stond ze in de deuropening tussen de eetkamer en de bibliotheek en wisselde een blik met de heer des huizes.

"Ik geloof dat de koffie en de cognac staan te wachten", zei de bijzondere deskundige en hij legde zijn damasten servet weg, schoof zijn stoel naar achteren en stond wat moeizaam op.

Forselius knikte, schraapte zijn keel, knipoogde veelbetekenend en boog zich naar voren.

"Is ze stom?" fluisterde hij. "Is ze echt stom?"

"Ik zou het niet weten", zei de bijzondere deskundige. "Ze heeft nog nooit wat gezegd."

Bij de koffie en de cognac gaven ze elkaar altijd een cadeautje. Altijd hetzelfde soort cadeautje, toch altijd een ander dan ze het jaar ervoor hadden gekregen en gegeven. Ieder een opgevouwen papiertje dat ze de ander gaven en vervolgens openvouwden en lazen. Een angstaanjagend lange reeks cijfers op de beide papiertjes, verschillende cijfers, gefronste voorhoofden. Het voorhoofd van Forselius werd als eerste weer glad en zijn gerimpelde oudemannengezicht lichtte op in een tevreden grijns.

"Ik heb weer gewonnen", zei hij verrukt.

"Jij en jouw verdomde priemgetallen", zei de bijzondere deskundige chagrijnig. "Ik heb een baan. Bovendien ben ik ervan overtuigd dat jij sjoemelt met het mainframe van de krijgsmacht", voegde hij er wrevelig aan toe.

"Waarom denk je dat?" vroeg Forselius listig. "Misschien ben ik gewoon intelligenter dan jij?"

"Ha, ha", zei de bijzondere deskundige, die een slechte verliezer was en een volstrekt ondraaglijke winnaar.

Vervolgens hadden ze de halve nacht gebiljart en gepimpeld voordat Forselius in de vroege ochtend van eerste kerstdag naar zijn logeerkamer op de bovenverdieping was gewaggeld. Daar was hij in slaap gevallen zodra hij zijn schoenen had uitgeschopt en ondanks zijn hoge leeftijd boven op de sprei was neergeploft.

Waltin had zich grondig voorbereid. Eerst had hij alles over die vette roodharige teef en haar miserabele echtgenoot opgegraven wat maar de moeite van het weten waard kon zijn. Geen achtergrond, geld of opleiding, maar dat had ook niemand verwacht, dacht hij tevreden. Een trieste flat in een buitenwijk, geen kinderen, de teef werkte kennelijk bij een telefoonbedrijf en stond er verder vooral om bekend dat ze vaak onder andere mannen dan die van haarzelf lag te spartelen. Ongetwijfeld begonnen als een ouderwetse telefoniste die aldoor maar dingen in gaatjes stopte en daar uit gewoonte mee is doorgegaan, dacht hij en hij grinnikte opgewonden.

Zodra hij zich verveelde, pakte hij de foto's die hij van haar had genomen terwijl ze een mondknevel had en was vastgebonden. Even had hij serieus overwogen de beste foto op te sturen naar een van de slechte pornoblaadjes die je tegenwoordig in vrijwel alle ruimten kon vinden waar de mannen van de onderklasse kwamen, maar bij nader inzien had hij ervan afgezien. Misschien heb ik haar nog nodig, dacht Waltin, en dat met dat mannetje van haar sprak hem nog veel meer aan.

Hij had hem ongeveer een maand na de ontmoeting met de teef gebeld en toen hij had gezegd wie hij was, was de arme lul zo gevleid geweest dat Waltin spijt had gehad dat hij het gesprek niet had opgenomen.

"Zoals gezegd", zei Waltin. "Ik moet nodig mijn technische kennis wat ophalen zonder dat ik dat het hele Operationele Bureau aan de neus hang."

"Uiteraard, uiteraard", secondeerde Wijnbladh. "Dan stel ik zaterdagmiddag voor, want dan heb ik dienst en meestal ben ik dan alleen op de afdeling", ging hij overgedienstig verder. Ik vraag me af van wie hij mijn naam heeft gekregen. Dit kan tot van alles leiden, dacht hij en in gedachten zag hij zichzelf al als hoofd van de met mythen omgeven geheime technische afdeling van de Säpo.

"*Fine with me*", zei Waltin. "Zullen we dan zeggen zaterdag om tien uur?" Ik vraag me af of hij Engels verstaat, dacht hij.

"Discretie gegarandeerd", zei Wijnbladh, zich er niet van bewust hoe hoerig hij klonk.

Wijnbladh had hem in een witte jas met een ceintuur ontvangen, alleen de stethoscoop ontbrak nog. Plus de opleiding natuurlijk, maar al met al was hij beter dan Waltin in zijn natste en meest geheime dromen had durven hopen. Vervolgens waren ze over de afdeling gelopen en Wiijnbladh had van alles getoond en gedemonstreerd terwijl hij erop los had gekwebbeld en Waltin alleen maar af en toe had gebromd.

"Hier hebben we bijvoorbeeld een Matisse die vorige week is binnengekomen", zei Wiijnbladh en hij liet een schilderij zien dat iemand op een werkblad had gelegd. "Vals natuurlijk", zei Wiijnbladh en hij zuchtte als de kunstkenner die hij ongetwijfeld was.

Wat zeg jij nou, dacht Waltin. Ik dacht dat hij het schilderij met zijn voeten had geschilderd.

"Ik heb er zelf ook een paar", constateerde Waltin met de vanzelfsprekendheid van een bon-vivant. "Het is prettig te weten dat jullie je met dit soort dingen bezighouden."

Zodra ze elkaar de hand hadden geschud en elkaar hadden begroet, waren ze elkaar uiteraard gaan tutoyeren. Dat was de helft van de lol. Vervolgens had hij hem tijdens het gesprek terloops wat steken onder water gegeven.

"Het is toch verschrikkelijk dat mensen een kind zoiets kunnen aandoen", zei Waltin en hij schudde bedroefd zijn hoofd terwijl Wiijnbladh een slipje toonde waarin een van zijn collega's in de forensische wijngaard kennelijk een aantal spermasporen had weten veilig te stellen.

"Ja, het is afschuwelijk", zei Wiijnbladh.

"Jij hebt zelf kinderen", zei Waltin; het was eerder een bewering dan een vraag en het antwoord wist hij ook al.

"Helaas", zei Wiijnbladh. "Mijn geliefde vrouw en ik zijn daar niet in geslaagd."

En verder ook niemand, hoewel je haar niet van een gebrek aan wil kunt betichten, dacht Waltin en hij deed zijn best een uitgestreken, licht spijtig gezicht te trekken.

"Zelf heb ik niet eens een vrouw", zei Waltin en hij schudde zijn hoofd. Ik heb nauwelijks tijd genoeg voor alle vrouwen van anderen, dacht hij.

"Ja", zei Wiijnbladh en hij leek plotseling met zijn gedachten elders te zijn. "Het huwelijk heeft ook zo zijn kanten."

Wat zegt hij nu, dacht Waltin. Het is haast te mooi om waar te zijn.

Als laatste had Wiijnbladh hem de wapenkamer laten zien: honderden wapens van alle denkbare fabrikaten en in allerlei maten. Militaire en civiele automatische wapens, kogelgeweren en gewone hagelgeweren

379

met hele of afgezaagde loop, revolvers en pistolen, afvuurbare wandel-stokken, penpistolen, schiethamers, spijkerpistolen, zelfs een gewoon slachtmasker.

"Vooral dingen die we bij allerlei misdrijven in beslag hebben genomen", zei Wijnbladh. "Hoewel we ook het een en ander kopen voor onze wapenbibliotheek."

Ja, want lezen kunnen jullie toch niet, dacht Waltin. Wat een ongelooflijke troep, dacht hij. Wapens aan muren, op planken, in dozen en kasten. Wapens en onderdelen van wapens in een oude schoenendoos die iemand kennelijk in kleine stapeltjes was gaan sorteren voordat hij iets anders was gaan doen. Wapens en onderdelen van wapens op tafels en werkbanken, en zelfs een uit elkaar gehaald en afgezaagd hagelgeweer dat iemand op een stoel had gelegd voordat hij om onduidelijke redenen was weggegaan.

"Het lijkt heel wat", zei Waltin en hij knikte net toen er op de achtergrond een telefoon begon te rinkelen.

"We hebben zo'n duizend wapens op de afdeling. Momentje", zei Wijnbladh.

"Natuurlijk", zei Waltin en zodra hij had gehoord dat Wijnbladh in de andere kamer de hoorn had opgenomen, en zonder te snappen hoe het eigenlijk in zijn werk ging en waarom hij het deed, had hij zijn hand in een half uitgetrokken la gestoken, er een revolver met een korte loop uit gevist en die in zijn diepste zak laten glijden.

"Sorry", zei Wijnbladh toen hij terugkwam, "maar de dienst-doende recherche belde."

"O, dat geeft niet", zei Waltin. "Als iemand zich moet verontschuldigen, ben ik het wel, want ik hou je van belangrijker zaken af. Dank je dat ik even mocht kijken. Het was heel leerzaam."

En het voelde bijna net zo goed als die keer dat hij zag hoe moedertje uit de portiek waar ze woonde kwam en met behulp van haar krukken en het gebruikelijke theater naar de trappen van de metro hinkte.

***

Wijnbladh en zijn vrouw hadden zoals altijd Kerstmis gevierd bij zijn schoonzus, haar aan de drank verslaafde man en hun 14-jarige zoon die in een rijtjeshuis in Sollentuna woonden. Het was net zo'n treurig gebeuren geweest als anders. Eerst hadden ze gegeten en daarna hadden ze tv gekeken, de kerstcadeautjes uitgepakt en weer naar de tv gekeken.

Zijn zwager was vervolgens na de gebruikelijke inname van bier, wijn en een tiental borrels, zowel tijdens het eten als bij de koffie, op de bank in slaap gevallen. Zijn hoofd in een hoek van negentig graden achterovergeleund tegen de bank, zijn mond wagenwijd open, snurkend als een os. Zijn echtgenote en haar zus waren naar de keuken verdwenen, waar ze achter de gesloten deur giechelend wijn dronken. De zoon was blijven zitten en keek vanonder zijn pony naar Wiijnbladh als hij dacht dat die hem niet zag. Afgaand op zijn blik leek hij achterlijk en stiekem, dacht Wiijnbladh. De enige troost in dit verband was dat hij binnenkort vijftien zou worden en dat Wiijnbladh hem dan in het persoons- en politieregister zou kunnen opzoeken om te zien wat hij eigenlijk uitspookte als hij op school hoorde te zitten of thuis zijn huiswerk zou moeten maken.

"Misschien moeten we zo zachtjesaan eens opstappen", zei Wiijnbladh en zodra hij de keukendeur had geopend, waren zijn vrouw en zijn schoonzus verstomd. Zijn vrouw had iets verteld, dat had hij gehoord, en kennelijk had ze zo moeten lachen dat de tranen haar over de wangen waren gestroomd.

"Ik geloof dat je lieve man vindt dat hij aan de ... beurt is", zei de schoonzus na een geforceerde pauze en vervolgens hadden beiden zo hard moeten lachen dat de tranen hen weer over de wangen biggelden.

Ik zou hen alle twee moeten vermoorden, dacht Wiijnbladh.

∗∗∗

Zodra Waltin thuis was in zijn appartement op Norr Mälarstrand, had hij besloten kleine Jeanette te bellen.

"Gewijzigde plannen, mijn liefste", zei hij. "Het ziet ernaar uit dat we Kerstmis in de stad moeten vieren. Er zijn op het werk een paar dingen gebeurd en ik moet in de buurt blijven", verduidelijkte hij.

"Wanneer wil je dat ik kom?" vroeg Jeanette. Mooi, dacht ze. Dan kan ik tussen Kerstmis en Oud en Nieuw misschien normaal zitten.

Ik vraag me af of ze zal proberen contact met me te zoeken, dacht Waltin. Of moet ik contact met haar zoeken? En plotseling was hij zo opgewonden geraakt dat hij die oude foto's tevoorschijn had moeten halen die hij afgelopen voorjaar van haar had gemaakt, en naar de badkamer had moeten gaan om zichzelf te bevredigen.

Wat is hier in vredesnaam gaande, dacht Jeanette verwonderd. Eerst champagne en Russische kaviaar, vervolgens ganzenleverpastei en die zoete Franse wijn die ze zo lekker vond, zeetong en nog meer champagne. Nu aten ze een sorbet van zwarte bessen, de tweede fles champagne was al voor meer dan de helft leeg en ze had haar kleren nog steeds aan. En hij was even teder, beleefd en onderhoudend als de eerste keer. En knapper dan ooit, hoewel hij aldoor al verrekte knap was geweest.

"Proost, mijn liefste", zei Waltin en hij hief zijn glas. "Ik heb trouwens ook een kerstcadeautje voor je gekocht."

Een lange nertsmantel met capuchon. Wanneer moet ik die nou aan, dacht ze. In een ander leven. Ik vraag me af wat die heeft gekost. Een of twee of meerdere bruto jaarsalarissen, dacht ze.

"Ik heb gehoord dat het een koude winter wordt", zei Waltin met een glimlachje. "En ik wilde niet dat je het koud zou hebben."

Wat is hier gaande, dacht rechercheur Jeanette Eriksson, die binnenkort achtentwintig zou worden.

Ik moet Hedberg ook nog te pakken zien te krijgen, dacht Waltin, terwijl hij naar kleine Jeanette keek die naast hem in bed lag te slapen. Ongestraft, als een blok, na iets te veel champagne, en met haar kerstcadeau als enige bedekking over haar tengere lichaam. Daarna moet ik ervoor zorgen dat Berg weer rustig wordt, dacht hij. Al was het alleen maar voor zijn eigen bestwil.

*****

Vlak voor middernacht had Jarnebring moed geschept en zijn beste vriend opgebeld om het hem te vertellen.

"Ik heb me verloofd", zei Jarnebring.

"Hoe heet ze?" vroeg Johansson die ongewoon vrolijk en monter klonk en waarschijnlijk wel het een en ander te drinken had gehad. "Is het iemand die ik ken?"

"Hou op, Lars", zei Jarnebring die zich op zijn grote dag niet liet hinderen door geouwehoer.

"Van harte, Bo", zei Johansson. "Jullie ook fijne kerstdagen. Zorg goed voor jezelf. En voor haar ook", voegde hij eraan toe en hij klonk opeens heel ernstig.

Wat ben je ook een sentimentele oude lul, dacht Jarnebring toen hij oplegde. Shit, er moet iets in mijn oog zitten, dacht hij en hij wreef met zijn hand in zijn rechter ooghoek.

"Was hij blij?" vroeg zijn verloofde.

"Hm", zei Jarnebring met een knikje.

Ik moet Hedberg te pakken zien te krijgen, dacht Waltin, maar vervolgens moest hij in slaap zijn gevallen, want toen hij weer opkeek werd het buiten al licht.

XV

En alles wat restte was de kou van de winter

Sundsvall met Kerstmis en Oud en Nieuw

Johanssons oudste broer woonde zo'n tien kilometer buiten Sundsvall in een groot oud houten paleis aan zee dat tijdens de gouden jaren in het midden van de vorige eeuw door een rijke landeigenaar was neergezet als buitenhuisje. Sinds zijn broer het had overgenomen, was het er niet kleiner op geworden.

Laat me eens kijken, dacht Johansson, die rechercheur was geweest en een goed geheugen had. Hij heeft de oprit geasfalteerd, de parkeerplaats uitgebreid en een nieuwe auto voor zijn vrouw gekocht.

Op de ochtend van 24 december waren ze op hazen gaan jagen op een van de eilanden in zee. Dat was een oude traditie uit hun jeugd, toen ze nog op de boerderij bij Näsåker woonden, en het enige wat er mis mee was, was dat hun hond aldoor wegrende en dat mama Elna altijd flink chagrijnig was als ze eenmaal thuiskwamen, of ze nu een haas hadden geschoten of niet.

Deze keer was het beter gegaan. De zee lag open dus hond noch haas had een andere keuze dan aan land te blijven. De jachthond was echter nog flink aan het drijven toen zijn broer op zijn horloge keek en zei dat het tijd was om huiswaarts te keren, wilden ze de kerstlunch niet missen.

"Wat doen we met de hond?" vroeg Johansson die graag was gebleven om nog een haas te schieten.

"Dat regelt de jachtknecht", zei zijn broer en hij knikte in de richting van een beboste heuvel waar hun hondengeleider al ruim een uur postte.

"Ik had geen flauw idee dat hier op de eilanden zoveel hazen zaten", zei Johansson en hij knikte naar de drie krijtwitte lijken die op de bodem van de boot lagen toen ze naar huis voeren.

"Hier zitten ook geen hazen", zei zijn broer met een grijns.

"Waar komen ze dan vandaan?" vroeg Johansson die er een had geschoten en er bijna nog een had gehad.

"Die heeft de knecht vorige week uitgezet", zei zijn broer nog steeds grijnzend. "Wie dacht je dat je voor je had?"

Prettig te horen dat je geen steek bent veranderd, dacht Johansson.

De lunch op kerstavond was niet alleen de opmaat naar het kerstfeest bij Johanssons oudste broer, maar tevens het hoogtepunt, en ze aten altijd in de keuken. Door het plafond en de tussenmuren van de vliering, de oorspronkelijke keuken, de serveerruimten en de oude eetzaal van de landeigenaar eruit te halen, had zijn broer een ruimte geschapen die goed paste bij het huidige vikingopperhoofd dat hij eigenlijk toch was. Het buffet stond op de tafel om onnodig geloop te voorkomen, in de grote open haard brandde het vuur hoog en Johanssons grote broer zat zoals altijd in de erezetel aan het hoofdeinde met zijn moeder rechts en zijn vader links van hem, alle kinderen langs de zijkanten en zijn echtgenote en Lars Martin recht tegenover hem aan de andere korte kant.

"Gelukkig kerstfeest", zei Johanssons grote broer en hij glimlachte met zijn sterke, gele paardentanden en hief zijn overvolle borrelglas.

Je bent geen steek veranderd, dacht Johansson.

Vader Evert en moeder Elna, zeven kinderen, drie schoonzoons, drie schoondochters, eenentwintig kleinkinderen, vijf achterkleinkinderen en dan nog de uitbreiding door de derde generatie; zelfs de keuken van zijn grote broer zou niet groot genoeg zijn geweest als iedereen was gekomen. Maar hoewel ze thuis in Näsåker al generaties lang familiedagen hielden, had de meerderheid van de grote familie Johansson ervoor gekozen Kerstmis elders te vieren, in eigen kring, zoals altijd wanneer de familiegevoelens waren bekoeld, andere gevoelens en verplichtingen zich hadden aangediend, overigens zonder dat het daardoor om diepe tegenstellingen of zelfs twisten ging.

Om dezelfde vanzelfsprekende, historisch gegeven redenen hadden Johanssons ouders ervoor gekozen om Kerstmis bij hun oudste zoon te vieren toen ze zelf te oud waren om de hele familie bij hen thuis te verzamelen. Daarom zat vader Evert – tegenwoordig nog maar half zo groot als 'kleine Evert' en elk jaar steeds meer lijkend op iets wat thuis in de sauna van de familieboerderij ten noorden van Näsåker te drogen had gehangen – aan de linkerzijde van zijn oudste zoon.

Na de lunch hadden ze de kerstcadeaus uitgedeeld in de woonkamer waar nog meer verwijderde muren waren, plus een tweede brandend vuur en voldoende banken, fauteuils en stoelen om zo nodig ook plaats te kunnen bieden aan degenen die er niet waren. Johansson had zoals altijd voor kerstman gespeeld en een rode puntmuts op gehad, maar geen masker vanwege de warmte van het vuur, de vele borrels bij de lunch en het doorslaggevende feit dat het jongste lid van het gezelschap al vijftien was; hij was kennelijk ook oud genoeg om zijn kerstmost eerst met één en vervolgens met nog een biertje te mengen toen hij dacht dat zijn ouders niet keken. Maar dat laatste had Johansson natuurlijk niet gezegd. Het was tenslotte Kerstmis en wat ging het hem ook aan.

Uiteindelijk was het voorbij. Precies op het moment dat al het eten en de drank in volle hevigheid hun tol begonnen te eisen. Het laatste cadeau uit de laatste van de rij wasmanden van gevlochten bast werd uitgedeeld: zoals altijd aan de vrouw des huizes, door de heer des huizes en zonder medewerking van de kerstman. Zoals altijd was het cadeau duurder dan alle anderen pakjes samen en zoals altijd ging het de hele kring rond zodat iedereen zijn gepaste bewondering voor de generositeit, het warme hart en de ruime financiën van de gastheer tot uitdrukking kon brengen.

"Geen slecht spul", zei Johansson om zijn broer een blij gevoel te geven terwijl hij de glimmende ketting omhooghield. Die is waarschijnlijk lang genoeg voor om haar middel, dacht Johansson en hij glimlachte waarderend naar zijn goedgetrainde en tegenwoordig altijd, ongeacht het jaargetijde, gebruinde schoonzus.

"Ja, wij rijken hebben het zo slecht nog niet", grinnikte zijn broer gemoedelijk, terwijl hij met zijn dikke kerstsigaar wuifde en een rookwolkje naar zijn jongste broer blies.

Pas jij maar op, dacht Johansson, dat ik de afdeling Economische Delicten niet op je afstuur, en vervolgens had hij zich in een hoekje teruggetrokken om in alle rust met zijn oude vader te praten.

"Hoe gaat het met u?" vroeg Johansson met luide stem terwijl hij een voorzichtig klopje op zijn hand gaf.

"Niet schreeuwen, jongen, ik ben niet doof, hoor", zei vader Evert en hij grijnsde vrolijk naar zijn lievelingszoon, terwijl hij hem met zijn vrije hand in zijn buik stompte. "Met jou lijkt het ook goed te gaan", constateerde hij tevreden met een blik op Johanssons uitdijende middel.

"U lijkt monter", zei Johansson met normaal stemgeluid en in zijn stem weerklonk de zorg die hij als zoon voelde.

"Ach, nee", zei vader Evert en hij schudde zijn hoofd. "Het is alweer een tijdje terug dat ik zulke dingen deed en daar heb je het met je kinderen niet over." Zijn vader hoorde wat hij wilde horen. "Maar ik ben monter en helder, ondanks alle ellende die je op de radio hoort en in de krant leest."

Bijna negentig, bijna doof, half zo groot als toen hij in de kracht van zijn leven was en mager als een lat. Maar monter, dacht Johansson, het kon veel erger zijn.

Vervolgens was vader Evert over zijn lievelingsonderwerp gaan praten. De toenemende criminaliteit, die tegenwoordig steeds vaker ook Näsåker en omgeving trof. Er was ingebroken in de school en iemand had een van de bosmachines van de onderneming gepikt.

"Hoewel ik er wat om durf te verwedden dat het die kwajongen van Marklund is geweest die in de school heeft ingebroken, terwijl hij er anders nooit komt", zei vader Evert.

Met de bosmachine lag het ernstiger, en gezien het feit dat zo'n ding honderden duizenden kronen kostte – hij was nog bijna nieuw geweest – en het waarschijnlijk niet iemand uit de buurt was geweest, zou het het beste zijn als Lars Martin een paar goede jongens van de staatspolitie in Stockholm zou sturen. Bij voorkeur mensen die ook uit het noorden van Zweden kwamen. Het zou echter het allerbeste zijn als hij zelf kon komen.

"Je kunt je broer vragen of je zijn hond mag lenen, dan kun je tegelijk nog wat hazen jagen", zei vader Evert, die het nuttige graag met het aangename verenigde.

Zelf had hij zijn jachthonden de deur uit gedaan in het jaar dat hij tachtig werd.

"Hij schijnt goed te zijn", zei Evert alsof hij het argument nog eens kracht wilde bijzetten en hij knikte naar zijn jongste zoon.

Zucht, dacht Johansson en dat kwam niet alleen voort uit een verlangen naar een ander leven. Maar voordat hij iets kon inbrengen in de discussie die hij bij voorkeur vermeed, hadden twee neefjes het van hem overgenomen en toen was hij zelf bij zijn moeder gaan zitten.

Van de regen in de drup, dacht Johansson vijf minuten later, want moeder Elna was niet alleen klein, mager, monter en goedhorend, ze was bovendien bezorgd.

"Je ziet er slecht uit, Lars", zei zijn moeder terwijl ze haar hoofd scheef hield. "Je lijkt overwerkt en ik vind ook dat je magerder bent geworden sinds de vorige keer."

Het is ook altijd wat, dacht Johansson en hij had zich aanvankelijk een beetje beter gevoeld, maar dat was voordat ze haar favoriete gespreksonderwerp had aangesneden, een van de vele zorgen die ze over de kleine Lars Martin had.

"Je hebt niet iemand ontmoet", zei moeder Elna en ze bewoog haar hoofd van links naar rechts om te laten zien dat ze echt bezorgd was.

"U bedoelt een vrouw", zei Johansson, glimlachend zoals een goede zoon betaamt.

"Ja, wat zou ik anders bedoelen", zei moeder Elna alert.

"Ach, je komt er af en toe wel een tegen", zei Johansson ontwijkend, omdat hij geen enkele zin had om zijn lieve moeder te vertellen over de school van twee vissen waarin hij zich de afgelopen week als een zwaardwalvis had gewenteld.

"Je snapt best wat ik bedoel, Lars", zei moeder Elna die van geen wijken wist. "Ik bedoel iets vasts, iets wat blijft, iets zoals ... zoals je vader en ik."

Nee, dacht Johansson. Niet zoals u en vader, want zoiets bestaat waarschijnlijk niet meer.

Even later had hij zich verontschuldigd, iedereen een gelukkig kerstfeest en tegelijk welterusten gewenst, zijn cadeautjes gepakt – voornamelijk boeken, die zonder meer de moeite waard leken – en zijn kamer opgezocht om nog even te lezen voordat hij in slaap viel. Om redenen die hem niet helemaal duidelijk waren, had hij ook aan de vrouw moeten denken die hij bijna een maand geleden op het postkantoor aan de Körsbärsvägen had ontmoet. Pia, dacht Johansson. Pia Hedin, zo heette ze. Misschien toch, dacht Johansson en vervolgens was hij in slaap gevallen.

Het stille leven op het platteland, had Johansson een paar dagen later gedacht. Om redenen die hem ook niet helemaal duidelijk waren, en zonder dat hij er iets vanaf kon weten, moest hij aan het leven op het Russische platteland denken. Het leven dat een klein aantal welgestelden ten tijde van de tsaren leidde, vóór de revolutie. Ik moet er iets over gelezen hebben, dacht Johansson, misschien kwam het door de berkenbosjes bij de zee, de stilte, het gebrek aan bezigheden terwijl hij zijn boeken las, lange wandelingen maakte, at en sliep, en zijn broer zag vertrekken en thuiskomen na zijn eeuwige zaken waarvan hij de nadere inhoud liever niet wist. Geen sleeritten met vlammende fakkels uiteraard, maar ook geen wolven die in de winternacht huilden. Geen bals met champagne en vrouwen met een diep decolleté, die wild flirtten vanachter waaiers waarmee ze de koude op een afstandje hielden. Maar ook niet de angst dat de verkoudheid die je ondertussen had opgelopen, ook jouw korte leven zou beëindigen.

De dagen kwamen en gingen en zelf was hij gewoon een ad interim commissaris van politie die binnenkort chef de bureau zou worden en zich tussen Kerstmis en Oud en Nieuw wat oplaadde. Zo moest je het toch zien. Op zaterdag 28 december was de hoofdcommissaris van politie te Stockholm de jarige van de dag in de grote avondkrant, en omdat Johansson hem een paar keer had ontmoet, had hij bijna een kwart van zijn wandeling nagedacht over de dag waarop de man jarig was. Onnozele-kinderendag, dacht Johansson en wat je ook van de man vond – zelf had hij een duidelijke mening – hij was niet direct onnozel. Niet in de oorspronkelijke betekenis van het woord, maar ook niet in de algemene, wat neerbuigende betekenis die het later had gekregen. Ik ben bang dat het zelfs nog erger is, dacht Johansson terwijl hij zijn pas versnelde. Hoe dan ook was dat het spannendste wat er die dag was gebeurd.

Op oudejaarsavond hadden zijn broer en schoonzus een groot feest georganiseerd, met champagne, betaalde bediening en diverse vrouwelijke gasten met decolleté en mannen in smoking.
"Dat was ik nog vergeten te zeggen", zei Johanssons broer. "Het is in smoking, maar als je wilt kun je een oude van mij lenen. In het ergste geval knoop je hem gewoon niet dicht."
Mooi, dacht Johansson. Nu hoef ik er niet een te huren.

Het dichtknopen had geen problemen gegeven. Hoewel het een twee-knoops jasje was, voelde het los en soepel, en toen Johansson zichzelf op zijn kamer in de spiegel bekeek, leek hij op een heel gewone auto-verkoper van middelbare leeftijd.
"Broertje toch, je ziet er bijna normaal uit", zei zijn broer tevreden toen Johansson even later de woonkamer binnenstapte.
"Jammer dat je van die korte benen hebt", zei Johansson. "Anders had hij perfect gezeten."
"Je mag hem houden", zei zijn broer gul. "Ik heb er nog een paar."
"Ken je geen dwerg die kort en dik genoeg is?" zei Johansson.
"Broertje, toch", zei Johanssons grote broer en hij sloeg zijn arm om zijn schouders en omhelsde hem. "Vanavond maken we er wat

leuks van. We eten en dansen en zijn aardig tegen de vrouwtjes. Had ik al gezegd dat ik een verrassing voor je had?"

Johanssons verrassing was gekomen toen ongeveer de helft van alle gasten er was, wat op zich prima was als je bedacht wie zij was en wie de rest van de gasten waren. Bovendien met decolleté, wat de vorige keer niet het geval was geweest toen ze in zijn buurtrestaurant hadden gegeten.

"Lars", zei ze en ze klonk blij en verbaasd. "Wat doe jij hier?"
"Ik logeer hier", zei Johansson.

Omdat Johanssons grote broer niet iemand was die iets aan het toeval overliet, en al helemaal niet als hij met moeder Elna samenzwoer – want dat was vast het geval, dacht Johansson – waren ze elkaars tafelgenoot geweest en hadden ze alle tijd gehad om van alles te bespreken.

"Je hebt nooit meer iets van je laten horen, zoals je had beloofd", zei Johanssons tafeldame en ze klonk bijna een beetje gekwetst toen ze dat zei.

Jij ook niet, dacht Johansson, maar dat had hij niet gezegd. In plaats daarvan had hij haar met zijn eerlijke blauwe ogen aangekeken en tegen haar gelogen.

"Dat heb ik wel. Ik heb je dezelfde week dat ik uit de VS terug was gebeld. Bij de receptie zeiden ze dat ze de boodschap zouden doorgeven", zei Johansson, die uit ervaring wist hoe veilig dat was.

"Ze zijn totaal hopeloos", zei zijn tafeldame met emotie in haar stem.

"En daarna heb ik het enorm druk gehad", zei Johansson.

Wat toch iets dichter bij de waarheid ligt, dacht hij.

"Hoe ken jij mijn broer trouwens?"

Ze hadden elkaar kennelijk bij een Rotary-bijeenkomst ontmoet waar ze over de politie hadden gesproken en een week later had de uitnodiging al in de bus gelegen.

Je moet toch iets meer hebben gezegd, dacht Johansson.

"En omdat mijn partner en ik eindelijk hebben besloten elk ons weegs te gaan ... nou ja, nu ben ik in elk geval hier", zei ze en ze glimlachte op een manier die niets te raden overliet.

Hij had gegeten en gedronken, behoorlijk zelfs, en daarna had hij gedanst, vooral met zijn tafeldame, en in het gewemel achter zijn rug had hij zijn grote broer meerdere keren sluw zien grijnzen. Klokslag twaalf uur had hij haar een kus gegeven en een zoen teruggekregen, maar die had hij niet beantwoord. In plaats daarvan had hij haar dezelfde brede grijns gegeven die zijn beste vriend altijd aan vrouwen schonk als hij tijd nodig had om na te denken.

"Ik dacht dat ze bij de Rotary geen vrouwen toelieten", zei Johansson.

"Rotary?" zei zijn tafeldame verward en meer dan een tikkeltje beschonken. "Rotary? Je bedoelt de vrijmetselaars."

Vervolgens was er in de grote keuken een lichte maaltijd geserveerd en hoewel ze geen waaier had, waren haar bedoelingen duidelijk genoeg. Wat moet ik verdomme doen, dacht Johansson, die opeens alle interesse had verloren. Vooral ook omdat hij bij zijn eigen oudste broer en diens speculaaskleurige vrouw thuis was.

"Wanneer kom je weer naar Stockholm?" vroeg Johansson ter afleiding terwijl hij zijn hand uit de hare losmaakte, die maar half zo groot was. De baseballpet die hij bij de FBI had gekocht, kon hij altijd nog aan iemand anders geven, dacht hij.

Maar uiteindelijk had het zich opgelost en de afscheidskus die ze hem had gegeven voordat ze samen met een paar andere gasten in een taxi verdween, was koel genoeg geweest om hem te doen begrijpen dat hij nu geen spijt hoefde te krijgen.

"Shit, Lars,", zei zijn broer ontevreden toen ze samen in de grote woonkamer zaten, te midden van alle troep die de gasten hadden achtergelaten. "Je begint af te takelen."

"Ik ben niet zo dol op magere vrouwen", zei Johansson, die zijn broer kende en wist dat zijn schoonzus naar bed was.

"Wat dacht je dat ik tegen mijn vrouw heb gezegd?" zei zijn broer geëmotioneerd. "Magere vrouwen zijn een gruwel. Maar dacht je dat ze luisterde? Niks hoor", zuchtte hij duister.

"Proost", zei Johansson en daarna had hij eindelijk naar bed gekund.

Op nieuwjaarsdag hadden zijn broer en hij na het avondeten voor de tv gezeten; loom gekeken, geborreld en gekletst, zoals je soms doet als je elkaar goed kent en het meeste al is gezegd. In *Aktuellt* hadden ze een vrij lang live nieuwjaarsinterview met de minister-president. Volgens de promo, die heel vredig klonk, zou het gaan over het afgelopen jaar en het jaar dat net was begonnen, maar algauw ging het uitsluitend over de minister-president zelf en zijn doen en laten in zijn privéleven, en natuurlijk botste dat op een manier die ongetwijfeld gepland was. De verslaggever zat als een nijdige terriër aan de broekspijpen van de minister-president te rukken en te trekken, terwijl het slachtoffer zich met zijn gebruikelijke arrogante welbespraaktheid probeerde te verweren, zonder dat hij leek te begrijpen dat dat juist de bedoeling van de hele show was.

Kerstvrede kunnen die hufters kennelijk ook niet spellen, dacht Johansson die net zo dol op journalisten was als alle andere echte politiemannen, maar zijn broer leek het allemaal zeer vermakelijk te vinden.

"Arme drommel", grinnikte zijn grote broer geamuseerd. "Hij leert het ook nooit."

"Je stemt niet meer op de sociaal-democraten", zei Johansson onschuldig.

"Stel je niet aan, Lars", zei zijn broer goedmoedig, terwijl hij naar de afstandsbediening reikte en de tv uitzette.

"Ik had ooit een verkoper", zei zijn grote broer, "en hij zag er verdomme precies zo uit als die arme stakker, die ze altijd afzeiken zodra hij maar op de tv verschijnt."

"O", zei Johansson. Wat moet ik zeggen, dacht hij. "Wat was dat dan voor iemand?" vroeg hij toen.

"Het was de meest hartelijke vent aan deze kant van de rivier Dalälven", zei Johanssons broer, licht grinnikend bij de herinnering terwijl hij nog wat whisky inschonk.

"Hartelijk?"

"Ja, hij had de motorkap van de auto die hij zou showen nog maar net geopend of ze waren al in zijn ban. Hij kletste over zijn familie en het weer, bood koffie aan en wrong zich bijna in driedubbele bochten om de mensen van dienst te zijn. Hoewel ze alleen maar een auto zochten. Hij was onverslaanbaar, die man."

Het klinkt niet alsof ze erg op elkaar lijken, dacht Johansson.

"Sorry", zei Johansson. "Het komt vast door al het eten, maar ik begrijp het niet goed."

"Wat snap je niet, broertje van me?" vroeg Johanssons grote broer toegeeflijk.

"Het klinkt niet alsof ze erg op elkaar lijken", zei Johansson. "Jouw verkoper en de minister-president, bedoel ik."

"Hij was verdorie net de minister-president, maar dan omgekeerd", verduidelijkte Johanssons broer. "Ze waren in essentie net twee druppels water."

"Ik snap het nog steeds niet", hield Johansson vol.

"En dat werkt bij de politie", zuchtte zijn grote broer. "Geen van beiden kon afstand houden", verduidelijkte hij. "Die verdomde verkoper die ik had, was zo hartelijk als een pleister zonder dat hem dat was gevraagd, en die arme duivel met zijn goedgesmeerde bek die we net op de tv zagen, kan een levenslange vijandschap met elke willekeurige jandoedel riskeren omdat hij altijd het laatste woord wil. Terwijl hij zo slim zou moeten zijn om zijn bek te houden en te knikken, omdat iedereen wel begrijpt dat hij het beter begrijpt."

Eindelijk, dacht Johansson.

"Ik snap wat je bedoelt", zei hij. "Verkocht hij ook auto's?"

"Af en toe wel, ja", zei Johanssons broer en hij haalde zijn schouders op. "Hij werd ontslagen. Als je ervan moet leven, kun je het je verdorie niet veroorloven om zulke lui aan te houden", voegde hij eraan toe en hij nam een flinke slok uit zijn glas. "Van wie er geen tweede is, bedoel ik."

Ik begrijp het precies, dacht Johansson, die naar een cursus was geweest en precies hetzelfde had gehoord, zij het op een andere manier en in andere bewoordingen.

Krassner, dacht hij. Ik moet zien dat ik wat aan dat stuk ongeluk doe.

"Ik moet eigenlijk een paar dagen werken", zei Johansson. "Heb jij ergens een leeg bureau?"

"Je kunt het kantoor in het achterhuis wel lenen", zei Johanssons broer. "Daar zal niemand je storen."

Als je iets moet doen, kun je het net zo goed goed doen, was Johanssons motto. En dat had hij deze keer ook gedaan, hoewel hij zich zelden zo ambivalent en slecht gemotiveerd had gevoeld. Op twee januari had hij Krassners papieren naar het kantoor gebracht en toen hij ze eindelijk weer in zijn koffer kon stoppen, was het al Driekoningen en de hoogste tijd om terug te keren naar Stockholm.

Tussen de sessies achter het geleende bureau door was niet veel tijd overgebleven voor vakantie. Hij had elke dag weliswaar een lange wandeling gemaakt, maar Krassner en diens papieren waren voortdurend in zijn gedachten geweest. Bij de gezamenlijke maaltijden was hij steeds meer in eenlettergrepige zinnen gaan antwoorden en toen zijn broer onverwacht een paar dagen voor zaken weg moest, had hij dat bijna als een opluchting ervaren, hoewel ze zelden tijd hadden om elkaar te zien.

Hij had twee keer naar Sundsvall moeten rijden om naar de bibliotheek te gaan en hij had diverse telefoontjes met Stockholm gepleegd; drie keer had hij telefonisch contact gehad met een steeds verwardere Wiklander. Maar op de avond voor Driekoningen was hij klaar, hij had zelfs een lange memo geschreven over zijn kijk op de zaak. Wat ben ik eigenlijk aan het doen, dacht Johansson. Het was immers geen gewoon misdaadonderzoek, hoewel hij er inmiddels van overtuigd was dat Krassner was vermoord en ook vond dat hij een meer dan redelijk beeld had van het waarom en hoe. Hij had een heleboel geleerd over de minister-president, dat ook. Hij wist ongeveer evenveel over hem als de daders en slachtoffers wier leven hij in kaart had gebracht toen hij nog ernstige geweldsdelicten onderzocht. Bovendien wist hij een heleboel zaken waarvan maar slechts weinigen op de hoogte waren.

Het probleem is alleen, dacht Johansson, dat hij, hoe hij het ook wendde of keerde, de minister-president niet als dader, noch als slachtoffer kon zien in het deel dat over Krassner ging. Met uitzondering van hemzelf, de dader en waarschijnlijk een handjevol schaduwachtige figuren wier bestaan hij slechts kon vermoeden, waren alle andere mensen niet alleen hiervan niet op de hoogte, maar vermoedelijk van de hele geschiedenis niet. Het komt wel goed, dacht Johansson, want hij had al een idee hoe hij Krassner en diens papieren achter zich kon laten.

De eerste dag had hij het manuscript en de overige documenten van Krassner die hij in zijn bezit had gekregen, doorgelezen. Om een overzicht te krijgen en omdat hij het altijd zo deed. Het was de meest frustrerende dag geweest van allemaal, en wat hem vooral irriteerde was de manier van schrijven van de auteur. Met uitzondering van het eerste hoofdstuk werd elk deel ingeleid met een tekst waarin de auteur zijn gevoelens en gedachten ten aanzien van de verschillende feiten en andere omstandigheden die hij vervolgens beschreef, uitvoerig, uitermate serieus en met een onwrikbaar vertrouwen in het belang van zijn eigen woorden uiteenzette. Ook in het lopende verhaal waren volgens hetzelfde model reflecties en passages verweven. En wat een verschrikkelijk taalgebruik, dacht Johansson geërgerd. Zelf was hij een traditioneel lezer en er vast van overtuigd dat een feitelijke omstandigheid het beste kon worden beschreven aan de hand van feiten, uitsluitend feiten en hoe naakter, hoe beter. Zeikstraal, dacht Johansson chagrijnig, en hij schoof de stapels papieren opzij en besloot dat het de hoogste tijd was er voor deze dag een punt achter te zetten. Bovendien rommelde zijn lege maag behoorlijk.

De volgende dag had hij eindelijk naar de zakelijke vragen kunnen kijken. Bij alles wat hij had gelezen, had hij nagedacht over wat waar was, wat niet waar was en wat twijfelachtig was. Krassners manuscript werd ingeleid met een sensationele geschiedenis die zich in maart

1945 in Stockholm zou moeten hebben afgespeeld. Het was een gedetailleerd verhaal met namen, plaatsen, tijdstippen en meerdere betrokkenen. Het moest op z'n minst te controleren zijn, dacht Johansson.

Ongetwijfeld had Krassner deze inleiding om meerdere redenen gekozen. Het was een goede manier om de belangstelling van de lezer te wekken en daarnaast een eenvoudige en effectieve presentatie van twee hoofdpersonen uit het boek: zijn eigen oom John C. Buchanan en een Zweedse hoogleraar in de wiskunde die Johan Forselius heette. In werkelijkheid had de tekst ongetwijfeld een heel ander doel, namelijk te beschrijven hoe de Zweedse militaire inlichtingendienst in de laatste fase van de oorlog volledig met de Amerikaanse collega's had samengewerkt. En de manier waarop dat mogelijkerwijs was gebeurd.

De hoofdpersoon in deze geschiedenis was een Poolse kapitein die Leszek Matejko heette. Toen de Duitsers zijn land in september 1939 aanvielen, was Matejko een jonge tweede luitenant bij de roemruchte Poolse cavalerie die in een paar dagen letterlijk onder de rupsbanden van de Duitse tanks werd geplet. Matejko was er met de schrik en een bebloede doek om zijn hoofd van afgekomen en toen de Poolse nederlaag een feit was, was hij er langs hachelijke wegen in geslaagd Engeland te bereiken om de strijd voort te zetten. Eenmaal in Londen werd hij een van de eerste Poolse officieren die dienst namen bij de Vrije Polen.

Hun behoefte aan cavaleristen was echter beperkt geweest en omdat tweede luitenant Matejko een begaafde jongeman was, hadden ze hem algauw tot inlichtingenofficier bevorderd en in die hoedanigheid verbleef hij bijna de hele oorlog in Londen. Hier kreeg hij ook zijn verengelste bijnaam Les. In de herfst van 1944, toen de Russen de Duitsers een flink eind hadden teruggedreven in zijn oude vaderland, werd kapitein Les Matejko als verbindingsofficier overgeplaatst naar de Britse ambassade in Stockholm en je 'hoefde geen militair te zijn om te snappen waarom'. Zeker, dacht Johansson en hij knikte, want hoewel hij zichzelf altijd buitengewoon civiel vond, begreep hij dat ook. Wat hij echter niet begreep, was waarom Krassner niet verder was gegaan met het stuk waarmee hij was begonnen. Het had heel goed kunnen worden, dacht Johansson met een teleurgestelde zucht.

Op ongeveer hetzelfde tijdstip was de Amerikaanse majoor John C. Buchanan opgedoken bij de ambassade van de Verenigde Staten in Stockholm, waar hij vrijwel onmiddellijk en naar het scheen totaal ongegeneerd, een samenwerking was aangegaan met zijn 'collega's' van de Zweedse militaire inlichtingendienst. Een van de Zweden die hij ontmoette en met wie hij ook privé contact kreeg, was hoogleraar in de wiskunde Johan Forselius. Zoals Buchanans neef, de auteur, het nogal oneerbiedig beschrijft, was dat voornamelijk omdat ze naast het inlichtingenwerk ook een grote andere gemeenschappelijke interesse zouden hebben gehad, namelijk drank. Een product waartoe de bij de Amerikaanse ambassade geaccrediteerde Buchanan, in tegenstelling tot zijn drooggelegde Zweedse wapenbroeder, ongehinderd en ongelimiteerd toegang had.

Nog een zuipschuit, dacht Johansson, en voor hij verder las, zag hij zonder directe aanleiding opnieuw de glazen piramide in de kolenkelder van Buchanan voor zich.

Forselius was een interessant persoon, dacht Johansson en hij maakte een notitie in zijn blocnote.

Geboren in 1907, wiskundige en kennelijk geen slechte, want hij promoveerde op 27-jarige leeftijd en werd op slechts 33-jarige leeftijd benoemd tot hoogleraar aan de universiteit van Uppsala, op ongeveer hetzelfde moment dat de Duitsers Denemarken en Noorwegen bezetten. Dan mag hij ook de academische wereld verlaten. Forselius wordt als gewoon dienstplichtig onderofficier opgeroepen en als analyticus en codekraker bij de inlichtingenafdeling van de defensiestaf geplaatst, en als hij in 1945 aan het eind van de oorlog afzwaait, is hij nog altijd slechts sergeant eerste klasse. Wereldwijd is hij onder codekrakers echter tegelijkertijd een legende.

Hoezo, sergeant eerste klasse, dacht Johansson en hij maakte een notitie in zijn blocnote. *Een Zweedse sergeant die drinkebroer is met een Amerikaanse majoor, hoogleraar in de wiskunde, wereldberoemd codekraker ...*

En afzwaaien als sergeant eerste klasse? Hier klopt iets niet, dacht Johansson die zelf in dienst had gezeten en zelfs als sergeant-majoor was afgezwaaid.

Het vroege voorjaar van 1945 in Europa. Een Duitse adelaar met een kapotte vleugel is neergestort. De VS en Engeland en hun Sovjetrussische bondgenoten die elk vanaf hun kant routinematig de laatste stokslagen uitdelen terwijl hun strategische gedachten elders zijn. Hoe moet je je voorbereiden en formeren voor de beslissende krachtmeting die met de noodzakelijkheid van militaire logica weldra moet plaats vinden? Die tussen de westerse democratieën en de dictatuur van Stalin in de Sovjetunie.

Het vroege voorjaar van 1945 in Stockholm. Westerse agenten zwermen samen en lijken hun keuze al te hebben gemaakt, want Forselius, Buchanan, Matejko en al hun kameraden aan de goede kant van het veld, lopen bij elkaar in en uit terwijl ze over hun grote, nieuwe en gemeenschappelijke zorg praten, de enorme buur in het oosten. Dat is het moment waarop er dingen gaan gebeuren.

Kennelijk was Buchanan degene die alarm had geslagen. Ondanks zijn koosnaam waren er inlichtingen van het oss die erop wezen dat kapitein Leszek 'Les' Matejko een andere keuze had gemaakt en dat zijn hart elders lag, namelijk bij de Russische wapenbroeder die binnenkort de hoofdvijand zou worden in de beslissende krachtmeting tussen goed en kwaad. Gezien Matejko's achtergrond en afkomst, en gezien de overkoepelende strategische situatie, was het probleem waarmee ze zich geconfronteerd zagen niet eenvoudig en het eerste besluit dat werd genomen, was om de Engelsen erbuiten te houden en er een puur Zweeds-Amerikaanse operatie van te maken.

Forselius was degene die de val had mogen zetten en dat had hij op zeer listige wijze gedaan door verschillende gecodeerde mededelingen naar verschillende presumptieve verdachten te sturen, om vervolgens te proberen die mededelingen met gewoon radio-onderzoek op te vangen om te kijken waar ze naartoe waren gegaan.

De verdenkingen jegens Matejko waren toegenomen, maar de val was nog lang niet dichtgeklapt en er waren diverse mensen in de eigen gelederen die niet alleen aarzelingen uitten, maar zelfs voor zijn standpunt pleitten. Tegelijkertijd raakten ze in tijdnood. Er was informatie binnengekomen die erop wees dat Matejko van plan was naar zijn oude vaderland te verdwijnen, naar de veiligheid achter de Russische frontlinie. In die situatie hadden ze besloten het zekere voor het onzekere te nemen, en op de avond van 10 maart 1945 vertrok een zeer aparte expeditie van het geheime huis van de krijgsmacht aan het Karlaplan in Stockholm naar Matejko's woning op de tweede verdieping aan een binnenplaats bij de Pontonjärsgatan op Kungsholmen.

De opdracht van de expeditie was allesbehalve duidelijk. Wie daar eigenlijk bevel toe had gegeven was in duisternis gehuld en de samenstelling van de groep was op z'n zachtst gezegd wonderlijk, want in feite ging het om een verdenking van spionage, zij het dat de verdenking een man met diplomatieke status gold. Omdat hij toch was wie hij was, zouden ze Matejko zo voorzichtig mogelijk benaderen. Ze zouden proberen zijn bedoelingen en sympathieën te achterhalen, in elk geval zijn persoon veilig te stellen, en zo veel mogelijk proberen vreedzame middelen te gebruiken. Wie dat besluit had genomen, bleek niet uit Krassners manuscript. Hij leek het probleem zelfs helemaal niet begrepen te hebben.

De expeditie kende vijf leden. Hoogleraar en dienstplichtig sergeant eerste klasse Johan Forselius, majoor John C. Buchanan, beiden in burgerkleding, daarnaast tweede luitenant baron Casimir von Wrede, tweede luitenant Carl Fredrik Björnstjerna en ritmeester graaf Adam Lewenhaupt, alle drie officier bij de veiligheidsafdeling van de inlichtingendienst, in uniform en bewapend met dienstpistool model 40. Het hele gezelschap verplaatste zich in een zwarte Buick, model 1941 met benzinemotor, de dienstauto van Buchanan van de ambassade, en Buchanan was ook degene die reed. Wat mogelijk niemand wist, was dat hij ook 'zijn enige vriend in het leven' bij zich had, het pistool van het Amerikaanse leger, een Colt met kaliber .45.

Na een rit van vijftien minuten door een verlaten en verduisterd Stockholm waren ze bij het huis van Matejko op Kungsholmen aangekomen en naar boven gegaan. Ze hadden op de deur geklopt en waren binnengelaten. Buchanan had in het kort 'op zijn gebruikelijke relaxte manier' de reden van hun bezoek kenbaar gemaakt, waarop Matejko – Pools cavalerieofficier en gentleman als hij was – hen had verzocht naar de maan te lopen en hem met rust te laten. Er was tumult in het kleine appartement ontstaan toen de luitenanten von Wrede en Björnstjerna, zelf cavaleristen, Matejko probeerden te kalmeren. Er waren schoppen en slagen uitgedeeld. Ritmeester Lewenhaupt had zijn dienstwapen getrokken en was in de deuropening gaan staan, waarop Matejko in zijn kamerjas en pyjama zomaar vanaf de tweede verdieping uit het raam was gesprongen.

Anders dan pechvogel Krassner was hij er met een verstuikte enkel van afgekomen en van de binnenplaats naar de straat gestrompeld. Zijn achtervolgers waren via de trap naar beneden gegaan en toen ze de portiek kwamen uitgestormd, had de hinkende, vloekende en schreeuwende Matejko een redelijke voorsprong weten te krijgen in de richting van de relatieve veiligheid bij de Hantverkargatan. Toen had majoor John C. Buchanan zijn Colt getrokken en was neergehurkt op het trottoir. Hij had het pistool met twee handen beet gehouden, gericht en hem in de rug geschoten.

De verwarring was er niet minder door geworden. Maar hoe het ook zij, ze hadden vervolgens de nog steeds hartgrondig vloekende en inmiddels ook hevig bloedende Matejko naar hun auto gesleept en hem gedwongen op de achterbank plaats te nemen. Daarna waren ze weggereden. Er was nu een wild debat uitgebroken over de vraag waar ze hem heen moesten brengen. Hoewel hij verbaal in goede conditie leek, leed het geen twijfel dat Matejko er slecht aan toe was. Er waren twee volledig toegeruste civiele ziekenhuizen in de buurt, Serafen en Sankt Erik, maar om verschillende redenen van discretie en geheimhouding, hadden ze toch besloten hem naar het garnizoenshospitaal van de vloot bij de vesting Waxholm te brengen.

De stemming in de auto was ook niet zo geweldig geweest. Matejko was niet blij, en toen ze op de Norrtäljevägen reden, had ritmeester graaf Lewenhaupt een zekere twijfel geuit over de vraag of het al dan niet gepast was dat Buchanan meeging naar Waxholm. Buchanan, officier maar geen gentleman, had hem gezegd dat hij daar achterin zijn bek en zijn fatsoen moest houden en ongeveer op hetzelfde moment was Matejko opgehouden met vloeken en ademen, en overleden.

De rest van het gezelschap was uiteraard door een zekere somberheid getroffen. Ze waren bij de afslag naar Waxholm gestopt om een kort krijgsberaad te houden en hadden vervolgens besloten om terug te gaan naar de stad en de afsluitende delen van de operatie over te laten aan majoor Buchanan. Buchanan had zijn kameraden bij de Valhallavägen afgezet en was alleen met het lijk verdergegaan. Het was niet duidelijk waarheen, maar volgens zijn neef en biograaf zouden Buchanan en zijn collega's bij de ambassade van de Verenigde Staten 'conform de gebruikelijke procedures op vastgestelde wijze' hebben zorg gedragen voor het lichaam. Dat klinkt als een gewone begrafenis op zee, dacht Johansson. Op zijn blocnote noteerde hij de vier namen in alfabetische volgorde *Björnstjerna*, *Forselius*, *Lewenhaupt* en *von Wrede*, en vervolgens had hij Wiklander op zijn werk gebeld.

Lieve god, dacht Johansson toen hij achteroverleunde in de bureaustoel om zijn gedachten op een rijtje te zetten. Want als je Krassner mocht geloven, waren die twee idioten Forselius en Buchanan kennelijk degenen die van Johanssons eigen minister-president een spion hadden gemaakt.

De hoofdpersoon van het verhaal had met zijn entree gewacht tot het tweede hoofdstuk in Krassners manuscript, en afgezien van de inleiding was het een hoofdstuk dat Johansson heel goed zelf geschreven zou kunnen hebben. Een relatief korte beschrijving van de persoonlijke achtergrond van de minister-president, zijn jeugd en tienerjaren, die goed overeenkwam met de meer of minder officiële beschrijvingen die Johansson elders had gelezen.

Keurige achtergrond, keurige familie, keurige jeugd, een keurige school waar hij eindexamen had gedaan met keurige cijfers, en dat alles zo keurig was, was ook het punt dat Krassner in de inleiding wilde maken. De minister-president was namelijk geen gewone landverrader van wie de auteur moest 'kotsen', maar er zat ook een diepere gedachte achter zijn maag-darmklachten. In tegenstelling tot gewone landverraders die alleen hun land verraadden – en mogelijk essentiële menselijke vrijheden en rechten als ze uit het westen kwamen en niet uit het oosten – speelde de verrader annex minister-president met een aanzienlijk breder register. Hij had dus ook zijn familie en de klasse en het milieu waarin hij was opgegroeid verraden; hij had zich zelfs vergrepen aan zijn 'natuurlijke persoonlijkheid' en het bijzondere soort 'ethos' waardoor mensen zoals hij volgens Krassner werden gekenmerkt, dat wil zeggen niet deze minister-president, maar de mens die hij had moeten zijn als hij geen verrader was geweest.

Johansson had alleen maar diep gezucht over al deze slechtheid waarvan werd beweerd dat die kenmerkend was voor de hoogste politieke leiding van het land en, ongevoelig als hij was, had hij een paar pagina's verder gebladerd, want daar werd het pas echt interessant. In dezelfde maand waarin de toekomstige minister-president zijn dienstplicht bij de cavalerie begon, eindigde de oorlog. De Duitsers hadden er genoeg van, staken hun leider op de binnenplaats van de rijkskanselarij in Berlijn in brand nadat die zichzelf had doodgeschoten, en gaven zich vervolgens onvoorwaardelijk over. De overwinnaars begonnen met de verdeling van het Europese continent en een 18-jarige Zweedse cavalerist begon met de opbouw van zijn leven.

Eerst een militaire basistraining van zestien maanden: afgezwaaid als sergeant eerste klasse, keurige beoordelingen uiteraard, en rechtstreeks naar de universiteit voor meer academische inspanningen. Nog geen twee semesters later terug naar het leger voor een zes maanden durende opleiding tot reserveofficier, en ergens in die periode moest iemand van de geheime rekrutering van de militaire inlichtingendienst hem hebben opgemerkt. Op 5 juli 1947 had professor Forselius een brief gestuurd naar zijn wapendrager Buchanan. Die was getypt op een machine met de destijds gebruikelijke onregelmatige druk, individueel afgesleten letters en een 'a' die steeds naar links helde. Een vrij korte brief in het Engels, amper een A4-tje, en al uit de inleidende regels over de zomerse droogte in Stockholm en de 'verdomde rantsoenering' vermoedde je dat de ontvanger, *Dear John*, zich thuis in de VS bevond.

Na wat menselijk gezeur en algemene inleidende frasen was de schrijver van de brief algauw terzake gekomen. *Ik heb veel nagedacht over onze gesprekken inzake het intellectuele deel van ons offensief in Eu-*

ropa, wat mij nog verder heeft gesterkt in onze gemeenschappelijke over-
tuiging dat dit een zaak van buitengewoon strategisch belang is, en ik ben
tot de conclusie gekomen dat we zo spoedig mogelijk moeten overgaan tot
praktisch handelen. Ik geloof dat ik ook een persoon heb gevonden die
van grote waarde voor ons kan zijn bij de uitvoering van de veldmatige
operaties.

Forselius had een paar maanden tevoren van een van zijn contacten
bij de Zweedse inlichtingendienst een tip gekregen over de desbetreffende persoon, en de tussenliggende periode had hij gebruikt om de
betrokkene zelf nader te bekijken. Kennelijk had hij zijn onderzoek
naar volle tevredenheid afgerond en de brief eindigde ermee dat hij
hem van harte kon aanbevelen: *Het is weliswaar een klein, tenger ven-*
tje, maar hij lijkt een verdraaid groot hart te hebben en een verdomd bra-
vado als het erop aankomt.
    Alsof dat nog niet genoeg was, was hij ook 'hoogbegaafd, ver boven
het gemiddelde van zijn officierskameraden', had hij een 'stabiele conservatieve grondhouding', sprak hij 'meerdere talen vloeiend', leek hij
te beschikken over 'exact de juiste mentale instelling voor het soort
werk waarover we hebben gesproken' en was hij bovendien van plan
om 'al in de herfst naar de VS te gaan om een paar semesters aan een
Amerikaanse universiteit te studeren', wat hun 'een door God gezon-
den gelegenheid bood over te gaan op actief handelen', aldus een zeer
tevreden Forselius.

Eind augustus van datzelfde jaar begon de toekomstige minister-president zijn studie aan een betere universiteit in het Midwesten en toen
'professor John C. Buchanan' een paar maanden later op dezelfde plek
was opgedoken om als gastspreker een reeks lezingen te geven over het
thema 'Europa na de Tweede Wereldoorlog, de Sovjetrussische bezet-
tingspolitiek en de kans op een Derde Wereldoorlog', was de geheime
gedachte achter deze gebeurtenis in elk geval aantrekkelijk genoeg
voor de 21-jarige toekomstige minister-president om zijn naam op
de deelnemerslijst te zetten.
    Forselius had kennelijk gelijk gehad in zijn inschatting van de
'mentale instelling' van de minister-president, want vlak voor Kerstmis had Buchanan geschreven om hem te bedanken voor zijn hulp bij
een geslaagde en ondertussen afgeronde rekrutering voor de 'meer intellectuele operaties in het Europese veld' van de Amerikaanse inlichtingendienst CIA.
    Slechts een paar regels om je te bedanken voor je hulp met Pilgrim. We
hebben vorige week samen geluncht nadat hij terug was gekomen van de

eerste training, en ik moet zeggen dat hij zich ontwikkelt op een manier die zelfs mijn stoutste dromen overtreft. Een fotokopie van de handgeschreven brief zat tussen de overige papieren.

Ja, ja en een geheime naam kreeg je ook, dacht Johansson en vervolgens was hij met zijn studie van Krassners intellectuele nalatenschap gestopt voor het nuttigen van een betere lunch, die zijn speculaaskleurige schoonzus had samengesteld uit de restjes van Kerstmis en Oud en Nieuw. Na de lunch had hij een uurtje gerust omdat ze hem zowel bier als twee borrels had gegeven, zelf had ze het bij mineraalwater gehouden, en toen hij weer wakker was, maakte hij een snelle wandeling door de dichte schemering om zijn hoofd te zuiveren voor hij terugkeerde naar zijn geleende bureau. Shit, het wordt nog echt spannend, dacht Johansson toen hij in het voorhalletje van het kantoor van zijn broer de sneeuw van zijn schoenen stampte.

Aan het eind van de zomer het jaar daarop was Pilgrim teruggekeerd naar Zweden, uiteraard met heel keurige Amerikaanse cijfers, en hij had zijn studie aan de universiteit hervat en was ook een carrière begonnen in de studentenpolitiek. Die was zo succesvol dat zijn nieuwe baas, de verenigde studentenverenigingen van Zweden, sfs, al na een paar maanden besloot om hem naar West-Duitsland te sturen voor een lange 'studie- en contactenreis'. Hoewel Pilgrim kennelijk 'een hoogbegaafde jongeman' was, vond Lars Martin Johansson met zijn meer traditionele politionele instelling die carrière toch wat aan de snelle kant, en Krassner voedde die verdenkingen.

Volgens Krassner was het namelijk zo dat het neutrale Zweden, zodra het wist welke kant het op ging, een militaire samenwerking met de VS was begonnen. Die samenwerking ging zo ver als praktisch gezien maar mogelijk was in het verborgene en zonder de officiële houding van 'een voortzetting van een strikte Zweedse neutraliteit' openlijk te schenden. Verder was het echter volle kracht vooruit. Concreet gesproken ging het in essentie om militaire inlichtingenoperaties die tegen de erfvijand van Zweden en de vroegere bondgenoot van de VS, de Sovjetunie, waren gericht.

De Verenigde Staten voorzagen de Zweedse krijgsmacht van geld en technische uitrusting, terwijl de Zweden hun strategische geografische ligging ter beschikking stelden, alsook het personeel dat nodig was om de taken uit te voeren. Krassner had maar een paar pagina's nodig om – bijna terloops, leek het wel – de hoofdlijnen te beschrijven, alsmede enkele verbijsterende losse gebeurtenissen binnen deze op z'n zachtst gezegd inofficiële Zweedse buitenlandpolitiek.

Een hoofdzakelijk defensieve militaire samenwerking voor het geval dat. De andere kant van de zaak bestond uit de meer offensief en intellectueel gerichte werkzaamheden die niet alleen Forselius en Buchanan hadden geënthousiasmeerd, maar ook al hun overige geestgenoten binnen de westerse inlichtingendiensten. Voor Forselius en Buchanan was de onderliggende gedachte zowel eenvoudig als vanzelfsprekend en uiteraard axiomatisch elitair op zo'n manier dat een weldenkend mens met stabiele conservatieve waarden er geen seconde over na hoefde te denken.

Bepalend voor de toekomst van Europa was de politieke richting van de jonge, opgroeiende elite. Omdat de werkzaamheden om dat te beïnvloeden – net als al het andere superieure en echt wezenlijke menselijke werk – het beste konden worden bedreven in georganiseerde vormen en bij voorkeur met gegevens en subjecten die ook georganiseerd waren, waren de studentenbewegingen zowel de nieuwe legers van de koude oorlog geworden, als het slagveld waar de strijd werd gestreden.

Tegen deze achtergrond was het ook niet zo vreemd dat het militaire hoofdkwartier van de VS in Frankfurt zowel kleine als grote zaken voor Pilgrim had geregeld toen hij daar eenmaal was om 'zijn studie te beginnen' en 'zijn eerste internationale contacten te leggen'.

Ongetwijfeld een interessante tijd, dacht Johansson. Een van zijn absolute literaire favorieten waren de beschouwingen over de Duitse herfst van Stig Dagerman. Pilgrim was kennelijk geen slechte vangst geweest. Zodra hij een beetje gewend was, was hij van hot naar her gereisd achter het ijzeren gordijn dat net was dichtgetrokken: Oost-Duitsland, Polen, Tsjecho-Slowakije; internationale symposia, conferenties, lezingen, studiebezoeken, debatten en gewone simpele bijeenkomsten werden afgewisseld met geheime nachtelijke ontmoetingen, naar buiten gesmokkelde mededelingen, agenten die gerekruteerd en sympathisanten die gewonnen moesten worden voor de juiste zaak. Maar ook mensen met wie het was misgelopen, mensen die werden verdacht en ontmaskerd, mensen die de zaak in de steek hadden gelaten. Zelfs een enkeling die was verdwenen of gestorven.

Buchanan had zijn jonge favoriet Pilgrim steeds de vaderlijk beschermende hand boven het hoofd gehouden. Ze hadden nauw en continu contact per brief en gewone telefoon en op alle gebruikelijke geheime manieren, en Buchanan kon zelfs gewoon opduiken, naar Pilgrim knikken en hem meenemen naar een kroeg, of die nu in Stockholm, Frankfurt, Berlijn, Londen of Parijs lag. Maar nooit in

Warschau, nooit in Praag, nooit aan de verkeerde kant van het gordijn.

Een bijzonder genereuze vadergestalte met welhaast onuitputtelijke middelen leek het wel, en als je de geschriften en de documentatie mocht geloven die Krassner van zijn oom had gekregen, had Pilgrim bijna vijf jaar, vanaf het najaar van 1948 tot de zomer van 1953, binnen de internationale Europese studentenbeweging als agent voor de CIA gewerkt, en de hele tijd was Buchanan gul over de brug gekomen. Tussen de papieren van Krassner zat een keurig handgeschreven overzicht van de bedragen die in de desbetreffende periode overgeschreven waren naar *Pilgrim and/or Pilgrim Operations and/or Pilgrim Operatives*: het handschrift van Buchanan, de gebruikelijke soort kopie, de grootte van het bedrag, of het per cheque, postwissel of contant was betaald en de dag en het jaar van de betaling.

Naast dit overzicht waren er ook een stuk of twintig kopieën van Zweedse en buitenlandse cheques en postwissels die of blanco of op 'houder' of 'drager' waren uitgeschreven, en geen daarvan was uitgeschreven door de CIA of een ander officiële, halfofficiële of geheime Amerikaanse autoriteit. Het geld kwam van Amerikaanse stichtingen, fondsen en ideële organisaties: Ford Foundation, Rockefeller Foundation, Beacon, Borden, Edsel, Price and Schuhheimer Foundation. Het vaakst kwamen ze van laatstgenoemde.

Gul type, dacht Johansson en die opvatting deelde Krassner kennelijk ook; in zijn kliederige en gedeeltelijk handgeschreven voetnoten had hij genoteerd dat 'Bartlett K. Schuhheimer een echte Amerikaan en patriot was geweest, die zijn hele vermogen aan de strijd tegen het rode gevaar had nagelaten', waarbij hij zijn 'goede vriend en wapenbroeder Col. John C. Buchanan' had aangewezen om 'de middelen van de stichting te beheren en te verdelen'.

Het was allemaal op relatief bescheiden schaal begonnen. In november en december 1948 had Pilgrim 1248 dollar en 50 cent ontvangen voor 'verblijf, reiskosten en overige kosten'.

Dan had hij niet echt te klagen, dacht Johansson, die het boek van Dagerman nog redelijk goed in zijn hoofd had zitten.

Hoe dan ook was Pilgrim, te oordelen naar de kosten, het jaar daarop kennelijk goed op dreef gekomen. In totaal had Buchanan ruim 30.000 dollar, of zo'n 150.000 Zweedse kronen overgemaakt. Een bedrag dat overeenkwam met het totale gemiddelde jaarloon van een stuk of vijftig Zweedse industriearbeiders in datzelfde jaar. Dat wist Johansson omdat hij met behulp van een boek dat hij van de bibliotheek in Sundsvall had geleend, net zijn kennis van de economische geschiedenis had opgefrist.

In de twee jaar daarna was het nog beter gegaan, bijna 60.000 dollar in 1950 en ruim 70.000 in het jaar daarop. Maar daarna moest er iets vervelends met Pilgrim, zijn activiteiten of de branche in zijn geheel zijn gebeurd, want nog maar een jaar later waren de kosten gedaald tot 25.000 dollar en in 1953 waren ze vrijwel terug waar ze waren begonnen, een miezerige 9.085 dollar en 25 cent over het hele jaar.

Volgens Krassner lag de verklaring bij Pilgrim zelf. Hij had andere en belangrijkere zaken te doen gekregen en was begonnen zijn werkzaamheden als studentenpoliticus en geheim agent af te bouwen. Wat hij had opgebouwd, zou worden overgedragen aan anderen, en alles was trouwens met instemming van Buchanan gebeurd.

De hoogste tijd om er een punt achter te zetten, dacht Johansson want de klok in zijn maag had al gezegd dat die eten wilde en de klok om zijn pols had zoals gewoonlijk geen tegenwerpingen.

Zijn broer was weer terug van zijn zaken en na het eten waren ze voor de open haard in de woonkamer gaan zitten om samen rustig een grog te drinken voor ze naar bed gingen.

"En", zei Johanssons grote broer sommerend en met een nieuwsgierig gezicht. "Hoe gaat het?"

"Hoe bedoel je?" vroeg Johansson vriendelijk glimlachend.

"Ik heb van mijn vrouw begrepen dat je de hele dag mysterieus in je eentje bezig bent", zei zijn broer. "Ben je met iets geheims bezig?"

"Nee", zei Johansson en hij schudde zijn hoofd. "Ik zit gewoon een boek te lezen."

"Ik wist niet dat er losbladige boeken waren", zei zijn broer grinnikend.

"Het is nog niet gedrukt", zei Johansson.

"Ik heb gisteren even door het raam naar binnen gekeken toen ik wegging", legde zijn broer uit. "Maar je hoorde of zag niets. Staat er iets interessants in?"

"Gaat wel", zei Johansson. "Herinner je je die DC 3 die de Russen boven de Oostzee neerschoten toen ik klein was?"

"Ja", zei zijn grote broer en hij knikte. "Dat herinner ik me nog wel, want toen ging pa onderhoud plegen aan het jachtgeweer, hoewel het nog drie maanden duurde voordat de elandenjacht werd geopend. Hadden ze niet ook wat anders neergeschoten?"

"Een Catalina-vliegtuig dat naar de DC 3 zocht", zei Johansson.

"Het was op 16 juni 1952. Dat met de DC 3 was drie dagen eerder, op de dertiende."

"Dat weet ik nog wel", zei Johanssons grote broer met een scheve glimlach. "Vader Evert was helemaal in de lorum en gezien zijn slechte schietvaardigheid was het maar goed dat de Russen ons daarna met rust lieten."

"De Russen schoten ze neer omdat ze namens de Amerikanen de Russen bespioneerden", zei Johansson. Dit wordt interessant, dacht hij.

"Dat soort rommel moet je niet lezen", zei zijn grote broer en hij zuchtte gelaten. "Ik weet nog dat je vroeger ook al zo was. Je las allemaal nonsens en vervolgens geloofde je het ook nog. Ik heb nog een tijdje gedacht dat er iets met je aan de hand was."

"Het was een grapje", zei Johansson. "Proost, trouwens." Dat je geloofde, dacht hij.

"Je moet niet van die rommel lezen", herhaalde zijn broer. "Kijk mij nou. Sinds ik mezelf kan verdedigen, heb ik geen pap meer gegeten en geen enkel klereboek gelezen, en ik durf te wedden dat ik per maand net zo veel verdien als jij in een heel jaar. Proost, trouwens."

Ongetwijfeld, dacht Johansson en hij hief zijn glas instemmend op. Dat is nou net de clou, dacht hij.

De volgende ochtend, toen hij net met de papieren van Krassner aan de slag zou gaan, had Wiklander hem gebeld, hoewel het zaterdag was.

"Ik heb het nummer van je broer gekregen", legde Wiklander uit. "Je had toch een vraag over die graven en baronnen?"

"Zit jij op zaterdag op het werk?" vroeg Johansson. Wiklander heeft potentieel, dacht hij.

"Ik heb dienst", legde Wiklander uit. "Ik wil in januari naar de Canarische Eilanden, maar met al die feestdagen wordt het hard werken."

"Ik luister", zei Johansson, die nog nooit naar de Canarische Eilanden was geweest. Er was ook geen haar op zijn hoofd die dat overwoog, hoewel hij een echte politieman was.

Het had zelfs Wiklander enige tijd gekost, want geen van de personen in kwestie stond in de eigen registers of archieven van de politie, en even had hij bijna gevreesd dat hij in openbare bronnen moest gaan zoeken, maar toen had hij gelukkig aan collega Söderhjelm gedacht.

"Maar toen moest ik aan collega Söderhjelm denken van de zwendelafdeling", legde Wiklander uit, "en toen realiseerde ik me dat ze zelf zo iemand is."

"Zo iemand?"

"Ja, zo'n adellijk iemand dus", verduidelijkte Wiklander. "Die mensen weten altijd alles over elkaar."

Zelf had Johansson maar een vage herinnering aan de jongere vrouwelijke collega. Goedgetraind en beleefd maar zonder een greintje onderdanig te zijn, wat eigenlijk een te zeldzame combinatie was in de wereld waarin hij had verkozen zijn leven te leiden.

"Ik luister", zei Johansson.

"Ja, ze weten klaarblijkelijk alles over elkaar", herhaalde Wiklander. "Ze is kennelijk in de verte ook nog familie van die von Wrede. Ze heeft een gesprek geregeld met iemand die ze kende in Riddarhuset. Ze hebben een vereniging", legde hij aan zijn duidelijk niet-ingewijde chef uit.

"Ik luister", zei Johansson. Kom nu eens ter zake, dacht hij en hij voelde een lichte irritatie toen hij de stapel papier op de tafel voor hem zag.

"Ze zijn dood", zie Wiklander. "Allemaal, behalve de wiskundige. Maar hij is niet adellijk. Een oud domineesgeslacht uit Västergötland, dacht Söderhjelm. Niet echt chic, dus."

Alle betrokken edelen waren dood en het was bij geen van hen een gewoon sterfgeval geweest, aldus collega Wiklander. De eerste die ging, was ritmeester graaf Lewenhaupt; hij overleed al in 1949 na een tropische ziekte die hij tijdens een safari in Afrika had opgelopen.

"Een merkwaardige worm die onder zijn huid was gekropen en in zijn lever ging zitten. Hij is in een speciaal ziekenhuis voor tropische ziekten in Londen overleden", zei Wiklander samenvattend.

Bilharzia, dacht Johansson, die geen gewone politieman was en overal een beetje verstand van had.

Tweede luitenant baron von Wrede was in 1961 tijdens een auto-ongeluk om het leven gekomen. Volgens Wiklander was hij met zijn open sportauto op de stal van zijn landgoed ingereden.

"De meest voor de hand liggende gedachte is dat hij dronken was en ruzie had gehad met zijn vrouw", zei Wiklander die ook een echte politieman was, zij het van een iets gewoner slag dan Johansson.

"En Björnstjerna?" vroeg Johansson. "Waar, wanneer en hoe is hij overleden?"

"Dat lijkt wel een geheel normale dood te zijn geweest", zei Wiklander en zijn stem klonk lichtelijk teleurgesteld. "Hij is in 1964 in het Sofia-tehuis aan kanker overleden. Hij was ook niet bijzonder oud. Geboren in 1923."

"En Forselius?" hield Johansson aan. "Wat ben je over hem te weten gekomen?"

"Hij leeft nog steeds", zei Wiklander. "Hoewel hij aanzienlijk ouder is dan de anderen. Het lijkt een interessant type. Hij staat zelfs in de encyclopedie. Ik ben naar de stadsbibliotheek geweest. Heb ook nog even in een paar boeken gekeken die hij heeft geschreven."

"Stond er iets interessants in?" vroeg Johansson vriendelijk.

"Zeker", zei Wiklander. "Maar het was abracadabra plus een heleboel cijfers, dus het valt volledig buiten mijn beoordelingsvermogen."

"Interessant type?"

"Als ik het goed heb begrepen, geloof ik dat hij aardig wat heeft gedaan voor de collega's van Veiligheid", zei Wiklander. "Ook recentelijk, hoewel hij zo oud is als Methusalem. Als ik het niet helemaal verkeerd heb begrepen, dan heeft hij een heel computerprogramma gemaakt voor codes en versleuteling en wat ze daar ook maar doen."

"Je hebt niet met iemand gepraat?" vroeg Johansson en om de een of andere reden voelde hij een steek van onrust.

"Niet mijn stijl", zei Wiklander afwijzend. "Ik kom er hoe dan ook wel achter."

"Behalve collega Söderhjelm", zei Johansson preciserend.

"Zij is net als ik, dus zij telt niet", zei Wiklander kortaf.

"Mooi", zei Johansson. "Heb je nog plannen voor de rest van het weekend?" voegde hij er collegiaal aan toe. Het was ook een geschikte en vergoelijkende manier om het onderwerp af te sluiten.

"Zodra ik vrij ben, wilde ik collega Söderhjelm uitnodigen voor een etentje", zei Wiklander. "Leuke meid trouwens."

Prettig te horen dat iemand normaal is, dacht Johansson en hij keek naar zijn volle bureau.

"Ik heb overigens wel een vraag", zei Wiklander en hij klonk een beetje afwachtend. "Als je er geen bezwaar tegen hebt."

"*Shoot*", zei Johansson. "Ik luister", verduidelijkte hij.

"Waar gaat dit eigenlijk over?" vroeg Wiklander. "Is het iets wat ik moet weten?"

"Tja", zei Johansson. "Als het volledig onder ons blijft?"

"Uiteraard", zei Wiklander.

"Ik ben een thriller aan het schrijven", zei Johansson. "Ik had alleen wat goede types nodig."

"Op die manier", zei Wiklander, wiens stem plotseling zeer afwachtend klonk. "Jammer dan dat ze dood zijn."

"Je kunt niet alles hebben", zei Johansson rustig en vervolgens had hij Wiklander bedankt voor zijn hulp en het gesprek beëindigd.

In een gewone thriller gaat iedereen vroeg of laat toch dood, dacht hij toen hij had opgehangen, en je kunt niet alles hebben. Of wel? Om de een of andere reden had hij moeten denken aan de vrouw die hij in het kleine postkantoor aan de Körsbärsvägen had ontmoet.

In 1953 had de minister-president zijn leven een andere richting gegeven. Geen dramatische verandering, eerder een correctie van de koers, en zijn belangstelling voor geheime activiteiten leek hij niet alleen te hebben behouden, maar ook verder te hebben ontwikkeld in meer nationale en gangbare vormen. Volgens Krassner was dat alles niet alleen met instemming van Buchanan gebeurd, maar zelfs met zijn duidelijk uitgesproken genoegen en steun.

Eerst had hij zijn betrokkenheid bij de studentenpolitiek afgebouwd ten gunste van grotere politieke doelen. Zijn activiteiten binnen de CIA waren, onder andere als een natuurlijk gevolg hiervan, aanzienlijk afgenomen en na de zomer van 1953 stond er noch in de tekst van Krassner, noch in de documentatie van Buchanan iets wat erop wees dat hij überhaupt ook maar iets voor hun rekening zou hebben gedaan. Terugkerend en nauw contact met Buchanan was er volgens Krassner geweest tot het voorjaar van 1955, toen hij het merkwaardige en poëtisch geformuleerde bericht had gestuurd, waarin stond dat zijn leven 'tussen het verlangen van de zomer en de kou van de winter' nu als geschiedenis moest worden beschouwd.

In 1953 had hij ook een vaste baan gekregen, twee vaste banen zelfs. Vlak voor de zomer was hij aangesteld als analyticus bij de inlichtingenafdeling van de defensiestaf en slechts enkele maanden later was hij als assistent van de toenmalige minister-president gaan werken. Geen slechte baan voor een hoogbegaafde jongeman met grote ambities in het leven, en wat dat betreft, ook geen slechte werkgever. Al helemaal niet omdat zijn professionele relatie met de vijfentwintig jaar oudere minister-president door de verbaasde wereld om hen heen algauw als een bijna klassieke vader-zoonrelatie werd beschouwd.

De minister-president in zijn jonge jaren, Pilgrim, Johanssons eigen minister-president, leek een oprechte belangstelling voor veiligheids- en inlichtingenwerkzaamheden te hebben gehad. Zijn werk als 'analyticus' leek ook relatief ongebonden te zijn geweest van het etiket dat zijn werkgever op zijn taak had geplakt, maar of dat was om de duivelse vijand te misleiden of dat het er gewoon op wees dat hij een vrije operator was, kon Johansson niet beoordelen en Krasser had ook niets substantieels meer te melden. Maar waarschijnlijk was er geen hond die de persoonlijke assistent van de oude minister-president op de vingers probeerde te tikken, dacht Johansson.

Aanvankelijk zou de huidige minister-president zich – volgens Krassner, maar zonder nadere details of bewijzen in de vorm van documenten – bezig hebben gehouden met de reguliere militaire samenwerking tussen de Zweedse en Amerikaanse inlichtingendiensten; waar het feitelijk om ging was het onderzoeken van de behoeften op het gebied van veiligheidspolitiek en uiteindelijk ook om een uitwisseling van de personen, diensten en materialen die nodig waren om in die behoeften te voorzien. Nu zou hij zich bij diverse gelegenheden tot Buchanan hebben gewend voor raad en daad, maar waar dat concreet uit zou hebben bestaan was onduidelijk. Krassner wees er ook op dat Buchanan binnen een andere tak van de CIA werkte en dat hij daarom vooral had bemiddeld bij contacten en in algemene zin als een soort deuropener en persoonlijke garantie had gefungeerd dat Pilgrim een 'goede jongen' was, die 'uit het juiste hout was gesneden'.

Over de vermeende rol van de minister-president bij het opzetten van het Informatie Bureau kon Krassner weinig toevoegen aan wat tijdens het binnenlandse openbare debat was gebleken of aangeduid. Die gegevens vermeldde Krassner in het kort als algemeen bekende en duidelijke feiten, en dat was alles. Pilgrim had een centrale rol gespeeld toen het IB was opgericht, de geheime organisatie die vooral toezicht moest houden op de politieke tegenstanders van de sociaal-democratie, en volgens dezelfde zegsman zou hij al in de herfst van 1954 in een gesprek met Buchanan volkomen duidelijk hebben gemaakt dat hij zijn sociaal-democratische organisatie als de 'natuurlijke staatsdragende partij in Zweden' beschouwde.

Dergelijke visies hadden Buchanan uiteraard zorgen gebaard. Vooral omdat ze van een 'hoogbegaafde jongeman' kwamen met een 'stabiele conservatieve grondhouding', en tussen de papieren die hij had nagelaten zat ook een fotokopie van zijn aantekeningen naar aanleiding van het gesprek met Pilgrim. Naar het handschrift en de kopie te oordelen was dit door Buchanan ten tijde van het gesprek opgeschreven, maar als bewijs was het toch van secundaire betekenis, omdat het als puntje bij paaltje kwam Buchanans versie was van wat Pilgrim zou hebben gezegd. Bovendien waren de aantekeningen nogal moeilijk te duiden en her en der cryptisch.

Maakt ook niet uit, dacht Johansson, want ook Pilgrim begon op dat moment duidelijke tekenen te vertonen dat zijn passie voor de inlichtingenwerkzaamheden verflauwde. Zijn politieke activiteiten en ambities waren op de voorgrond getreden en nu nam zijn carrière pas echt een hoge vlucht. Zijn politieke taken stapelden zich op en op zijn eigen werk had hij meer en meer te zeggen gekregen, ook in formele zin. In het begin van de jaren zestig was hij aan het hoofd van het kabinet van de minister-president komen te staan en slechts enkele jaren later zat hij in de regering. In de jaren die volgden was hij steeds dichter bij het hoofd van de tafel komen te zitten en toen zijn eigen baas aan het eind van de jaren zestig met pensioen ging, was het zover: minister-president, hoewel hij een van de jongste leden van de regering was en bijna vreemdsoortig als sociaal-democraat als je naar zijn achtergrond, jeugd en opleiding keek.

Ja, ja, dacht Johansson en hij keek op zijn horloge. De klok in zijn maag was op zich nog niet echt gaan tikken, wat waarschijnlijk vooral kwam doordat het nog een aantal uren duurde voordat het tijd was voor het avondeten. Zelf voelde hij echter een grote behoefte om naar buiten te gaan en te bewegen. Geen wandeling, dacht Johansson, want dan kreeg hij door de vroege duisternis waarschijnlijk echt last van een depressie. Hij besloot naar de stad te gaan om het boek over economische geschiedenis terug te brengen dat hij in de bibliotheek had geleend.

Toen hij eenmaal in de bibliotheek was, had hij zelf ook nog even wat onderzoek gedaan en hoewel hij slechts in de stadsbibliotheek van Sundsvall was, was hij min of meer bij toeval gestuit op een interessant detail over de mysterieuze Forselius, dat Wiklander kennelijk had gemist. Op zich niet zo vreemd, dacht Johansson, gezien wat hijzelf wist en Wiklander niet.

Eerst had hij in een boek gekeken dat *Grote Zweden binnen de wiskunde* heette en daarin had hij zowel Sonja Kovalevskij gevonden, hoewel ze Russische was, als professor Forselius. Aan diens geheime activiteiten werd met een totaal stilzwijgen voorbijgegaan en de nadere betekenis van wat hij verder had gedaan, lag buiten Johanssons blikveld. Hij kon weliswaar rekenen, maar de hogere wiskunde liet hem koud. Met zijn ogen was echter niets mis en al vrij snel had hij gezien dat Forselius kennelijk een leerling had gehad die ook heel wat in zijn mars had. Bovendien met dezelfde naam als de bijzondere deskundige van de minister-president en ongeveer van dezelfde leeftijd. Op die manier, dacht Johansson en vervolgens was hij teruggegaan naar zijn broer om daar te eten.

Johansson had die nacht vrij lang wakker gelegen en nagedacht over alles wat hij van de minister-president van zijn land wist, en om de een of andere reden had hij zich bijna opgewekt gevoeld toen hij dat deed. Niet echt de man die in de rechtse pers werd beschreven, dacht Johansson en hij glimlachte in het donker. Eerder een westerse held uit een willekeurig nummer naar keuze van *Het Beste*, dat hij als kind iedere maand altijd in één ruk had uitgelezen, humor in uniform en een soort musketier van de koude oorlog; alleen geen *lettres de cachet* maar eerder mededelingen die met onzichtbare inkt waren geschreven, geen zwetende paarden maar een Buick V8 die door donkere, stormige nachten scheurde, en als er valluiken waren dan zaten ze in de hoofden van de mensen. Hoewel de holle eiken waarin dingen werden verstopt, ongetwijfeld dezelfde waren geweest. Eiken konden namelijk ontzettend oud worden.

Er moest heel wat zijn geweest dat de moeite waard was om over te schrijven, dacht Johansson, want dat had hij ook in *Het Beste* gelezen. De schurken uit het oosten hadden in elk geval pennen die in feite pistolen waren, paraplu's met vergiftigde doppen en onschuldige wandelstokken die met een vlugge knik van het handvat veranderd konden worden in flitsende degens met snijvlakken zo scherp als scheermesjes. Maar wat had Pilgrim eigenlijk gehad, afgezien van zijn edele bedoelingen en een goede zaak?

Hij had iemand zoals zijn grote broer moeten hebben, dacht Johansson. Een simpele kompaan zoals zijn grote broer met zijn pientere hoofd en zijn enorme vuisten en zijn volledig onsentimentele vermogen om iedereen op de bek te slaan zodra hem iets niet paste. Of misschien zoals Jarnebring? Die was weliswaar niet zo slinks als zijn broer, verre van, maar als het op een stevig handgemeen uitdraaide was hij onverslaanbaar. Zelfs James Bond zou zich niet hebben weten te redden, zelfs niet als hij had geprobeerd weg te hollen, want dan zou Jarnebring hem hebben ingehaald en hem in zijn nekvel hebben gegrepen en hem zo'n oplawaai hebben verkocht dat er slechts een leeg colbertje en een flodderige broek van een kleermaker aan Old Bond Street overbleef, of ... daar was hij in slaap gevallen en toen hij 's ochtends wakker werd, had hij dezelfde glimlach op zijn lippen.

Grote god, dacht Johansson en hij lachte in zijn eentje. Pilgrim en Jarnis – wat een mooi stel zou dat geweest zijn.

De hoogste tijd om de zaak af te ronden en hoe eerder hoe beter, dacht Johansson omdat het zondag was, de dag voor Driekoningen en de dag voor zijn vertrek. Hij had snel gedoucht en nog sneller ontbeten en zat al om halfzeven achter het grote bureau in het kantoor van zijn broer.

De stapels voor hem waren dunner geworden en het meeste had hij kunnen uitziften. Van de documentatie resteerden alleen nog een brief met een envelop en een condoleancekaart met een zwart kader en een gedicht van drie regels. Maar dat waren originele documenten, geen kopieën; ze waren met de hand geschreven en volgens Krassner was de minister-president de auteur, Pilgrim toen hij al minister-president was, en volgens dezelfde Krassner had hij ze in maart 1974 geschreven. Ze waren afgestempeld op het kantoor Stockholm Ban en ze waren per exprespost naar de postbus van Buchanan thuis in Albany gestuurd.

Bijna twintig jaar nadat hij zijn afscheidsbrief had geschreven, dacht Johansson. Een heel leven, gezien alles wat er was gebeurd en alles wat hij had meegemaakt. Vreemd, heel vreemd, dacht Johansson.

Dit moet te controleren zijn, dacht hij routinematig terwijl hij achtereenvolgens de brief, de condoleancekaart en de envelop tussen zijn duim en wijsvingernagel omhoog hield en alle kanten op draaide. Misschien zitten er nog vingerafdrukken op, dacht hij. Amerikaanse technici hadden vingerafdrukken veilig weten te stellen die tientallen jaren oud waren, dat had hij in het maandblad van de FBI gelezen, en bijna altijd ging het om afdrukken die op papier zaten. Hoe ik dan ook maar aan zijn vingerafdrukken zou moeten komen, dacht Johansson met een scheef lachje.

Eerst de brief: die was kort, handgeschreven in Pilgrims karakteristieke, expressief naar voren hellende handschrift, als een cavalerieaanval op papier, dacht Johansson en hij glimlachte weer. Het briefpapier was dik en ongetwijfeld duur. Toen hij het tegen het licht hield, zag hij het watermerk van Lessebo.

Fionn,
Hoorde gisteren van de tragische dood van Raven. Ik hoop van harte dat jullie die hufters (i.e. bastards) die het hebben gedaan te pakken krijgen. Omdat ik vermoed dat je van plan bent naar zijn begrafenis te gaan, zou ik het op prijs stellen als je bijgevoegde groet van mij zou kunnen overhandigen. Vraag niet waarom, maar Raven was een waar liefhebber van de IJslandse saga's. Zorg goed voor jezelf (i.e. Take care).
Pilgrim

Vervolgens de condoleancekaart die hij in dezelfde envelop had gestuurd.

Als dit van Snorre Sturlason is, ben ik een Japanner, dacht Johansson terwijl hij de drie regels op de kaart las die in het Zweeds waren geschreven.

De dood is zwart als de vleugel van een raaf,
het verdriet koud als een midwinternacht,
net zo lang en zonder uitweg.

Moet iets zijn wat Pilgrim zelf heeft geschreven, dacht Johansson. Misschien iets wat alleen hij en Raven begrepen en wat nu als een laatste groet dienstdeed. Hoe had ze het ook alweer gezegd, die buitengewoon begaafde vrouw die hij een maand geleden had ontmoet? Een man met een poëtische instelling of eerder een poëtische ambitie?

Johansson had achterovergeleund in de bureaustoel terwijl hij zijn rug had gestrekt en zijn vingers in zijn nek door elkaar had gevlochten om beter te kunnen nadenken. Maar deze keer had dat niet geholpen. Dus had hij Krassners manuscript gepakt en was verder gaan lezen. Nu resteerde nog amper een derde, een dunne stapel die slap aanvoelde en waarvan de inhoud weinig meer leek te beloven. Volgens Krassner zou Buchanan in de periode dat hij actief was, zo'n honderd agenten voor de strijd om de jonge, opgroeiende elite van Europa hebben gerekruteerd. Hij had twee favorieten gehad en volgens zijn neef waren zij de enigen die echt iets voor hem hadden betekend. De ene was Pilgrim en de ander was Raven. De eerste had hem teleurgesteld, de tweede was hem tot in de dood trouw gebleven.

Raven heette eigenlijk Salomon 'Sal' Tannenbaum en was van dezelfde leeftijd als Pilgrim. Geboren en getogen in New York, in een welgesteld intellectueel joods gezin, en volgens de 'Ier' Krassner was dat ongeveer de beste achtergrond die je in de internationale inlichtingenwereld kon hebben, of je 'je bruine ogen nu had opengeslagen' in Moskou, Warschau, Londen of New York.

Dat moet je Duitse vader zijn, dacht Johansson grimmig, terwijl hij zich door de weinige tekst haastte.

Zijn agentnaam Raven had hij van Buchanan gekregen, een vanzelfsprekende en eenvoudige keuze omdat hij eruitzag als een raaf en verstandig was als twee raven. Na een rechtenstudie aan Harvard en een vroege betrokkenheid bij de Amerikaanse studentenbeweging had hij Buchanan ontmoet en was hij gerekruteerd als CIA-agent; vervolgens was hij naar Europa gegaan voor een inleidend gesprek met de communistische studentenorganisaties.

In Frankfurt, in november 1948, had Raven Pilgrim ontmoet. Niet onverwacht hadden ze elkaar gemogen.

Ravens werk aan het Europese front was echter van korte duur geweest. Hij was teruggekeerd naar de VS en als advocaat gaan werken voor vrijwel elke onversaagde, politiek correcte zaak die er in het grote land in het Westen te vinden viel. Sal Tannenbaum had de burgerrechtenbeweging vertegenwoordigd, de Black Panthers, Mexicaanse landarbeiders, indianen en zelfs eskimo's. Hij was 'opgekomen' voor raciale integratie, vakbondsrechten, de vrede in Vietnam en natuurlijk de wereldvrede. Hij had tegen de georganiseerde misdaad gestreden en tegen de uitbuiting van de gekleurde lagere klassen door het kapitalisme. Bijna altijd had hij dat ideëel gedaan – *pro bono* – en volgens Krassner zou hij ruim twintig jaar lang een van de meest effectieve infiltranten van de CIA in de 'radicale, socialistische en communistische bewegingen' aan het Amerikaanse thuisfront zijn geweest.

Grote god, zuchtte Johansson. Als dat waar is, heeft hij het niet makkelijk gehad.

In mei 1974 was een man, waarschijnlijk van middelbare leeftijd, waarschijnlijk blank, waarschijnlijk in pak, met een alledaags uiterlijk, het kantoor van Tannenbaum binnengekomen. Hij was rustig, stil en ongemerkt langs de receptioniste gelopen, die zoals altijd aan de telefoon zat, en had de deur van Tannenbaums kamer opengedaan en een kogel door diens hoofd geschoten. Vervolgens was hij weggegaan en omdat het slachtoffer was wie hij was en de getuigen weinig hadden gezien, was het een nachtmerrie voor de politie geweest.

Het moest van de motieven en mogelijke daders hebben gewemeld, dacht Johansson. En als Krassners verhaal waar was en iemand anders tot dezelfde conclusie was gekomen, dan kon je de potentiële daders en motieven zelfs wel verdubbelen.

Volgens Krassner was het veel eenvoudiger. De moord op Raven was besteld. Degene die de bestelling had geplaatst was Pilgrim en degenen die hem met de praktische zaken hadden geholpen, waren de nieuwe heren die hij diende: de Sovjetunie en hun militaire inlichtingendienst. Vandaar ook de titel van zijn boek: *De spion die overliep naar het Oosten*. De verklaring van Krassner was lang, ingewikkeld en mager. Concrete bewijzen ontbraken volledig en in plaats daarvan mocht de krassneriaanse logica vrijelijk heersen. In zijn twintig jaar bij de politie had Johansson oneindig veel Zweedse variaties op hetzelfde thema gehoord, die tot vervelens toe waren geventileerd in de wandelgangen en koffiekamers van de diverse bureaus. Maar iets wat hier ook maar in de verste verte op leek, had hij nog nooit gehoord.

Eerlijk is eerlijk, dacht Johansson, terwijl hij enkele van de meest

415

fanatieke collega's voor zijn geestesoog zag verschijnen, die allemaal gemeen hadden dat ze nooit politieman hadden mogen worden. Russische spion? Ja, want dat 'wist iedereen'. Moordenaar? Nee, en dat had ook nooit iemand gezegd. Zelf had hij alles altijd – ongeacht hoe hij had gestemd, want dat had in de loop de jaren wel gewisseld – volstrekt kolder gevonden. Dat de minister-president voor de Sovjetunie zou spioneren, was net zo onwaarschijnlijk als Johansson het nu waarschijnlijk vond dat hij in zijn jeugd gedurende een aantal jaren agent voor de Amerikaanse CIA was geweest. Op dat punt geloof ik jullie wel, dacht Johansson en de 'jullie' aan wie hij dacht, waren dat stuk ongeluk van een Krassner en zijn dorstige oom. Maar de rest kunnen jullie op je buik schrijven.

Toen hij zover was gekomen met zijn overpeinzingen, werd hij onderbroken doordat de telefoon overging, terwijl het nog maar acht uur op zondagmorgen was. Het was Wiklander, en net als alle echte politiemensen had hij iets bedacht. Namelijk dat de mysterieuze hoogleraar Forselius niet alleen mensen met een hoge functie binnen de Säpo kende, maar dat hij ook nauw bevriend was met de bijzondere deskundige van de minister-president, dezelfde man die ook verantwoordelijk was voor de veiligheidskwesties die de minister-president en de regering betroffen.

"Interessant", zei Johansson leugenachtig. "Hoe ben je daarachter gekomen?"

"Collega Söderhjelm", zei Wiklander. "Ik had toch gezegd dat we gisteren samen zouden eten?"

Kennelijk had het een tot het ander geleid en zonder in details te treden, vertelde Wiklander dat hij een tijdje later voor de goedgevulde boekenkast van collega Söderhjelm had gestaan, een erfenis van een oom met literaire interesses, waar zijn blik toevalligerwijs op een boek over grote Zweden in de wiskunde was gevallen en met Forselius nog vers in zijn geheugen, had hij het boek gepakt en ingekeken.

"Puur toeval", zei Wiklander bescheiden.

"Hoe was het eten?" vroeg Johansson afleidend.

Gezellig, aldus Wiklander, zelfs zo gezellig dat hij nu overwoog de Canarische Eilanden te laten schieten en in plaats daarvan drie weken met collega Söderhjelm naar Thailand te gaan op een duikexpeditie.

"Klinkt leuk", zei Johansson neutraal. "Doe haar de groeten en heel erg bedankt voor je hulp trouwens."

Ik ben tenslotte haar baas, dacht hij toen hij had opgehangen en was teruggekeerd naar dat stuk ongeluk van een Krassner en het afsluitende en meest rommelige deel van zijn toch al vrij verwarde manuscript. En omdat hij spontaan alles had gewantrouwd wat daar stond toen hij het voor het eerst had doorgebladerd, besloot hij nu extra nauwkeurig te lezen.

Naarmate zijn politieke succes toenam, waren Pilgrims internationale ambities groter geworden en al aan het eind van de jaren zestig had hij actief uitdrukking gegeven aan zijn steun voor vrijwel alle anti-Amerikaanse bewegingen en conflicten die maar aan te wijzen vielen op de politieke kaart. Eerst had hij zich tegen de Amerikaanse strijd voor vrede en vrijheid in Vietnam gekeerd, vervolgens was hij Castro op Cuba gaan steunen alsmede diverse opstandelingen in Zuid- en Midden-Amerika, en als klap op de vuurpijl was hij opgekomen voor Arafat en diens Palestijnse terroristen.

Volgens Krassner had hij dat gedaan omdat hij toen al lange tijd een zogenaamde *agent of influence* voor de Sovjetunie was; over zijn eventuele eigen politieke overtuiging had hij met geen woord gerept en hoe dan ook had hij zijn oude wapenbroeders Buchanan en Raven het bloed onder de nagels vandaan gehaald. Het woedendst was Raven, omdat hij niet was wie iedereen dacht dat hij was, maar slechts een gewone, hardwerkende en echte Amerikaanse CIA-agent. En als de jood die hij ook was, ergerde de steun aan Arafat en de Palestijnen hem het meest.

Raven wilde terugslaan en Pilgrims verleden bekendmaken. Buchanan aarzelde. Gewend als hij was aan twijfelaars, afvalligen, gewone verraders en dubbelagenten in zijn branche, was het ongeacht de zakelijke achtergrond *bad for business* om oude agenten te ontmaskeren. In die situatie – Raven die aandringt op terugslaan door Pilgrim door de mangel te halen, Buchanan die hem probeert tegen te houden terwijl er andere oplossingen worden overwogen – had alles zichzelf opgelost. Begin mei 1974, door de 'waarschijnlijk blanke', 'waarschijnlijk pakdragende', 'waarschijnlijk middelbare' en zeker 'alledaagse' man die Ravens kantoor was binnengestapt en hem door het hoofd had geschoten.

'Middels de gebruikelijke ondoorgrondelijke wegen van alle geheim agenten in de wereld' hadden Pilgrims Russische kameraden kennelijk achterhaald wat er aan de hand was en Pilgrims vriend en contactpersoon, de Russische KGB-generaal Gennadi Renko, lid van het politbureau en lid van het centrale comité, had er snel voor gezorgd dat er in Pilgrims geschiedenis werd opgeruimd. Op dat moment had Buchanan zijn besluit genomen. Of hij nu zijn leven, zijn vergankelijke bestaan en het woord van een dode man op het spel zette, hij wenste zich in geen geval te schikken, en wat hem het meest nijdig maakte, was dat Pilgrim het lef had gehad een condoleancekaart te sturen naar iemand die hij had laten vermoorden. Daarom had hij de hele geschiedenis aan 'zijn neef, jonge vriend en trouwe wapenknecht' verteld en 'de heilige belofte van hem geëist' dat hij ervoor zou zorgen dat 'recht werd gedaan en dat de wellicht grootste verrader in de Europese na-oorlogse geschiedenis zijn rechtmatige straf kreeg'.

En dat is de enige, simpele en vanzelfsprekende reden waarom ik dit boek heb geschreven, eindigde Krassner zijn manuscript. Hij had kennelijk besloten het eind van de allerlaatste zin te schrappen, mogelijk uit valse bescheidenheid of omdat hij weer moed had gevat, maar omdat het slordig was gedaan met behulp van een balpen en de laatste bladzijde, net als die ervoor, een origineel was en geen fotokopie, kon Johansson vanaf de achterkant van het papier toch de tekst lezen die oorspronkelijke was getypt: ... *hoewel ik me er uiteraard terdege van bewust ben dat ik daardoor een groot risico loop zelf vermoord te worden.*

Op Driekoningen was Johansson naar Stockholm gereden met een auto die hij van zijn broer had mogen lenen en die hij moest inleveren bij een autohandelaar aan de Surbrunnsgatan, aan wie hij als politieman een vage herinnering had die hij bij voorkeur vergat. Daarom had hij aan andere dingen gedacht en vooral aan Krassner en de papieren die hij van hem had. Hij was aldoor in een ongewoon goed humeur geweest en had vooral nagedacht over een klein detail in Pilgrims afscheidsbrief waarop Krassner hem geen antwoord had gegeven. In de verste verte niet zelfs.

Die keer dat hij vrij was gevallen als in een droom?

Wat was er toen eigenlijk gebeurd, dacht Johansson. En voor zich, in het schemerland van zijn fantasieën, zag hij een omgebouwde Lancashire-bommenwerper met stille motoren, die zich midden in de zwarte nacht onder de Poolse radar door een weg zocht. Het luik was al open en daar stond Pilgrim in een zwarte overall en een nauwsluitend leren hoofddeksel waaruit alleen zijn haviksprofiel naar voren stak. Elke spier gespannen terwijl hij zich aan de kabel in het plafond vasthield. Nu, nu kreeg hij groen licht en na een gedecideerd knikje stapte hij naar buiten terwijl hij de kabel losliet en vrij viel als in een droom, door al het zwart heen, naar het onbekende onder hem.

Stel je voor dat een echte schrijver zijn tanden in het materiaal van Krassner zou mogen zetten, zuchtte Johansson. Wat had dat een mooi verhaal kunnen worden. Het had niet eens waar hoeven zijn, dacht hij.

XVI

En alles wat restte was
de kou van de winter

Stockholm, januari - februari

Waltin had nooit geprobeerd om Hedberg te pakken te krijgen. In plaats daarvan had de verveling hem te pakken gekregen, terwijl de dagen verstreken zonder dat er iets zinnigs uit zijn handen kwam. Hij had zelfs de training van kleine Jeanette afgebroken, hoewel hij nu pas tijd gehad zou moeten hebben om zich daar serieus mee bezig te houden. Maar hij had zitten piekeren over alle idioten die hem omringden en kennelijk slechts één gedachte in hun hoofd hadden: hoe ze hem te grazen konden nemen en konden beschadigen. Berg bijvoorbeeld, die heel duidelijk probeerde hem er de schuld van te geven dat die achterlijke drugsgebruiker Krassner uit zijn raam was gekukeld. En aan wat die gek van een Forselius met zijn boezemvrienden in het regeringsgebouw aan het doen was, wilde hij liever helemaal niet denken. En dan die roodharige teef met haar bedroevende echtgenoot – al was er weinig 'echts' aan die man – die hem op kerstavond min of meer had lastiggevallen. Aan wat zij aan het bedisselen was, wilde hij liever ook niet denken.

Hij had er uiteraard voor gezorgd dat hij niet op zijn werk kwam, een voordeel van de externe dienst, want via via had hij gehoord dat Bergs vette knechtje hoofdinspecteur Persson rondsloop en vreemde vragen stelde. En als er iemand was die hij niet wilde tegenkomen, was het Persson wel. Primitief en brutaal en volkomen gewetenloos, volledig capabel om willekeurig wat te vinden zodra het baasje met zijn vingers knipte. Niet Persson. Wie dan ook, maar niet Persson, dacht Waltin.

Een paar dagen lang had hij geprobeerd een tijdelijke verlichting te vinden door met zijn verzamelingen bezig te gaan. Hij had honderden polaroidfoto's en flink wat gewone foto's, die hij voor de zekerheid in het buitenland had laten ontwikkelen, en haast net zoveel uren met videofilms en geluidsopnamen. Als privé-verzameling moest het de voornaamste van het land zijn, maar er zaten ook irriterende onvolkomenheden en schoonheidsfoutjes in zijn collectie.

Neem nou bijvoorbeeld de foto's van die vette roodharige teef. Hij had serieus overwogen ze naar een van de vele pornografische huisbladen van de arbeidersklasse op te sturen als 'ingezonden stuk' – waar haalden ze alles vandaan, die ouwe rukkers, want lezen konden ze niet – maar bij nader inzien had hij daarvan afgezien omdat je niet kon zien dat de foto's háár voorstelden. Een vette roodharige teef die was vastgebonden aan de bedstijlen, voor en na het verwijderen van een rode bos; dat kon je wel zien, en voor velen was dat misschien goed genoeg, maar je kon niet zien dat zíj het was en dat was feitelijk de clou als je de foto's ging publiceren.

Omdat ze zo hels had gesparteld, was de nauwkeurig aangebrachte mondknevel verschoven zodat die het halve gezicht bedekte, en helaas had hij dat kleine detail niet gecorrigeerd toen hij de foto's nam. Moe en gestrest van het werk als hij door Berg en diens altijd paranoïde fantasieën was.

Uiteindelijk was hij zowat gek geworden van het rondhangen en niets doen in zijn eigen woning, en omdat hij zichzelf bijna suf rukte om toch een beetje rustig te worden, had hij geen keuze gehad. Hoewel de risico's groot waren – want dat waren ze altijd en met de pech die hij de afgelopen tijd had gehad, zouden ze er niet kleiner op zijn – had hij toch besloten het veld weer in te gaan. Buigen of barsten, dacht Waltin, maar ik moet iets zinvols gaan doen.

Eerst had hij overwogen of hij een tap op haar telefoon zou laten plaatsen, dat had hij wel vaker gedaan en het was ook makkelijk zat om stiekem een extra nummer toe te voegen als de gebruikelijke maandelijkse lijsten werden ingeleverd, maar omdat die debiel van een Persson ergens op zijn terrein rondneusde, had hij dat risico niet durven nemen. In plaats daarvan had hij zelf onderzoek verricht, dat had hij op zich ook wel vaker gedaan en hij was er beter in dan de meesten, maar het probleem was dat het zo verdomde saai was. Alleen politiemensen en gewone hersendoden konden uren in een auto naar een en dezelfde portiek zitten turen, terwijl het rechercheobject thuis in bed met zichzelf lag te spelen, een video-otje bekeek of een pizza verorberde, dus daarom had hij gedaan wat hij meestal deed. Hij had een beetje geïmproviseerd en gegokt om te tijd te verdrijven, en op de een of andere manier kwam alles meestal op zijn pootjes terecht.

Behalve deze keer.

In plaats van de hele dag voor haar werk te posten, had hij haar een halfuur voordat haar werktijd erop zat, stiekem opgebeld om zich ervan te vergewissen dat ze er nog was. Toen ze opnam, had hij gewoon opgehangen, was in de auto gaan zitten en had een geschikte positie ingenomen voor de uitgang van haar werk. Al na een kwartier stapte ze plotseling de straat op, met geopende jas ondanks de kou, zodat geen enkele arme donder die alleen maar onderweg was naar zijn buitenwijkmisère, de vette borsten onder haar strakke gele jumper zou missen. Haar ware aard verloochent zich niet, dacht Waltin grinnikend, terwijl hij voor zich zag hoe ze daar de hele dag op haar stoel heen en weer zat te schuiven terwijl ze dingetjes in kleine gaatjes stopte.

Maar in plaats van naar de metro te verdwijnen – hij had gepland haar vlak voor de kruising te benaderen – bleef ze gewoon staan. Ze stond er maar te staan en toen had ze op haar horloge gekeken en plotseling was die welbekende opwinding in hem naar boven gekomen. Die hij altijd voelde vlak voordat hij iets over iemand te weten kwam waar hij gebruik van kon maken. Ze staat op iemand te wachten, dacht Waltin.

Op hetzelfde moment had iemand sommerend op zijn autoruit getikt en tegelijkertijd de deur opengetrokken en een politielegitimatie onder zijn neus geduwd.

"Opschuiven", zei inspecteur Berg en hij knikte met kleine ogen naar de passagiersplaats.

Het neefje van Berg, dacht Waltin. Was hij niet uit zijn functie ontslagen vanwege die mishandelingen? De spijkerbroek en het jack wezen daar wel op, maar waarom hadden ze zijn legitimatie dan niet ingenomen?

"Waar gaat het over?" vroeg Waltin afgemeten. Hoewel hij het al wist, want vanuit zijn ooghoeken zag hij dat de teef aan de andere kant van de straat bijna huppelde van verrukking. Ze heeft hem natuurlijk ook geneukt, dacht hij. Ze heeft al die holbewoners waarschijnlijk geneukt.

"Heb je stront in je oren of moet ik je soms helpen?" herhaalde Berg.

En omdat hij eruitzag zoals hij eruitzag, had Waltin, ondanks het absurde van de situatie, gedaan wat Berg zei en was hij naar de passagiersplaats geschoven.

"Ik kan kort zijn", zei Berg. "Lisa is een goede vriendin van me. Laat haar met rust of ik maak het je heel lastig."

"Ik weet niet waar je het over hebt", zei Waltin terwijl hij zijn hand in zijn zak stak om zijn eigen legitimatie te pakken en de ander de ernst van de situatie te doen inzien. Een hoofdcommissaris van de Säpo bedreig je niet, dacht Waltin.

"Laat Lisa met rust, want anders zorg ik ervoor dat ze aangifte doet. En doe maar niet alsof je in functie bent", zei Berg terwijl hij Waltins hand met de identiteitskaart opzij duwde.

"Ik begrijp niet waar je het over hebt", zei Waltin. Die man is gek, dacht hij. Dat zie je aan zijn ogen.

"Dat weten jij en ik donders goed", zei Berg. "Ze doet aangifte, ik en mijn collega's die jou hebben gezien zullen getuigen. Begrijpen we elkaar?"

"Ik moet je sommeren onmiddellijk mijn auto te verlaten", zei Waltin. Helemaal gestoord, dacht hij. Volkomen gestoord.

"Het is jouw auto niet, het is de auto van de zaak; dat je dat maar weet", zei Berg, terwijl hij het portier opende om uit te stappen.

Waltin had niets gezegd omdat de dreiging in zijn ogen zo duidelijk was geweest dat hij die bijna kon aanraken.

Dus was hij blijven zitten en had gezien hoe Berg naar de teef was gelopen en haar onder de arm had genomen en samen met haar de straat was uit gelopen. Pas toen was hij weggereden. Ik vermoord hen, dacht Waltin.

Nadat Berg Lisa naar de metro had begeleid, had hij zijn kameraden getroffen. Het was een bijeenkomst die ze al tijdens het kerstweekend hadden gepland en dat was ook het moment geweest waarop ze de tactiek hadden bedacht om de verrader te vinden die zich in hun gelederen had genesteld. Verdenkingen hadden ze al, nu hoefden ze alleen nog maar de val te zetten en ervoor te zorgen dat die om de juiste man dichtklapte.

Lisa is een beste meid, dacht hij. Een goede verovering ook, en zo'n hufter als die Waltin moest je gewoon in elkaar slaan. Kennelijk deed hij het al in zijn broek als je maar naar hem wees, dus al te moeilijk kon dat niet zijn, dacht Berg.

Tijdens de bijeenkomst had hij de anderen 'verrast' met een paar goed voorbereide, semi-extremistische visies waar hij en zijn kameraden het over eens waren geworden, en het was precies de collega van wie ze het hadden vermoed, die over verwoestingen en roverspraktijken begon. Stom overdreven acteerwerk, dacht Berg, binnenkort pakken we je. Vervolgens hadden ze koffiegedronken en hij had maar een blik met zijn kameraden hoeven wisselen om te begrijpen dat zij het net zo zagen als hij. De verrader had zijn uiterste best gedaan om een wit voetje te halen en te provoceren en mensen de verkeerde dingen te laten zeggen, maar dat had hem natuurlijk niets opgeleverd.

***

De eerste dag op zijn nieuwe werk had Johansson een krantenknipsel gezien dat op het interne prikbord naast de garderobe hing. Het was de jaarlijkse nieuwjaarsgroet van de hoofdcommissaris van politie te Stockholm aan zijn trouwe personeel, die iemand uit de personeelskrant van de Stockholmse politie had geknipt en voor de zekerheid met behulp van een viltstift van een dikke zwarte rand had voorzien.

Het was geen gewone nieuwjaarsgroet, vooral niet binnen de politie, en hij had weliswaar al heel lang horen fluisteren over de literaire ambities van de hoofdcommissaris, maar dit had hij toch niet verwacht. Als het privé-zaken betrof, kwamen de mensen meestal niet halsoverkop uit de kast als ze dat eenmaal hadden besloten te doen, dacht Johansson terwijl hij mompelend de zevenregelige strofe las. Een daarvan herkende hij trouwens uit een ander verband, maar welk was hij vergeten. Het maakte ook niet uit.

Koel asfalt,
glimmend neon,
de stank van urine op de tegels in de metro,
op een plee sterft een verslaafde aan een overdosis,
Stockholm, stad der steden,
een duif op de vensterbank waar ik woon,
er is Hoop!

Onder het gedicht van de hoofdcommissaris had iemand met dezelfde zwarte viltstift *Godzijdank ken ik een echte politieman uit Ådalen* geschreven, en toen Johansson die korte constatering zag, raakte hem dat in zijn Noord-Zweedse hart. Prettig te weten dat ik welkom ben, dacht Johansson.

Ongewoon veel dichters de laatste tijd, dacht hij terwijl hij door de lange gang naar zijn kamer liep. Ministers-presidenten en hoofdcommissarissen en god weet wie nog meer. Misschien zou ik zelf moeten gaan schrijven, dacht hij, maar omdat die gedachte zo absurd was, had hij die meteen weggewuifd. Een echte politieman schreef geen gedichten en zelf was hij met dat soort dingen opgehouden toen hij nog een jochie was. Lang voordat hij politieman werd.

Chef de bureau Berg zag de Zweedse defensie meestal als een kaas, een gatenkaas met ongewoon grote gaten, een klassiek Zwitsers model. De belangrijkste reden hiervoor was de stabiele en weerstandige berggrond waarop de natie rustte, want daar kon je gaten in maken en in die gaten kon je dingen stoppen. Hij voelde grote aarzeling ten aanzien van de egel waar de krijgsmacht het zelf meestal over had, en als ze de Zweedse tijger tevoorschijn haalden – het nationale symbool uit de dagen van de warme oorlog dat mensen erop attent maakte dat ze hun mond niet voorbij moesten praten – dan waren ze hem helemaal kwijt. Een Zweedse tijger? De gedachte alleen al was absurd, dacht Berg vaak, want als zijn landgenoten zich als een Zweedse tijger konden gedragen, zou er geen enkele behoefte zijn aan iemand zoals hij. Er waren wel degelijk gegronde redenen dat Berg er was, want sommige mensen praatten veel te veel, en ingewikkelder dan dat was het niet.

De gatenkaas was beter dan zowel de egel als de tijger, omdat daar alle benodigdheden voor de oorlog werden opgeslagen, van koffie en onderbroeken tot brandstof en wapenvet, plus een paar artilleriestukken die nodig waren als ze wilden teruglaan. De goede Zweedse berggrond werd doorkruist door kilometerslange geheime gangen en tientallen miljoenen vierkante meters aan geheime ruimten, waar alles bewaard kon worden wat nodig was voor het geval dat.

De praktische problemen waar deze keuze van strategie aanleiding toe gaf, betroffen in feite de behoefte aan warmte, ventilatie, luchtvochtigheid en ontvochtiging, en het kon nauwelijks toeval zijn dat de Zweedse industrie op deze gebieden wereldwijd ook een toonaangevende rol speelde. In Zweden had je dus twee multinationals die alles van ventilatoren en pompen tot airconditionings- en ontvochtigingsinstallaties produceerden en verkochten, aan klanten over de hele wereld, of hun behoefte nu militair of civiel was.

De producten die werden gemaakt, werden op een open markt verkocht en op gewone wijze door patenten en vergunningen beschermd en tot zover had je geen spionnen nodig, maar zodra ze in militaire doelen werden geïnstalleerd, werd het een heel ander verhaal. Om te zorgen dat het materieel op de juiste plaats arriveerde en functioneerde, was diepgaande kennis vereist van de militaire installaties waar het moest worden geplaatst, en op grond van die kennis konden vervolgens diverse interessante variabelen worden berekend: ligging, grootte, toepassingsgebied, soort materieel en de hoeveelheid verschillende waren en producten. Zo konden gegevens worden achter-

haald als militaire capaciteit, strategische instelling en uithoudings-
vermogen. Afhankelijk van de koper kon een doodgewone afzuigkap
algauw een spionageopdracht van de eerste orde worden.

Ruim anderhalf jaar eerder hadden rechercheurs van de Säpo, toen ze
uit routine een ambtenaar van de Sovjetrussische handelsdelegatie in
de gaten hielden, een voorheen onbekende Zweed op de korrel gekregen, die na de gebruikelijke controles als verkoopingenieur bleek te
werken voor de kleinste en snelst groeiende multinational van de
twee Zweedse bedrijven in de branche. Toen er alarm werd geslagen,
was Berg op vakantie, de eerste echt vrije periode die hij in jaren had
gehad, en Waltin had voor hem waargenomen. Toen Berg terugkwam,
was de zaak al afgerond en kennelijk spoorloos verdwenen, want hoe
Berg ook in zijn geheugen zocht, hij kon zich er niets van herinneren.

"En je bent er zeker van dat het juni twee jaar geleden was?" vroeg
Berg.
    "Helemaal zeker", zei Persson. "Toen het binnenkwam, nam Wal-
tin het meteen over. Het was op 6 juni, onze nationale feestdag. De
zaak was nog geen maand later afgerond, op 1 juli."
    "Wat deed hij dan?" vroeg Berg. "Waltin, dus", verduidelijkte hij.
Terwijl Marja en ik in Oostenrijk waren, dacht hij.
    "Onduidelijk", zei Persson. "Degene die het betrof, hield vrijwel
per direct op, dus de eerste gedachte is dat hij contact heeft opgenomen met de leiding van het bedrijf. Hier bij ons lijkt in elk geval niets
te zijn gebeurd.'
    "Dat klinkt zeer fabelachtig", zei Berg. "Waarom zou hij dat in
's hemelsnaam hebben gedaan?"
    "Zelf kan ik maar één reden verzinnen", zei Persson.
    "Ja?"
    "Hun absoluut grootste exportmarkt is de VS. Hoe denk je dat je
yankees zouden hebben gereageerd als ze te weten waren gekomen
dat er bij het bedrijf een onderzoek naar spionage had plaatsgevonden? Dat de Russen betrof?"
    "Maar waarom zou Waltin in vredesnaam zoiets doen?"
    "Volgens mij is er maar één reden", zei Persson en hij keek plotse-
ling heel tevreden.
    "Ja?"
    Persson stak zijn grote rechterhand met de rug naar Berg omhoog
en wreef met zijn duim tegen zijn middel- en wijsvinger. "Misschien
had hij een nieuw horloge nodig?" bromde hij tevreden. "Wat denk je
zelf?"

Ik kan mijn oren niet geloven, dacht Berg. "We moeten met hem praten", zei hij.

De derde week van januari was het eerste wekelijkse overleg van het nieuwe jaar. Geen van de kwesties die Berg had uitgezocht om te bespreken was bijzonder belangrijk of dringend. Het persoonlijke veiligheidsbewustzijn van de minister-president had hij überhaupt niet aangeroerd. Vermoedelijk omdat hij zich inmiddels met de gedachte begon te verzoenen dat hij met de huidige situatie moest leren leven, dus met een afwezig of in het gunstigste geval gebrekkig veiligheidsbewustzijn.

Kudo en Bülling hadden zoals gewoonlijk een groot aantal kwesties 'van het grootste belang voor de rijksveiligheid' ingebracht die het Operationele Bureau bezighielden en die hij met de vertegenwoordigers van de regering moest opnemen, maar zelf had hij er genoegen mee genomen zijn politieke opdrachtgevers te vertellen dat alles rustig leek aan het Koerdenfront. Tegen zijn gewoonte in had de minister van Justitie ook geen onnozele vervolgvraag gesteld en slechts instemmend geknikt.

De meeste tijd had hij besteed aan het in kaart brengen van de rechtsextremistische elementen binnen de politie en het leger, maar ook hier had hij geruststellende berichten kunnen geven. Volgens de informanten van het Operationele Bureau leken de activiteiten binnen deze groepen te zijn afgenomen, en of dat kwam door een te hoge voedselconsumptie met Kerstmis of door iets anders, zou de toekomst moeten uitwijzen.

Het enige wat restte waren de afsluitende vragen en omdat dat punt traditioneel werd gebruikt voor een wat lichter en afrondend gebabbel, was het voor hem als een totale verrassing gekomen toen de minister van Justitie vragen begon te stellen over zeer gevoelige procedures voor de leiding en controle van het werk van de Säpo. Als breuk van de etiquette was het bijna schokkend, maar in een gesprek over etiquette waren ze kennelijk allerminst geïnteresseerd.

"Ik zal maar meteen terzake komen", zei de minister van Justitie, die plotseling als een heel ander mens klonk dan Berg gewend was, "want helaas is het zo dat de externe dienst ons flink wat zorgen heeft gebaard."

Vervolgens had de directeur-generaal Juridische Zaken het overgenomen. De DG van alle mensen! Hij had in al die jaren amper zijn mond opengedaan, dacht Berg, maar uit zijn woorden en uit het geritsel met zijn papieren had Berg twee dingen begrepen. Dat hij zeker niet iemand was die onvoorbereid het woord nam en dat hij behoorlijk de pik op Berg en zijn dienst moest hebben.

"In het kort komt het erop neer", zei de DG met een kurkdroge stem en alsof hij zich tot een kind wendde, "dat de bedrijfsmatige inslag van de externe dienst niet verenigbaar is met de instructies van de regering. Nog afgezien van het feit dat de hele constructie als controle-instrument als buitengewoon dubieus moet worden beschouwd."

"Toen dit voor het eerst ter sprake kwam tijdens de vorige regering", bracht Berg hier tegenin, "kreeg ik beslist de indruk dat men het er toen volledig over eens was dat het slechts een dekmantel was om de daadwerkelijke werkzaamheden te beschermen. En zoals de heren zich wellicht nog herinneren, hebben we ook ons parlementaire bestuur over deze kwestie ingelicht."

Uit de uitdrukkingen op hun gezichten had Berg nog twee dingen begrepen: dat de opvatting van de vorige regering in deze kwestie niet werd gedeeld en dat niemand zich uit de tijd in de oppositie iets herinnerde over deze informatie.

"Omdat jullie met zowel particuliere als openbare opdrachtgevers zaken hebben gedaan, gaat het heel duidelijk om een bedrijf in juridische zin en daarmee is het onverenigbaar met jullie instructies", herhaalde de DG.

"Jawel", zei Berg, terwijl hij vanbinnen zijn toegeeflijke intonatie vervloekte, "maar dat ligt in de aard van de zaak. Hoe zouden we anders een geloofwaardige façade kunnen ophouden?"

"Het klinkt alsof het de hoogste tijd is de façade af te breken", grinnikte de bijzondere deskundige van de minister-president vanachter zijn halfgesloten oogleden. "Ik herinner me trouwens vagelijk dat jij en ik het hier al eens eerder over hebben gehad."

Op die manier, dacht Berg.

"Het is natuurlijk beklagenswaardig dat de juristen van de vorige regering deze kleine complicatie niet hebben gezien", constateerde de DG tevreden. "Als je het mij had gevraagd, dan had ik je meteen kunnen vertellen dat de hele opzet van meet af aan ondenkbaar was."

"We eisen natuurlijk niet dat je alles onmiddellijk stopzet", zei de minister van Justitie vriendelijk. "De controlerende functie moet natuurlijk gehandhaafd blijven en we hebben er alle begrip voor dat jullie een bepaalde overgangsperiode nodig hebben om een ... hoe zal ik het zeggen ... een juridische vorm te vinden die correcter is."

"Maandag is vroeg genoeg", zei de bijzondere deskundige en hij lachte zachtjes zodat zijn dikke buik op en neer bewoog.

"Nou ja", zei de minister van Justitie chagrijnig, omdat hij toch degene was die in de regering zat en van de vertrouweling van de minister-president wel een beetje orde en fatsoen mocht eisen.

"Jullie hebben vast meer tijd nodig, maar als we bij het volgende overleg of misschien zelfs het overleg daarna jouw visie over een dergelijk toezicht zouden kunnen horen, dan ben ik helemaal tevreden." De minister van Justitie knikte vriendelijk.

Wat genereus van je, dacht Berg. Alsof het nog niet genoeg is dat je verwacht dat ik mijn rechterarm afhak. Nu mag ik ook nog beslissen waar, wanneer en hoe dat moet gebeuren. Mits het snel gebeurt, uiteraard.

In die situatie had hij besloten een andere invalshoek te proberen en achteraf had hij daar spijt van gehad als haren op zijn hoofd. Ik had beter moeten weten, dacht hij. Dit was iets wat ze hadden moeten voorbereiden met alle nauwkeurigheid die een geslaagde hinderlaag vereiste.

"Ik heb horen zeggen", begon Berg aarzelend en voorzichtig, "dat de regering plannen heeft voor een nieuw parlementair onderzoek naar alle gesloten werkzaamheden ... het is niet aan mij daar een mening over te hebben", ging hij even voorzichtig verder als hij was begonnen, "maar moet ik het zó zien dat jullie nu zeggen dat jullie de gedachten aan een meer overkoepelend onderzoek hebben losgelaten?"

"Nee, zeker niet", zei de minister van Justitie en hij klonk net zo gemoedelijk alsof hij een cadeautje uitdeelde. "Nee, zeker niet", herhaalde hij. "Toen we de kwestie in kleinere regeringskring bespraken, waren we het er alleen over eens dat juist deze kwestie heel goed afgehandeld kon worden voordat we met het bredere onderzoek zouden beginnen."

"We willen de oppositie niet in verlegenheid brengen", verduidelijkte de bijzondere deskundige met zijn gebruikelijke brede grijns.

"Tegen geen enkele prijs, zeker niet", benadrukte de minister met hartelijke stem. "Zulke simpele politieke punten mogen anderen scoren."

Dus daarvandaan valt geen hulp te verwachten, dacht Berg. Ik vraag me af met hoeveel mensen ze hebben gesproken.

"Ik zal zo spoedig mogelijk met een voorstel komen", zei hij met een kort knikje. "En als jullie niet meer hebben dan ..."

Uit het tevreden geknik begreep hij dat iedereen van mening was dat hij precies zoveel had gekregen als hij in één keer aankon.

Ondanks herhaalde pogingen had Waltin Hedberg niet te pakken gekregen. Na de schokkende aanval van die vette roodharige teef en
Bergs zielige neef – eigenlijk zou hij aangifte moeten doen, maar genade moest deze keer maar voor recht gaan en hij wilde het probleem
eerst met Hedberg bespreken, omdat die altijd goede ideeën had als
hij iemand iets dubbel en dwars betaald wilde zetten – had hij Hedberg dringend willen spreken en hem midden in de nacht op zijn geheime nummer gebeld. De telefoon was keer op keer overgegaan,
maar niemand had opgenomen en uiteindelijk was hij na een paar
flinke maltwhisky's naar bed gegaan.

De verklaring voor Hedbergs afwezigheid was de volgende ochtend
per post gekomen. Op de deurmat lag een eenzame ansichtkaart: een
blauwe lucht en een blauwe zee, wit zand en groene palmen. Toen hij
de kaart omdraaide en het enige woord zag dat erop stond, begreep hij
het precies. *Duiken* las Waltin met een glimlach. Hedberg was kennelijk op zijn favoriete plek en hield zich bezig met zijn favoriete hobby,
en net zoals alle andere keren zou hij binnenkort van Java terugkeren
naar de betrekkelijke civilisatie van zijn kleine huis op Noord-Mallorca, waar hij zich al jaren geleden had gevestigd toen hij zijn vaderland
en de Säpo waarvoor hij werkte, beu was.

Hedberg, dacht Waltin, en hij knikte goedkeurend zoals hij altijd
deed wanneer hij aan de broer dacht die zijn altijd zieke moedertje
hem niet had willen geven, en nu kreeg hij plotseling een schitterend
idee over hoe hij hem kon gebruiken om zijn zielige en duidelijk paranoïde chef stil te krijgen. Want Berg had Hedberg bijna tien jaar geleden de hand boven het hoofd gehouden toen die idioten bij de afdeling Geweldsdelicten van de Stockholmse politie hem als een stel
jankende bloedhonden achterna zaten. We hebben allemaal een geschiedenis en deze keer zal ik erop toezien dat je niet ontkomt, dacht
Waltin glunderend.

Het moest haast tien jaar geleden zijn, dacht Waltin. De zogenaamde
collega's in Stockholm wilden Hedberg pakken voor een overval op
een postkantoor en twee moorden. De hele geschiedenis was volkomen absurd en uiteraard geheel passend bij grote politiedenkers zoals
die Noord-Zweedse sukkel van een Johansson en diens beste vriend,
die geweldenaar van een Jarnebring, die samen de drijfjacht waren begonnen.

Eerst zou Hedberg zijn taak als lijfwacht van de toenmalige minister van Justitie hebben verzuimd, terwijl die zich in het zweet werkte

bij een wat chique prostituee, en een postkantoor in de buurt van het liefdesnest van het bewakingsobject hebben beroofd. Vervolgens zou hij twee getuigen in elkaar hebben geslagen die hem hadden herkend en hem wilden chanteren. Weliswaar was hij over de eerste alleen heen gereden, maar de ander had hij op meer ouderwetse, eervolle wijze in elkaar geslagen waarna hij het lijk bij het Skogskerkhof had gedumpt. Een oude zuipschuit, dus eigenlijk was het liefdevol en praktisch, maar die boerenkinkels hadden natuurlijk stug volgehouden, hoewel het voor alle betrokkenen het beste zou zijn geweest om het onderkruipsel onder de groene zoden te leggen en de hele zaak te vergeten. Maar nee, Hedberg moest achter slot en grendel worden gezet en daarmee uit.

Tot de minister van Justitie hem te hulp was geschoten en zijn lijfwacht een alibi had gegeven. Hedberg was de hele dag geen millimeter van zijn zijde geweken. Het was niet anders, en de hele zogenaamde zaak was als een kaartenhuis in elkaar gestort. De politie had zelfs niet met Hedberg gepraat en alle documenten in de zaak waren ter afhandeling naar Berg gebracht. Ik vraag me af waar ze daarna zijn gebleven, dacht Waltin verrukt.

Een interessante en moralistische geschiedenis over hoe belangrijk het was nergens je neus in te steken, en met een duidelijk humoristische clou. Ze konden Hedberg moeilijk ontslaan, maar omdat hij het type wás dat van beweging hield, konden ze hem ook niet goed op kantoor laten werken. Vooral omdat er ook binnen de eigen muren flink werd gekletst. Kortom, Berg had een klein probleem, en zoals zo vaak had Waltin het voor hem opgelost. En ondank is 's werelds loon, dacht Waltin terwijl hij zich opgeruimder voelde dan hij in lange tijd had gedaan. Omdat Hedberg kennelijk geschikt was geweest om een weerspannige minister van Justitie – tegenwoordig vergeten en afgevoerd uit de politiek – in het gareel te krijgen, zou hij vast nog steeds geschikt zijn om Berg in het gelid te brengen.

Toen Hedberg wilde stoppen en Berg in een acute fase van zijn voortdurende controle-neurose dreigde te belanden, had Waltin aangeboden Hedberg over te nemen en hem als zogenaamde externe adviseur bij de externe dienst aan te stellen, zodat ze hem onder rustige en gecontroleerde vormen in een goed humeur konden houden. Berg had dat niet alleen ondersteund, hij had hem hartelijk bedankt, en omdat Waltin, in tegenstelling tot zijn zogenaamde chef, geen stomme heikneuter was, had hij er natuurlijk voor gezorgd dat die dankbaarheid op papier stond. Het komt allemaal goed, dacht Waltin en op hetzelfde moment werd er bij hem aangebeld.

Voor de deur stond Bergs eigen loopjongen, dat zag hij door het kijkgat, hoewel hij er nu eerder dik dan angstaanjagend uitzag, dacht Waltin, terwijl hij in de halspiegel snel zijn ochtendtenue controleerde voordat hij de deur opendeed.

"Hoe vroeger op de ochtend, hoe schoner het volk", zei Waltin kalm, terwijl hij de dikzak op zijn dure tapijt liet lopen. "Waarmee kan ik je van dienst zijn?"

"Berg wil met je praten", zei Persson kortaf. Stel je niet aan, idioot, dacht hij.

"Wat wil hij?" vroeg Waltin. Omdat hij zijn dikke huisslaaf stuurt, dacht Waltin.

"Dat moet je hem maar vragen", zei Persson. Stom stuk vreten, dacht hij.

"Is hij vergeten de telefoonrekening te betalen?" vroeg Waltin onschuldig.

"Ik weet het niet", zei Persson. "Waarom denk je dat?"

"Omdat hij jou stuurt", zei Waltin verzoenend. "Op dit vroege uur."

"Zullen we dan maar?" vroeg Persson. Of moet ik je naar buiten slepen? Maar zoveel geluk zal ik wel niet hebben, dacht hij.

"Zeg maar dat ik over een uur op zijn kamer ben", zei Waltin en hij hield de voordeur open zodat zelfs iemand als Persson het moest begrijpen.

Dat deed hij kennelijk ook, want hij had alleen wat gebromd voordat hij zich omdraaide en verdween. Zelf had Waltin onder de douche aldoor staan fluiten, terwijl hij overwoog hoe hij het zou aanpakken. Hoog tijd om ook iets aan kleine Jeanette te doen, dacht hij. Hij had haar de afgelopen tijd verwaarloosd.

"Je hebt een preventieve manoeuvre gekozen, zeg je", zei Berg en hij keek naar de dandy die aan de andere kant van zijn ruim bemeten bureau in zijn eeuwige broeksvouw zat te knijpen.

"Geen enkele verdenking van een misdrijf, producten die vrijelijk op de open markt gekocht kunnen worden en die de Russen ook nodig kunnen hebben ... dus in die situatie heb ik ervoor gekozen de leiding van het bedrijf te informeren en hun een aantal preventieve maatregelen aan te raden", zei Waltin samenvattend. In plaats van onze export schade te berokkenen, dacht hij.

"Die preventieve maatregelen", zei Berg. "Waaruit bestonden die?"

Het lijkt hem helemaal niet te raken, dacht hij terwijl hij de bellen in zijn hoofd opnieuw hoorde rinkelen. Zwak weliswaar, maar toch duidelijk genoeg.

"Dat het het beste was als ze hun werknemer elders plaatsten, al was het alleen maar in zijn eigen belang, en vervolgens heb ik hen in contact gebracht met een van onze externe adviseurs, die hen met een analyse en een veiligheidsprogramma heeft geholpen; gewoon een aantal op de toekomst gerichte, preventieve maatregelen. Ik herinner me de details niet, maar ik ga ervan uit dat het op de gebruikelijke wijze is afgehandeld en gefactureerd, en ik weet beslist dat men van de kant van het bedrijf zeer tevreden over onze inspanningen was." Je had de cheque moeten zien die ze me hebben gegeven, dacht hij.

"Een externe adviseur?" vroeg Berg, hoewel hij naar de bellen had moeten luisteren, want ze klonken nu veel duidelijker.

"Je herinnert je Hedberg nog wel, die ik een aantal jaren geleden van je moest overnemen", zei Waltin met een vriendelijke glimlach. "Een buitengewone man zoals is gebleken, al voelde ik destijds wel een zekere aarzeling ten aanzien van jouw keuze. Ja, gezien zijn eerdere misère, bedoel ik", zei Waltin met het juiste bezorgde glimlachje. "Ik had het zo mis en jij had heel erg gelijk", zei hij en hij liet zijn goed gemanicuurde vingers illustreren hoezeer hij het mis en zijn chef gelijk had gehad.

Hedberg, dacht Berg en nu galmden de bellen in zijn hoofd.

"Hedberg", Waltin proefde de naam alsof het edele wijn was. "Gezien alles waarmee hij ons in de loop van de jaren heeft geholpen, ben ik je wat hem betreft veel dank verschuldigd." Niet in de laatste plaats vanwege de Krassner-zaak, dacht hij en hij begon bijna hardop te grinniken toen hij Bergs gezicht zag. Ik wacht nog even voordat ik de Krassner-zaak noem, besloot hij.

Nu is het genoeg, dacht Berg. Meer dan genoeg.

"Er is gepraat, zoals je wel begrijpt", zei Berg en hij deed zijn best niet inschikkelijk te klinken.

"Dat kan ik me voorstellen", zei Waltin meelevend, "en gezien het feit dat Hedberg volkomen onschuldig was, ik herinner me dat je me vertelde dat de toenmalige minister van Justitie zelf voor hem was opgekomen, is het eigenlijk toch verschrikkelijk." En laat ze maar lekker praten, dacht hij, want het geld dat ik heb gekregen zul jij noch iemand anders ooit vinden.

"Ik hoop dat je het niet vervelend vond", zei Berg. Voelde het zo als de val dichtklapte, dacht hij. Een week, hoogstens veertien dagen voordat hij Waltin moest vertellen dat hij zijn deuren moest sluiten.

Waltin zou ongetwijfeld geen seconde wachten met terugslaan en Hedberg en diens geschiedenis tegen hem gebruiken.

"Zeker niet", zei Waltin met overtuiging en hij glimlachte zo dat al zijn witte tanden te zien waren. "Ik vind je vragen volledig legitiem en aangezien het jouw oude beschermeling Hedberg is die ons heeft geholpen, hoop ik dat je begrijpt dat alles op de best mogelijke manier is afgehandeld." Want nu heeft de shit eindelijk de juiste fan geraakt, en gezien de samenhang is dat een ongewoon passende uitdrukking, dacht Waltin.

Nu is het genoeg, dacht Berg. En de bellen galmden zo luid dat het zelfs niet mogelijk was om te denken.

"Ik begrijp wat je bedoelt", zei Berg. Wat doe ik nu, dacht hij.

***

Ruim een week op zijn nieuwe werkplek en Johansson had zich tijdens zijn hele loopbaan nog nooit zo gefrustreerd gevoeld. Dat hij niet langer als politieman zou werken had hij op zich de hele tijd geweten. Dat was de prijs die je moest betalen als je binnen de politie hogerop wilde komen en Johansson kon zich op zich wel een leven als hoge bureaucraat voorstellen. Hij kon mensen het gevoel geven dat ze het naar hun zin hadden en ervoor zorgen dat er orde in het bestaan heerste, ook binnen de politie. Maar helaas hield hij zich daar niet mee bezig. Dat was hem al na een paar dagen duidelijk geworden en er was niets, helemaal niets, dat op een andere, betere toekomst wees.

In de week die was verstreken had hij zich uitsluitend beziggehouden met het wegpromoveren van slechte agenten op grond van hun uitstekende referenties en het regelen van het vroegtijdige vertrek van goede agenten omdat die er zelf genoeg van hadden gekregen. Een van hen herinnerde hij zich uit zijn tijd bij de afdeling Onderzoek. Een vijftien jaar oudere collega die een echte politieman was en zijn kennis graag deelde met de jonge, onervaren Lars Martin. Johansson had hem gebeld en hem uitgenodigd voor de lunch. Al was het alleen maar om hem even te ontmoeten en te kijken wat er was gebeurd, en – als er niets was gebeurd – om te proberen hem over te halen te blijven.

"Dat is lang geleden", zei Johansson en hij knikte met warmte naar zijn oudere collega. Hij ziet er verdorie beter uit dan ik, dacht hij afgunstig.

De collega had kennelijk hetzelfde geconstateerd, want hun lunch was ingeleid met de sinds lange tijd verplichte grapjes over alle commissarisspieren die tegenwoordig rond Johanssons middel zwollen.

"Je lag onlangs op mijn bureau", zei Johansson. "Ik zag dat je ermee wilde ophouden."

"En toen bedacht je dat je me misschien kon overhalen om te blijven", stelde de oudere collega vast.

"Ja, kijk", zei Johansson met een glimlach, "ondanks je hoge leeftijd lijk je helder en alert."

"Dat is het probleem ook niet", zei zijn lunchgast en hij schudde zijn hoofd. "Weet je waarom ik bij de politie ben gegaan?"

"Omdat je wist dat je een goede politieman zou worden", zei Johansson, die al vermoedde wat er ging komen.

"Omdat ik boeven achter slot en grendel wilde zetten, zodat de gewone man in vrede kon leven."

"Wie wil dat niet", zei Johansson en plotseling had hij zich somberder gevoeld dan in lange tijd.

"Ik ben verdorie geen agent geworden om de hele dag formulieren te zitten invullen die ik in een map moet stoppen", constateerde de oudere collega met een zekere emotie.

Ik ook niet, dacht Johansson. Ik ben agent geworden omdat ik agent wilde worden, niet omdat ik hoofd Personeelszaken bij de directie Rijkspolitie wilde worden.

"Hoe gaat het trouwens met jou?" vroeg zijn gast. "Jij hebt binnenkort meer mappen die je kunt volstoppen dan wie dan ook op dit zinkende schip."

Vervolgens waren ze herinneringen gaan ophalen.

Het enige lichtpuntje in Johanssons bestaan was het levendige debat dat op het prikbord van Personeelszaken was ontstaan naar aanleiding van het feit dat de hoofdcommissaris van politie te Stockholm zijn pen tegenwoordig met gesloten vizier hanteerde. Toen hij terugkeerde van zijn mislukte lunchmissie, had hij de laatste bijdragen gelezen.

Er stond van alles, van commentaren op en voorstellen voor de problematische woonomstandigheden van de hoofdcommissaris tot wisselende literaire visies. *Het is vast niet prettig om zo te wonen*, constateerde 'een bezorgde collega', terwijl de bijdrage van een 'zwarte makelaar in het korps' duidelijk en constructief was: *Ik kan zwart voor maar 25.000 kronen wel een eenkamerflat in een buitenwijk voor je regelen, dan hoef je niet op de vensterbank te wonen.*

Politiehumor is rauw zonder direct hartelijk te zijn, dacht Johansson en hij ging verder met het literaire deel. *Nobelprijswinnaar dit jaar?* speculeerde 'Schrijf zelf in mijn vrije tijd', terwijl 'Dichteres in blauw uniform' directer was in haar waardering: *Schrijf meer! Verlos mijn verlangen. Les mijn dorst!* Zelfs een geheel onschuldige Johansson stond op een hoekje als 'oude Ådaling' met een waarschuwing voor al gevestigde concurrenten: *Nu mag de rest verdomme wel uitkijken.*

Nou, met dat uitkijken komt het vast wel goed, dacht Johansson en hij zuchtte toen hij achter zijn nog grotere bureau ging zitten hoewel het oude meer dan groot genoeg was geweest.

Met hemzelf ging het minder goed. In formele zin was hij nog steeds politieagent en als hij op dat punt twijfelde, hoefde hij alleen maar zijn legitimatie uit zijn zak te halen en daar even naar te kijken. Het kleine rijkswapen in geel en blauw, het woord *politie* met rode blokletters, en het enige wat een boef in verwarring kon brengen was misschien zijn in hoge mate verdachte titel *chef de bureau.* Aan de andere kant keken ze meestal niet zo goed en wanneer zou hij trouwens de gelegenheid krijgen hem te laten zien, want eigenlijk ging het alleen om een aardig gebaar van de kant van zijn werkgever om hem en mensen zoals hij in een goed humeur te houden.

Nu al ten prooi aan sociaal-therapeutische maatregelen, dacht Johansson en dat was het moment waarop hij zijn besluit had genomen. De hoogste tijd om Krassner op te ruimen, dacht hij en hij pakte het telefoonboek van het regeringsgebouw uit zijn kast. Het tweede nummer op de eerste bladzijde, dacht Johansson, en met een langere titel dan wie dan ook in heel Rosenbad. *Bijzondere deskundige ter beschikking staand van de minister-president* las hij, terwijl hij het nummer draaide.

Niet geheel onverwacht werd er opgenomen door de secretaresse van de bijzondere deskundige.

"Met Lars Johansson", zei Johansson. "Ik ben chef de bureau bij de directie Rijkspolitie. Ik zou graag met je chef willen spreken." Extra veel Noord-Zweeds in zijn stem, hoe zou dat nou komen, dacht hij.

"Ik zal kijken of hij er is", zei de secretaresse neutraal. "Momentje, alstublieft."

Doe maar, dacht Johansson en hij zuchtte stilletjes. Controleer voor de zekerheid of hij zich niet onder zijn bureau heeft verstopt, en op hetzelfde moment nam de bijzondere deskundige op.

"We hebben elkaar slechts kort ontmoet", zei Johansson, "maar nu wil het geval dat ik je graag nog een keer zou spreken."

"Ik herinner het me, ja, ja", zei de stem in Johanssons telefoon en Johansson kon hem languit in een fauteuil met halfgesloten ogen voor zich zien. "We hadden toen een interessante discussie."

"Ja", zei Johansson. En hier word je niet vrolijker van, dacht hij.

"Je wilt niet zeggen waar het over gaat?"

"Er zijn wat papieren die ik graag wil overdragen", zei Johansson. "Het is een lange geschiedenis en ik bel niet vanuit mijn functie."

"O?"

"Het gaat om je baas", zei Johansson. Maar natuurlijk kan ik ze ook aan de collega's van Veiligheid geven, je zegt het maar, dacht hij.

"Je kunt het niet over de telefoon vertellen?" vroeg de bijzondere deskundige.

"Nee", zei Johansson, "het lijkt me het beste als ik langskom, dan kunnen we het onder vier ogen bespreken."

"Nu maak je me echt nieuwsgierig", zei de bijzondere deskundige. "Je wilt niet ..."

"Het betreft de groeten aan je baas van Fionn", onderbrak Johansson hem.

"Momentje", zei de bijzondere deskundige, "één seconde maar."

Het had iets langer geduurd, een kleine twee minuten, maar vervolgens was alles heel soepel gelopen en ruim een uur later zat Johansson tegenover de bijzondere deskundige in diens werkkamer op de zesde verdieping van het regeringsgebouw Rosenbad.

Hij is geen steek veranderd, dacht Johansson. Hoewel de glimlach om de lippen vriendelijker was dan de vorige keer. Een geïnteresseerd glimlachje.

"Het gaat over deze papieren", zei Johansson en hij schoof de stapel met Krassners manuscript en documentatie naar hem toe.

De bijzondere deskundig knikte vriendelijk, maar hij maakte geen enkele beweging in de richting van de papieren die hem zojuist waren aangeboden.

"Ik heb ze gekregen zonder dat ik daarom had gevraagd", zei Johansson. "Het is een lang en ingewikkeld verhaal, waar ik overigens nu niet op wil ingaan."

De bijzondere deskundige knikte weer.

"Ik heb ze uiteraard gelezen", zei Johansson. "Ze gaan over je baas. Enkele papieren heeft hij zelfs zelf geschreven en omdat ik ze niet in de hoedanigheid van politieman heb gekregen, en ik geen reden heb hem te verdenken van een misdrijf, dacht ik dat jij ze misschien aan hem zou kunnen geven. Ik vind niet dat het mijn pakkie-an is", zei Johansson.

"Je wilt een zorg kwijt", zei de bijzondere deskundige begrijpend.

"Omdat het mijn zorg niet is", zei Johansson. "En als iemand anders zich er zorgen over wil maken, dan bemoei ik me daar niet mee."

"Ik begrijp het", zei de bijzondere deskundige met een knikje.

"Ik heb er een kleine memo over geschreven", zei Johansson en hij gaf de bijzondere deskundige de korte samenvatting die hij op de typemachine van zijn broer had geschreven en niet had ondertekend.

Het inktlint en het schrijfbolletje had hij uiteraard weggegooid, dus de typemachine van zijn broer bood geen hulp als iemand op die gedachte zou komen.

"Als je vragen hebt, kan ik wel even wachten tot je het hebt gelezen", zei Johansson.

"Als je dat zou willen", zei zijn gastheer. "Misschien wil je nog een kopje koffie?"

***

Als de ervaren lezer die hij was, had het hem maar vijf minuten gekost en toen hij klaar was, waren er twee dingen die hem met name waren opgevallen. Forselius had kennelijk aldoor al gelijk gehad en Bergs oordeel over Johansson leek precies te kloppen.

"Weet je zeker dat Veiligheid hem heeft vermoord?" vroeg de bijzondere deskundige.

"Niet Veiligheid", zei Johansson en hij schudde zijn hoofd. "Ik denk dat hun operator in een situatie is beland waar hij niet mee om kon gaan en dat hij hem daarom heeft omgebracht. Zijn eigen problemen heeft hij daarna opgelost door een zelfmoord te fingeren."

"Dat is dan toch schokkend", stelde de bijzondere deskundige vast zonder enige gevoelens te tonen. "In dat geval hebben ze zich schuldig gemaakt aan moord", ging hij verder.

"Niet zij, maar hij", zei Johansson, "hoewel mijn collega's het als een zelfmoord hebben afgeschreven. De enige reden waarom ze dat hebben gedaan, is dat ze ervan overtuigd zijn dat Krassner zichzelf van het leven heeft beroofd. En als de operator zichzelf niet meldt en bekent, zie ik geen enkele mogelijkheid om een vooronderzoek in deze zaak in te stellen. Hoe dan ook is al het eventuele bewijs al weg."

En wat je van mij hebt gekregen, is daar ook niet genoeg voor, dacht hij.

"Weet je wie de operator is?" vroeg de bijzondere deskundige.

"Geen flauw idee", zei Johansson. "Dat moet je de collega's van Veiligheid maar vragen." Dan kun je zien of ze ook antwoorden, dacht Johansson.

"Als ik het mis heb, moet je het maar zeggen", zei de bijzondere deskundige. "Maar jouw collega's hebben de zaak dus afgesloten als een zelfmoord, uit overtuiging, zeg je, en er is geen enkel bewijs dat een verdenking van andere feiten staaft, geen enkele reden om een vooronderzoek te starten. Je zou zelfs geen vooronderzoek kúnnen instellen als ik de zaak goed begrijp."

"Volkomen correct, ik had het zelf niet beter kunnen zeggen", zei Johansson met een klein glimlachje.

"Sorry als het lijkt of ik zeur", zei de bijzondere deskundige, "maar je lijkt er zelf van overtuigd dat hij is vermoord."

"Ja", zei Johansson. "Dat is hij ook, hij is vermoord."

***

Niet langer mijn pakkie-an, dacht hij een kwartier later toen hij de winterse zon voor Rosenbad in stapte en de opluchting die hij voelde, werd zelfs in het weer gereflecteerd. Als ik nou Jarnebring eens belde? Ergens een hapje ging eten en horen wat ze voor huwelijkscadeau willen. Als zij haar nieuwe verloofde tenminste laat gaan, en om de een of andere reden moest hij ook aan de donkere vrouw denken die hij nog maar twee maanden geleden op dat kleine postkantoor aan de Körsbärsvägen had ontmoet. Eigenlijk zou ik haar moeten opzoeken, dacht hij. Nu ik een vrij man ben.

***

Zodra Johansson Fionn had genoemd, had de bijzondere deskundige zich verontschuldigd, was naar zijn secretaresse gegaan en had met haar telefoon Forselius gebeld. Geheel onverwacht had die meteen opgenomen en nuchter geklonken, hoewel het al laat in de ochtend was.

"Wie is Fionn?" vroeg de bijzondere deskundige.

"Fionn, Fionn", plaagde Forselius. "Waarom vraag je dat, jongeman? Dat was ver voor jouw tijd."

"Sorry", zei de bijzondere deskundige, "maar daar hebben we het later wel over."

"Fionn alias John C. Buchanan", zei Forselius.

"Buchanan was Fionn", zei de bijzondere deskundige om misverstanden te voorkomen.

"Fionn was Buchanans codenaam, een ervan", zei Forselius, "en de enige reden waarom ik dat door de telefoon zeg, is dat hij dood is. Niet omdat jij het vraagt."

"Dankjewel voor je hulp", zei de bijzondere deskundige.

"Geen haar op mijn hoofd die overweegt te zeggen wat de codenaam van jouw baas is", dreinde Forselius tevreden. "Ongeacht wat ik van die man vind."

"Daar hebben we het later wel over", zei de bijzondere deskundige.

Zodra de merkwaardige man uit Noord-Zweden was vertrokken, was hij naar zijn secretaresse gestapt en had haar gezegd dat hij een paar uur lang niet gestoord wilde worden. Vervolgens had hij voor de zekerheid zijn deur op slot gedaan, omdat zijn baas regelmatig kwam binnenstormen als hij over iets belangrijks wilde praten of gewoon zo maar even wilde babbelen.

Met behulp van de memo die hij had gekregen, zijn eigen leeservaring en de mentale capaciteiten die een vrijgevige schepper hem in een bijzonder goede bui had gegeven, had het hem maar een paar uur gekost om de papieren die hij had gekregen, door te nemen. Ik vraag me af hoeveel tijd het hem heeft gekost, dacht hij en hij bladerde in Johanssons memo, die op zich totaal oninteressant was omdat zijn eigen probleem van geheel andere aard was: hij kon zelfs geen marginale tegenwerping verzinnen tegen dat wat erin stond. Berg had gelijk gehad toen hij zei dat het leek alsof Johansson om de hoek kon kijken, dacht de bijzondere deskundige, nu maar hopen dat hij ook gelijk had over diens zwijgzaamheid.

Ik moet nadenken, besloot hij, en dan moet ik maar zien wat ik doe. Zoals het er nu uitzag, was er maar één ding dat hij zeker wist. Hoe dan ook zou hij niets tegen zijn baas zeggen. Wat niet weet, wat niet deert, dacht hij en dat gold natuurlijk ook voor het feit dat hij nu iets over zijn baas wist wat hij voorheen niet zeker had geweten. Hij had het wel vermoed, uitgedacht hoe de vork waarschijnlijk in de steel zat, wat niet zo gek was gezien zijn eigen achtergrond en de alcoholgewoonten en het steeds loslippiger gedrag van Forselius, maar hij had tegelijkertijd geen reden om te denken dat zijn baas vermoedde dat hij iets wist. En zo moest het blijven, dacht hij. Enkel en alleen uit zorg voor hem, dacht hij, want aan zichzelf dacht hij bij voorkeur niet.

De operator van de Säpo had Krassner niet alleen omgebracht. Om een geloofwaardige zelfmoord in scène te zitten op de manier die hij had gekozen, moest hij Krassners papieren hebben bekeken en in elk geval alles hebben meegenomen dat de geloofwaardigheid van Krassners zelfmoordbriefje in gevaar kon brengen. Waarschijnlijk was het zo eenvoudig, dacht de bijzondere deskundige, dat hij een vrijwel compleet manuscript had. Wat Johansson langs onduidelijke weg had gekregen, plus de delen die Krassner in Zweden had geschreven en die hopelijk niet evenveel ergernis opriepen als dat wat zijn oom hem had gegeven.

Tegelijkertijd leek het niet erg aannemelijk dat Krassner het soort documentatie dat Johansson in handen had gekregen, had meegenomen naar Zweden. Enerzijds was dat niet nodig voor het werk dat hij in Zweden had gedaan, anderzijds leek hij voorzichtig op het paranoïde af, dus zeulde hij vast niet met zijn informatiemateriaal rond. Vermoedelijk een grotendeels voltooid manuscript – à la Krassner weliswaar, maar toch al erg genoeg – en waarschijnlijk geen documentatie, zei de bijzondere deskundige samenvattend.

De documentatie die Johansson had gekregen bestond grotendeels uit kopieën, maar de simpele verklaring daarvoor was ongetwijfeld dat Buchanan zijn neef niets anders had kunnen geven. De weinige originele papieren waren documenten die direct naar Buchanan waren gestuurd en die hij, vast in strijd met zijn instructies, had behouden. De waarschijnlijke conclusie daarvan was dat Buchanans werkgever, de CIA, de originelen bezat van het merendeel van de documenten die Buchanan, vast ook in strijd met zijn instructies, had gekopieerd en daarna aan zijn neef had gegeven.

Op de een of andere mysterieuze wijze die Johansson niet had willen vertellen – en die hijzelf niet had willen aanroeren en ook niet had kunnen nagaan – waren dezelfde papieren na Krassners dood in de handen van Johansson gevallen, die ervoor had gekozen ze aan hem te geven. Zodat hij ze op zijn beurt aan zijn baas zou geven? Op dat punt was Johansson niet erg duidelijk geweest, laat staan volhardend, dus vermoedelijk was het zo eenvoudig als hij had gezegd. Dat hij ze kwijt wilde, en dat wees er ook sterk op dat hij ze zelf niet had gekopieerd. Dat hij nog meer originelen zou bezitten, leek eveneens hoogst onwaarschijnlijk. Niet in de laatste plaats vanwege het ouderwetse uiterlijk van de kopieën en het feit dat Johansson originelen had meegebracht die oorspronkelijk van de minister-president zelf afkomstig waren.

Je moet dingen niet onnodig ingewikkeld maken, dacht de bijzondere deskundige, die William of Occam al sinds de basisschool tot een van zijn filosofische favorieten rekende. Dus, vergeet Johansson, dacht hij. Waarschijnlijk kon hij de CIA ook vergeten. Dat er papieren in een van hun archieven zaten, betekende helemaal niet dat ze actieve kennis bezaten over het doen en laten van de minister- president zo'n veertig jaar geleden. Lastig, dacht de bijzondere deskundige, ze kunnen iets weten, maar dat hoeft niet per se zo te zijn.

Als ze iets wisten, werd het aan de andere kant wel makkelijker. Gezien de veiligheidspolitieke situatie in Noord-Europa zou het in hun belang moeten zijn dat de geestelijke nalatenschap van Buchanan niet publiekelijk bekend werd. Misschien ten tijde van de Vietnam-oorlog, in de verhitte stemming die toen heerste, maar niet nu, nu de verwonde relaties tussen Zweden en de VS flink wat jaren hadden mogen genezen en de littekens zelfs begonnen weg te trekken. Daarnaast moesten ze aan zichzelf denken. Wat Buchanan had gedaan, mocht niet, hoe verbolgen je ook op een voormalig agent was. *Bad for business*, dacht de bijzondere deskundige.

De problemen die je hebt bevinden zich hier, dacht de bijzondere deskundige, en de operator wiens schuld het allemaal was, was vermoedelijk degene om wie hij zich het minst zorgen hoefde te maken. De operator had er vast geen belang bij Krassners zogenaamde zelfmoordbrief in de krant te lezen. Dan zouden meer mensen dan Johansson kunnen uitrekenen wat er was gebeurd, en dat Krassner was vermoord was in feite de hele clou.

Als je met die zeis ging zwaaien, zou niet alleen de moordenaar worden opgeharkt. Hij zou de hele weg gezelschap hebben, maar terwijl de bijzondere deskundige zelf, Berg en Waltin, en eventuele anderen die hij niet kende, alleen maar naar ander werk zouden moeten omzien en op de gebruikelijke wijze in de media zouden worden afgebrand, zou de moordenaar levenslang krijgen, en hoewel valhoogte in sociaal verband iets relatiefs is, was dat waarschijnlijk niet iets waarnaar hij uitkeek. Integendeel, de zelfmoord die de operator zo behendig en koudbloedig had gearrangeerd, wees erop dat hij absoluut niet gepakt wilde worden en dat hij een aanzienlijke capaciteit bezat om dat te voorkomen.

Zijn eigen baas zou natuurlijk moeten opstappen, hoewel hij geen flauw benul had van het bestaan van Krassner, noch van de dreiging die was ontstaan doordat zijn jeugdige overtuiging hem bijna had ingehaald. Want als dat zou gebeuren, was gebrek aan kennis bijna erger dan actieve betrokkenheid. Er zou uiteraard flinke politieke deining ontstaan en voor de natie, de partij en de oppositie zou er niets te lachen vallen. Voor sommigen wel, maar zo was het altijd.

Dat zien we later wel, want zo erg hoeft het toch niet te worden, dacht de bijzondere deskundige en hij keerde terug naar Berg en Waltin. Die twee halve garen hadden deze buitengewoon slecht afgehandelde geschiedenis tenslotte geïnitieerd en uitgevoerd, en zij waren er verantwoordelijk voor. Wisten ze wat er daadwerkelijk was gebeurd? Waarschijnlijk niet, dacht de bijzondere deskundige. Hij was er vrijwel zeker van dat Berg niets wist. Waltin had hij weliswaar nooit ontmoet, maar als de beschrijving van Forselius klopte, leek hij niet echt de meest onverdroten werker in de kruidentuin van de Säpo. Waarschijnlijk weten ze niets en vermoeden ze ook niets, dacht de bijzondere deskundige. En als ze dat toch deden, zouden ze er een groot, natuurlijk belang bij hebben daarover te zwijgen. Puur uit zelfbehoud, dacht de bijzondere deskundige.

Vooropgesteld uiteraard dat niemand met hen ging sollen en hen in een hoek dreef zodat ze zich niet langer rationeel gedroegen en wild om zich heen gingen slaan. Hier hebben we een probleempje, dacht de bijzondere deskundige, omdat hij de drijvende kracht achter de geheime politieke overeenkomst was om enerzijds de zogenaamde externe dienst op te heffen of in elk geval te herstructureren, en om anderzijds Berg en zijn medewerkers en passant te leren om pootjes te geven door hen het leven zuur te maken met een nieuw parlementair onderzoek naar de Säpo. Wat een geluk dat die Johansson tijdig opdook, dacht de bijzondere deskundige en hij voelde zich bijna een beetje opgemonterd toen hij bedacht hoe hij zijn omgeving ervan zou kunnen overtuigen hoe belangrijk het was de boel geheel om te gooien.

Forselius, dacht hij. Wat doe ik met hem? Gezien wat hij nu wist, had hij er spijt van dat hij hem had gebeld om te vragen wie Fionn was. De ouwe was weliswaar haast tachtig en zoop als een tempelier, maar met zijn hoofd was niets mis. Misschien moet ik hem uitnodigen voor een etentje, dacht de bijzondere deskundige en in het ergste geval moet ik zijn eten maar vergiftigen.

De bijzondere deskundige had dagen, maanden en jaren van zijn leven nagedacht over de vraag hoe je het veiligheidsbeleid dat Zweden in de jaren na de Tweede Wereldoorlog in het geheim had gevoerd, politiek zou kunnen ontwapenen. Hij en Forselius hadden zelfs seminars georganiseerd waar dit thema was geanalyseerd en besproken. Het aantal genodigden was klein geweest, op z'n hoogst had er zeven man om de tafel gezeten, en iedereen die was gekomen, had de gebruikelijke geheimhoudingsclausule moeten ondertekenen.

Natuurlijk hadden ze alleen mensen uitgenodigd die al wisten hoe de vork in de steel zat, zodat ze daar geen tijd in hoefden te steken. Tegelijkertijd waren er honderden die het wisten. Politici en militairen vormden natuurlijk de grootste groep, maar er waren ook historici, journalisten en directeuren die er op verschillende manieren achter waren gekomen, evenals het gebruikelijke handjevol denkende mensen die op eigen kracht hadden uitgedacht hoe het zat. Die kon je natuurlijk niet allemaal uitnodigen, dat was strijdig met de opdracht en zou ook contraproductief en disfunctioneel zijn geweest, maar omdat de bijzondere deskundige en Forselius alle twee uitsluitend mensen wilden ontmoeten die iets zinnigs te melden hadden, en uiteraard iets wat in hun straatje paste, had het aantal genodigden geen enkel probleem opgeleverd.

Wat Zweden betreft, konden de jaren na de Tweede Wereldoorlog in veiligheidspolitiek opzicht het best worden vergeleken met een flinke wandeling op dun ijs. Wat zou de grote oosterbuur verzinnen? Er was een bijna 400-jarige geschiedenis van voortdurende oorlogen en politieke tegenstellingen met de Russische erfvijand. Een land dat op dat moment werd geleid door Josef Stalin en dat in geografisch politiek opzicht nooit eerder zo dicht bij Zweeds territorium had gelegen. De Russen zaten in Finland, in de Baltische staten, in Polen, in Duitsland, zelfs op de Deense eilanden in de Oostzee. Waar je ook keek, zag je de Russische beer met zijn enorme poten, klaar om de beslissende omhelzing te geven.

Waar moesten ze naartoe? Als je wilde vluchten, kon je uitsluitend naar een verwond Noorwegen, maar zoals het Scandinavische schiereiland eruitzag, had dat alleen als voordeel dat het een kort sprintje zou worden. Zich in de armen van het Westen werpen was ook geen optie. In de eerste plaats was het Westen daar niet in geïnteresseerd: ze hadden belangrijker dingen te doen en veel te veel mensen hadden de samenwerking van de Zweden met de Duitse nazi's nog vers in het geheugen zitten. In de tweede plaats zouden de Russen zoiets natuurlijk nooit toestaan en ze zouden zelfs geen oorlogsverklaring hoeven op te stellen om de westerse mogendheden duidelijk te maken waarom dat niet ging. Dat hadden de Zweden al op eigen kracht ingezien en op het vasteland van Europa stonden aanzienlijk grotere waarden op het spel dan de Zweedse onafhankelijkheid. En kijk maar hoe het Polen was vergaan, hoewel dat al voor de oorlog een bondgenootschap met zowel Engeland als Frankrijk was aangegaan.

De gedachte aan een Scandinavische defensiegemeenschap hadden de Zweden ook al vroeg moeten loslaten en omdat je toch niets aan de Noren en Denen had als het noodweer losbarstte, konden ze er op zich mee leven dat het daar nooit van was gekomen. De Finnen waren in dat geval beter, zowel historisch als op andere manieren, maar van hen hadden de Russen zich al verzekerd. In die situatie resteerde slechts het politieke dubbelspel: vriendelijk naar de Russen wuiven met het bord STRIKTE ZWEEDSE NEUTRALITEIT – zonodig tot je lamme armen kreeg – en tegelijk onder één hoedje spelen met de Amerikaanse krijgsmacht. Zo veel mogelijk hulp aannemen als maar kon zonder ontdekt te worden. Wat had je eigenlijk voor keuze?

Na verloop van tijd waren de verhoudingen in Europa steeds meer genormaliseerd. De nieuwe grenzen die op de kaart waren getrokken, begonnen zich in het bewustzijn van de mensen vast te zetten. De twee grote machtsblokken hadden een balans gevonden. De mensen in Europa begonnen in de vrede te geloven en verzoenden zich met alle nieuwe voorwaarden voor die vrede. Stalin en Beria waren allebei dood en je kon van hun opvolgers vinden wat je wilde, maar het leek niet langer vanzelfsprekend dat de Russische leiders de dag met een ontbijt van kleine kinderen begonnen.

In de wereld van de rationeel gevoerde politiek was geen ruimte voor gevoelens en zodra de druk van het Oosten minder werd, was het tijd om de banden met het Westen te laten vieren en na verloop van tijd de meest kritische eindjes in te korten. Na verloop van tijd waren ze ook begonnen om, in elk geval in hoofdlijnen, de neutraliteitspolitiek te voeren waarover in de tien jaar ervoor voornamelijk was gepraat. Was het tijdstip van de afscheidsbrief van de ministerpresident aan Buchanan, april 1955, een toevalligheid die werd veroorzaakt door zijn privé-situatie – die indruk kon je krijgen als je de brief las – in de tijd was het in elk geval ook toevallig. Dat de gevoerde politiek 'strikt' zou zijn geweest, zoals werd gezegd, was natuurlijk klinkklare onzin, bedoeld voor het publiek op de zesde rij. Geen enkele rationele politicus liet zich door gevoelens leiden, maar alleen gekken probeerden strikt te zijn.

In het midden van de jaren vijftig was het de hoogste tijd een nieuw speelplan te verzinnen. De Zweedse samenleving was in hoog tempo veramerikaniseerd en op een manier die de Amerikanen vertrouwen inboezemde. Een land waar de jeugd Coca-Cola dronk, naar Elvis luisterde en zijn eerste seksuele ervaring opdeed op de achterbank van een open Chevrolet uit Detroit, moest wel een goed land zijn. Van Zweedse zijde had men uiteraard niets te vrezen. De VS lag puur geografisch gezien op veilige afstand en zelfs een communist als Hilding Hagberg geloofde niet echt dat ze het risico liepen van die kant te worden aangevallen. Dat zei hij alleen maar als hij naar Moskou ging voor zijn periodieke steun; dat de Zweedse militaire inlichtingendienst hem jaar na jaar zijn gang liet gaan, kwam gewoon doordat het gunstig was voor de Zweedse veiligheid en de politieke stabiliteit op het Scandinavische schiereiland.

Nu waren ze dertig jaar verder en omdat de bijzondere deskundige in zijn eigen tijd leefde en werkte, was de geschiedenis zijn probleem niet. Het voortdurende gesteggel van na de oorlog, beschermd door de natte wollen deken van de neutraliteit, was een gegeven; waar het hem om ging was hoe ze zich van die geschiedenis konden bevrijden zonder de neutraliteitspolitiek in gevaar te brengen, die met de dag een steeds beter en goedkoper alternatief werd.

De seminars die hij en Forselius hadden georganiseerd waren dan ook uitsluitend over dat probleem gegaan. De rest wisten ze al, dus waarom zouden ze daar tijd aan verknoeien? Ze hadden al hun krachten gericht op het opstellen van de voorwaarden die nodig waren om de politiek die daadwerkelijk na de oorlog was gevoerd, openlijk te kunnen bespreken. Niet omdat ze een hogere mate van historisch of politiek inzicht onder de bevolking nastreefden – integendeel, ze waren innig dankbaar dat die interesse met het verstrijken van de jaren steeds kleiner werd – maar uitsluitend omdat er nog steeds zeer sterke veiligheidspolitieke redenen waren om het te doen.

Hoewel de geheime Zweedse militaire en politieke samenwerking met de VS en de westerse mogendheden al dertig jaar oud was en in essentie al twintig jaar geleden was gestopt, was ze in politiek opzicht nog zeer explosief. De Russische beer als steeds havelozer beschrijven was één ding. Waarheidsgetrouw was het hoe dan ook niet, want zijn poten waren nog nooit zo groot geweest als nu, en dat een paar beertjes in zijn eigen hol waren gaan puberen en vol verlangen in westelijke richting keken zodra de wind gunstig was, had hem alleen maar geïrriteerder gemaakt.

De liberalisering in de Sovjetunie, de steeds openlijker gevoerde oppositie en de duidelijkere tekenen van een verslechterende economie hadden de bijzondere deskundige steeds vaker slapeloze nachten bezorgd. Als denker en strateeg gaf hij in de keuze tussen een stabiele dictatuur en een democratische verandering uiteraard de voorkeur aan het eerste, omdat problemen dan veel makkelijker in te schatten en op te lossen waren. Wat de mensen die daar woonden ervan dachten en vonden, liet hem koud. Voor hem zou het het beste zijn als ze helemaal niet dachten. En voor hen zou het het beste zijn als ze het aan hem en mensen zoals hij overlieten om voor hen te denken.

Natuurlijk leefde geen van hen, hijzelf niet en Forselius evenmin, in de veronderstelling dat ze de Russische militaire inlichtingendienst om de tuin hadden kunnen leiden. Die had zijn politieke leiders allang over het Zweedse dubbelspel geïnformeerd. De Russen wisten het, de bijzondere deskundige en mensen zoals hij wisten dat de Russen het wisten, en de Russen wisten natuurlijk dat de Zweedse inlichtingendienst wist dat zij het ook wisten. Iedereen die iets wist, wist alles wat hij moest weten, en uiteraard wisten ze ook dat dit een vrij zinloos middel was voor iemand die politieke druk wilde uitoefenen, zolang die kennis met een totale ontkenning van de hand kon worden gewezen door degene die er slachtoffer van werd. En zolang de gewone man wist wie hij kon vertrouwen.

De publieke kennis en de publieke vragen in met name Zweden vormden echter de kritieke factor. Simpel gezegd was het zo dat de Zweedse bevolking moest ontdekken dat hun leiders hen om de tuin hadden geleid en op hetzelfde moment dat ze daarvan werden overtuigd, zou het voor de tegenstander mogelijk worden om de kennis die hij aldoor al had gehad te gebruiken en in een scherp politiek wapen te veranderen. Van Krassner tot de Zweedse media tot aan de burgers, dacht de bijzondere deskundige.

Wilde hij zijn probleem op een voor het land en de burgers risicoloze wijze kunnen oplossen, dan was er één voorwaarde die belangrijker was dan alle andere samen. Eerst moest de Russische beer onschadelijk worden gemaakt. Hem gewoon doodschieten was niet langer een optie, die mogelijkheid was zo'n vijftig jaar geleden al komen te vervallen, en als de Zweden zelf het geweer hadden moeten vasthouden, had die zich eigenlijk helemaal nooit voorgedaan. Waar het in werkelijkheid om ging, was het moment af te wachten waarop hij om andere redenen zo oud, krachteloos en tandeloos was geworden dat hij volkomen ongevaarlijk was.

Pas dan konden ze de geheime naoorlogse geschiedenis van Zweden gaan onthullen. Dat konden ze zelf doen, ze konden ervoor zorgen dat het gedoseerd en onder gecontroleerde omstandigheden gebeurde. Bij voorkeur op grond van nieuw historisch onderzoek, debatten op de cultuurpagina's van de kranten en strategisch gepubliceerde memoires geschreven door oude politici van wie niemand de naam nog wist. Ze konden zelfs af en toe een prachtige, jeugdige journalistieke onthulling aanbieden.

Maar voor die tijd was er geen denken aan, en de combinatie van de jeugdige avonturen van de minister-president als geheim agent en de betekenis van de aanzienlijk latere ambities van Krassner als onderzoeksjournalist, was een tijdbom die onder de bank lag te tikken waarop de bijzondere deskundige meestal zijn problemen lag op te lossen. Op dit moment was hij hen alle twee meer dan zat. Bovendien was het hoog tijd voor een douche en schone kleren, want over een uur zou hij zijn oude vriend, mentor en wapenbroeder, professor Forselius te eten krijgen.

"Hoe gaat het ermee, Bo?" vroeg Johansson en hij knikte naar de brede gouden ring aan Jarnebrings ringvinger, terwijl hij nog eens op- schepte van de schaal met gemengde vleeswaren die ze als voorgerecht hadden besteld. "Ik dacht dat ze je er een met een doodskop zou geven?"

"Ach, gewoon", zei Jarnebring. Hij glimlachte en haalde zijn brede schouders op. "Verdomd goede meid trouwens. De ringen met een doodskop waren uitverkocht, dus het is een gewone gladde gewor- den", zei Jarnebring en hij spreidde zijn vingers.

"Prettig te horen, gezien het feit dat jullie gaan trouwen", zei Johansson. "Dat het een verdomd goede meid is, bedoel ik."

"Tja", zei Jarnebring ontwijkend. "Dat is duidelijk, maar het is morgen nog niet, hoor."

"Je probeert tijd te winnen", plaagde Johansson. "Proost trouwens."

"Nee", zei Jarnebring met enige nadruk toen hij het glas van tante Jenny had neergezet. "Maar het zal wel een omschakeling zijn."

"Ik dacht dat je zei dat het als gewoon ging", plaagde Johansson.

"Wat is er met je, Lars?" vroeg Jarnebring. "Heb je een probleem op je werk of is dit een verhoor?"

"Ik ben waarschijnlijk gewoon jaloers op je", zei Johansson met een zucht. Ik zou misschien toch eens bij het postkantoor langs moeten gaan, dacht hij.

"Ik dacht al dat je jaloers op haar was", zei Jarnebring met een knip- oog en zoals gewoonlijk grijnsde hij breed. "Jij ook proost."

Daarna was alles net als anders geweest. Misschien iets te veel brande- wijn voor Johanssons gestel, Jarnebring leek er zoals altijd geen grein- tje last van te hebben, plus de gebruikelijke verhalen in oude en nieu- we versie over de dingen die waren gebeurd sinds ze elkaar voor het laatst hadden gezien.

"Hoe gaat het op je nieuwe werk?" vroeg Jarnebring.

"Je wilt een eerlijk antwoord?" vroeg Johansson met een zucht.

"Natuurlijk", zei Jarnebring vol overtuiging. "Hoe zou het eruit- zien als mensen zoals jij en ik elkaar wat voorlogen?"

"Het is de meest trieste klotebaan die ik in mijn hele leven heb ge- had", zei Johansson en toen hij dat zei voelde hij dat het het meest ware was wat hij in lange tijd had gezegd.

"Hou er dan mee op", zei Jarnebring. "Je kunt je toch wel redden. Je kunt bij de afdeling Onderzoek beginnen. Een van de oude rotten worden."

"Ja, dat is op zich wel zo", zei Johansson, "maar dat is het probleem niet."

"Wat is het probleem dan?" vroeg Jarnebring nieuwsgierig. "Moeten ze de boel stilleggen als jij ermee ophoudt?"

"Nee", zei Johansson. Nee, dacht hij. Ze vinden vast wel iemand anders.

"Weet je wat", zei Jarnebring en hij gaf hem een klopje op zijn arm. "Ik zal je een paar adviezen geven."

"Ik luister", zei Johansson knikkend. Dat doe ik echt, dacht hij.

"Niet meer zeuren, want alleen wijven zeuren, dus dat past niet bij je", zei Jarnebring. "Denk goed na over hoe je het wel wilt hebben en vervolgens hoef je er alleen maar voor te zorgen dat het werkelijkheid wordt. Schrijf het op een papiertje en plak dat op je grote neus, dan vergeet je niet wat je jezelf hebt beloofd."

Eerst bepaal je hoe je het wilt hebben en vervolgens zorg je ervoor dat het werkelijkheid wordt, dacht Johansson. Dat klinkt eigenlijk vrij eenvoudig.

"Klinkt goed", zei Johansson en hij knikte, want dat vond hij ook echt. "Ik zal erover nadenken. Serieus", benadrukte hij.

"Dat is niet goed genoeg, Lars", zei zijn beste vriend en hij schudde zijn hoofd. "Je denkt al te veel. Doe gewoon wat ik zeg, dan lost het zich vanzelf op."

"Ik zal doen wat je zegt", zei Johansson knikkend. "Maar dat met dat briefje doe ik niet."

Ik ga het echt doen. Het is de hoogste tijd, dacht hij.

***

Een simpele doordeweekse maaltijd met een heldere soep van zee-kreeft, lamsfilet en een mangosorbet; daarbij een Chablis, die helaas misschien wat aan de zware kant was, een uitstekende Chambertin en een goede port uit 1934. Lang niet de beste maaltijd die ze samen hadden genoten, maar hun gesprek had zoals gewoonlijk een hoog niveau gehad.

"Wist je dat de Griek spion voor de Russen was?" zei de bijzondere deskundige en hij snoof in zijn glas rode wijn. Sinaasappel, dacht hij. Sinaasappel en een geur van vergankelijkheid.

"Hebben Turken bruine ogen?" snoof Forselius. "Ik waarschuw ze al veertig jaar voor die stomme nicht, maar dacht je dat er iemand luisterde?"

De Griek kwam niet uit Griekenland. Hij was een Zweedse diplomaat, na een lange, buitengewoon succesvolle carrière tegenwoordig gepensioneerd. Bovendien was hij homoseksueel, maar in tegenstelling tot de meeste anderen had hij daar nooit een geheim van gemaakt. Binnen de Säpo en de militaire inlichtingendienst was het tegelijk een publiek geheim dat hij van meet af aan zijn diplomatieke carrière had vervlochten met zijn opdracht als spion voor de Russen. Natuurlijk heette hij ook niet de Griek, want zo heet geen enkele Zweed. Het was zijn codenaam voor alle mensen die vergeefs hadden geprobeerd hem op te pakken, en als naamkeuze was het mogelijk minder geslaagd, omdat de Griek het zelf prachtig vond om te vertellen hoe ze hem noemden.

De Griek kwam in Krassners boek voor met een korte vermelding van zijn spionageactiviteiten en zijn seksuele geaardheid en de gevolgen die dat laatste kon hebben – *a sitting duck for the* KGB *Call Boys* – maar in tegenstelling tot alle anderen had Krassner er een verklaring voor waarom hij nooit was gepakt. Hij was de bode tussen de minister-president en de Russen en dus werd hij beschermd.

"Ik vraag me af waarom hij nooit is gepakt", zei de bijzondere deskundige met een onschuldig gezicht en de halfgesloten ogen gericht op een verre kroonluchter. "Terwijl hij zo lang bezig is geweest, bedoel ik."

"Bah", gromde Forselius. "Mensen als hij worden immers beschermd."

Nee dus, constateerde de bijzondere deskundige. Deze keer niet beet.

Vervolgens was hij op andere onderwerpen overgegaan en pas toen het tijd was voor de port en Forselius flink doortrokken was van wijnen uit de Bourgogne, had hij opnieuw een spierinkje uitgegooid.

"Ik moest aan die Pool denken over wie je vertelde", zei de bijzondere deskundige met dezelfde onschuldige blik. "Die jullie een paar dagen voordat ik werd geboren in elkaar hebben geslagen."

"Je kunt gerust zijn, jongeman", zei Forselius met een klokkend geluid. "Het had niets met je moeder te maken, dat kan ik je verzekeren."

Dan moet je het zelf weten, ouwe, dacht de bijzondere deskundige, die het niet gepast vond dat er op die manier over zijn moeder werd gepraat.

"Het staat me bij dat je zei dat hij uit een raam was gevallen en zijn nek had gebroken toen hij probeerde te vluchten? Mag ik de port even, alsjeblieft?"

"Ja, hoezo?" vroeg Forselius en hij keek wantrouwend, terwijl hij de karaf buiten het bereik van zijn gastheer neerzette.

"Ik heb gehoord dat jullie hem hebben neergeschoten. Mag ik de port even?"

"O, heb je dat gehoord?" zei Forselius listig en hij gaf hem met tegenzin de karaf aan.

"Ja", knikte de bijzondere deskundige, terwijl hij meer port inschonk voor zichzelf en zijn tafelkleed. "Jouw oude vriend Buchanan heeft hem op de Pontonjärsgatan op Kungsholmen in de rug geschoten."

Forselius gleed een eindje omlaag, zette zijn glas neer en legde zijn oudemannenhanden over zijn buik terwijl hij zijn gastheer onderzoekend aankeek.

"Gefeliciteerd", zei hij en hij knikte waarderend. "Hoe ben je aan Krassners manuscript gekomen?"

"Hoe ben je er zelf aan gekomen?" counterde de bijzondere deskundige. Forselius schudde zacht zijn hoofd terwijl hij met zijn wijsvinger op zijn brede voorhoofd tikte.

"Ik heb er geen regel van gezien", zei hij. "Voor wie zie je me aan? Ik kende John, ik was erbij, ik kan tellen. Moeilijker dan dat is het niet."

Prettig te horen, dacht de bijzonderde deskundige. Ik hoef me nog geen zorgen om hem te maken.

"Vertel", zei Forselius nieuwsgierig.

Vervolgens had de bijzondere deskundige alles verteld, behalve hoe het in zijn werk was gegaan toen hij Krassners papieren kreeg en wie ze aan hem had gegeven. Dat was natuurlijk het eerste wat Forselius had gevraagd.

"Ik begrijp dat je niet wilt zeggen hoe je ze hebt gekregen en ik begrijp ook dat het niet via de gebruikelijke kanalen is gegaan."

De bijzondere deskundige glimlachte even en knikte instemmend. Want dan had je er niet naar hoeven vragen, dacht hij.

"Geloof je ze?"

De bijzondere deskundige had daar al veel over nagedacht, maar nam toch alle tijd voordat hij antwoordde.

"Ik geloof de leverancier", zei hij. "Ik heb veel nagedacht over de levering. Gezien de leverancier ben ik geneigd ook de levering te kopen. Ja." De bijzondere deskundige knikte met zoveel nadruk als iemand als hij zich maar kon veroorloven.

"Nou dan", zei Forselius en vervolgens waren ze naar de bibliotheek gegaan waar de dove huishoudster van de deskundige koffie en cognac had klaargezet en de open haard had aangestoken.

Daarna waren ze ter zake gekomen.

Forselius deelde de inschatting van de bijzondere deskundige. Bij de Säpo wist waarschijnlijk alleen de operator wat Krassner wist. En als hij de inhoud van de papieren die hij had meegenomen überhaupt al had begrepen – de zelfmoord die hij had gefingeerd wees helaas wel in die richting – zou hij er tegelijk het meeste belang bij hebben om erover te zwijgen.

"Wat vind jij?" vroeg de bijzondere deskundige. "Moet ik proberen te achterhalen wie hij is?"

Forselius haalde aarzelend zijn schouders op.

"Ik geloof niet dat dat verstandig zou zijn", zei hij. "Wie wil nou een slapende hond wakker maken? En wat zouden we kunnen doen zonder zelf ook meegesleurd te worden?"

Klopt, klopt, had de bijzondere deskundige gedacht en inwendig had hij diep gezucht. Want als je er goed over nadacht, was de situatie zo belabberd dat hij en Forselius en een aantal achterlijke agenten van de Säpo – van wie er een duidelijk gestoord was – ervoor hadden gezorgd dat Krassner van een gewone idioot was veranderd in een persoon van groot belang voor de staatsveiligheid.

Krassners materiaal? Nu ze beiden wisten wat erin stond, hoe gevaarlijk was het eigenlijk?

"Bij BZ zullen ze dit waarschijnlijk niet leuk vinden", constateerde Forselius. "Daar zijn ze dag en nacht bezig middenlijnonderhandelingen met de Russen voor te bereiden."

In de Oostzee moesten nieuwe grenzen worden getrokken. Met eigen, onlangs openlijk geuite vraagtekens ten aanzien van de Zweedse neutraliteitspolitiek aan de onderhandelingstafel plaatsnemen, zou geen gunstige invloed hebben op de bereidheid van de Russische tegenpartij om compromissen te sluiten.

"Wat dacht je ervan om zelf alles af te vuren?" vroeg de bijzondere deskundige.

"Wat denk je dat je baas daarvan zou vinden?" klokte Forselius.

"Hij zou niet zo blij zijn", zei de bijzondere deskundige met een scheef glimlachje.

"En wat denk je dat hij zou zeggen als hij over Krassner en diens zogenaamde zelfmoord zou horen?" grinnikte Forselius.

"Niet blij, verdrietig, en heel, heel moe", zei de bijzondere deskundige en hij moest zo lachen dat zijn dikke buik ervan schudde.

Op dat punt waren ze het volledig met elkaar eens. Het materiaal van Krassner zouden ze op zich zonder meer hebben aangekund, zelfs als een competente redacteur van een keurige uitgeverij na verloop van tijd het kliederige manuscript had weten te ordenen en er een boek met harde kaften van had kunnen maken. Dat hadden ze wel aangekund met het gebruikelijke ontkennen, zwijgen en vraagtekens plaatsen bij de auteur, zijn handel en wandel en zijn motieven. Een paar blauwe plekken, een paar schaafwonden, misschien. Maar het had moeten lukken.

Maar niet nu. Absoluut niet nu.

"Waarom moest hij ook uit het raam vallen", zei de bijzondere deskundige geïrriteerd.

"Tja", zei Forselius en hij dronk zijn glas leeg. "Je hebt zeker niet meer?"

Hij wees naar de nu lege fles met Frapin 1900.

"Neem je me in de maling?" vroeg de bijzondere deskundige. "Natuurlijk heb ik meer. Ik heb zoveel je maar wilt. Je wilt geen whisky?" voegde hij eraan toe, want eigenlijk had hij geen zin om midden in de nacht naar zijn wijnkelder te gaan, met allemaal spinnen en troep die hij haatte, en zijn geliefde huishoudster had laten weten dat ze naar haar dochter ging zodra ze de koffie en de cognac op tafel had gezet en de keuken had opgeruimd.

"Whisky", zei Forselius met afkeer. "Ik zal jou eens een goede raad geven, jongeman. Je moet nooit malt op druiven gieten."

Wat had hij voor keuze gehad? Eerst was hij naar de wijnkelder gegaan om cognac te halen. Vervolgens hadden ze de hele nacht gebiljart en Forselius had longdrinks van Frapin 1900 en frisdrank gedronken, groot kenner als hij was. En toen de bijzondere deskundige de volgende ochtend wakker werd, was hij genoodzaakt geweest zijn secretaresse te bellen om te zeggen dat hij zich niet lekker voelde en thuis moest blijven.

"Wat sneu", zei ze met oprecht medelijden. "Beloof me dat je gauw beter wordt, dan zien we elkaar maandag weer."

Eindelijk iemand met begrip, dacht de bijzondere deskundige en vervolgens had hij twee pijnstillers en een groot glas water genomen en was weer ingeslapen.

Waltin was eindelijk over de verveling heen die hem de laatste tijd zo had gekweld. Hij had simpelweg besloten de vette roodharige teef uit zijn bewustzijn te wissen. Niet de moeite waard gewoon en wat Hedberg betrof, die liet ongetwijfeld van zich horen als hij weer terugkeerde naar Europa. Dat deed hij altijd, al was het maar omdat hij geld nodig had.

In plaats daarvan had hij de training hervat van kleine Jeanette, die hij de afgelopen tijd zo treurig had veronachtzaamd, en ze waren het weekend naar Sörmland geweest, waar hij haar een aantal nieuwe en zintuiglijk stimulerende ervaringen had kunnen geven. Toen hij haar naar huis reed, had hij er ook voor gezorgd dat ze de bontjas vergat die hij haar met Kerstmis had gegeven, pure waanzin nu hij erover nadacht, die was in veilige bewaring, zíjn bewaring. Hoog tijd om naar iets anders uit te kijken en iets nieuws te plannen, had Waltin gedacht toen hij haar voor de portiek van haar pathetische kleine flat afzette in die jammerlijke buitenwijk waar ze woonde. Er liepen voldoende vrouwen rond en om toekomstige vergissingen als die vette roodharige teef te voorkomen, had hij ook besloten om zijn speurwerk in het vervolg naar betere plekken te verleggen. De lagere middenklasse, dacht Waltin, want daar zat vast veel onvervuld verlangen.

's Maandags had Berg hem willen spreken en die had vanaf het begin al een begrafenisgezicht gehad. Eerst had Berg hem verteld dat er een nieuw parlementair onderzoek naar de dienst op stapel stond en dat de sociaal-democraten in het regeringsgebouw ook de externe dienst wilden afschaffen. Zelf had hij dat aldoor al begrepen, omdat hij in tegenstelling tot Berg niet gek was; dit was precies de gelegenheid waarop hij had gewacht.

"Ik wilde je vragen of je een concept kunt opstellen zodat we samen kunnen bekijken hoe we het daarna moeten aanpakken", zei Berg ontwijkend.

"Ik snap niet waarom ze zo moeilijk moeten doen", zei Waltin onschuldig. "Je denkt toch niet dat het iets met die ongelukkige geschiedenis met Krassner te maken kan hebben?"

"Dat verband zie ik niet direct", zei Berg en precies op het moment dat hij dat had gezegd, begonnen de bellen in zijn hoofd weer te rinkelen. Vaag weliswaar, maar wat moest hij doen? Hij kon Waltin toch moeilijk zeggen dat hij zijn mond moest houden en moest doen wat hem werd opgedragen.

"Ik heb de zaak al een keer doorgenomen met Hedberg, die we als operator hadden, ja, je herinnert je hem nog wel", zei Waltin op lichte en luchtige toon. "Ik ben er geheel van overtuigd dat we ons in die geschiedenis nergens voor hoeven te schamen. Hedberg zou toch buiten kijf de meest competente operator moeten zijn die ons ter beschikking staat? Ik deel jouw mening over die man volledig. Hij is een rots."

Hedberg, dacht Berg en het lawaai in zijn hoofd nam toe. Dat had hij op zich aldoor al vermoed, maar hij had er niet naar willen vragen. Waarom moest hij altijd over de verkeerde dingen praten, dacht Berg. Soms denk ik toch dat hij volkomen gestoord is.

"Krassner is verleden tijd", zei Berg en hij deed zijn best om te klinken alsof dat ook echt zo was, "dus denk ik niet dat we daar ook maar aan hoeven denken. Denk je dat je een concept klaar kunt hebben voor ik ze volgende week zie?"

"Natuurlijk, geen enkel probleem", zei Waltin voorkomend en vervolgens waren ze overgegaan op andere onderwerpen. Berg was haast afwezig geweest en hij had eruitgezien alsof hij een lange vakantie nodig had, wat Waltin heel goed zou uitkomen.

Toen hij na de bijeenkomst met Berg het bureau uitkwam, was hij in zo'n goede bui dat hij ondanks de kou besloot om naar het centrum te wandelen, waar hij doodnormale mensen zou ontmoeten die wilden dat hij hen zou helpen de zekerheid in hun economische bestaan te vergroten en die bereid waren daarvoor te betalen. Hij was de wijk nog niet uit of een van de grote politiebusjes van de Stockholmse politie kwam naast hem rijden. Op de plaats naast de bestuurder zat Bergs achtergebleven neef en de enige logische interpretatie daarvan was dat hij en zijn halve apen van kameraden aan alle dansen waren ontsnapt en waren teruggekeerd in hun functies. De jonge Berg had zijn raampje omlaag gedraaid en leunde met zijn grove arm op het portier. De kou was niet de enige reden waarom hij ook handschoenen van zwart leer droeg. Omdat Waltin een geciviliseerd man was, was hij uiteindelijk genoodzaakt geweest iets te zeggen.

"Kan ik de heren ergens bij helpen?" vroeg Waltin zonder zijn tempo te verlagen.

"We checken alleen of alles rustig is", zei Berg. "Proberen de algemene orde en veiligheid te handhaven."

"Prettig om te weten dat we aan dezelfde kant staan", zei Waltin en hij feliciteerde zichzelf met zijn neutrale toon.

"Vinden wij ook", zei Berg en hij klonk plotseling stuurs als een kind. "Die indruk hebben we niet altijd gekregen."

Op dat moment had Waltin zijn idee gekregen. Puur een impuls, want hoe konden die psychopaten hem in 's hemelsnaam schaden en het was hoog tijd dat hij hun dat duidelijk maakte.

Waltin was gewoon gestopt en omdat de bestuurder niet even snel had kunnen stoppen, had hij een meter achteruit moeten rijden voordat Berg weer oogcontact had met Waltin.

"Over mij hoeven jullie je geen zorgen te maken", zei Waltin luchtig terwijl hij op zijn horloge keek. "En als de heren toch naar het centrum gaan, dan mogen jullie mij naar het Norrmalmstorg brengen", zei hij. En je moet niet gaan pokeren, dacht hij toen hij de verbaasde uitdrukking in het gezicht van Berg zag. Uiteraard had hij ook gewacht tot de bestuurder was uitgestapt en het portier voor hem had opengehouden. Niet alleen jullie oom kan dingen stopzetten, dacht Waltin toen hij het busje instapte.

***

Toen Berg bij het wekelijkse overleg arriveerde, was de bijzondere deskundige afwezig. Berg had een vragende blik op zijn lege stoel geworpen toen hij op de zijne ging zitten en de minister van Justitie had met bezorgde blik geknikt.

"Hij moest helaas elders zijn", zie de minister. "Een goede vriend van hem is overleden. Hij deed je trouwens de groeten. Het speet hem dat hij er niet kon zijn."

Een goede vriend, dacht Berg verbaasd. Ik vraag me af hoe zo iemand is geconstrueerd. Maar dat had hij natuurlijk niet gezegd. Dat was wel het laatste wat hij moest doen, dacht hij.

Eerst had hij gesproken over het onderzoek naar rechtsextremistische elementen binnen de politie waarmee ze bezig waren, hij was begonnen met een verslag van de zorgwekkende waarnemingen die Waltin hem de dag ervoor had doorgegeven.

"We hebben helaas enkele problemen met de data-input", zei Berg cryptisch.

"Zijn de computers weer stuk?" vroeg de minister zonder ook maar enige bijgedachte.

"Was het maar zo", zei Berg en hij schudde zijn hoofd. "Nee, ik ben bang dat het erger is."

En toen hij A had gezegd, kon hij net zo goed B zeggen, dacht hij. "Enkele van onze veldagenten, infiltranten zoals sommigen zeggen, hebben uitdrukking gegeven aan hun bezorgdheid over het feit dat ze ontmaskerd kunnen worden en daarom hebben we ze moeten terugroepen en het werk moeten afbreken", zei Berg. "We moeten een manier vinden om te hergroeperen voordat we verder kunnen."

"Lieve god", zei de minister met oprechte bezorgdheid. "Er bestaat toch geen gevaar dat ze iets overkomt?"

Wat zou dat moeten zijn, dacht Berg. We leven toch in Zweden en we hebben het over politiemensen. Zowel de mijne als degenen naar wie ze onderzoek doen.

"Zo'n vaart zal het niet lopen", zei Berg geruststellend.

"Prettig om te horen", zei de minister en hij leek oprecht opgelucht.

Bij het punt w.v.t.t.k. had Berg voordat ze uit elkaar gingen alleen meegedeeld dat ze het samenstellen van het gevraagde materiaal over de externe dienst de hoogste prioriteit hadden gegeven en dat hij verwachtte het bij het volgende overleg te kunnen laten zien. De minister van Justitie leek bijna in verlegenheid gebracht toen hij dat zei en de directeur-generaal Juridische Zaken had zich plotseling verontschuldigd en was vertrokken.

"Ik geloof dat onze vriend van het ministerie van Algemene Zaken zich de vorige keer misschien wat ongelukkig heeft uitgedrukt", zei de minister en hij schraapte zijn keel terwijl hij een betekenisvolle blik in de richting van de lege stoel van desbetreffende persoon wierp.

"Het is niet aan mij om vraagtekens te plaatsen bij jullie visie of jullie motieven", zei Berg beleefd. Want zo dom ben ik niet, dacht hij.

"Dat had ik ook niet verwacht", zei de minister vriendelijk, "maar ik heb geprobeerd met onze gemeenschappelijke vriend te praten om hem te doen inzien dat dit zo'n gecompliceerde geschiedenis is dat er in alle rust over nagedacht moet worden. Ik bedoel, het is niet iets wat we erdoor moeten jagen."

De minister leunde naar voren en liet zijn stem dalen.

"Niet om indiscreet te zijn", ging hij verder, "maar hij vroeg mij advies in een verwante kwestie en toen heb ik meteen gezegd wat ik hiervan vond."

Ja ja, dacht Berg. Zo ging dat dus.

"En ik heb hem weten te overtuigen", zei de minister tevreden.

"Prettig om te horen", zei Berg, al hoorde hij eigenlijk alleen maar de bellen in zijn hoofd.

"Het duurt gewoon zolang als het duurt", constateerde de minister met een bevestigende blik. "Wat mij betreft is het prima als we het ergens in het voorjaar afhandelen."

Waar zijn ze eigenlijk mee bezig, dacht Berg toen hij door de deuren van Rosenbad naar buiten stapte. Op een intern seminar dat ze op het werk hadden gehad, had de spreker verteld over iets wat kennelijk de verwarringsstrategie van Anderson heette, naar de Amerikaanse psycholoog die deze op z'n minst dubieuze methode had bedacht. Kennelijk kwam die erop neer dat je aldoor tegenstrijdige mededelingen gaf aan degene op wie je het had voorzien, terwijl je tegelijk tussen hartelijk en dreigend gedrag heen en weer pendelde. Volgens de spreker was hier normaal gesproken slechts een kleine dosis van nodig voordat het object rijp was voor zowel het pillenpotje als een dwangbuis.

Daar kan hij niet mee bezig zijn, meende Berg, denkend aan de bijzondere deskundige van de minister-president. Al mag het duidelijk zijn dat hij voor de meeste dingen zonder meer capabel genoeg is, dacht Berg.

***

De Poolse schoonmaakster van Forselius was degene die haar werkgever vond. Toen ze opendeed, lag hij vlak achter de voordeur en omdat ze zelf medicijnen had gestudeerd aan de hogeschool van Lodz, voordat het haar eindelijk was gelukt daar weg te komen en in Zweden in de thuiszorg te gaan werken, kostte het haar geen enkele moeite om te zien wat er aan de hand was. Forselius was dood, alles wees erop dat hij vrij kort geleden was gestorven en dat hij waarschijnlijk een beroerte had gehad. Bovendien droeg hij zijn eeuwige gevlekte ochtendjas en rook hij zoals altijd naar cognac.

Zijn schoonmaakster had het telefoonnummer gebeld dat ze moest bellen als er iets gebeurde en vrijwel onmiddellijk waren er allerlei mensen gekomen. Allemaal mannen, allemaal vriendelijk en zwijgzaam, en een van hen was ongetwijfeld ook arts.

Dan klopte het dus dat hij een soort hoge spion is geweest, dacht ze, maar met haar achtergrond was dat niet iets waar je over sprak. Vervolgens had een van de mannen haar naar huis gebracht, gezegd dat ze zich geen zorgen moest maken, dat ze de rest van de week vrij had van haar werk en dat ze toch gewoon haar loon zou krijgen, dat ze met niemand mocht praten over wat er was gebeurd en dat hij of een van zijn collega's terug zou komen als er nog iets was.

Het kwam haar goed uit. Forselius was lastiger geweest dan alle anderen voor wie ze schoonmaakte bij elkaar. Ze was naar de crèche gegaan en had haar zoontje gehaald en vervolgens hadden ze de hele middag in een park in de buurt van haar woning gespeeld.

De bijzondere deskundige was vlak na de mensen van de inlichtingen-afdeling van de defensiestaf gekomen, maar ruim voor de stumpers van de Säpo, die helaas ook moesten komen om het formele deel te regelen. Ze hadden elkaar ruim twintig jaar gekend, maar toen hij naar hem keek zoals hij daar op het kleed in de hal lag, was hij genood-zaakt zichzelf af te vragen wat hij eigenlijk voelde. Verdriet? Gemis? Bezorgdheid? Niets bijzonders?

"Heb je enig idee waaraan hij is gestorven?" vroeg hij aan hun eigen arts, die op zijn hurken over het lijk gebogen zat.

"Je bedoelt waar hij niet aan is gestorven", zei de arts. Hij glim-lachte scheef en schudde zijn hoofd. "Ja", ging hij verder en hij zuchtte moedeloos. "Dat moet de obductie uitwijzen, maar als ik moet gok-ken, dan denk ik dat hij een flinke hersenbloeding heeft gehad. Hij was bijna tachtig, al weigerde hij dat in te zien."

Jammer van de ouwe, dacht de bijzondere deskundige.

Toen ze de inhoud van Forselius' portemonnee doornamen, een ouderwets degelijk geval van bruin leer dat hij altijd in zijn achterzak had zitten, hadden ze een opgevouwen envelop gevonden met een tekst in het handschrift van Forselius: *In geval van mijn overlijden.* In de envelop zat een papiertje met nog een korte, handgeschreven me-dedeling: *Je moet sterven wanneer het op z'n leukst is, J.F.* en afgaande op de gewone forensische tekenen, kon hij dat al wel een halve eeuw geleden hebben geschreven toen hij in het geheime pand aan het Kar-laplan codes zat te kraken.

Shit, dacht de bijzondere deskundige. Ik mis hem nu al.

XVII

En alles wat restte was de kou van de winter

Mallorca in februari

Hedberg was van de vochtige hitte op Java teruggekeerd naar zijn kleine huis op Noord-Mallorca, waar hij sinds een kleine tien jaar in zijn noodgedwongen ballingschap leefde. Maar toen hij op het vliegveld van Palma landde, was hem een verkoelend voorzomers windje tegemoet gekomen, het was bijna twintig graden in de lucht hoewel het pas de eerste week van februari was, dus over het weer viel niets te klagen. Hij had zijn auto opgehaald van het parkeerterrein voor lang parkeren waar hij hem ruim een maand geleden had neergezet, om vervolgens naar het huis in de bergen ten noorden van Alcudia te rijden. Er waren slechtere dagen, dacht hij.

Niet alle dagen waren goed geweest. Gezien het feit dat hij zelfs niet was opgeroepen voor een verhoor, laat staan in staat van beschuldiging was gesteld of veroordeeld, was hij het slachtoffer van een schokkende rechtsovertreding. Zijn werk had hij natuurlijk mogen behouden, maar al het gedoe in de wandelgangen, de plotselinge stiltes als hij de koffiekamer binnenkwam, de collega's die hem openlijk ontweken, dat alles had het voor hem toch onmogelijk gemaakt. Bovendien had hij het niet naar zijn zin gehad achter een bureau. En dat alles alleen omdat hij had geprobeerd zich te beschermen tegen een kleine crimineel en een zuipschuit die hadden geprobeerd om hem geld af te troggelen dat rechtmatig van hem was.

Toen hij het aanbod had gekregen om bij de externe dienst te komen en voor Waltin te gaan werken, had het bijna als een bevrijding gevoeld. Het betaalde ook goed, een paar keer was het zelfs erg goed geweest, en hij mocht Waltin graag. Het was een begaafde vent met veel charme en een heleboel interessante ideeën. Bovendien voelde hij dat hij hem kon vertrouwen, bijna alsof ze broers waren en samen waren opgegroeid, hoewel ze elkaar eigenlijk niet echt vaak zagen.

Daarom was hij des te verbaasder geweest toen hij de papieren doornam die hij van die Amerikaanse journalist had meegenomen en waarvan hij zich aanvankelijk op veilige wijze had willen ontdoen. Niet dat zijn Engels zo goed was als dat van Waltin, maar het was in elk geval goed genoeg om het meeste te kunnen begrijpen, en een tijdlang had hij zelfs het gevoel gehad dat Waltin hem had bedrogen.

Maar hoe langer hij over de zaak nadacht, des te onwaarschijnlijker dat leek. Waarschijnlijk was het gewoon zo dat Berg en die sociaal-democraten in de nieuwe regering voor wie hij werkte, samenspanden en dat Waltin net zozeer was bedrogen als hijzelf. Berg met zijn schijnheilige kop en geoliede bek was uiteraard de aangewezen persoon geweest om de belastende documenten van die Amerikaan op te ruimen. Documenten die aantoonden wat ieder weldenkend mens geheel zelfstandig had moeten kunnen inzien: dat het land door een landverrader en Russische spion werd geleid. Dat hij zich in zijn jeugd bovendien een plekje binnen de CIA had weten te veroveren, daar had Hedberg weliswaar geen flauw idee van gehad, maar gezien alle andere dingen die hij had gedaan, zoals zijn beste vriend laten vermoorden bijvoorbeeld, was het niet echt als een verrassing gekomen. Niet dat hij zich toen niet had weten te redden. Mensen zoals hij wisten zich altijd te redden.

Waltin was vermoedelijk net zo erg om de tuin geleid als hijzelf en gezien het gebeurde was dat eigenlijk maar goed ook. Hoe had hij de kwestie ooit met Waltin kunnen bespreken? Het zou hetzelfde zijn als jezelf tot levenslang veroordelen. Als hij er nu maar zeker van kon zijn dat hij Waltin volledig kon vertrouwen, dan zou hij geen moment aarzelen om hem alles te vertellen. Het probleem was alleen dat hij in zijn hele leven geen enkel mens was tegengekomen die, als het er echt op aankwam, volledig betrouwbaar was. Daarom was het ook het verstandigst om te zwijgen over wat hij wist. In elk geval tot hij er zeker van kon zijn dat niet alleen Krassner, maar ook die hele geschiedenis dood en begraven was.

Eigenlijk was hij zelf het echte slachtoffer. Hij zou er nooit ook maar van hebben gedroomd om zich tegen iemand als Krassner te verdedigen, als hij maar had geweten wie hij was en waar hij mee bezig was. Integendeel, hij zou hem op een paar biertjes hebben getrakteerd, want dat had hij toch echt wel verdiend gezien het werk waar hij mee bezig was. Nu had hij geen keuze gehad en net als de vorige keer, had hij alleen maar geprobeerd zichzelf te verdedigen.

Plotseling had Krassner gewoon de sleutel in het slot gestoken en was binnengestapt, en omdat hijzelf aan de andere kant van de deur in een krappe hal stond, had hij nergens naartoe gekund. En in plaats dat Krassner hem vroeg wat hij daar deed – hij zag eruit als een gewone werkman, dus daar had Krassner toch aan moeten denken – was hij hem meteen aangevlogen en had hij geprobeerd hem een kopstoot te geven en toen hijzelf Krassner vervolgens op de vloer had gekregen, had die geprobeerd hem een knietje te geven en hem te bijten, en toen had Hedberg geen keuze meer gehad. Hij was genoodzaakt geweest om zich te verdedigen en helaas had Krassner daarbij toevallig zijn nek gebroken. Pure zelfverdediging en als er iemand slachtoffer was in deze geschiedenis, dan was hij dat wel. Eerst was hij er al onder valse voorwendselen bij betrokken geraakt en toen hadden ze hem ook nog eens gebruikt om de grootste landverrader in de Zweedse geschiedenis te beschermen.

De rest was puur routinematig gegaan. Hij was aldoor van plan geweest om Krassner uit het raam te gooien. Wat moest hij ook anders? Krassner kon daar niet zo blijven liggen. Maar omdat hij diens papieren toch moest fotograferen, had hij toevallig de inleiding gezien van het boek dat de man aan het schrijven was en toen hij daarnaar keek, had hij zich plotseling gerealiseerd dat het een typische afscheidsbrief was en toen hoefde hij er niet lang meer over na te denken. Hij had een geschikte stapel voor die verrader van een Berg en die andere idioten gesorteerd, de rest zelf gehouden en ervoor gezorgd dat alles normaal leek. Het verwisselen van het inktlint op de typemachine en het schrijven van een nieuwe, gelijkluidende afscheidsbrief, die hij vervolgens in zijn zak had gestoken en had meegenomen, had de meeste tijd gekost. De echte brief zette hij in de typemachine en hij had al gezien dat er vingerafdrukken op zaten toen hij hem tegen het licht hield. Gelukkig maar. Die Krassner had hem immers zelf getypt.

Vervolgens had hij de vergrendeling van het raam losgewrikt, Krassner opgetild en hem naar buiten gegooid. Best een machtig gezicht toen hij naar beneden viel, en pas toen hij op de grond terechtkwam, zag hij die zwerver die met zijn schurftige hond langs de gevels sloop en het pakketje bijna op zijn kop had gekregen. Toen hij zelf zijn hoofd naar binnen trok om niet onnodig zichtbaar te zijn, zag hij dat Krassner kennelijk zijn ene schoen had verloren toen hij het lichaam door het vrij nauwe raam naar buiten had gewurmd. Die kon hij niet op de vloer laten liggen, dus die had hij gepakt om hem ook naar buiten te gooien en omdat de zwerver er nog steeds stom stond te koekeloeren met zijn achterlijke hondje, had hij een serieuze poging ondernomen om de schoen recht in zijn pet te gooien. Hoewel het deze keer geen kwartje was, zoals bij de lui die in de metro hun brandewijn bijeenbedelden. Helaas had hij gemist en in plaats daarvan de hond geraakt, die gewoonweg was dubbelgeklapt en plat op straat was gaan liggen. Meer dan dat was er niet gebeurd, want daarna had hij zijn spullen gepakt, nog een snelle laatste controle gedaan om vervolgens te vertrekken. Toen restte alleen nog de rapportage en die was niet zo moeilijk geweest, omdat hij alleen maar met Waltin had hoeven praten.

Een typisch geval van zelfmoord, als iemand nou op de gedachte zou komen het hem te vragen. Een van de meest typische gevallen waarover hij had gehoord trouwens, met een briefje en al. Het werd de debiele collega's in Stockholm in de schoot geworpen, dacht Hedberg, en daarna had hij er niet echt meer over nagedacht.

XVIII

En alles wat restte was
de kou van de winter

Stockholm in februari

De hoofdcommissaris van politie te Stockholm had zeer positieve reacties ontvangen op zijn nieuwjaarsgroet in de eigen krant van de politie. Veel mensen hadden wat van zich laten horen, zowel mensen van het korps als daarbuiten, en niet in de laatste plaats vrouwen. Veel vrouwen hadden grote waardering laten blijken en alle warmte die hem tegemoet was gekomen, had hem gesterkt in zijn overtuiging dat het wellicht de hoogste tijd was om nóg een van zijn visioenen te verwezenlijken.

Als je zijn grote literaire belangstelling buiten beschouwing liet – want dat was eerder een innerlijke roeping – dan waren er twee grote interesses in het leven van de hoofdcommissaris. Te weten fysieke training en politionele probleemoplossing, of speurwerk zoals het met een populair woord werd genoemd. Elk jaar bracht hij honderden uren op trimbanen en loipes door, en tijdens een van deze trainingsrondjes was hij op het buitengewone idee gekomen om een interne opleiding voor gekwalificeerde politionele probleemoplossing op te zetten. Natuurlijk niets voor Jan en alleman, maar een exclusief forum voor enkele van zijn meest veelbelovende en meest gekwalificeerde medewerkers. De opleiding zelf, de lezingen en discussieseminars zoals hij die voor zich zag, wilde hij zelf geven. Het gebrek aan gekwalificeerde krachten van elders was helaas aanzienlijk en trouwens ook een van de redenen waarom hij zijn gedachten hierover had laten gaan.

Hij had lange tijd nagedacht over de naam van de opleiding. Het was belangrijk, ja, vaak zelfs doorslaggevend, om de juiste signalen af te geven. Omdat het als een paal boven water stond dat alle onderzoeken naar zeer ernstige misdrijven het grote gebrek vertoonden dat men het intellectuele analytische werk verzuimde, omdat men liever in het zogenaamde 'veld' rondrende, buurtonderzoek deed, met getuigen en familieleden sprak en een hoop andere merkwaardige en tijdrovende activiteiten verrichtte, had hij zijn serie lezingen eerst *The armchair detective* willen noemen, maar omdat slechts zo weinig medewerkers Engels verstonden, had hij die gedachte laten varen. 'De Leunstoeldetective' was ook niet zo geslaagd omdat de signalen die deze benadering afgaf, makkelijk verkeerd begrepen konden worden.

Toen had hij zijn geniale inval gekregen: De Wetenschappelijke Detective! Tijdens het eerste seminar wilde hij de nieuwe systematische indeling van de verschillende politiesporen bespreken, die hij had ontwikkeld tijdens alle uren op de trimbaan van de politieacademie in Ulriksdal, waar hij zijn reguliere conditietraining deed. Een goede systematiek als basis, dat was de vaste grond die gelegd moest worden voordat het puur analytische werk kon beginnen, en als dat goed werd gedaan was er uiteraard geen enkel delict, hoe lastig het ook kon lijken, dat niet opgelost kon worden door middel van gekwalificeerde intellectuele operaties. Je zou de vergaderkamer überhaupt niet hoeven te verlaten behalve om te eten, naar de wc te gaan, je benen te strekken en andere dingen die fysiek gezien nodig waren, maar die natuurlijk niets met het werk zelf te maken hadden.

Voor het eerste seminar 'Een systematische classificatie van de politiesporen' had hij slechts een tiental deelnemers uitgenodigd. Kudo en Bülling uiteraard, de hoofdinspecteur van zijn eigen secretariaat Grevlinge, die misschien niet direct Gods geschenk aan de politieacademie was maar wel een zeer nijvere en loyale kracht, een ervaren en vaardige technicus die Wijnbladh heette en die hij nooit had ontmoet – de tip kwam van het hoofd van de technische afdeling – plus nog een paar collega's. Bovendien was er externe expertise, want zoals altijd in intellectueel analytisch verband waren nieuwe verse impulsen van buitenaf vaak bepalend. De expertise bestond uit zijn beste vriend, die tegenwoordig directeur in het bedrijfsleven was, maar die een lang verleden als deskundige bij het departement had en die had beloofd een goede vriend mee te brengen, een voormalig diplomaat die een zeer hoge positie bij BZ had gehad en die eigen, gedegen ervaringen met politieonderzoek had. Deze man op zijn beurt had contact opgenomen met een van zijn kennissen: een journalist bij de directie Rijkspolitie die grote persoonlijke ervaring had met 'de harde hand in mannelijke context en mannelijke milieus', zoals de voormalige ambassadeur het samenvatte in de overigens zeer vriendelijke brief die hij aan de hoofdcommissaris had geschreven om hem te bedanken voor de uitnodiging voor het seminar.

Nadat hij de deelnemers welkom had geheten, was hij met een kleine lezing begonnen over historische wetenschappelijke detectives in zowel de literatuur als het zogeheten echte leven, en hij had niet alleen Holmes, Bertillon en Locard genoemd, maar ook de grote voorganger in zijn eigen functie, Georg Liljensparre. Pas daarna was hij over zijn eigen systematiek begonnen.

"Je moet altijd een hoofdspoor hebben", begon de hoofdcommissaris. "Met hoofdspoor bedoel ik het spoor dat in het licht van eerdere empirische ervaringen met vergelijkbare criminele daden statistisch gezien het meest waarschijnlijk is."

Niemand had enige tegenwerpingen en de meeste deelnemers hadden ijverig aantekeningen gemaakt.

"De alternatieven die daarna het meest waarschijnlijk zijn", ging de hoofdcommissaris verder, "heb ik alternatieve hoofdsporen genoemd. Dat heeft onder andere als voordeel", voegde hij eraan toe, "dat als er nieuwe informatie boven water komt die de oorspronkelijke waarschijnlijkheid van de diverse alternatieven wijzigt, het heel eenvoudig is om een alternatief hoofdspoor te veranderen in een hoofdspoor, en omgekeerd. Tot zover vragen?"

"Wat doen we met het brede onbevangen begin?" vroeg een van de genodigden van wie hij de naam was vergeten. Die moest hij naderhand Grevlinge maar vragen.

"Op dat punt is er geen reden tot bezorgdheid", zei de hoofdcommissaris, die overal aan had gedacht, geruststellend. "Op het volgende niveau, het derde niveau onder het hoofdspoor en de alternatieve hoofdsporen, hebben we dus een kleiner of groter aantal zogenaamde bijsporen. Het grote voordeel daarvan is dat het ons vrij staat om net zoveel bijsporen te hebben als op grond van de specifieke zaak gemotiveerd lijkt."

De groep had deze logische vanzelfsprekendheid in diepe stilte in zich opgenomen.

"Stel je een piramide voor, een logisch opgebouwde piramide", zei de hoofdcommissaris. "Van beneden naar boven hebben we bijsporen, alternatieve hoofdsporen en een hoofdspoor, en natuurlijk werken we in omgekeerde richting, van boven naar beneden; we graven ons intellectueel in, om het zo maar te zeggen."

"Een uitstekende grondregel bij al het analytische werk", stemde de gepensioneerde diplomaat in.

"Precies", viel Kudo bij, die meende dat het hoog tijd was om iets te zeggen wilde hij niet ingehaald worden door een hoop burgers.

Waren het trouwens geen wonderlijke types? Als het geen volslagen onmogelijke gedachte was geweest, zou hij hebben gedacht dat ze alle drie homo waren. Die vent in dat leren jack die een soort journalist bij de directie Rijkspolitie was, was niet iemand die je in een donker steegje wilde tegenkomen. Vooral niet in de Skeppar Karls Gränd, want daar hadden ze toch hun club, dacht Kudo, die in het verleden bij de oude afdeling Zedendelicten van de Stockholmse politie had gezeten.

"Collega Bülling en ik werken altijd op die manier", voegde Kudo eraan toe.

"Altijd van boven naar beneden", mompelde Bülling, terwijl hij voorzichtig zijn voet naar zich toe trok omdat er aldoor iemand op zijn tenen zat te trappen.

"Uitstekend, uitstekend", zei de hoofdcommissaris waarderend, die het nu de hoogste tijd vond om zijn analytische innovatie te onthullen. "Mijn heren, als ik zeg dwaalsporen. Waar denken jullie dan aan?"

"Ja", zei Grevlinge. "Daar houdt het gespuis zich dus mee bezig om ons om de tuin te leiden. Jou en je collega's, dus." Grevlinge keek met een zekere aarzeling rond omdat het al een tijdje geleden was dat hij zichzelf met dat werk had beziggehouden.

Ik moet iets aan Grevlinge doen, dacht de hoofdcommissaris. Hem naar een cursus sturen of zo.

"In traditionele zin, ja", zei de hoofdcommissaris. "Maar als ik nu zeg politioneel dwaalspoor. Waar denken jullie dan aan?"

Niets, afgaande op de lege gezichten die hem aankeken.

"Een innovatie", legde de hoofdcommissaris met enige trots uit. "Iedereen aan deze tafel is ongetwijfeld wel eens in de situatie beland waarin hij de tegenstander in verwarring wil brengen, hem de verkeerde kant op wil leiden, hem domweg het bos in wil sturen. Vandaar het politionele dwaalspoor, of gewoon het dwaalspoor, zoals ik het zelf liever noem omdat wij van de politie in dit verband zelf het initiatief nemen en de interpretatie doen."

"Uiteraard", stemde Kudo in. "Als je het initiatief verliest, ben je verloren."

"Om dezelfde reden zou ik een wijziging in de terminologie willen voorstellen, namelijk dat we in het vervolg de uitdrukking dwaalspoor reserveren voor de bewuste valse sporen die we zelf uitzetten, terwijl de eerdere dwaalsporen, de sporen dus die door het gespuis zijn uitgezet, valse sporen worden genoemd. Bovendien geeft dat de juiste signalen af", onderstreepte de hoofdcommissaris met zekere nadruk. "Het gespuis zet valse sporen uit, terwijl wij zelf dwaalsporen uitzetten."

"Ik heb een voorstel", zei zijn beste vriend.

"Ik ben benieuwd", zei de hoofdcommissaris omdat zijn beste vriend een hoogbegaafd man was.

"Ik wilde voorstellen om jouw overigens uitstekende analytische model aan te vullen met iets wat ik zelf steeksporen zou willen noemen", zei zijn beste vriend.

Steeksporen, dacht de hoofdcommissaris en hij voelde hoe de intellectuele spanning hem naar het hoofd steeg als de bellen in een pasgeopend flesje tonic. Glashelder, maar tegelijkertijd prikkelend.

"Zou je dat willen toelichten?" vroeg hij.

Dat had zijn beste vriend met alle plezier en al het denkvermogen waarover hij beschikte gedaan. Bij zijn eigen activiteiten binnen het bedrijfsleven – daar had hij het idee ook gekregen – had hij ontdekt dat je soms genoodzaakt was om arbeidskrachten op reserve te hebben om een nieuwe onverwachte of een algemene extra druk te kunnen opvangen. Om te voorkomen dat die mensen in de tussentijd maar wat rondhingen, of erger nog, iets aanrichtten, had hij zelf een reserve van arbeidstaken gecreëerd die puur het karakter van bezigheidstherapie hadden. Een soort totaal ongevaarlijke non-taken, die toch alle uiterlijke kenmerken van echt werk hadden.

"Het voordeel van steeksporen is dat ze nergens toe leiden", vatte zijn beste vriend samen. "Terwijl ze er net zo uitzien als een gewoon spoor", voegde hij eraan toe.

"Hoe bedoel je precies?" vroeg de hoofdcommissaris listig. "Als je dat in politieverband nog iets zou kunnen uitdiepen?"

"Stel je voor, je hebt een groot potentieel aan rechercheurs die je niet allemaal kunt bezighouden, maar tegelijk wil je een redelijke reserve hebben voor het geval dat", zei zijn beste vriend. "Zet ze op een steekspoor tot je ze weer nodig hebt."

Geniaal, dacht de hoofdcommissaris. Het was niet toevallig dat zijn beste vriend zijn beste vriend was.

"Het zou fantastisch zijn als je dat zou kunnen opschrijven voor de volgende keer dat we weer bij elkaar komen", zei de hoofdcommissaris en hij knikte met welgemeende warmte. "Ja, mijne heren. Misschien moeten we er voor vandaag een punt achter zetten. Nog een enkele afsluitende vraag?"

Slechts één persoon had zijn hand opgestoken. Hij had de hele tijd niets gezegd. Een kleine, magere man van wie hij de naam was vergeten, de man van de technische afdeling, wiens naam hij overigens ook niet hoefde te leren omdat hij hier voor het eerst en het laatst was.

"Mijn naam is Wiijnbladh", zei Wiijnbladh. "Ik werk op de technische afdeling en ik heb een kleine vraag."

Kom nou ter zake, dacht de hoofdcommissaris nors en hij knikte alleen even. De man ziet eruit als een mus, dacht hij. Hoe hij op de politieacademie was aangenomen, was hem één groot raadsel.

"Wat doen we met de gewone sporen?"

Wat zegt hij nu, verdomme, dacht de hoofdcommissaris. De gewone sporen? "De gewone sporen?"

"Ja, vingerafdrukken en bloedsporen en dat soort dingen", verduidelijkte Wiijnbladh.

"O, die", zei de hoofdcommissaris. "Daar wilde ik in een ander verband op terugkomen."

De mus had alleen geknikt, wat voor hem een geluk was omdat er allerlei functies beschikbaar waren bij de parkeerpolitie in Västberga. Zelf had de hoofdcommissaris de bijeenkomst met een paar goedgekozen woorden afgerond.

"Om de grootste detective te citeren die ooit heeft geleefd ..." zei hij. "Om de grootste van alle detectives te citeren", ging hij verder. Bij nader inzien had hij in formele zin immers niet geleefd, maar alleen in een aantal romans.

"... als we alles hebben uitgesloten wat vanzelfsprekend of slechts waarschijnlijk is en alleen het onwaarschijnlijke is overgebleven ... dan, mijne heren ... dan is dat toch de waarheid, hoe onwaarschijnlijk die ook kan lijken", zei de hoofdcommissaris en hij knikte plechtig.

Die man heeft de Gave, dacht Kudo.

***

De bijzondere deskundige was niet naar de begrafenis van Forselius gegaan, maar toen de anderen waren vertrokken had hij hem, voordat het familiegraf waar hij te ruste was gelegd was dichtgegooid, nog een laatste groet gebracht: een gewone plastic tas met een paar flessen Frapin 1900, plus een exemplaar van zijn eigen oude proefschrift over stochastische processen en harmonische functies. Vervolgens was hij teruggegaan naar Rosenbad, want er viel van alles te doen en in het vervolg moest hij dat zelf doen. Wat doe ik met Krassner, dacht hij. Nadat hij met de minister van Justitie had gesproken, begreep hij dat de boodschap aan Berg was overgebracht, dus hopelijk zou hij even rust hebben. Hopelijk zou hij in elk geval niet aan die zaak hoeven denken.

Hij had een aantal financiële analyses doorgenomen die hij van de krijgsmacht had gekregen en als hij die mocht geloven, dan zou de Russische beer op zijn knieën gaan. De economische situatie was gewoonweg onvoldoende, en vroeg of laat zou er iets gebeuren. Maar wat, dacht hij. En wanneer?

Zijn baas leek ook niet zo vrolijk te zijn en intern werd er in de partij in min of meer besloten kring veel gesproken over de dalende opiniecijfers van de minister-president en hoe dat de mogelijkheden van de partij bij de volgende verkiezingen zou beïnvloeden. Een paleisrevolutie leek echter niet echt waarschijnlijk. Binnen de sociaal-democratie deden ze dat soort dingen niet, maar goed was het niet en vroeg of laat moest er iets aan die kwestie worden gedaan. Het welzijn van de persoon was ondergeschikt aan het welzijn van de partij, dacht hij en één kort moment – waarschijnlijk was Krassner even door zijn hoofd geschoten – waren zijn gedachten maar een haarbreedte van de verboden banen geweest die de meeste problemen van hemzelf en de partij zouden oplossen. Stop, dacht hij, want dat soort dingen gebeurde hier niet. Ze leefden ondanks alles in Zweden.

Tijdens het wekelijkse overleg had Berg bevestigd dat de werkzaamheden om de rechtsextremistische elementen binnen de politie in kaart te brengen, voorlopig in de ijskast waren gezet, maar omdat de situatie nu eenmaal was zoals die was, had de bijzondere deskundige er geen commentaar op gegeven. Nu gold de doctrine van zo min mogelijk storingen, en in dat verband was een neergelegd onderzoek naar ongeschikte agenten een goedkope prijs voor een beetje rust. Na het overleg had de bijzondere deskundige Berg terzijde genomen, de minister was nu eenmaal wie hij was, en deze keer wilde hij zich er zelf van vergewissen dat de nieuwste intenties ten aanzien van de toekomst van de Säpo helder genoeg waren geweest. Maar Berg bleef hem verbazen. Hij had bijna afwezig geleken en had de hele tijd vooral instemmend geknikt, ongeacht wat hij zei.

***

Toen Berg terug was op zijn werk, had hij één ding besloten. Nog los van wat hij zopas had gehoord, was er geen haar op zijn hoofd die eraan dacht te wijken voor Waltin en zijn doorzichtige pogingen tot afpersing. Het is buigen of barsten, dacht Berg en het voordeel van mensen als hij was dat ze in de regel bogen en bijna nooit barstten, wat er ook gebeurde. Waltin moest weg en hij wist precies hoe hij hem kwijt moest raken. Daarom had hij Waltin laten komen en hem herinnerd aan het voorstel over de externe dienst dat hij zou krijgen. Hij had ook benadrukt dat hij met name geïnteresseerd was in het financiële plaatje van de dienst. Het gouden horloge om Waltins pols hielp hem misschien de tijd in de gaten te houden, maar voor Berg gaf het aan waar hij de zwakke punten van zijn tegenstander moest zoeken.

Hij had Persson er de hele bijeenkomst bij laten zijn om aantekeningen maken, maar vooral omdat hij een gunstige en dempende invloed op Waltin had, en meer kletspraatjes over Hedberg zus en Hedberg zo wilde hij niet horen.

"Dus het zou fijn zijn als we het financiële materiaal volgende week al zouden kunnen krijgen", zei Berg. "Zodat de accountants de tijd krijgen die ze nodig hebben."

"*Fine with me*", zei Waltin en hij knikte glimlachend. De handschoen is toegeworpen, dacht hij, maar zelf was hij niet van plan hem op te pakken. Wel wilde hij Hedberg naar huis roepen, zodat die de papierstapels kon helpen opruimen en het geld veilig kon stellen dat nog steeds in het systeem rondzwierf en dat rechtmatig van hem was en van niemand anders.

***

Johansson had het hele weekend nagedacht over wat hij met zijn leven zou gaan doen. Hij werd er niet direct jonger op en als hij niet wilde dat het leven hem ontglipte, was het de hoogste tijd er grip op te krijgen. Het briefje dat Jarnebring had aangeraden, was algauw vol gekliederd en toe aan een uitwerking in het net. Jarnebring had ook gebeld om te vragen hoe het ging.

"Hoe gaat het?" vroeg Jarnebring. "Ik heb een voorbank die op ons beiden wacht."

Ik ben bang dat die tijd voorbij is, dacht Johansson toen hij had opgehangen en eerlijk gezegd miste hij die ook niet meer. Er waren belangrijkere dingen en het eerste wat hij had gedaan toen hij 's maandags op zijn werk kwam, was dat hij vanaf 1 maart onbetaald verlof had gevraagd.

Het hoofd van de directie Rijkspolitie had hem nog geen uur later al gebeld. Zou hij hem misschien even kunnen spreken? Wat zeg je dan, dacht hij en toen hij daar eenmaal zat en zag dat de man het echt jammer vond dat hij hem kennelijk dreigde kwijt te raken, had hij zich bijna bedacht.

"Ik vind dat ik als het ware stilsta", zei Johansson en hij dikte zijn Noord-Zweedse accent wat extra aan, zoals altijd wanneer hij dat nodig achtte. "Dus dacht ik dat het de hoogste tijd was om me verder te ontwikkelen. Ik wilde me inschrijven bij de universiteit en gaan studeren."

Vreemd met al die academici die leiding gaven aan de politie, dacht hij toen hij even later weer wegging. Die raakten helemaal buiten zinnen van vreugde als mensen zoals hij alleen maar hintten dat ze zelf behoefte aan scholing hadden, en als hij niet had tegengestribbeld, zou hij minstens zijn halve salaris hebben meegekregen om zich te kunnen opladen op een instituut naar keuze met slechts een vage connectie met het rechtswezen. Het hoofd van de directie Rijkspolitie had hem om de een of andere reden aangeraden rechten te gaan studeren en Johansson had voor de tip bedankt en beloofd erover na te zullen denken. Maar hoe dan ook. Zijn aanvraag zou worden ingewilligd en daarmee had hij ook een punt gezet achter de beroepsmatige ellende waarin hij was beland.

Een glas drinken met de vakbond was niet langer aan de orde. In dat gezelschap de glazen van tante Jenny heffen al helemaal niet, dacht hij, en aan wat hij daar dan wel mee wilde doen, hoefde hij ook niet te denken. Zijn bureau zou hij wel opruimen, maar gezien de zorgeloze houding die hij had gehad toen zijn voorganger in zijn functie – nu vast een gelukkig man – hem om hulp en advies had gevraagd bij die verschrikking van een Koskinen, was het de hoogste tijd dat hij eerst boete deed.

Collega Koskenkorva was tegenwoordig hoofd van de centrale meldkamer van de Stockholmse politie en het levende bewijs dat een aanbeveling een onwankelbaar middel was om in het korps hogerop te komen. Koskenkorva had nog maar net op de stoel plaatsgenomen en zijn spullen in zijn kastje gelegd, of het was alweer zo laat. De berg beroepschriften, klachten, vakbondsstandpunten en gewoon collegiaal gezeur die zich op het bureau van Johansson opstapelde, was onwaarschijnlijk hoog gezien het feit dat de betrokkene nooit een klap uitvoerde en voor de zekerheid altijd aangeschoten was wanneer van hem werd verwacht dat hij wat deed.

Het operationele hoofd van de ordepolitie in Stockholm, een oude, effectieve rakker die volledig bij Johansson in de smaak viel, had besloten een grote paraatheidsoefening te houden om te zien waar zijn personeel eigenlijk toe in staat was. Er was een scenario ontwikkeld waarbij tijdens een ontvangst op het Koninklijk Paleis in Stockholm een aanslag werd gepleegd op Zijne Majesteit en de daders erin waren geslaagd de plaats delict te ontvluchten en zich inmiddels ergens in de grote stenen stad tussen de vroegere tolpoorten bevonden. De signalementen van de voortvluchtigen die zouden uitgaan, waren tegenstrijdig en hoogst ongeloofwaardig, de vage beschrijving van hun vluchtauto en vluchtwegen eveneens, en al met al had het een interessante test kunnen zijn van de vaardigheden van de hoofdstedelijke collega's wanneer dat wat niet kon gebeuren toch was gebeurd. En omdat het operationele hoofd zijn pappenheimers kende, had hij de hele oefening op maandagmorgen gepland.

Bij dat alles had Koskenkorva een centrale rol gespeeld. Simpel gezegd was hij de spin in het web als er iets zou gebeuren en helaas had hij lucht van de zaak gekregen. Toen was alle ellende begonnen, de vakbond had zich ermee bemoeid, want het soort kennis waar het hier om ging kon een moordwapen worden in de handen van de werkgever. En de inleidende motregen van tegenwerpingen was algauw veranderd in een hagelstorm.

Aan de andere kant was er een dunne blauwe lijn. Het personeel van de patrouille-eenheid natuurlijk en als Johansson aan de neef van Berg dacht – dat stuk ongeluk was weer in functie, ondanks Johanssons dappere pogingen om hem in de cel te krijgen waar hij natuurlijk thuishoorde – trok er een schaduw over zijn gezicht. Dan was er nog de anonieme kameradenvereniging 'De Nog Altijd Functionerende Ordepolitie in Stockholm', die contact had gezocht met zijn voorganger toen de benoeming van Koskenkorva afgelopen herfst onderwerp van gesprek was geweest. Ten slotte een aantal afzonderlijke stemmen die samenvattend vonden dat het 'hoog tijd was voor een beetje actie'.

Een van de weinigen die niets over de kwestie te zeggen hadden gehad, was de hoofdcommissaris van politie te Stockholm. Hij zit waarschijnlijk in een klein blauw boekje te schrijven, dacht Johansson, maar voor de vorm had hij hem toch opgebeld om te horen wat hij ervan vond. Hij klonk afgemeten, dacht Johansson. Zoals alle kunstminnaars als hun cirkels werden verstoord door simpele zielen zoals hij. Maakt ook niet uit, dacht hij en vervolgens had hij in het kort zijn kijk op de zaak uiteengezet.

"Ik heb die kwestie al opgelost", zei de hoofdcommissaris. "Maar fijn dat je eraan dacht."

473

"Sorry", zei Johansson. "Ik begrijp het niet goed."

Nee, wie had dat ook kunnen denken, dacht de hoofdcommissaris en hij zuchtte. "De oefening waarnaar je vroeg", zei de hoofdcommissaris en hij deed zijn best om langzaam en duidelijk te praten zoals je deed wanneer je tegen een kind sprak. "Ik heb een simulatie laten doen", legde hij uit. "Een soort politioneel oorlogsspel, als je begrijpt wat ik bedoel."

"Nee, dat doe ik niet", zei Johansson. "Zou je me kunnen uitleggen ..."

"Maak je geen zorgen", onderbrak de hoofdcommissaris hem. "En als je het me niet kwalijk neemt, heb ik nu andere en belangrijkere zaken op mijn agenda."

De hufter heeft opgehangen, dacht Johansson en hij keek verwonderd naar de hoorn in zijn hand. Hij heeft zomaar opgehangen.

***

De hele zaak was eigenlijk nogal simpel en verouderde praktische oefeningen als tijdens de dienstplicht werden niet alleen vreselijk overschat, ze waren ook duur en vol risico's. Bovendien misten ze wat in dit verband essentieel was; het ging erom een intellectuele paraatheid te creëren, niet om met gillende sirenes en gierende banden op twee wielen door de bocht te scheuren.

Dat had hij ook proberen uit te leggen aan dat zogenaamde operationele hoofd, maar die had zoals altijd geweigerd te luisteren. Hij had het door Grevlinge laten afhandelen en iets moesten ze toch voor hem kunnen vinden en als ze dat niet deden, werd het voor hemzelf het ergst. Västberga, dacht de hoofdcommissaris, en vervolgens had hij besloten dat het hoog tijd was om een kijkje te nemen, hoewel het maandagochtend was en hij eigenlijk belangrijker dingen op zijn programma had staan, zoals zijn trainingsrondje en die cursus creatief Zweeds die hij door zijn minnares bij een opleidingsinstituut had laten bestellen.

Uiteraard had hij een intellectuele benadering gekozen. Ze hadden de vergaderkamer van de hoogste leiding mogen lenen en door een paar tafels in het midden van de kamer te zetten, hadden ze ruimte gehad om de grote overzichtskaart van het politiedistrict neer te leggen die anders aan de muur hing. Het noodzakelijke schriftelijke materiaal met de van toepassing zijnde voorwaarden was aan alle deelnemers uitgedeeld en toen het alarm werd geslagen, konden ze meteen aan de slag.

Hoofdinspecteur Koskinen zat aan een kleinere tafel aan de ene kant van de kamer, terwijl de rest rondliep en de voertuigen en andere eenheden neerzette die hij dirigeerde en plaatste en opnieuw dirigeerde. Af en toe was het vrij hectisch geweest voordat de daders gepakt konden worden. Omdat ze zich allemaal in dezelfde kamer bevonden, hadden ze het ook zonder radiocommunicatie kunnen stellen. De berichten werden mondeling of via briefjes doorgegeven, moeilijker dan dat was het niet, al hadden ze puur verbaal en voor het realiteitsgehalte uiteraard de gewone codes gebruikt.

"Ik mag jullie feliciteren met een goed uitgevoerde taak", zei de hoofdcommissaris en hij knikte genadig naar Koskinen. Grote god, hij lijkt helemaal uitgeput, dacht hij. Het is zeker zwaar geweest.

"Ja, het is goed gegaan", pufte Koskinen. "Hoewel het op maandagochtend gebeurde. Mag ik u een keelpastille aanbieden?"

Hoewel Koskinen kennelijk een beetje gammel was geweest – verkouden, had hij uitgelegd, en dat snapte je maar al te best, want de hele man stonk gewoon naar de mentholpastilles – was hij toch in de houding gaan staan toen de reveille werd geblazen. Wat overigens alleen maar aantoont dat ik het aldoor bij het goede eind heb gehad toen ik niet naar al het gezeur over zijn benoeming wilde luisteren, dacht de hoofdcommissaris vergenoegd toen hij naar zijn kamer terugkeerde. Hoog tijd om zijn gymschoenen aan te trekken trouwens. Een gezonde ziel in een gezond lichaam, dacht de hoofdcommissaris en 's avonds overwoog hij serieus een paar glazen rode wijn te drinken terwijl hij zijn poëtische creaties aan het papier toevertrouwde.

XIX

En alles wat restte was
de kou van de winter

Stockholm in februari

Alles wat gevoelig was, bewaarde Waltin in zijn hoofd. Dat had hij al vroeg geleerd en hij moest wel heel goede redenen hebben om iets op papier te zetten over de werkzaamheden waarmee hij zich bezighield. Hij had ook geen blind vertrouwen in accountants, maar als je er gewoon voor zorgde dat je orde op zaken had, had je geen enkele reden om bang voor hen te zijn. Desalniettemin, dat wist hij ook, begingen mensen vergissingen. Dat gold ook voor hem en om die reden bekeek hij de papieren die bij aan Berg moest geven heel zorgvuldig.

Over het geld maakte hij zich ook geen zorgen. Alles wat essentieel was, was al afgehandeld en op dat punt voelde hij geen enkele onrust. Sommige opnames en overboekingen konden nog steeds plaatsvinden en een enkele factuur kon van de juiste datum worden voorzien en in de boekhouding worden ingevoerd, en als je goed voor je kleingeld zorgde, regelde het grote geld zich meestal vanzelf wel. Het buitenlandse veiligheidsbedrijfje van Hedberg, dat eigendom was van Waltin al stond op alle documenten de naam van Hedberg, zou binnenkort een flinke verbetering van de liquiditeit kunnen verwachten.

Omdat hij toch genoodzaakt was te doen wat hij deed, had hij van de gelegenheid gebruikgemaakt om zich ondertussen koninklijk te vermaken. Hij had het materiaal op de meest verwarrende manier gesorteerd en ingeleverd, er moeilijk te ontcijferen briefjes bijgevoegd met vragen en standpunten over van alles en nog wat: onschuldig en totaal oninteressant als het hen om hem ging. De accountants mochten wel een beetje werken voor hun geld.

Berg bleef hem verbazen. Waltin was er volstrekt van overtuigd geweest dat de lafbek in een hoek zou kruipen toen hij Hedberg ter tafel

476

bracht. Maar dat had hij niet gedaan. In plaats daarvan was Berg zo gesloten geworden als een oester, al had hij die vetzak van een Persson nodig gehad om dat serieus vol te houden. Goed beschouwd waren zijn eigen kaarten ook niet zo geweldig. Wat moest hij zeggen? Dat hij reden had om te denken dat zijn eigen operator Krassner om zeep had geholpen en diens zelfmoord had gefingeerd? Waarom had hij dan ruim twee maanden zijn mond gehouden? Niet goed, helemaal niet goed.

Maar afgezien van zijn toenemende irritatie over een totaal incompetente chef, was er niets wat erop wees dat er iets zou gebeuren, mits iedereen rustig in het schuitje bleef zitten. Nu waren ze een perfect lopende organisatie aan het afbreken, alleen omdat enkele sociaal-democraten in het regeringsgebouw met hen wilden stoeien. Het was pure waanzin en dat ze de zaak überhaupt wilden bespreken, gaf al aan wat voor zwakkelingen het waren. Hij had verschillende keren met Hedberg gebeld, maar die klonk haast ontwijkend. Vermoedde hij iets? Vermoedde hij zelfs dat Waltin had begrepen wat er was gebeurd? Of nog erger: dacht hij dat Waltin probeerde hem om de tuin te leiden om hem in de bak te krijgen? Hedberg was geen hoogvlieger, maar hij was slim genoeg voor de dingen waarvoor Waltin hem meestal gebruikte. Hij was rustig en sympathiek, en bovenal betrouwbaar. Gezien hun gemeenschappelijke verleden was hij bovendien de allerlaatste met wie Waltin ruzie wilde krijgen. Met ieder ander, maar niet met Hedberg.

Uiteindelijk had hij de koe bij de hoorns moeten vatten en tegen Hedberg moeten zeggen dat hij nu 'als de wiedeweerga' naar Zweden moest komen om te helpen opruimen. Er waren dingen die Waltin niet begreep en waarmee Hedberg hem mogelijk kon helpen. Van die dingen die je niet telefonisch kon bespreken, want ze wisten beiden dat zogenaamde beveiligde telefoonlijnen alleen in de fantasie van de gelovige bestonden. En als het nu zo was dat hij Waltin wantrouwde, moest hij misschien maar eens naar de bedragen kijken die de afgelopen tijd bij het bedrijf waren binnengestroomd. Geld dat Waltin in alle vertrouwen aan Hedberg had overgemaakt en dat hij natuurlijk nooit zou kunnen terugvorderen als Hedberg ging dwarsliggen. Kennelijk had hij dat argument geaccepteerd, want de laatste zaterdag van februari had hij plotseling van vliegveld Arlanda naar Waltins geheime nummer gebeld om te zeggen dat hij er was.

Waltin had hem ondergebracht in het appartement op Gärdet, waar Hedberg ook had gelogeerd toen hij de vorige keer in Zweden was om hem met Krassner te helpen. Niet dat Waltin hem daar op enigerlei wijze aan wilde herinneren, maar alleen omdat het de veiligste plek was die hij hem op dit moment kon aanbieden. De flat was eigendom van de externe dienst en hij was de enige die ervan wist. Berg had er uiteraard geen flauw idee van dat die bestond, maar het was toch een veilig adres. Het was niet een plek waar de collega's van de open dienst zo maar konden binnenstormen. Bovendien was het een gezellige flat. Waltin had hem zelf een paar keer gebruikt, en als de woning voor hem, met zijn eisen als afzondering en comfort, goed genoeg was, was hij meer dan goed genoeg voor Hedberg.

Toen ze elkaar ontmoetten was Hedberg net als anders weinig spraakzaam geweest, maar er moest nog iets zijn wat op hem drukte, want hij had meteen verteld dat hij maar tot volgende week zaterdag kon blijven. Enerzijds had hij al een hele tijd geleden gepland om terug te gaan naar Java, anderzijds moest hij ervoor zorgen dat zijn boot te water werd gelaten.

"*Fine with me*", zei Waltin luchtig. "We schrapen gewoon alles bij elkaar wat we in de tussentijd kunnen vinden."

In de drukke dagen die volgden hadden ze geleidelijk aan elkaar ook weer gevonden. Hedberg was milder geworden en in zijn geval betekende dat dat Waltin zijn vertrouwen weer begon te krijgen. Op donderdag waren ze vrijwel klaar geweest met wat ze moesten doen en Waltin had hem in een discrete gelegenheid op een beter etentje getrakteerd en toen ze aan de koffie zaten, was Hedberg open geworden.

"Eerst dacht ik dat je me wilde bedonderen", zei hij plotseling en hij keek Waltin aan.

"O", zei Waltin en hij deed zijn best om zowel ontspannen als matig geïnteresseerd te klinken. "Het lijkt me toch dat jij hier waarschijnlijk veel meer van weet dan ik. Het enige wat ik weet is dat Berg pats-boem mijn hoofd op een presenteerblaadje wil."

"Ja", zei Hedberg met een kleine glimlach. "Dat heb ik begrepen. En ik ben ervan overtuigd dat jij begrijpt dat ik niet het type ben om je te bedonderen."

Nee, dacht Waltin vol overtuiging, want in dat geval zou je wel iets ergers verzinnen.

"Soms is het beter om niets te weten", zei Hedberg cryptisch.

En dat zeg jij tegen mij, dacht Waltin.

Daarna had Hedberg bijna een minuut lang gezwegen terwijl hij met zijn lepel in zijn koffiekopje roerde. Vermoedelijk was dat het moment waarop hij zijn besluit had genomen, want vervolgens had hij alles gezegd waarnaar Waltin tot nu toe had moeten raden.

"Met die Amerikaan was eigenlijk niets mis", zei Hedberg en om de een of andere reden had hij ervoor gekozen hem niet bij zijn naam te noemen. "Die verdomde sociaal-democraten zaten achter hem aan om die landverrader te beschermen die zich hun baas noemt", legde hij uit, zonder in te gaan op de manier waarop hij aan die informatie was gekomen. "Hij was er ook in geslaagd een plek binnen de CIA te veroveren en die lui heeft hij ook verraden. Aan de Russen kennelijk, omdat hij aldoor voor hen had gewerkt. Al sinds hij een snotjong was", legde Hedberg uit.

"In de loop van de jaren ga je wel eens wat vermoeden", zei Waltin met een zucht. Het zou leuk zijn geweest om die papieren te lezen die je hebt gejat, dacht hij.

"Toen liet hij zijn beste vriend ook nog vermoorden", zei Hedberg met een knikje.

"Shit", zei Waltin met gespeelde afkeer. "Weet je dat zeker?" Er zit kennelijk meer pit in die man dan in zijn kiezers, dacht hij verrukt.

"Helemaal zeker", zei Hedberg en hij knikte weer. "Een huurmoord die de Russen voor hem hebben geregeld. Want zelf durfde hij het waarschijnlijk niet te doen", snoof hij.

"Nee, stel je voor", zei Waltin met nadruk. "Ik hoop dat je het niet erg vindt, maar nu moet ik in elk geval een borrel hebben. Wil jij ook iets drinken?" Het klinkt als een boek dat je zou moeten publiceren, dacht Waltin opgewonden. Dat manuscript moet miljoenen waard zijn.

Hedberg dronk bijna helemaal niet. Iets wat Waltin al in het begin van hun contact tevreden had geconstateerd, maar wat hij zopas had verteld, had kennelijk zo zijn sporen nagelaten.

"Een kleine whisky graag", zei Hedberg. "Iets goedkoops is goed."

Voordat ze afscheid namen, hadden ze afgesproken elkaar de avond erop te ontmoeten om de laatste details af te handelen voordat Hedberg terugging.

Over hem hoef ik me in elk geval geen zorgen te maken, dacht Waltin toen hij in een taxi zat en op weg was naar huis.

Laat die vrijdagmiddag was Waltin nog even bij Bergs kantoor langsgegaan om nog een dikke stapel met zorgvuldig ongesorteerde documenten af te geven, zodat zijn chef iets had wat zijn weekend zou verpesten en toen hij naar Bergs kamer liep, botste hij bijna tegen een hoofdinspecteur bij de lijfwachten op die onderweg naar buiten was. Rood onder zijn ogen en kennelijk zo nijdig dat hij niets hoorde of zag.

"Oeps", zei Waltin en hij glimlachte stralend naar Berg. "Die leek niet blij. Ben je gemeen tegen hem geweest?" Ook al, dacht hij.

Berg leek evenmin erg monter. Hij zuchtte zwaar en schudde afwezig zijn hoofd. Nog even en hij is rijp voor een inrichting, dacht Waltin tevreden. Nu kunnen we de dagen gaan aftellen.

"Nee", zei Berg. "Was het maar zo eenvoudig. Hij heeft een van zijn migraineaanvallen."

"Op die manier", zei Waltin terwijl hij zijn papieren op het bureau van Berg legde. "Ik heb wat leesvoer voor het weekend voor je meegenomen. Wat heeft hij nu weer verzonnen? Wil hij in een ton de Niagara-waterval af?"

"Was het maar zo", zuchtte Berg. "Nee, hij wil met zijn vrouw naar de bioscoop."

"Hier in de stad?" zei Waltin met echte verbazing. "Op een vrijdagavond als iedereen zijn loonzakje heeft gekregen en er dertien zuipschuiten in een dozijn gaan? Zonder bewaking?" Die man moet een sterk verlangen naar de dood hebben, dacht Waltin en gezien al het gezeur dat hij in de loop van de jaren over het afwezige veiligheidsbewustzijn van de minister-president had gehoord, was het een wonder dat nog niemand van de gelegenheid gebruik had gemaakt. Dat moet door al dat tv-kijken komen, dacht Waltin. De mensen zitten liever thuis voor de buis dan dat ze wat zinnigs met hun leven doen.

Berg had nog een keer gezucht en vervolgens had hij iets gezegd wat hij niet mocht zeggen, zelfs niet tegen Waltin, hoewel die hoofdcommissaris bij de Säpo was en een veiligheidsclassificatie had en niet één maar twee knevels voor zijn mond had die hem moesten doen zwijgen.

"Hij belde een paar uur geleden om te zeggen dat de bewaking thuis kon blijven. Hij en zijn vrouw overwogen naar de bioscoop te gaan en voor die tijd zouden ze samen thuis eten."

"De nieuwste van Clint Eastwood natuurlijk", zei Waltin en hij klakte met zijn tong van verrukking.

"Geen idee", zei Berg ongeïnteresseerd, want zelf ging hij nooit naar de bioscoop. "Dat zei hij niet. Kennelijk wisten ze het nog niet." Zelfs dat niet, dacht hij wanhopig.

Zo, dacht Waltin toen hij bij Berg wegging. Je kunt niet alles hebben, maar hij had toch hetzelfde prikkelende gevoel van verwachting als die keer dat hij moedertje op het perron zag staan zwaaien met haar idiote stokken.

***

Hoog tijd om naar huis te gaan, dacht Berg en hij keek met weerzin naar de papieren die Waltin op zijn bureau had gelegd. Gezien het ordelijke vermogen waarover Waltin kennelijk beschikte, was het nog een geluk dat hij niet echt als ondernemer in zijn onderhoud hoefde te voorzien. Toen de accountants het Berg hadden verteld, waren ze haast bleek geweest en wat hen het meest had geschokt was dat ze er volledig van overtuigd waren dat Waltin echt zijn uiterste best had gedaan. Maar hoe dan ook was het totaal oninteressant, gezien wat er daarna gebeurde.

In de jaren die volgden had hij honderden uren zijn bewustzijn onderzocht. Eerlijk, oprecht en open had hij getracht zich tot in het kleinste detail te herinneren wat hij had gedaan, gezegd en gedacht tijdens de dagen die zijn leven zouden veranderen. De korte ontmoeting met Waltin herinnerde hij zich uiteraard, evenals de reden waarom Waltin in zijn kamer was geweest. Om een map met papieren af te geven die weliswaar strikt geheim waren, maar verder niets te maken hadden met wat er daarna was gebeurd. Dat was alles en meer dan dat was er niet.

***

Toen Hedberg opdook in het appartement op Gärdet was hij aan de late kant. Het liep al tegen halfacht en Waltin had een halfuur gewacht en zijn aanvankelijke gedachte eigenlijk al weer laten varen. Wat die ook maar was geweest en ach, vroeg of laat ..., dacht Waltin op zijn gebruikelijke luchtige wijze, maar net op dat moment had Hedberg de sleutel in het slot gestoken.

"Ik moet onze afspraak helaas afzeggen", zei Waltin, "maar we zijn grotendeels klaar met elkaar."

"Prima, wat mij betreft", zei Hedberg en hij haalde zijn schouders op. Misschien kan ik nog even langs Café Opera gaan om te kijken of daar iets leuks zit, dacht hij. Het was alweer een tijdje geleden.

"Ik hoorde een uurtje geleden wat leuks op mijn werk", zei Waltin. Terloops, om te kijken of er werd gehapt.

"O?"

"Onze gemeenschappelijke kennis had kennelijk gebeld en zijn bewaking afgezegd. Hij zou met zijn vrouw naar de bioscoop gaan. Midden in de stad op een vrijdagavond na het loonzakje als er dertien zuipschuiten in een dozijn gaan", zei Waltin met een glimlachje.

481

"De Zweden zijn een geduldig volk", constateerde Hedberg. "Dat heeft hij goed begrepen. Ze zijn om de tuin geleid en toch accepteren ze alles."

"Helaas is het niet anders", zuchtte Waltin.

"Woont hij daar nog?" vroeg Hedberg opeens.

"Ja", zei Waltin terwijl hij op zijn dure horloge keek dat hij had gestolen toen moedertje nog leefde en hij zelf veel te jong was geweest om het te kunnen gebruiken. "Ja, hij woont daar nog."

"*By the way*", zei Waltin terwijl hij opstond. "Omdat ik onze afspraak moest afzeggen, heb ik wat lekkers gekocht en in de koelkast gelegd. Als er nog iets overblijft, kun je dat gewoon achterlaten, dan ruim ik het morgen wel op als je weg bent. Ik wilde toch nog langskomen."

"Het komt in orde", zei Hedberg.

Zodra Waltin weg was, was Hedberg naar de keuken gegaan en had de plastic tas met de gemengde delicatessen gepakt die Waltin in de koelkast had gezet. De revolver lag onder een aluminiumbakje van de Östermalmshal met kant-en-klare gehaktballen, roomsaus, groene erwtjes en aardappelpuree.

Wie denkt hij verdomme wel niet dat ik ben, dacht Hedberg ontevreden toen hij de revolver in zijn hand woog. Buffalo Bill?

Vervolgens had hij op zijn horloge gekeken. Het liep al tegen achten dus hij had eigenlijk niet veel tijd om na te denken, maar omdat hij toch naar de stad wilde, kon hij net zo goed via Gamla Stan gaan waar de landverrader woonde.

XX

Voor een grote en edele zaak

Stockholm, 28 februari – 1 maart

Met de taxi naar Gamla Stan gaan was geen optie. Ook al had hij weinig tijd, hij moest met de metro. Hollen om de metro te halen was evenmin een optie, dus de eerste had hij gemist en toen hij eenmaal in Gamla Stan was, was het al halfnegen en had hij besloten om het hele project op te geven en een eindje door de stad te gaan lopen en iets anders te gaan doen. Het antieke geval dat Waltin hem had toegestoken kon hij altijd in de Strömmen gooien, want het was niet direct iets wat hij bij zich wilde hebben, laat staan dat hij hem in de garderobe wilde achterlaten als hij een restaurant binnenging.

Het moet maar een snelle wandeling worden, dacht Hedberg en het eerste wat hij zag toen hij uit de metro kwam, was hoe ze hem tegemoet kwamen in de steeg aan de overkant van de straat. Bijna honderd meter verderop en ze hadden hem niet gezien, dus had hij zich subiet omgedraaid en was teruggekeerd naar het perron. Een vrij risicoloze gok, want als ze naar de bioscoop gingen, zouden ze waarschijnlijk naar station Hötorget of Rådmansgatan gaan en als hij het mis had, moest hij daar maar mee leren leven.

De steeg zou perfect zijn geweest, dacht hij, maar het was nu niet anders en nu golden andere voorwaarden: afstand houden en op geluk hopen. Daarom was hij ook de metro ingestapt die er net aankwam, omdat hij wist dat ze die in elk geval niet zouden halen. Hij was bij T-Centralen blijven zitten en bij Hötorget uitgestapt. Daar was hij op het perron gaan staan en had net gedaan alsof hij al wachtend de krant las. Hij had mazzel gehad, want in de metro waar zij in zaten, waren voldoende andere mensen zodat hij in de massa kon opgaan.

In dezelfde wagon gaan zitten was natuurlijk geen optie. Hij had weer gegokt, was een wagon aan het eind van de metro ingestapt en als een van de eersten bij station Rådmansgatan weer uitgestapt. Omdat hij honderden uren allerlei mensen had geschaduwd, was hij niet het type dat hen volgde als hij de keuze had. Hij was voor hen op straat gaan lopen en zodra hij wist dat ze naar de bioscoop Grand gingen, was hij in de foyer in de rij gaan staan om een kaartje te kopen voor een film die voldoende mensen zouden gaan zien, maar zij in elk geval niet. Een foute film voor mensen zoals zij en zodra hij wist naar welke film zij zouden gaan, was hij weer weggegaan. Wanneer hun film was afgelopen, wist hij al, want dat kon hij uitrekenen aan de hand van de poster in de foyer, dus hij had niet eens langs een goedgesorteerde kiosk hoeven gaan om er met behulp van een krant achter te komen. Het bij de kassa vragen was uiteraard ook geen optie geweest.

Hij was evenmin van plan twee uur voor de bioscoop te blijven hangen. Dat het ijskoud was, was oninteressant, want waar het om ging was afstand houden en zijn risico verkleinen. De prijs daarvoor was dat hij een gok moest nemen. Daarom had hij weer gegokt. Gegokt dat ze de film helemaal zouden uitzien, want dat deden mensen zoals zij, gegokt dat ze vervolgens naar huis zouden gaan en gegokt dat ze de metro zouden nemen, want dat deden ze ook meestal. En aldoor had hij die steeg in Gamla Stan in gedachten.

Als hij nu iemand zou neerschieten, wilde hij dat niet op een lege maag doen. Hij had de hele dag nog niets gegeten. Daarom was hij naar een Chinees restaurant aan de Drottninggatan gegaan waar redelijk veel mensen zaten, redelijk dronken en druk met zichzelf, en geen garderobe was waar hij zijn jas moest afgeven. Vervolgens had hij in alle rust zitten eten en zijn krant gelezen. Contant betaald, een redelijke fooi gegeven en op tijd vertrokken, niet te vroeg en ook niet te laat. En net zoals de eerste keer zag hij hen ook nu op een kleine honderd meter afstand en ze liepen hem in snel tempo tegemoet.

Helaas liepen ze aan de verkeerde kant van de straat. Aan de linkerkant van de straat, langs Adolf Fredriks kerkhof in de richting van de Kungsgatan; er waren veel mensen die in beide richtingen liepen, daar iets doen was geen optie. Hij had net besloten snel naar de metro te gaan, voor hen uit naar Gamla Stan te reizen en hen in het steegje op te wachten waar hij hen de eerste keer had gezien, toen hij weer ongelooflijke mazzel had gehad. Want plotseling waren ze de Sveavägen overgestoken en naar een etalage gelopen, en aan die kant van de straat liep geen hond. Je zou er haast religieus van worden, dacht Hedberg en hij stak over en ging aan dezelfde kant van de straat om de hoek bij de Tunnelgatan staan.

Dit is te mooi om waar te zijn, dacht hij. Een kleine donkere dwarsstraat met bouwketen en steegjes en diverse vluchtwegen om uit te kiezen, en dan ook nog eens vlakbij. Als hij het van meet af aan voor het zeggen had gehad, was dit precies de plek waar hij met hen zou hebben afgesproken. Voor dat wat hij wilde doen bestond geen betere plek en voor hen bestond er geen slechtere. Daarom had hij hen opgewacht, terwijl hij deed alsof hij in een etalage keek en toen ze hem passeerden, was hij alleen maar achter hen aangegaan, had de revolver uit zijn rechter jaszak gehaald en in een en dezelfde beweging de haan gespannen, zijn linkerhand op de schouder van de landverrader gelegd en een schot onder de rand van diens kraag afgevuurd.

Zijn benen waren dubbelgeklapt en hij was pardoes voorover op straat gevallen. Dood, dacht Hedberg, want dat wist hij uit ervaring, hoewel hij nog nooit van zijn leven iemand had doodgeschoten.

In de volgende seconde had hij een stap naar achteren gedaan om beter te kunnen richten en de haan met zijn duim overgehaald, omdat het wapen dat hij had gekregen nogal stroef was. Hij had op dezelfde plek gericht bij die chique hoer met wie de landverrader was getrouwd en had nogmaals gevuurd. Ze was met wiebelend hoofd en nietsziende ogen op haar knieën gevallen. Kennelijk had ze zich omgedraaid op het moment dat hij schoot, op precies hetzelfde moment dat de mondingsvlam hem verblindde, want hij had haar in haar long geraakt en niet in de wervelkolom zoals hij had gepland.

Hij had maar een paar tellen naar haar gekeken, want over hoogstens een minuut zou ze dood zijn en dan wilde hij in elk geval ergens anders zijn. Daarom had hij zich omgedraaid en omdat het vroor en glad was, had hij wijdbeens joggend langs de rand van de straat gerend en terwijl hij de trappen naar de Döbelsgatan op holde, had hij de revolver teruggestopt in zijn jaszak.

For a great and noble cause, dacht hij, en hij had het zelf niet beter kunnen formuleren.

Toen hij de Döbelsgatan had bereikt, was hij opgehouden met rennen. Hij was in een rustig tempo de straat overgestoken en de heuvel afgelopen. Bij de Regeringsgatan sloeg hij rechts af en nam de trappen naar de Kungsgatan. Toen hij eenmaal bij het Sturcplan was aangekomen en met alle mensen om hem heen naar de metro liep, wist hij dat die kudde hem alle bescherming bood die hij nodig had en dat hij het al had gered. Toen hij het appartement op Gärdet binnenstapte was het nog maar tien voor twaalf. Hij had zijn schoenen en alle kleren uitgetrokken en die in een gewone afvalzak van zwart plastic gestopt, de revolver had hij bovenop gelegd en vervolgens had hij de zak in de keuken naast de koelkast gezet.

Daarna had hij gedoucht en zijn haar gewassen en toen hij alle schuim had afgespoeld, had hij zich nog een keer ingezeept en aldoor had hij het water laten stromen. Pas daarna was hij naar bed gegaan. Hij had niets speciaals gedacht en was vrijwel meteen in slaap gevallen.

De volgende ochtend was hij met een taxi naar de bus gegaan die hem naar het vliegveld Arlanda zou brengen. Als er politiemensen waren die jacht maakten op een moordenaar, dan bevonden die zich in elk geval niet op Arlanda. Voor de verandering was zijn vliegtuig op tijd vertrokken en toen hij in Palma landde, was het bijna twintig graden en voor het eerst sinds hij hier woonde, had hij het gevoel dat hij thuiskwam.

XXI

Vrij vallen als in een droom

Stockholm, 28 februari - 1 maart

Oredsson en Stridh hadden bij de worstkraam bij Roslagstull gestaan toen de hel losbarstte. Stridh was buiten zinnen geraakt en had gevraagd of ze zelf moesten proberen de uitvalsweg bij Roslagstull af te zetten in afwachting van versterking, maar ze hadden het bevel gekregen naar de plaats delict te gaan om daar bij de praktische dingen te helpen.

Wat is hier gaande, dacht Oredsson terwijl ze met zwaaiend blauw licht via de Sveavägen naar het centrum reden. Hij begreep er niets van en als dit het begin van iets groters was waar hij en zijn kameraden bij betrokken waren, dan had hij dat toch moeten weten?

"Dit is volkomen gestoord", siste Stridh. "Wat moeten wij daar? Iemand moet de uitvalswegen afzetten. Dat moet die zuipschuit in de kuil toch ook snappen?"

Hij lijkt wel gek, dacht Oredsson, hij is vast sociaal-democraat.

Toen ze er eenmaal waren, zagen ze overal collega's en gewone burgers en iedereen liep als een kip zonder kop rond. Eerst hadden ze moeten helpen met de afzetting, maar er waren aldoor mensen die hen voor de voeten liepen en het moest ook nog eens snel gebeuren, dus die afzetting was niet zo groot geworden. Eigenlijk vrij klein zelfs, als een schapenhok ongeveer, het was in elk geval de kleinste afzetting die hij ooit had gezien, dacht Oredsson. En daarna waren ze gewoon blijven staan, in afwachting van nadere orders.

***

Omdat het vrijdagavond was en Bäckström zijn financiën nog steeds niet op orde had, had hij zoals gebruikelijk een extra dienst gedraaid en toen er alarm werd geslagen, begreep hij direct dat dit het grote moment van zijn leven was en hij had gauw, voordat iemand andere plannen voor hem had bedacht, zijn jas aangetrokken en was naar de plaats delict gegaan. Want waar zou een oude geroutineerde rechercheur van moordzaken zoals hij anders moeten zijn?

In tegenstelling tot alle andere collega's had hij ook geprobeerd om iets te doen. Eerst had hij iedereen die zich in de omgeving bevond, vluchtig bekeken om te zien of er iemand was die verdacht leek, maar iedereen had er totaal somber uitgezien en een paar oude wijven waren zelfs in huilen uitgebarsten, waar dat ook maar goed voor was. Vervolgens waren ze bloemen binnen de afzetting gaan leggen, waar ze die op dit uur van de dag ook maar vandaan hadden getoverd, en toen was hij zelf de Tunnelgatan in gelopen om wat rust te krijgen en om te zien of hij sporen of iets anders interessants kon vinden. Er waren verdomme overal sporen. Hij moet door een duizendpoot zijn neergeschoten, dacht Bäckström met een grijns.

Vervolgens had hij het onderzoeksgebied vergroot en tegelijk even een worstje met aardappelpuree gegeten bij de kiosk aan de Sveavägen en toen hij terugkwam, stapte net de Schoorsteenveger in hoogsteigen persoon uit een taxi, samen met die kleine nicht van een Wijnbladh, en omdat hij niets beters te doen had, was hij op hen afgestapt en had hij hen gegroet.

"De situatie", zei Bäckström.

"Onder controle", zei de Schoorsteenveger, die een aanstellerige kwast was.

Lik m'n reet, dacht Bäckström.

"De chef en ik staan de situatie te analyseren", zei Wijnbladh, die een kruiperige zak was.

Zelf ben ik op weg naar het diner voor Nobelprijswinnaars, dacht Bäckström. "Wat zijn jullie bevindingen?" zei hij mild. Dit wordt leuk, dacht hij.

"Dat de plaats delict een hoop te wensen overlaat, mag geheel duidelijk zijn", zei de Schoorsteenveger hoogdravend.

En wat wilden jullie daaraan doen, dacht Bäckström.

"Dus helaas kunnen we niet zoveel doen", zuchtte Wijnbladh en hij schudde bezorgd zijn hoofd.

Natuurlijk, en verdomd koud is het ook, dacht Bäckström. En wie wil er nu niet de warmte opzoeken?

Vervolgens waren ze in een taxi gaan zitten en weggereden, maar omdat hij zelf een echte politieman was, had hij meegelift met een surveillancewagen die toch dezelfde kant opging.

"Mooi dat je er bent, Bäckström", zei zijn baas zodra hij binnenstapte. "We hebben iemand die een tip heeft, maar ze wil alleen met jou praten." De baas gaf hem een papiertje.

"Komt in orde", zei Bäckström en hij zuchtte mannelijk en zwaar. Lijkt een slimme vrouw te zijn, dacht Bäckström. Vast iemand met wie hij het had gedaan, al kon hij zich de naam niet herinneren.

"Hoe was het trouwens op de plaats delict?" vroeg zijn baas.

"Zwaar", zei Bäckström. "Dit kon nog wel eens zwaar worden. Echt zwaar."

Vervolgens had hij een bakkie gehaald, de deur gesloten en de vrouwelijke tipgever met het goede beoordelingsvermogen gebeld.

"Spreek ik met hoofdinspecteur Bäckström?" siste ze opgewonden.

"Ja, dat ben ik", zei Bäckström mannelijk en veilig. Puur een kwestie van tijd, dacht hij.

"We hebben elkaar op kerstavond gezien", fluisterde ze. "Ik ben die vrouw die door haar ex was verkracht."

Het is verdomme niet waar, dacht Bäckström en hij kreunde inwendig. Die stomme trut die haar arme vent had verraden. Die man met dat feestelijke dartsbord waar het slachtoffer op was afgebeeld, dacht Bäckström. Stom dat hij dat niet had meegenomen. Nu werd het hartstikke veel waard.

"Sorry dat ik je onderbreek", zei Bäckström kortaf, "maar op dit moment zit ik ..."

"Lieve god", fluisterde ze. "Hij heeft hem vermoord. Ik weet niet wat ik moet doen."

Shit, wat zegt ze nu, dacht Bäckström.

"Wie heeft hij vermoord?" vroeg Bäckström.

"De minister-president", fluisterde ze.

Ze is verdorie niet goed bij haar hoofd, dacht Bäckström, maar toen moest hij plotseling aan dat dartsbord denken, dus dat zei hij niet.

"Waarom denk je dat?" vroeg Bäckström.

"Lieve god", zei ze wanhopig. "Hij is dat al zo lang aan het plannen als ik hem ken."

"Weet je of hij over een wapen beschikt?" vroeg Bäckström voorzichtig.

"Wapen? Hij heeft massa's wapens", fluisterde ze.

Het kan de moeite waard zijn dit te controleren, dacht Bäckström en omdat het bureau het meest op de stormafdeling in Beckomberga leek, had hij een dienstauto geleend en was naar haar toe gereden.

Ze woonde in een kleine rommelige flat op Söder, maar dat had hij verwacht. Wat ze te zeggen had, klonk echter niet dom. Haar oude vriendje, de man met het dartsbord, was kennelijk een gemene klootzak als puntje bij paaltje kwam en de minister-president had hij kennelijk buitengewoon gehaat. Zelf had ze vooral gefluisterd en gesnotterd, maar dat deden wijven altijd, dus dat had hij ook van het begin aan geweten.

"Je zei dat hij een wapen had", hielp Bäckström haar herinneren.

"Ja, dat heeft hij me een keer laten zien."

"Wat was dat voor wapen?" vroeg Bäckström. "Weet je dat nog?"

"Het was zo'n ding als ze in westerns hebben. Zo'n cowboypistool."

Je meent het, dacht Bäckström en hij voelde de opwinding stijgen, want voordat hij het bureau had verlaten had hij gehoord dat een van de ooggetuigen op de plaats delict had beweerd dat de dader met een revolver had geschoten.

"Je bedoelt een revolver", zei Bäckström.

"Ja", zei ze en ze knikte. "Een revolver, zo'n ding was het."

Dat ziet er niet mooi uit voor de dartsspeler, dacht Bäckström tevreden, want binnenkort zou een echte prof hem in zijn nek komen hijgen. Helemaal niet goed, dacht Bäckström met een grijns.

Het was de ergste nacht uit het leven van hoofdinspecteur Koskinen geweest. En alles was nog wel zo goed begonnen. Hoewel het vrijdag was en iedereen zijn loon had gekregen, was het de hele avond rustig geweest op straat. Een snijdende kou en een gure wind waren toch de beste manier om de algemene orde en veiligheid op straten en pleinen te handhaven, dacht Koskinen tevreden en hij besloot dat het de hoogste tijd was om een bezoekje te brengen aan een oude, geliefde vriend die hij in zijn kledingkast bewaarde.

Gelukkig had hij een paar flinke borrels op voordat de hel losbarstte. Hij had zijn beste vriend net achter slot en grendel gezet en zich opgefrist met een paar mentholpastilles, toen opeens een van zijn operators met een gezicht van oude lappen was binnengestormd.

"Daar ben je. Nu is de pleuris uitgebroken in de kuil", zei de operator en hij staarde hem aan.

De kuil was de interne benaming voor de centrale meldkamer van de Stockholmse politie, en eerst had hij er niets van begrepen en alleen maar rondgekeken in de kleedkamer om te zien of hij iets of iemand kon ontdekken. Hoezo uitgebroken, dacht Koskinen.

"Ze hebben de minister-president neergeschoten", zei zijn operator.

"Wat is dat nou voor onzin?" zei Koskinen. "Het is natuurlijk zo'n stomme oefening, snap dat dan." Ik moet het met de vakbond opnemen, dacht hij. Het moet die idioot zijn die operationeel hoofd is.

Zijn jongere collega had hem alleen maar aangekeken. Vervolgens had hij zijn hoofd een paar keer geschud. Was maar met zijn hoofd blijven schudden terwijl hij hem aankeek.

"Nee-ee", zei hij. Vervolgens had hij zich omgedraaid en was teruggegaan naar de meldkamer.

De rest was één grote nachtmerrie geweest. Zoals die keer in de zomer toen hij een delirium had gekregen en uren met een inktvis had gevochten, hoewel hij gewoon lag te slapen en zich bijna met zijn laken had gewurgd. Maar die keer was het goed gegaan. Hij had een paar weken vrij genomen en de dokter had hem iets extra sterks voorgeschreven. Deze nacht was erger, want hier zou geen einde aan komen.

Eerst waren de keelpastilles op geweest, wat op zich niet het einde van de wereld was omdat hij toch verkouden was en beter wat afstand van anderen kon houden. Maar toen was de brandewijn ook op geweest, hoewel hij extra had ingeslagen omdat het vrijdag was. Vervolgens waren midden in de nacht opeens alle chefs van het hele kleredistrict aanwezig en wat ze gemeen hadden, was dat ze allemaal onmiddellijk geïnformeerd wilden worden over de situatie om vervolgens alleen maar in de weg te zitten. De situatie zus en de situatie zo, en zijn enige troost was dat het merendeel van de chefs zo flink gefeest leek te hebben dat het totaal oninteressant was dat hij geen keelpastilles kon aanbieden. Je kon zeggen wat je wilde over de hoofdcommissaris, dacht hij, maar hij was toch maar mooi de enige die hem niet had gestoord. Hij had überhaupt niets van zich laten horen.

"De situatie is aldus", zei Koskinen voor de honderdste keer die nacht, "de minister-president is neergeschoten en de dader heeft weten te ontsnappen."

Verder was er niets hetzelfde als anders en het leek al helemaal niet op die onbegrijpelijke oefening die de hoofdcommissaris hen had laten doen. En pas op zaterdagmiddag had hij eindelijk zijn bed in kunnen duiken.

***

Dat de hoofdcommissaris van politie te Stockholm hoofdinspecteur Koskinen met rust had gelaten, kwam niet doordat hij niet geïnteresseerd was in het gebeurde. Hij had het weekend vrij genomen en was met zijn minnares naar Dalarna gegaan om de Vasaloop te skiën, en gezien de enigszins delicate aard van deze zaak had hij nauwkeurig vermeden om zijn omgeving te vertellen waar hij zat.

Hij had er gewoon geen flauw idee van dat de minister-president op zijn eigen terrein was neergeschoten. Hij hoorde het van de portier van het hotel toen hij 's ochtends naar beneden kwam voor het ontbijt. Met zijn ski-uitrusting en zijn minnares had de hoofdcommissaris uiteraard linea recta koers gezet naar Stockholm.

De Vasaloop kon hij volgend jaar ook nog wel doen, maar een moordaanslag op de minister-president was een zeldzamer aangelegenheid, dus zo'n kans moest hij te baat nemen als die zich voordeed. Wat een unieke gelegenheid trouwens, dacht hij toen hij achter het stuur ging zitten, om voor het eerst de nieuwe intellectuele onderzoeksmethoden uit te proberen die hij had ontwikkeld aan de hand van een bestaande zaak. Het is bijna te mooi om waar te zijn, dacht de hoofdcommissaris en terwijl hij reed, had zijn minnares al zijn gedachten, ideeën en invallen genoteerd. Helemaal in orde, want zij was natuurlijk ook agent, wel een wat simpeler soort, maar toch.

Al voordat ze Sala waren gepasseerd, had ze vijfendertig verschillende sporen opgeschreven, verdeeld over de drie hoofdcategorieën hoofdsporen, alternatieve sporen en bijsporen. Met de zogenaamde steeksporen, waarover zijn beste vriend hem zo gedienstig had getipt, had hij nog even gewacht. Enerzijds had hij diens beloofde memo over de kwestie nog niet ontvangen, anderzijds wist hij nog niet hoeveel mankracht hij met iets anders bezig moest laten zijn in afwachting van het moment waarop hij hen daadwerkelijk nodig had.

"Mag ik iets vragen?" vroeg zijn minnares.

"Natuurlijk, liefste", zei hij. Wat klinkt ze nors, dacht hij.

"Dit hoofdspoor. Hoe weet je dat?"

"Hoe weet ik wat?" vroeg de hoofdcommissaris geduldig.

"Nou, dat hij door de Koerden is neergeschoten", zei ze. "Hoe weet je dat?"

"Omdat dat statistisch gezien het meest waarschijnlijk is", zei de hoofdcommissaris.

"Zij hebben toch nooit een Zweedse minister-president doodgeschoten", zei ze nors. "Ze schieten alleen elkaar maar dood."

"Ja, liefste, maar dat is ook niet zo gek", zei de hoofdcommissaris en hij had echt zijn best gedaan om zo vriendelijk en pedagogisch mogelijk te klinken. "Niemand heeft dat ooit gedaan. Er is geen jood, geen Deen ... ja, om het zo maar te zeggen, zelfs geen gewone Zweed die ooit een Zweedse minister-president heeft doodgeschoten. Dus dat is geen argument. Toch, liefste?"

***

Ik vraag me af waarom hij zijn vrouw niet ook heeft doodgeschoten, dacht Waltin toen hij de deur van het appartement op Gärdet binnenstapte om de spullen van zijn geestelijke broeder en hogelijk gewaardeerde medewerker op te ruimen. Misschien wordt hij slap, dacht Waltin, maar omdat die gedachte zo lachwekkend was, had hij die onmiddellijk losgelaten en was hij met de praktische dingen begonnen.

Eerst had hij de kleren en schoenen in een tas gestopt en nu moest hij er alleen nog voor zorgen dat ze goed schoongemaakt werden voordat hij ze op een veilige plek opborg. Ze weggooien was natuurlijk geen optie. Ze waren van grote historische waarde, welhaast uniek, en het water liep hem in de mond toen hij dacht aan de bedragen die ze in een niet al te verre toekomst zouden opbrengen bij een veiling van Sotheby's. Of Christie's wat hem betreft.

Het eten en de andere rommel had hij in de afvalcontainer gegooid en wat nu nog restte was het wapen zelf. Toen hij wakker werd, had hij zo'n schitterend idee gehad dat hij de hele ochtend vol trots had rondgelopen en zich twee keer had moeten bevredigen voordat hij met de praktische dingen aan de slag kon gaan. Eerst had hij de twee lege hulzen en de vier patronen die Hedberg niet nodig had gehad uit de kamer gehaald, ze in een postzegelzakje gedaan en dat in de tas met schoenen en kleren gestopt. De revolver had hij grondig afgeveegd voordat hij die in zijn zak stopte en vervolgens had hij de tas gepakt, de woning afgesloten en was vertrokken. Nu alleen de revolver nog, dacht Waltin toen hij in zijn auto ging zitten en toen hij dacht aan wat hij ermee ging doen, voelde hij het in zijn hele lijf kriebelen.

***

Eerst had de bijzondere deskundige van de inmiddels overleden minister-president een formele ontslagbrief willen schrijven, of in elk geval om onbetaald verlof willen vragen, maar uit de stemming in de gang waar hij zat, had hij – geheel zonder dat iemand iets had gezegd, het was opeens alsof hij niet langer bestond – opgemaakt dat dat het-

zelfde zou zijn als overlopen. Daarom was hij gewoon naar huis gegaan. Onderweg naar buiten had hij een paar korte regels geschreven
in het condoleanceboek dat in de vestibule lag. Het was weliswaar een
citaat, niet iets wat hij zelf had geschreven, maar om verschillende redenen voelde het gepaster dan iets anders en hij herinnerde het zich
woordelijk, ook al was er ruim een maand verstreken sinds hij het
had gelezen.

De dood is zwart als de vleugel van een raaf,
het verdriet koud als een midwinternacht,
net zo lang en zonder uitweg.

Vervolgens was hij naar zijn villa op Djursholm gereden en nadat hij
een tijdje had nagedacht, had hij uiteindelijk een besluit genomen.
Eerst had hij een mededeling in het Russisch geschreven, de taal die
hij in zijn jeugd in het geheim had geleerd en daarom nooit levend
had kunnen houden, en die hem nu, ondanks zijn uitstekende geheugen, grotere problemen had gegeven dan hij had gedacht. Op zich
maakte dat niet uit, dacht hij. De boodschap was helder genoeg en
dat de taal aanzienlijk mank liep, maakte het voor hen alleen maar
moeilijker.

Vervolgens had hij de boodschap gecodeerd met het priemgetal dat
hij Forselius op zijn tachtigste verjaardag had willen geven en dat hij
na wat gesjoemel met behulp van de computer van de krijgsmacht had
gevonden, maar omdat dat niet langer aan de orde was, kon hij het
getal net zo goed nu gebruiken. Toen hij klaar was, had hij lang geaar-
zeld of hij zijn naam eronder zou zetten, de naam die ze hem hadden
gegeven toen hij nog maar net achttien was, ongetwijfeld om hem te
vleien, maar ongetwijfeld ook om te laten zien dat ze zelfs wisten
waarmee zijn oudere vriendjes hem hadden gepest toen hij in de eerste
klas van de lagere school zat.

Uiteindelijk was hij tot een besluit gekomen en had hij de naam eronder geschreven. Omdat ze geen toegang tot de sleutel hadden, zou
het forceren van de mededeling tientallen jaren van hun verzamelde
computerkracht vragen, dus eigenlijk was het totaal oninteressant,
maar een paar kopzorgen kon hij hun altijd geven als ze er toch ooit
in zouden slagen.

Net goed, dacht hij, en toen hij de regels met cijfers die hij had opgeschreven nog eens las, ervoer hij een sterk gevoel van tevredenheid
over het feit dat wat hij had gelezen voor hemzelf en misschien een
enkeling zoals hij, iets betekende. Net goed voor hen, dacht hij toen

hij zijn naam onder de mededeling codeerde. Hij kon het later wel versturen als zich een geschikte gelegenheid voordeed.

Aan de Beer en Mikael ... DLJA MEDJEV I MICHAIL ... *De beste informant* ... TOT KTO SAMOI LUTSHI INFARMATOR ... *is hij die de betekenis van wat hij heeft verteld niet heeft begrepen* ... TOT KTO SAM NE PONJAL STO ON RASSKA-SOVAL ...

Daarna zijn naam ... de naam die ze hem ruim twintig jaar geleden hadden gegeven.

... de Professor PRAFESSOR.

Want hoe moest hij anders wraak nemen?

Vervolgens had hij Krassners papieren in de open haard verbrand en toen hij uiteindelijk naar bed was gegaan, was hij voor de verandering in slaap gevallen zonder aan iets bijzonders te denken.

***

Ongeveer op hetzelfde moment dat de bijzondere deskundige door de poort van Rosenbad naar buiten ging, was Waltin door de deur van de technische afdeling naar binnen geslopen. Daar heerste volledige chaos, wat hem uitstekend uitkwam, omdat hij nu geheel onopgemerkt de revolver kon terugbrengen die hij ruim een halfjaar geleden van hen had geleend. Hij had hem op een werkblad gelegd en was weggelopen zonder zelfs naar dat zielige kleine klootzakje van een Wijnbladh te hoeven vragen, wat hij zou hebben gedaan wanneer een van zijn gestoorde collega's het lef had gehad om hem te vragen wat een hoofdcommissaris van de Säpo daar op een dag als deze te zoeken had.

Maar niemand had iets gehoord, gezien of gezegd, en zelf was hij gewoon weer weggelopen. Het gevoel toen hij weer op straat stond was bijna even fantastisch geweest als die keer dat hij moedertje van achteren had beslopen toen ze daar met haar pathetische stokken op het perron stond te zwaaien op het moment dat de metro aan kwam denderen. Hoe hij in feite gewoon achter haar langs was gelopen, haar amper aan had hoeven te raken en was doorgelopen in de richting van de aankomende metro en de roltrappen naar de straat. Hoe hij het uitgerekte metalen gepiep van de remmende metro had gehoord, de snelle doffe bonzen ... en de seconden van stilte voordat een hysterische vrouwelijke medereiziger als een idioot was gaan gillen.

***

Johansson hoorde het overlijdensbericht op de radio toen hij het ontbijt klaarmaakte en hij moest even gaan zitten om op zijn horloge te kijken. Tot vijf uur gistermiddag was hij chef de bureau geweest bij de directie Rijkspolitie. Toen hij door de deur aan de Polhemsgatan naar buiten was gestapt, was hij tot nader order met onbetaald verlof. Toen hij thuis was gekomen, had hij gegeten en 's avonds had hij nagedacht over hoe hij zijn nieuwe leven zou inrichten. Vervolgens was hij vroeg naar bed gegaan. Hij was onmiddellijk in slaap gevallen en had de hele nacht veilig en ongestoord geslapen. Toen hij wakker werd, was dat met een glimlach op zijn lippen. Nu was het acht uur 's ochtends, niemand had hem midden in de nacht gebeld of op zijn deur gebonsd omdat hij zijn stekker eruit had getrokken, en plotseling begreep hij dat hij nu heel iemand anders was dan gisteren.

's Avonds had Jarnebring gebeld. Hij was samen met zijn verloofde op vakantie geweest en had de aanslag zelf gemist, maar nu was hij teruggeroepen en werkte samen met alle oude collega's van de afdeling Onderzoek. Plus een aantal nieuwe voor wie hij geen goed woord over had.

"Hoe gaat het?" vroeg Johansson uit gewoonte.

"Het gaat klote", zei Jarnebring met overtuiging en emotie in zijn stem. "Weet je waar ze ons op hebben gezet?"

"Nee", zei Johansson. Hoe zou ik dat nu moeten weten, dacht hij.

"We moeten foutparkeerders, zelfmoorden en hotelboekingen sinds vorig jaar zomer doornemen", zei Jarnebring. "Stomme academici. Als je vorig jaar zomer zelfmoord hebt gepleegd, kun je de minister-president verdomme toch niet vermoorden?"

"Ze weten waarschijnlijk niet hoe het moet", zei Johansson. Hoe zouden ze het ook kunnen weten trouwens, dacht hij. Hij had het gesprek beëindigd en was teruggekeerd naar zijn eigen dingen. Johansson had de vuile was gesorteerd en oude papieren weggegooid. Vervolgens was hij naar bed gegaan en hij was vrijwel zoals altijd in slaap gevallen.

Toen de hoofdcommissaris van politie zijn kantoor binnenstapte, waren ze als een kudde schapen aan komen stormen en hadden ze allemaal tegelijk staan mekkeren. Maar hij had alleen hoeven stoppen en zijn hand in een gebiedend gebaar hoeven opsteken om hen stil te krijgen.

"Mijne heren", zei hij, "ik neem het bevel en roep hierbij de voltallige recherche bijeen voor een eerste vergadering om veertien uur nul nul in de grote vergaderzaal in district Kronoberg. Ingerukt, mars."

Wat is er maar weinig nodig, dacht hij toen hij zijn kamer binnenstapte en de grote dubbele deuren achter zich sloot.

***

Ongeveer op hetzelfde moment waarop de hoofdcommissaris van politie te Stockholm zich terugtrok om privé-overleg met zichzelf te voeren, had hoofdcommissaris Waltin plaatsgenomen tegenover Berg aan de andere kant van het bureau.

Lieve god, dacht Waltin verrukt toen hij hem zag. Hij lijkt het einde nabij.

"Hoe is het met je, Erik?" zei Waltin met een bezorgde blik.

"Ik heb betere dagen gekend", zuchtte Berg. "De enige troost op dit moment is dat zijn vrouw het heeft gered."

"Ja, haar heeft hij kennelijk ontzien", zei Waltin met een domineesblik. Ik moet met Hedberg praten als ik hem weer zie, dacht hij.

"Ontzien", snoof Berg. "Hij miste, de klootzak, de kogel ging vlak langs haar rug en dat ze leeft, is alleen Gods voorzienigheid."

Misschien zou ik hem ook naar een opticien moeten sturen, dacht Waltin.

"Je wilde me spreken", zei Waltin en hij trok zijn vouw recht. Ter ere van deze dag had hij een donkergrijs pak van eenvoudige snit met een bijpassende effen das gekozen. Donkergrijs, bijna zwart, zeer passend gezien de omstandigheden.

"Ik had gedacht dat jij de coördinatie met betrekking tot het onderzoek van de Stockholmse politie maar moest doen", zei Berg. "Dat is voorlopig je enige taak." Dan zal ik proberen ervoor te zorgen dat we er nog zijn als dit alles achter de rug is, dacht hij.

"*Fine with me*", zei Waltin. "Wat voor opzet had je in gedachten?" Dit is haast te mooi om waar te zijn.

"Als eerste moeten we hun het materiaal over de vijandbeelden die er met betrekking tot de minister-president bestonden maar geven", zei Berg.

"Natuurlijk", zei Waltin en hij maakte een aantekening in het kleine zwarte boekje dat hij had gepakt. Ik zal ervoor zorgen dat het materiaal eerst goed gesorteerd wordt, dacht hij verrukt.

"Ja, het materiaal over de Koerden hebben ze al als ik het goed heb begrepen, want dat hebben Kudo en Bülling natuurlijk al geregeld", zuchtte Berg.

"Prettig om te horen", zei Waltin diplomatiek. Het is te mooi om waar te zijn, dacht hij.

"Ja, dat was het dan", zei Berg en hij kon maar met moeite een zucht onderdrukken.

"Hoe zit het met de controle van de externe dienst?" vroeg Waltin met een matig geïnteresseerde blik. Misschien hoog tijd om daarmee te stoppen, dacht hij.

"Je kunt gewoon verdergaan, met de werkzaamheden dus", verduidelijkte Berg. "Ik kan me niet voorstellen dat iemand op dit moment überhaupt geïnteresseerd is in een controle." Stel je niet aan, dacht hij moe.

"En de zaak Krassner is ook geschiedenis als ik het goed heb begrepen?"

"Ja", zei Berg. Wat heeft dat hier nu weer mee te maken, dacht hij.

"Tja, elk nadeel heeft zijn voordeel", zei Waltin optimistisch.

Waar haalt hij het vandaan, dacht Berg. Wat is er mis met die man? Of is er iets mis met mij?

"Aan een parlementair onderzoek valt waarschijnlijk niet te ontkomen als deze geschiedenis is afgehandeld."

Vooral niet als ze hem oplossen, dacht Waltin en hij moest bijna hardop grinniken. Maar zo ver hoeft het niet te komen, dacht hij.

"Die dan leeft, die dan zorgt", zei Waltin troostend.

***

De volledig nieuwe onderzoeksorganisatie die hij wilde opzetten, had hij tussen Sala en Stockholm uitgewerkt. Die was zowel logisch als vanzelfsprekend en had de vorm van een platte piramide. Onderaan had je de rechercheurs en volgens zijn preliminaire berekeningen had hij ten minste zeshonderd man nodig, wilde hij voldoende reserve hebben voor het geval dat. Daarnaast had hij natuurlijk een staf nodig met alle chefs van de verschillende afdelingen en de verschillende observatoren van het ministerie van Justitie en de overige autoriteiten binnen het rechtswezen die hij erbij wilde halen. Plus de Säpo en de

Rijksrecherche natuurlijk en omdat hij niet wilde dat zij het te hoog in de bol kregen, had hij een kleine notitie in de kantlijn geschreven: status van waarnemer. Hoogstens een man of veertig in de onderzoeksleiding, dacht hij tevreden.

Resteerde het allerbelangrijkste in zijn organisatie: zijn geheime denktank waarvoor hij slechts zijn beste vriend en diens goede vriend wilde uitnodigen, de voormalige diplomaat, gezien eventuele koppelingen met het buitenland, een blanco veld voor hemzelf, alsmede die uitstekende journalist van de directie Rijkspolitie over wie de vriend van zijn beste vriend, de diplomaat, hem had getipt en die hij overigens al had ontmoet tijdens dat inleidende seminar over De Wetenschappelijke Detective. En als de situatie het vereiste, moest het toch voldoende zijn om vertegenwoordigers van het op dat moment actuele hoofdspoor toe te voegen? Het is misschien wel logisch om eerst Kudo en Bülling toe te voegen, dacht de hoofdcommissaris en in zijn keurige handschrift maakte hij nog een notitie in de kantlijn.

Ja, dat was het dan wel, dacht hij tevreden en het puur praktische gedeelte moest Grevlinge zoals altijd maar uitwerken. Organisatorische kwesties waren eigenlijk vrij saai, dacht hij. Vooral voor een kunstenaarsziel zoals hijzelf, dus daarom was hij algauw overgegaan op spannender vraagstukken.

Omdat dit een historische gebeurtenis was, had hij ter hoogte van Morgongåva al geweten dat hij een geschiedschrijver nodig had. Of liever gezegd een geschiedschrijfster, omdat hij onmiddellijk, en om wezenlijk andere redenen, aan een vrouwelijke journalist bij de grote ochtendkrant had moeten denken, die hij al een tijdje kende. Maar vanwege degene die tijdens de rit aantekeningen had gemaakt, had hij daar tijdens de reis zelf niet zoveel over gezegd.

Iemand die continu mijn gedachten en overige overwegingen opschrijft, dacht de hoofdcommissaris van politie en hij knikte voor zichzelf. Een soort stille gesprekspartner gewoon.

Eigenlijk zouden we ook contact moeten opnemen met die Peter Dahl, dacht hij. Zodat hij een groot groepsportret van de onderzoeksleiding kon schetsen. Het meeste wees op een snelle aanhouding. Gezien alles wat ze al wisten over het slachtoffer en het wanneer, waar en hoe van de moord – het enige wat restte was de dader zelf – was de hele zaak in puur intellectuele zin al voor tachtig procent opgehelderd, dacht de hoofdcommissaris van politie, en omdat die groepsportretten vast wel enige tijd zouden kosten, was het misschien wel zo goed als Grevlinge nu al contact opnam met kunstschilder Dahl, dacht hij en hij maakte nog een aantekening.

Resteerde de allerbelangrijkste vraag, namelijk zijn persoonlijke veiligheid tijdens het onderzoek. Al in de auto had hij de verbouwingen van het kantoor geschetst die noodzakelijk waren: pantserglas in alle ramen, veilige ruimtes, strategisch geplaatste versterkingswapens en wat andere leuke kleinigheden. Het meest dringend was echter dat hij een persoonlijke lijfwachteneenheid opbouwde. Het was natuurlijk uitgesloten om gebruik te maken van die types van de afdeling Lijfwachten van de Säpo, gezien wat er met de minister-president was gebeurd, dacht de hoofdcommissaris van politie, terwijl hij zichzelf ermee feliciteerde dat hij hen al als een van zijn vele bijsporen had opgevoerd. Gelukkig had hij ook dichterbij de beschikking over competent en betrouwbaar personeel. Op zijn eigen patrouilleafdeling zaten ongetwijfeld veel trouwe medewerkers die met ontblote borst klaarstonden om hun dagelijkse portie kogels op te vangen en zo hun eigen chef te beschermen.

Vervolgens had hij zich opeens iets gerealiseerd. Het was een totaal nieuwe gedachte en het was opvallend hoe vaak hij zulke invallen had als hij met iets heel anders bezig was. Het is toch een onmiskenbaar toeval, dacht hij, dat de minister-president wordt vermoord tijdens het weekend dat ik zelf weg ben om de Vasaloop te skiën. Bij nader inzien kon dat ook een spoor zijn, dacht hij, en hij vulde zijn preliminaire aantekeningen meteen aan met spoor zevenendertig: *Het Vasaloopspoor*.

***

Bäckström had ook een spoor gevonden en afgezien van bepaalde verschillen in lichaamsconstitutie, was hij even vastbesloten als een willekeurige jachthond. De collega's bij de ordepolitie hadden een oude junk binnengebracht die op de plaats delict had rondgehold. Toen ze hem zijn spullen hadden afgenomen, had hij geijld dat hij 'een deal wilde sluiten' en deze keer bestond zijn aanbod uit een uitgebreide beschrijving van de dader, die hem bijna omver had gelopen toen hij het veld ruimde.

"Jan Svulle Svelander", zei Bäckström om te laten zien dat hij wist met wie hij van doen had.

"*So what*", zei Svulle en hij haalde zijn schouders op terwijl hij voorzichtig een puistje probeerde uit te knijpen dat op zijn neus zat.

"De collega's van de ordepolitie zeggen dat je de dader hebt gezien", zei Bäckström.

"Mogelijk", zei Svulle. "Dat hangt ervan af."

"Ik weet niet hoe groot de beloning zal zijn", zei Bäckström, "maar we hebben het zeker over een miljoen kronen."

"Een miljoen", zei Svulle met ogen als theeschoteltjes.

"Minstens", zei Bäckström en hij knikte zwaar. "Het was mogelijkerwijs niet deze man?" vroeg Bäckström en hij hield een foto van de dartsspeler op die hij van de stomme trut had gekregen.

"Ja", zei Svulle. "Dat is hem. Zeker weten."

"En dat zeg je niet alleen vanwege de beloning?" vroeg Bäckström listig.

"Wie denk je wel niet dat ik ben?" zei Svulle beledigd. "Dat is hem. Zeker weten. Honderd procent."

***

Om veertien uur nul nul had de hoofdcommissaris van politie alle rechercheurs welkom geheten. Het was stampvol in de zaal. De mensen zaten en stonden boven op elkaar en een jonge rechercheur was zelfs op de hoedenplank in de entree geklommen om bij deze historische gebeurtenis aanwezig te kunnen zijn. Eigenlijk ontbrak alleen Bäckström omdat hij dienst had. Hij had ook geen tijd omdat hij druk bezig was de moord op de minister-president op te lossen. Daar was hij volledig van overtuigd sinds hij wist dat de dartsspeler op de lijsten stond die de Säpo had opgestuurd en door hen als staatsgevaarlijk was bestempeld.

Alles was snel en effectief afgehandeld en het puur praktische moest Grevlinge maar doen, dacht de hoofdcommissaris van politie toen hij opstond en met een gebiedend gebaar om stilte verzocht.

"Ja, mijne heren, dat was het voor nu, en om jullie voor onderweg wat woorden mee te geven van een van de grote persoonlijkheden van de geschiedenis, wilde ik ter afsluiting alleen nog zeggen ..." de hoofdcommissaris laste een exact berekende kunstmatige pauze in die hij voor de spiegel op zijn kamer had geoefend "... dat dit, mijne heren ... dit niet het einde is ... integendeel ... en het is ook niet het begin ... maar", zei de hoofdcommissaris van politie en hij laste weer een kunstmatige pauze in, "één ding kan ik jullie wel beloven ... dit is het begin van het einde."

XXII

Vrij vallen als in een droom

Stockholm in maart

Op de zondag na de moord had de hoofdcommissaris van politie zijn eerste persconferentie gehouden en gezien de nationale betekenis daarvan, was besloten die rechtstreeks uit te zenden op tv. Waltin had zich met een zekere spanning op zijn grote bank genesteld omdat hij al bij de eerste bijeenkomst van de onderzoeksleiding had begrepen waar het grote nieuws dat de hoofdcommissaris van politie zou presenteren, over ging.

Kleine Jeanette was er ook, hoewel hij al had besloten haar te dumpen. Ze was de laatste tijd aanzienlijk ouder geworden en dat kon niet, maar dit vroeg domweg om publiek, dus daarom had ze haar kleine roze hemdje aan moeten trekken terwijl ze hem de maltwhisky serveerde die hij nodig had om in de juiste stemming te komen.

Omdat het allemaal nogal lang had geduurd, was Waltin helaas iets meer dan aangeschoten geworden, dus toen het eenmaal zover was, moest hij gaan liggen en een hand voor zijn ene oog houden om scherp te kunnen zien. Het voordeel daarvan was weer dat hij kleine Jeanette niet hoefde te zien, die zoals altijd zat te mokken. Maar uiteindelijk was het dan toch zover. De hoofdcommissaris van politie had zich naar voren gebogen, ernstig maar toch glimlachend geknikt naar zijn publiek, en na een goed afgewogen kunstmatige pauze had hij twee revolvers omhooggehouden in een heuse waterval van flitslicht, golf na golf van licht dat hem tegemoet stroomde.

"Dit, mijne dames en heren", zei de hoofdcommissaris van politie, "zijn twee revolvers van hetzelfde type als de dader heeft gebruikt toen hij onze minister-president doodschoot."

Je hebt geen idee hoezeer dat klopt, dacht Waltin opgewonden, die na de bijeenkomst van de onderzoeksleiding zelf had gezien hoe dat kleine gewichtigdoenerige mannetje van een Wijnbladh ze aan zijn hoogste chef had laten zien.

"Ik gok die in je linkerhand", riep Waltin. "Die met de korte loop." Toen hij dat zei, werd hij overmand door een lachaanval. Net zoals die keer toen hij op de roltrap stond en aan moedertje dacht, die hem op het spoor onder hem zopas voorgoed had verlaten.

Hij is gewoon niet goed snik, dacht inspecteur bij de recherche Jeanette Eriksson, achtentwintig. En hij kan ook niet neuken zoals normale mensen. En nu ga ik bij die gek weg.

***

's Maandags was het onderzoekje van Bäckström al helemaal rond en het enige wat eigenlijk nog restte, was het oppakken van de moordenaar. Maar omdat iedereen het kennelijk zo druk had, had het nog een paar dagen geduurd voordat hij eindelijk bij de hoofdcommissaris van politie mocht komen. Kennelijk werkte die ook de hele nacht door omdat het al tegen tienen liep toen dat kleine braakmiddel van een Grevlinge hem uiteindelijk de kamer van de hoofdcommissaris binnenliet.

Wat doen al die homo's hier, dacht Bäckström toen hij de drie mannen in burger zag die zonder jasje en met rode bretels om de vergadertafel van de hoofdcommissaris zaten. Van Babsan wist hij het weliswaar, want Babsan had hem zelf verteld dat hij beste maatjes met de hoofdcommissaris was toen Bäckström hem had verhoord in verband met een delict waarbij Babsan door een matroos was beroofd die hij mee naar huis had genomen om doktertje mee te spelen. Maar de anderen? Waar kwamen die vandaan?

De oudere leek verdomd veel op die Griek over wie de Säpo altijd zeurde, en die wat grovere figuur leek ontzettend veel op de man die penningmeester was bij de Vereniging voor Zweedse Leerliefhebbers aan de Skeppar Karls Gränd, waar het bestuur 's nachts de leden aan haken in het plafond hing. Shit, dit klopt niet, dacht Bäckström, want de hoofdcommissaris van politie had zelf de naam een ware vrouwenverslinder te zijn. Wat is hier verdomme gaande, dacht Bäckström. Ik moet hem waarschuwen, dacht hij.

"Neem plaats", zei de hoofdcommissaris van politie hartelijk en hij gebaarde naar een vrije stoel.

"Ja, nu niet verlegen zijn", zei de Griek en hij knipoogde, terwijl de leerdrager er alleen maar verdomd hongerig uit had gezien. De enige die zich gedroeg was Babsan, want die herinnerde zich het onderzoek dat Bäckström had geleid vast nog wel.

"Dank je", zei Bäckström en hij ging op het randje van de stoel zitten terwijl hij het zweet onder de kraag van zijn overhemd voelde lopen. "Ja, ik geloof dat ik de man heb gevonden die het heeft gedaan", zei hij en hij schraapte nerveus zijn keel, want zo ongemakkelijk had hij zich niet meer gevoeld sinds die keer dat die halve aap van een Jarnebring hem was aangevlogen en hem zijn biertje had afgepikt.

"We zijn zeer benieuwd", zei de hoofdcommissaris en hij knikte welwillend. En als het niet klopt, hebben we altijd de Koerden nog, dacht hij vol vertrouwen.

***

Ongeveer op hetzelfde moment dat Bäckström bij de hoofdcommissaris van politie te Stockholm zat, begon een andere bijeenkomst over de moord op de Zweedse minister-president. Afgerond zevenduizend kilometer in westelijke richting op het hoofdkwartier van de CIA in Langley, Viriginia, en die bijeenkomst illustreerde op zijn minst hoe klein de wereld is waarin wij mensen leven.

Het hoofd van het Bureau for Scandinavian affairs, Mike 'The Bear' Liska, had iedereen bijeengeroepen en de reden was dat hij een resumé wilde van de zaak die bij het bureau – al jarenlang – de codenaam The Buchanan Papers had. Analytici van het bureau meenden dat er een verband kon bestaan tussen The Buchanan Papers, de moord die de operator van de Zweedse binnenlandse veiligheidsdienst Säpo met zeer grote waarschijnlijkheid op de neef van Buchanan, John P. Krassner, had gepleegd, en – eventueel – de moord op de Zweedse minister-president.

Wat de analytici van het bureau echter zorgen baarde, was dat als dat het geval was, ze het motief achter de moord op de Zweedse minister-president niet konden begrijpen, noch wisten wie erachter zat. Wat ze tot nu toe hadden weten te achterhalen, duidde er sterk op dat het het werk van een zogenaamde eenzame gek was geweest. Een onthutsende zaak, dacht Liska, en ondanks zijn vroege en jarenlange ervaring in het Zweedse veld was hij totaal verbluft geweest. Het verhaal klopte gewoon niet, het was op de een of andere manier 'on-Zweeds', dacht hij, maar tegenwoordig had hij niemand meer aan wie hij dat rechtstreeks kon vragen.

Aanwezig bij de bijeenkomst was ook de verantwoordelijke veldagent Sarah J. Weissman, die normaal gesproken als taalexpert werkte bij het nationale veiligheidsorgaan NSA, National Security Agency, met als dekmantel dat ze voor uitgevers freelancete. Geheel logisch overigens, omdat zij degene was die oorspronkelijk alarm had geslagen over de toenemende loslippigheid van Buchanan en het boek dat haar voormalige vriendje kennelijk aan het schrijven was over John 'Fionn' Buchanan en diens agent uit de dagen van de koude oorlog, 'Pilgrim'.

Doordat ze het volledige vertrouwen van Krassner genoot, was zij eigenlijk ook degene die de zaak had geleid. Ze had van meet af aan volledig inzicht gehad en het NSA had er geen enkel bezwaar tegen dat ze werd uitgeleend aan de collega's van de CIA. Ze had ook de beslissende verantwoordelijkheid gehad voor zowel het filteren als het voltooien van de documenten die uiteindelijk werden meegegeven aan de Zweedse oud-commissaris Lars M. Johansson, voormalig hoofd van de Zweedse nationale recherche.

Helaas had de zaak onverwacht een dramatische wending genomen door de veiligheidsmaatregelen die Krassner zelf had genomen en waarvan ze totaal niet op de hoogte waren geweest, totdat Weissman de brief van Krassner aan commissaris Johansson had kunnen lezen, die was teruggezonden naar haar adres en twaalf dagen na het bericht van zijn dood was aangekomen.

De informatie over het bestaan van commissaris Johansson had de temperatuur bij het bureau al snel doen stijgen en tot uitgebreide activiteiten bij de CIA-eenheid op de ambassade in Stockholm geleid. Toen ze erachter waren gekomen dat Johansson zich klaarblijkelijk in de VS bevond – weliswaar om andere redenen die logischerwijs geen enkel verband met *The Buchanan Papers* konden hebben, omdat zijn dienstreis al maanden voor Krassners vertrek naar Zweden was gepland – had de spanning het kookpunt bereikt.

De spanning was er niet minder op geworden toen bleek dat er twee omstandigheden waren die zowel glashelder als moeilijk te verenigen waren. Johansson kon Krassners brief onmogelijk hebben gekregen en tegelijkertijd was hij onverklaarbaar geïnteresseerd in Krassner en Weissman. Was het zo simpel dat hij er gewoon aan twijfelde dat Krassner zelfmoord had gepleegd? Ze waren al op de hoogte van zijn nauwe vriendschap met de agent die de zaak had onderzocht, alsook van zijn reputatie een zeer competent politieman te zijn.

Hoe het ook zij, de gefronste voorhoofden van de analytici hadden geen klap toegevoegd, tot Johansson plotseling bij Weissman thuis had aangeklopt en zijzelf een dág later het totaal onwaarschijnlijke verhaal over '*a shoe with a heel with a hole in it*' had verteld.

Het gejubel op het bureau had geen grenzen gekend toen Weissman in haar onnavolgbare Minnesota-dialect met Zweeds accent het verhaal van Johansson had verteld. Zelf had Liska zo moeten lachen dat de tranen hem over de wangen biggelden. Ondanks dertig jaar in de branche was dit het absoluut beste verhaal dat hij tot nu toe had gehoord en nooit verder zou kunnen vertellen.

"*Jesus, guys*", zei Sarah, "*you should have seen that big Swedish cop just sitting there in my sofa ... so full of that country boy confidence ... the real mister McCoy of the North Pole.*"

Dus wat Krassner betreft was de zaak eigenlijk vrij helder, of eigenlijk glashelder. Hij was vermoord omdat hij op ongelukkige wijze was geconfronteerd met de operator van de Zweedse binnenlandse veiligheidsdienst Säpo, waarna die had geprobeerd het vege lijf te redden. Iets waarin hij kennelijk ook was geslaagd. Helaas door de discrete en onschadelijke boodschap mee te nemen die ze naar de Säpo hadden willen sturen, zodat die haar weer had kunnen doorgeven aan de persoon om wie het uiteindelijk ging.

De moord op de Zweedse minister-president was echter een ander verhaal. Dat de CIA Krassner überhaupt zijn gang had laten gaan, kwam doordat ze er aldoor op hadden gerekend dat hij in het net van de Säpo zou blijven hangen, wat in zekere zin ook was gebeurd, en dat ze dus op die manier, zonder onnodig drama, de '*friendly warning*' naar Pilgrim hadden kunnen sturen – ze deelden tenslotte een zekere geschiedenis – dat ze misschien niet altijd bereid waren om zonder enig voorbehoud te accepteren dat hij voortdurend kritische standpunten innam in kwesties die de belangensfeer van de VS betroffen.

Om die reden hadden ze trouwens ook de volstrekt idiote aanklacht over de moord op Raven in de papieren laten zitten die Johansson mee naar huis had genomen. Zelf wisten ze wel beter, en de enige reden waarom de FBI de dader niet had gegrepen, was dat hij al dood was en het nadelig kon werken voor een lopend en aanzienlijk belangrijker onderzoek naar een maffiafamilie in Cleveland, die een conflict had met een cliënt van Raven en dat had opgelost door de vertegenwoordiger van de cliënt dood te schieten toen die te lastig werd.

Ze hadden uren zitten praten voordat ze het er uiteindelijk over eens waren dat *The Buchanan Papers* als afgedaan beschouwd moesten worden en dat er de gebruikelijke vijfenzeventig jaar geheimhouding voor gold met een speciale notitie dat *ze, naar alle waarschijnlijkheid, geen verband hielden met de moord op de Zweedse minister-president en dat die, naar alle waarschijnlijkheid, het werk was van een eenzame gek. Denkbare moordenaars van de minister-president in de kring van Zweedse veiligheidsagenten en geheim agenten die op de hoogte waren van Krassners werkzaamheden, ontbreken, evenals denkbare motieven. De zaak is hiermee gesloten en geeft geen aanleiding tot nadere maatregelen van de kant van het bureau,* schreef Liska op de omslag van het dossier voordat het naar het archief werd gebracht.

Daarna was de bijeenkomst in goede sfeer afgesloten en naderhand was het merendeel van de aanwezigen samen vertrokken om nog een paar – of meer – pilsjes te pakken.

XXIII

En dat was niet het leven dat ik mij had voorgesteld

Stockholm, 12 maart

Toen Johansson op zijn verjaardag de tv aanzette om naar de dagelijkse persconferentie over de laatste vorderingen van de politie in de jacht op de moordenaar van de minister-president te kijken, had hij al uit de lichaamstaal van de hoofdcommissaris van politie toen die op het podium plaatsnam, begrepen dat er grote dingen op stapel stonden.

"Ja", zei de hoofdcommissaris van politie en hij glimlachte op zijn gebruikelijke serieuze manier. "Ik heb vandaag het genoegen mee te delen dat we iemand in verzekering hebben gesteld op ernstige verdenking van moord op de minister-president. Later op de dag zal een verzoek tot voorlopige hechtenis worden ingediend. Het is een man van in de dertig die banden heeft met een bekende rechts extremistische organisatie ..."

Toen Johansson aan de rechterkant van het beeld opeens Bäckström had gezien die bijna knapte van opwinding, had hij begrepen hoe het in zijn werk was gegaan en wist hij ook dat het onmogelijk waar kon zijn. Daarom had hij de tv uitgezet en besloten dat het de hoogste tijd was om zichzelf bij de lurven te grijpen wilde hij een beetje orde op zaken krijgen in de eenzaamheid die dreigde hem bij hemzelf weg te voeren.

Vragen staat vrij, dacht Johansson en omdat het je verjaardag is en zelfs de kinderen niet hebben gebeld om je te feliciteren, heb je eigenlijk niets te verliezen. Dus daarom had hij een taxi genomen naar het kleine postkantoor aan de Körsbärsvägen. Zodra hij binnenkwam had hij haar gezien en zij hem. Bovendien leek ze blij toen ze hem zag en ze was onmiddellijk opgestaan en naar de balie gelopen.

Ze is de mooiste vrouw die ik tot nu toe heb gezien, dacht Johansson, en: ze draagt nog steeds geen ring om haar vinger en het ergste wat er kan gebeuren is dat ze nee zegt.

"De commissaris", zei ze met een glimlach. "Kom even verder dan kunnen we in alle rust praten."

"Ik had de radio aanstaan", ging ze verder. "Misschien moet ik je wel feliciteren. Ik hoorde dat jullie de man hebben opgepakt die het heeft gedaan."

"Tja", zei Johansson. "Dat weet je nooit." En daar kunnen we het later nog wel over hebben, dacht hij, want dat gaat mij toch niets meer aan. "Ik ben niet gekomen om te praten", zei hij en om de een of andere vreemde reden klonk hij bijna alsof hij nog steeds in dat gehucht in Ådalen woonde waar hij was opgegroeid.

"Waarom ben je dan gekomen?" vroeg ze en ze keek hem met haar grote donkere ogen aan.

Lieve god, dacht Johansson en hoewel hij in zijn tijd toch wel het een en ander had meegemaakt, was dit bijna te veel voor hem.

"Ik vroeg me af of ik je misschien uit mocht nodigen voor een etentje", zei Johansson. Het is namelijk mijn verjaardag, dacht hij, maar dat had hij natuurlijk niet gezegd. Want zoiets zei je niet.

En zodra hij de uitdrukking in haar ogen zag, wist hij wat ze zou antwoorden.

"Dat zou heel leuk zijn geweest", zei ze, "maar ik ben al bezet." Ik heb iemand ontmoet, dacht ze, maar dat had zij natuurlijk niet gezegd. Want zoiets zei je niet.

"Jammer. Misschien een andere keer", zei Johansson, terwijl hij het gevoel had alsof iemand zich schrap zette tegen zijn borstkas en probeerde zijn hart uit zijn lijf te rukken. Vervolgens had hij geglimlacht en geknikt en was weggegaan. Gezien het feit dat hij alleen maar nee had gekregen, een vriendelijk nee bovendien, begreep hij hoe weinig er eigenlijk nodig was om hem uit balans te brengen.

Wat een wonderlijke man, dacht Pia Hedin toen ze hem nakeek. En wat waren ze verschillend, al werkten ze alle twee bij de politie. Eerst die grote, grove man uit het noorden met zijn aanwezige ogen en zijn langzame manier van doen. Die nooit wat van zich had laten horen, hoewel ze hem zulke duidelijke signalen had gegeven toen ze elkaar drie maanden geleden hadden ontmoet. En dan Claes, haar nieuwe liefde, die ze nog maar een week geleden in een café had ontmoet toen ze met een vriendin was gaan stappen en bijna de hoop had opgegeven om ooit nog een normale man te vinden. Claes met zijn perfecte uiterlijk en zijn volkomen vernietigende charme en al die gevoeligheid die hij ergens diep vanbinnen had, dat had ze de eerste keer dat ze elkaar aankeken meteen al begrepen.